U0217483

「十三五」国家重点出版物出版规划项目

中国中药资源大典

重庆卷

4

黄璐琦 / 总主编
钟国跃　瞿显友　刘正宇 / 主　编

北京科学技术出版社

图书在版编目（CIP）数据

中国中药资源大典．重庆卷．4 / 钟国跃，瞿显友，刘正宇主编．—北京：北京科学技术出版社，2020.10
ISBN 978-7-5714-1060-5

Ⅰ．①中… Ⅱ．①钟… ②瞿… ③刘… Ⅲ．①中药资源—资源调查—重庆 Ⅳ．① R281.4

中国版本图书馆 CIP 数据核字 (2020) 第 137421 号

策划编辑：李兆弟　侍　伟
责任编辑：侍　伟　王治华　白世敬
责任校对：贾　荣
图文制作：樊润琴
责任印制：李　茗
出 版 人：曾庆宇
出版发行：北京科学技术出版社
社　　址：北京西直门南大街16号
邮政编码：100035
电　　话：0086-10-66135495（总编室）　0086-10-66113227（发行部）
网　　址：www.bkydw.cn
印　　刷：北京捷迅佳彩印刷有限公司
开　　本：889mm × 1194mm　1/16
字　　数：1062千字
印　　张：48
版　　次：2020年10月第1版
印　　次：2020年10月第1次印刷
ISBN 978-7-5714-1060-5

定　　价：790.00元

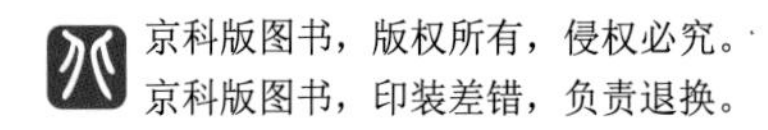

目录

Contents

被子植物 1

蔷薇科 2

李 2

全缘火棘 6

细圆齿火棘 8

火棘 10

白梨 12

豆梨 16

川梨 18

沙梨 20

麻梨 22

木香花 24

单瓣白木香 26

月季花 28

小果蔷薇 30

山刺玫 32

绣球蔷薇 34

卵果蔷薇 36

软条七蔷薇 38

金樱子 40

野蔷薇 44

七姊妹 46

粉团蔷薇 48

香水月季 50

峨眉蔷薇 52

扁刺峨眉蔷薇 54

缫丝花 56

悬钩子蔷薇 58

玫瑰 60

绢毛蔷薇 62

钝叶蔷薇 64

秀丽莓 66

周毛悬钩子 68

粉枝莓 70

寒莓 72

毛萼莓 74

山莓 76

插田泡 80

毛叶插田泡 82

栽秧泡 84

大红泡 88

鸡爪茶 90

宜昌悬钩子 92
白叶莓 94
红花悬钩子 96
灰毛泡 98
高粱泡 100
绵果悬钩子 102
棠叶悬钩子 104
喜阴悬钩子 106
红泡刺藤 108
乌泡子 110
茅莓 112
黄泡 114
盾叶莓 116
菰帽悬钩子 118
红毛悬钩子 120
羽萼悬钩子 122
密腺羽萼悬钩子 124
梨叶悬钩子 126
五叶鸡爪茶 128
空心泡 130
川莓 132
红腺悬钩子 134
木莓 136
三花悬钩子 138
黄果悬钩子 140
黄脉莓 142
地榆 144
长叶地榆 146
高丛珍珠梅 148
水榆花楸 150
美脉花楸 152
石灰花楸 154
江南花楸 156
湖北花楸 158
毛序花楸 160
华西花楸 162
黄脉花楸 164
中华绣线菊 166
粉花绣线菊 168
粉花绣线菊（渐尖叶变种） 170
粉花绣线菊（光叶变种） 172
南川绣线菊 174
鄂西绣线菊 176
华空木 178
毛萼红果树 180
红果树 182
豆科 184
金合欢 184
羽叶金合欢 186
合萌 188
合欢 192
山槐 194
紫穗槐 196
两型豆 198
土圞儿 200
落花生 202
紫云英 206
鞍叶羊蹄甲 208
龙须藤 210
羊蹄甲 212
洋紫荆 214
华南云实 216
云实 218
西南杭子梢 222

杭子梢 224
刀豆 226
锦鸡儿 228
双荚决明 230
决明 232
望江南 234
紫荆 236
湖北紫荆 240
垂丝紫荆 242
蝶豆 244
响铃豆 246
假地蓝 248
南岭黄檀 250
藤黄檀 252
黄檀 254
小槐花 256
圆锥山蚂蝗 258
大叶拿身草 260
小叶三点金 262
饿蚂蝗 264
长波叶山蚂蝗 266
管萼山豆根 268
大叶千斤拔 270
皂荚 272
大豆 276
野大豆 278
刺果甘草 280
多花木蓝 282
马棘 284
长萼鸡眼草 286
鸡眼草 288
扁豆 290
牧地山黧豆 294
胡枝子 296
截叶铁扫帚 298
多花胡枝子 300
美丽胡枝子 302
铁马鞭 304
绒毛胡枝子 306
银合欢 308
百脉根 310
天蓝苜蓿 312
小苜蓿 314
南苜蓿 316
紫苜蓿 318
白花草木犀 320
草木犀 322
香花崖豆藤 324
亮叶崖豆藤 326
厚果崖豆藤 328
网络崖豆藤 330
含羞草 332
常春油麻藤 334
红豆树 336
豆薯 338
菜豆 340
豌豆 342
亮叶猴耳环 344
长柄山蚂蝗 346
尖叶长柄山蚂蝗 348
四川长柄山蚂蝗 350
老虎刺 352
葛 354
苦葛 358

菱叶鹿藿 360
鹿藿 362
刺槐 364
白刺花 366
苦参 370
槐 374
红车轴草 378
白车轴草 380
窄叶野豌豆 382
广布野豌豆 384
蚕豆 386
歪头菜 390
小巢菜 392
救荒野豌豆 394
四籽野豌豆 396
赤豆 398
绿豆 400
赤小豆 402
豇豆 404
野豇豆 406
紫藤 408
酢浆草科 410
山酢浆草 410
酢浆草 412
红花酢浆草 414
牻牛儿苗科 416
金佛山老鹳草 416
野老鹳草 418
尼泊尔老鹳草 420
汉红鱼腥草 422
湖北老鹳草 424
鼠掌老鹳草 426
老鹳草 428
香叶天竺葵 430
天竺葵 432
旱金莲科 434
旱金莲 434
蒺藜科 436
蒺藜 436
亚麻科 438
亚麻 438
石海椒 440
大戟科 442
铁苋菜 442
裂苞铁苋菜 444
山麻杆 446
红背山麻杆 448
秋枫 450
重阳木 452
黑面神 454
变叶木 456
乳浆大戟 458
泽漆 460
飞扬草 462
地锦 464
湖北大戟 466
通奶草 468
续随子 470
斑地锦 472
大戟 474
一品红 476
霸王鞭 478
钩腺大戟 480
黄苞大戟 482

绿玉树 484
云南土沉香 486
狭叶土沉香 488
红背桂花 490
一叶萩 492
算盘子 494
湖北算盘子 496
麻疯树 498
佛肚树 500
雀儿舌头 502
白背叶 504
毛桐 506
野桐 508
粗糠柴 510
石岩枫 512
红雀珊瑚 514
余甘子 516
落萼叶下珠 520
叶下珠 522
蜜甘草 524
黄珠子草 526
蓖麻 528
白木乌桕 532
乌桕 534
守宫木 538
龙脷叶 540
广东地构叶 542
油桐 544
虎皮楠科 548
交让木 548
虎皮楠 550
芸香科 552
臭节草 552
香圆 554
宜昌橙 556
柠檬 558
柚 560
甜橙 564
齿叶黄皮 566
毛齿叶黄皮 568
密果吴萸 570
臭辣吴萸 572
吴茱萸 574
石虎 576
金橘 578
九里香 580
臭常山 582
黄檗 584
川黄檗 586
秃叶黄檗 588
枳 590
裸芸香 592
芸香 594
乔木茵芋 596
茵芋 598
飞龙掌血 600
椿叶花椒 604
樗叶花椒 606
竹叶花椒 608
毛竹叶花椒 610
砚壳花椒 612
刺壳花椒 616
贵州花椒 618
小花花椒 620

异叶花椒 622
刺异叶花椒 624
菱叶花椒 626
青花椒 628
野花椒 630
狭叶花椒 632
苦木科 634
臭椿 634
刺臭椿 636
橄榄 638
苦树 640
楝科 642
米仔兰 642
灰毛浆果楝 644
地黄连 646
单叶地黄连 648
红椿 650
香椿 652
远志科 654
尾叶远志 654
香港远志 656
瓜子金 658
西伯利亚远志 660
长毛籽远志 662
马桑科 664
马桑 664
漆树科 666
南酸枣 666
毛脉南酸枣 668
红叶黄栌 670
毛黄栌 672
杧果 674
黄连木 676
盐肤木 678
青麸杨 682
红麸杨 684
野漆 686
漆 688
槭树科 690
三角槭 690
紫果槭 692
青榨槭 694
毛花槭 696
罗浮槭 698
红果罗浮槭 700
扇叶槭 702
房县槭 704
建始槭 706
光叶槭 708
南川长柄槭 710
五尖槭 712
飞蛾槭 714
中华槭 716
绿叶中华槭 718
深裂中华槭 720
金钱槭 722
伯乐树科 724
伯乐树 724
无患子科 726
龙眼 726
复羽叶栾树 728
全缘叶栾树 730
栾树 732
荔枝 734

无患子 736
七叶树科 740
天师栗 740
清风藤科 742
泡花树 742
垂枝泡花树 744
鄂西清风藤 746
四川清风藤 748
多花清风藤 750
尖叶清风藤 752
阔叶清风藤 754

被子植物

○
○
○

蔷薇科 Rosaceae 李属 *Prunus*

李 *Prunus salicina* Lindl.

李

| 药 材 名 |

李仁（药用部位：种子。别名：小李仁、李子仁）、李子（药用部位：果实。别名：李实、嘉庆子、山李子）、李树叶（药用部位：叶。别名：李叶）、李子花（药用部位：花）、李根（药用部位：根。别名：山李子根、李子树根）、李根皮（药用部位：根皮。别名：甘李根白皮、李根白皮）、李树胶（药材来源：树脂）。

| 形态特征 |

落叶乔木，高 9 ~ 12m。树冠广圆形，树皮灰褐色，起伏不平；老枝紫褐色或红褐色，无毛；小枝黄红色，无毛；冬芽卵圆形，红紫色，有数枚覆瓦状排列鳞片，通常无毛，稀鳞片边缘被极稀疏毛。叶片长圆状倒卵形、长椭圆形，稀长圆状卵形，长 6 ~ 8（~ 12）cm，宽 3 ~ 5cm，先端渐尖、急尖或短尾尖，基部楔形，边缘有圆钝重锯齿，常混有单锯齿，幼时齿尖带腺，上面深绿色，有光泽，侧脉 6 ~ 10 对，不达到叶片边缘，与主脉成 45° 角，两面均无毛，有时下面沿主脉被稀疏柔毛或脉腋有髯毛；托叶膜质，线形，先端渐尖，边缘有腺，早落；叶柄长 1 ~ 2cm，通常无毛，先端有 2 个腺体或无，

有时在叶片基部边缘有腺体。花通常3朵并生；花梗1～2cm，通常无毛；花直径1.5～2.2cm；萼筒钟状，萼片长圆状卵形，长约5mm，先端急尖或圆钝，边有疏齿，与萼筒近等长，萼筒和萼片外面均无毛，内面在萼筒基部被疏柔毛；花瓣白色，长圆倒卵形，先端啮蚀状，基部楔形，有明显带紫色脉纹，具短爪，着生于萼筒边缘，比萼筒长2～3倍；雄蕊多数，花丝长短不等，排成不规则2轮，比花瓣短；雌蕊1，柱头盘状，花柱比雄蕊稍长。核果球形、卵球形或近圆锥形，直径3.5～5cm，栽培品种可达7cm，黄色或红色，有时为绿色或紫色，梗凹陷入，先端微尖，基部有纵沟，外被蜡粉；核卵圆形或长圆形，有皱纹。花期4月，果期7～8月。

| 生境分布 | 生于海拔400～2600m的山沟路旁或灌木林中，多为栽培。重庆各地均有分布。

| 资源情况 | 野生资源较少，栽培资源丰富。药材主要来源于栽培，自产自销。

| 采收加工 | 李仁：秋季果实成熟时采收，除去果肉，洗净，砸破果壳取其种子。

李子：7～8月果实成熟时采摘，鲜用。

李树叶：夏、秋季采收，鲜用或晒干。

李子花：花期花盛开时采摘，晒干。

李根：全年均可采收，刮去粗皮，洗净，切段，晒干或鲜用。

李根皮：全年均可采挖根，洗净，剥取根皮，晒干。

李树胶：在李树生长繁茂季节采收树干上分泌的胶质，晒干。

| 药材性状 | 李仁：本品呈扁长椭圆形，长 0.7 ~ 1.1cm，宽 0.5 ~ 0.7cm。表面黄棕色至深棕色，上部尖端及基部合点常偏向一侧，合点圆形，其外缘散出多数维管束纹理。种皮薄，内有子叶 2，乳白色，富油性。气微，味淡、微苦。

李子：本品呈球状卵形，直径 2 ~ 4cm，先端微尖，基部凹陷，一侧有深沟，表面黄棕色或棕色。果肉较厚，果核扁平长椭圆形，长 6 ~ 10mm，宽 4 ~ 7mm，厚约 2mm，褐黄色，有明显纵向皱纹。气微，味酸、微甘。

李树叶：本品大多皱缩，有的破碎，完整者呈椭圆状披针形或椭圆状倒卵形，长 6 ~ 10cm，宽 3 ~ 4cm，边缘有细钝的重锯齿，上下两面均为棕绿色，上面中脉疏生长毛，下面脉间簇生柔毛。叶柄长 1 ~ 2cm，上有数个腺点。质脆，易碎。气微，味淡。

李根：本品呈圆柱形，长 30 ~ 130cm，直径 0.3 ~ 2.5cm。表面黑褐色或灰褐色，有纵皱纹及须根痕。质坚硬，不易折断，切断面黄白色或棕黄色，木部有放射状纹理。气微，味淡。

李根皮：本品呈卷曲筒状、槽状或不规则块片状，长短、宽窄不一，厚 0.2 ~ 0.5cm。外表面灰褐色或黑褐色栓皮；内表面黄白色或淡黄棕色，有纵皱纹。体轻，质韧，纤维性强，难折断。气微，味苦而涩。

| 功能主治 | 李仁：苦、甘，平。归肺、大肠、小肠经。润燥滑肠，下气，利水，祛瘀。用于津枯肠燥，食积气滞，腹胀便秘，水肿，脚气，小便不利，血瘀疼痛，跌打损伤。

李子：甘、酸，平。清热，生津，消积。用于虚劳骨蒸，消渴，食积。

李树叶：甘、酸，平。清热解毒。用于壮热惊痫，肿毒溃烂。

李子花：苦，平。泽面。用于粉滓皯黯，斑点。

李根：苦，寒。清热解毒，利湿。用于疮疡肿毒，热淋，痢疾，带下。

李根皮：苦、咸，寒。归心、肝、肾经。降逆，燥湿，清热解毒。用于气逆奔豚，湿热痢疾，赤白带下，消渴，脚气，丹毒疮痈。

李树胶：苦，寒。清热，透疹，退翳。用于麻疹透发不畅，目生翳障。

| 用法用量 | 李仁：内服煎汤，9 ~ 15g。脾虚便溏、肾虚遗精者禁服，孕妇慎用。

李子：内服煎汤，10 ~ 15g；鲜品生食，每次 100 ~ 300g。不宜多食，脾胃虚弱者慎服。

李树叶：内服煎汤，10 ~ 15g。外用适量，煎汤洗浴；或捣敷；或捣汁涂。

李子花：外用，6 ~ 18g，研末调敷。

李根：内服煎汤，6 ~ 15g。外用适量，烧存性，研末调敷。

李根皮：内服煎汤，3 ~ 9g。外用适量，煎汁含漱；或磨汁涂。

李树胶：内服煎汤，15 ~ 30g。

蔷薇科 Rosaceae 火棘属 *Pyracantha*

全缘火棘 *Pyracantha atalantioides* (Hance) Stapf

| 药 材 名 | 全缘火棘（药用部位：果实）。

| 形态特征 | 常绿灌木或小乔木，高达 6m。通常有枝刺，稀无刺；嫩枝被黄褐色或灰色柔毛，老枝无毛。叶片椭圆形或长圆形，稀长圆状倒卵形，长 1.5 ~ 4cm，宽 1 ~ 1.6cm，先端微尖或圆钝，有时具刺尖头，基部宽楔形或圆形，叶缘通常全缘或有时具不显明的细锯齿，幼时被黄褐色柔毛，老时两面无毛，上面光亮；叶脉明显，下面微带白霜，中脉明显凸起；叶柄长 2 ~ 5mm，通常无毛，有时具柔毛。花呈复伞房花序，直径 3 ~ 4cm，花梗和花萼外被黄褐色柔毛；花梗长 5 ~ 10mm，花直径 7 ~ 9mm；萼筒钟状，外被柔毛，萼片浅裂，广卵形，先端钝，外被稀疏柔毛；花瓣白色，卵形，长 4 ~ 5mm，宽 3 ~ 4mm，先端微尖，基部具短爪；雄蕊 20，花丝长约 3mm，

全缘火棘

花药黄色；花柱 5，与雄蕊等长，子房上部密生白色绒毛。梨果扁球形，直径 4 ~ 6mm，亮红色。花期 4 ~ 5 月，果期 9 ~ 11 月。

| **生境分布** | 生于海拔 520 ~ 2000m 的山坡或谷地灌丛、疏林中。分布于重庆城口、巫山、巫溪、奉节、武隆、秀山、黔江、丰都、南川、璧山、忠县、梁平等地。

| **资源情况** | 野生资源一般。药材来源于野生。

| **采收加工** | 秋季果实成熟时采摘，晒干。

| **功能主治** | 清热，凉血，活血，镇痛。用于食积停滞，泄泻。

| **用法用量** | 内服煎汤，适量。

蔷薇科 Rosaceae 火棘属 *Pyracantha*

细圆齿火棘 *Pyracantha crenulata* (D. Don) Roem.

| 药 材 名 | 细圆齿火棘（药用部位：根、叶）。

| 形态特征 | 常绿灌木或小乔木，高达 5m。有时具短枝刺，嫩枝被锈色柔毛，老时脱落，暗褐色，无毛。叶片长圆形或倒披针形，稀卵状披针形，长 2 ~ 7cm，宽 0.8 ~ 1.8cm，先端通常急尖或钝，有时具短尖头，基部宽楔形或稍圆形，边缘有细圆锯齿，或具稀疏锯齿，两面无毛，上面光滑，中脉下陷，下面淡绿色，中脉凸起；叶柄短，嫩时被黄褐色柔毛，老时脱落。复伞房花序生于主枝和侧枝先端，花序直径 3 ~ 5cm，总花梗幼时基部被褐色柔毛，老时无毛；花梗长 4 ~ 10mm，无毛；花直径 6 ~ 9mm；萼筒钟状，无毛，萼片三角形，先端急尖，微被柔毛；花瓣圆形，长 4 ~ 5mm，宽 3 ~ 4mm，有短爪；雄蕊 20，花药黄色；花柱 5，离生，与雄蕊等长，子房上部密生白

细圆齿火棘

色柔毛。梨果几球形，直径 3 ~ 8mm，熟时橘黄色至橘红色。花期 3 ~ 5 月，果期 9 ~ 12 月。

| **生境分布** | 生于海拔 520 ~ 2000m 的山坡、路边、沟旁、丛林或草地。分布于重庆城口、巫溪、巫山、奉节、云阳、万州、秀山、黔江、武隆、丰都、南川等地。

| **资源情况** | 野生资源稀少。药材主要来源于野生。

| **采收加工** | 9 ~ 10 月采挖根，洗净，切段，晒干。全年均可采收叶，鲜用。

| **功能主治** | 止血止泻，散瘀消食。用于外伤出血，泄泻，食积停滞。

| **用法用量** | 内服煎汤，适量。外用捣敷，适量。

蔷薇科 Rosaceae 火棘属 *Pyracantha*

火棘 *Pyracantha fortuneana* (Maxim.) Li

| 药 材 名 | 赤阳子（药用部位：果实。别名：火把果、救军粮、赤果）、红子根（药用部位：根。别名：火把果根）、救军粮叶（药用部位：叶。别名：红子叶、火把果叶）。

| 形态特征 | 常绿灌木，高达 3m。侧枝短，先端呈刺状，嫩枝外被锈色短柔毛，老枝暗褐色，无毛；芽小，外被短柔毛。叶片倒卵形或倒卵状长圆形，长 1.5 ~ 6cm，宽 0.5 ~ 2cm，先端圆钝或微凹，有时具短尖头，基部楔形，下延连于叶柄，边缘有钝锯齿，齿尖向内弯，近基部全缘，两面皆无毛；叶柄短，无毛或嫩时被柔毛。花集成复伞房花序，直径 3 ~ 4cm，花梗和总花梗近于无毛，花梗长约 1cm；花直径约 1cm；萼筒钟状，无毛，萼片三角卵形，先端钝；花瓣白色，近圆形，长约 4mm，宽约 3mm；雄蕊 20，花丝长 3 ~ 4mm，药黄色；花柱 5，

火棘

离生，与雄蕊等长，子房上部密生白色柔毛。果实近球形，直径约 5mm，橘红色或深红色。花期 3 ~ 5 月，果期 8 ~ 11 月。

| 生境分布 | 生于海拔 200 ~ 2250m 的山地、丘陵地、阳坡、灌丛、草地、河沟、路旁。重庆各地均有分布。

| 资源情况 | 野生资源丰富。药材来源于野生。

| 采收加工 | 赤阳子：秋季果实成熟时采摘，晒干。

红子根：9 ~ 10 月采挖，洗净，切段，晒干。

救军粮叶：全年均可采收，鲜用，随采随用。

| 药材性状 | 赤阳子：本品近球形，直径约 5mm。表面红色，先端有宿存萼片，基部有残留果柄。果肉棕黄色，内有 5 小坚果。气微，味酸、涩。

| 功能主治 | 赤阳子：酸、涩，平。健脾消积，活血止血。用于痞块，食积，泄泻，痢疾，崩漏，产后血瘀。

红子根：酸，凉。清热凉血。用于虚劳骨蒸潮热，肝炎，跌打损伤，筋骨疼痛，腰痛，崩漏，带下，月经不调，吐血，便血。孕妇禁用，气虚者慎服。

救军粮叶：苦、涩，凉。清热解毒，止血。用于疮疡肿痛，目赤，痢疾，便血，外伤出血。

| 用法用量 | 赤阳子：内服煎汤，12 ~ 30g；或浸酒。外用适量，捣敷。

红子根：内服煎汤，10 ~ 30g。外用适量，捣敷。

救军粮叶：内服煎汤，10 ~ 30g。外用适量，捣敷。

蔷薇科 Rosaceae 梨属 *Pyrus*

白梨 *Pyrus bretschneideri* Rehd.

| **药 材 名** | 梨（药用部位：果实。别名：快果、果宗、玉乳）、梨皮（药用部位：果皮）、梨花（药用部位：花）、梨叶（药用部位：叶）、梨枝（药用部位：树枝）、梨木皮（药用部位：树皮）、梨木灰（药材来源：木材烧成的灰）、梨树根（药用部位：根。别名：糖果根、糖梨根）。

| **形态特征** | 乔木，高 5 ~ 8m。树冠开展；小枝粗壮，圆柱形，微屈曲，嫩时密被柔毛，不久脱落，二年生枝紫褐色，具稀疏皮孔；冬芽卵形，先端圆钝或急尖，鳞片边缘及先端被柔毛，暗紫色。叶片卵形或椭圆卵形，长 5 ~ 11cm，宽 3.5 ~ 6cm，先端渐尖稀急尖，基部宽楔形，稀近圆形，边缘有尖锐锯齿，齿尖有刺芒，微向内合拢，嫩时紫红绿色，两面均被绒毛，不久脱落，老叶无毛；叶柄长 2.5 ~ 7cm，嫩时密被绒毛，不久脱落；托叶膜质，线形至线状披针形，先端渐尖，

白梨

边缘具有腺齿，长 1 ~ 1.3cm，外面被稀疏柔毛，内面较密，早落。伞形总状花序，有花 7 ~ 10，直径 4 ~ 7cm，总花梗和花梗嫩时被绒毛，不久脱落，花梗长 1.5 ~ 3cm；苞片膜质，线形，长 1 ~ 1.5cm，先端渐尖，全缘，内面密被褐色长绒毛；花直径 2 ~ 3.5cm；萼片三角形，先端渐尖，边缘有腺齿，外面无毛，内面密被褐色绒毛；花瓣卵形，长 1.2 ~ 1.4cm，宽 1 ~ 1.2cm，先端常呈啮齿状，基部具有短爪；雄蕊 20，长约等于花瓣之半；花柱 4 或 5，与雄蕊近等长，无毛。果实卵形或近球形，长 2.5 ~ 3cm，直径 2 ~ 2.5cm，先端萼片脱落，基部具肥厚果梗，黄色，有细密斑点，4 ~ 5 室；种子倒卵形，微扁，长 6 ~ 7mm，褐色。花期 4 月，果期 8 ~ 9 月。

| 生境分布 | 栽培于果园。重庆各地均有分布。

| 资源情况 | 野生资源较少，栽培资源一般。药材主要来源于栽培，自产自销。

| 采收加工 | 梨：果期采摘。

梨皮：果期果实成熟时采摘，削取果皮，鲜用或晒干。

梨花：花盛开时采摘，晾干。

梨叶：夏、秋季采收，鲜用或晒干。

梨枝：全年均可采收，剪取枝条，切小段，晒干。

梨木皮：春、秋季均可采剥。春季由于树液流动，皮层容易剥落，但质量较差；8 ~ 9 月采剥则品质较优。在成龄树上剥皮可采用环状剥皮法或条状剥皮法，将剥下的树皮按规定的宽度截成条状，晒干。

梨木灰：全年均可采收，将木材晒干，烧成炭灰。

梨树根：全年均可采收，挖取侧根，洗净，切段，晒干。

| 药材性状 | 梨：本品多呈卵形或近球形，通常直径 2 ~ 2.5cm，先端有残留花萼。果皮黄白色，有细密斑点。基部具肥厚果柄，长 3 ~ 4cm，表面黄白色，有细密斑点。横切面可见白色子房 4 ~ 5 室。种子倒卵形，微扁，长 0.6 ~ 0.7cm，褐色。果肉微香，多汁，味甘、微酸。

梨皮：本品呈不规则片状，或卷曲成条状。外表面淡黄色，有细密斑点，内表面黄白色。气微，味微甘而酸。

梨叶：本品多皱缩破碎，完整者呈卵形或卵状椭圆形，长 5 ~ 10cm，宽 3 ~ 6cm，先端锐尖，基部宽楔形，或近圆形，叶缘锯齿呈刺芒状；叶柄长 2.5 ~ 7cm。表面灰褐色，两面被绒毛或光滑无毛。质脆，易碎。气微，味淡、微涩。

梨枝：本品呈长圆柱形，有分枝，直径 0.3 ～ 1cm。表面灰褐色或灰绿色，微有光泽，有纵皱纹，可见叶痕及点状突起的皮孔。质硬而脆，易折断，断面皮部灰褐色或褐色，木部黄白色或灰黄白色。气微，味涩。

梨木皮：本品呈卷筒状、槽状或不规则片状，长短、宽窄不一，厚 1 ～ 3mm。外表面灰褐色，有不规则细皱纹及较大凸起的皮孔；内表面棕色或棕黄色，较平滑，有细纵纹。质硬而脆，易折断，断面较平坦。气微，味苦、涩。

梨木灰：本品呈粉末状，表面灰白色或灰褐色。体轻。气微，味淡。

梨树根：本品呈圆柱形，长 20 ～ 120cm，直径 0.5 ～ 3cm。表面黑褐色，有不规则皱纹及横向皮孔样突起。质硬脆，易折断，断面黄白色或淡棕黄色。气微，味涩。

| 功能主治 | 梨：甘、微酸，凉。归肺、胃、心经。清肺润燥，生津止渴。用于肺燥咳嗽，热病烦躁，津少口干，消渴，目赤，疮疡，烫火伤。

梨皮：甘、涩，凉。清心润肺，降火生津，解疮毒。用于暑热烦渴，肺燥咳嗽，吐血，痢疾，发背，疔疮，疥癣。

梨花：淡，平。泽面去斑。用于面生黑斑、粉滓。

梨叶：辛、涩、微苦，平。疏肝和胃，利水解毒。用于霍乱吐泻腹痛，水肿，小便不利，小儿疝气，菌菇中毒。

梨枝：辛、涩、微苦，平。行气和中，止痛。用于霍乱吐泻，腹痛。

梨木皮：苦，寒。清热解毒。用于热病发热，疮癣。

梨木灰：微咸，平。降逆下气。用于气郁，胸满气促，结气咳逆。

梨树根：甘、淡，平。润肺止咳，理气止痛。用于肺虚咳嗽，疝气腹痛。

| 用法用量 | 梨：生食或捣汁服，15 ～ 30g。

梨皮：内服煎汤，9 ～ 15g，鲜品 30 ～ 60g。外用适量，捣汁涂。

梨花：内服煎汤，9 ～ 15g；或研末。外用适量，研末调涂。

梨叶：内服煎汤，9 ～ 15g；或鲜品捣汁服。外用适量，捣敷；或捣汁涂。

梨枝：内服煎汤，9 ～ 15g。

梨木皮：内服煎汤，3 ～ 9g；或研末，每次 3g。

梨木灰：内服煎汤，3 ～ 9g；或入丸、散。

梨树根：内服煎汤，10 ～ 30g。

蔷薇科 Rosaceae 梨属 *Pyrus*

豆梨 *Pyrus calleryana* Dcne.

|药 材 名| 鹿梨（药用部位：果实。别名：树梨、酸梨、野梨）、鹿梨果皮（药用部位：果皮。别名：野梨果皮）、鹿梨叶（药用部位：叶）、鹿梨枝（药用部位：枝条）、鹿梨根（药用部位：根）、鹿梨根皮（药用部位：根皮）。

|形态特征| 乔木，高 5 ~ 8m。小枝粗壮，圆柱形，在幼嫩时被绒毛，不久脱落，二年生枝条灰褐色；冬芽三角卵形，先端短渐尖，微被绒毛。叶片宽卵形至卵形，稀长椭卵形，长 4 ~ 8cm，宽 3.5 ~ 6cm，先端渐尖，稀短尖，基部圆形至宽楔形，边缘有钝锯齿，两面无毛；叶柄长 2 ~ 4cm，无毛；托叶叶质，线状披针形，长 4 ~ 7mm，无毛。伞形总状花序，具花 6 ~ 12，直径 4 ~ 6mm，总花梗和花梗均无毛，花梗长 1.5 ~ 3cm；苞片膜质，线状披针形，长 8 ~ 13mm，

豆梨

内面被绒毛；花直径2 ~ 2.5cm；萼筒无毛；萼片披针形，先端渐尖，全缘，长约5mm，外面无毛，内面被绒毛，边缘较密；花瓣卵形，长约13mm，宽约10mm，基部具短爪，白色；雄蕊20，稍短于花瓣；花柱2，稀3，基部无毛。梨果球形，直径约1cm，黑褐色，有斑点，萼片脱落，2（~3）室，有细长果梗。花期4月，果期8 ~ 9月。

| 生境分布 | 生于海拔80 ~ 1800m的山坡、平原或山谷杂木林中。分布于重庆长寿、北碚等地。

| 资源情况 | 野生资源稀少。药材主要来源于野生。

| 采收加工 | 鹿梨：8 ~ 9月果实成熟时采摘，晒干。

鹿梨果皮：果实成熟时采摘，削取果皮，晒干。

鹿梨叶：夏、秋季采收，晒干或鲜用。

鹿梨枝：全年均可采收，剪取枝条，切段，晒干。

鹿梨根：全年均可挖取侧根，洗净，切片，晒干。

鹿梨根皮：全年均可采收，挖出侧根，剥取根皮，鲜用。

| 药材性状 | 鹿梨：本品呈类球形，直径约1cm。表面黑褐色，光滑，少有皱缩纹，先端微凹，周边不凸起，基部有长2 ~ 4cm的果梗。果肉薄，褐色。质坚硬，横切面可见2 ~ 3室。气微，味酸、微甘。

| 功能主治 | 鹿梨：酸、甘、涩，凉。归大肠经。健脾消食，涩肠止痢。用于饮食积滞，泻痢。

鹿梨果皮：甘、涩，凉。清热生津，涩肠止痢。用于热病伤津，久痢，疮癣。

鹿梨叶：涩、微甘，凉。清热解毒，润肺止咳。用于毒菇中毒，毒蛇咬伤，胃肠炎，肺热咳嗽。

鹿梨枝：微苦，凉。行气和胃，止泻。用于霍乱吐泻，反胃吐食。

鹿梨根：涩、微甘，凉。润肺止咳，清热解毒。用于肺燥咳嗽，疮疡肿痛。

鹿梨根皮：酸、涩，寒。归肝经。清热解毒，敛疮。用于疮疡，疥癣。

| 用法用量 | 鹿梨：内服煎汤，15 ~ 30g。

鹿梨果皮：内服煎汤，9 ~ 15g。

鹿梨叶：内服煎汤，15 ~ 30g。外用适量，捣涂。

鹿梨枝：内服煎汤，9 ~ 15g。

鹿梨根：内服煎汤，9 ~ 15g。外用适量，捣敷。

鹿梨根皮：外用适量，捣敷；或煎汤熏洗。

蔷薇科 Rosaceae 梨属 *Pyrus*

川梨 *Pyrus pashia* Buch.-Ham. ex D. Don

川梨

药材名

川梨（药用部位：果实。别名：野山楂、山里红）、川梨茎皮（药用部位：树皮）。

形态特征

乔木，高达 12m。常具枝刺；小枝圆柱形，幼嫩时被绵状毛，以后脱落，二年生枝条紫褐色或暗褐色；冬芽卵形，先端圆钝，鳞片边缘被短柔毛。叶片卵形至长卵形，稀椭圆形，长 4 ~ 7cm，宽 2 ~ 5cm，先端渐尖或急尖，基部圆形，稀宽楔形，边缘有钝锯齿，在幼苗或萌蘖上的叶片常具分裂并有尖锐锯齿，幼嫩时被绒毛，以后脱落；叶柄长 1.5 ~ 3cm；托叶膜质，线状披针形，不久即脱落。伞形总状花序，具花 7 ~ 13，直径 4 ~ 5cm，总花梗和花梗均密被绒毛，逐渐脱落，果期无毛，或近于无毛，花梗长 2 ~ 3cm；苞片膜质，线形，长 8 ~ 10mm，两面均被绒毛；花直径 2 ~ 2.5cm；萼筒杯状，外面密被绒毛，萼片三角形，长 3 ~ 6mm，先端急尖，全缘，内外两面均被绒毛；花瓣倒卵形，长 8 ~ 10mm，宽 4 ~ 6mm，先端圆或啮齿状，基部具短爪，白色；雄蕊 25 ~ 30，稍短于花瓣；花柱 3 ~ 5，无毛。果实近球形，直径 1 ~ 1.5cm，褐色，有斑点，萼片早落，果梗长 2 ～ 3cm。花期 3 ～ 4 月，果期 8 ～ 9 月。

| 生境分布 | 生于海拔 1100 ～ 2650m 的山谷斜坡、丛林中，或栽培于山坡。分布于重庆黔江、长寿、璧山、南川、北碚、巴南、城口、彭水、丰都、涪陵等地。

| 资源情况 | 野生资源稀少，栽培资源一般。药材主要来源于栽培。

| 采收加工 | 川梨：8 ～ 9 月采收成熟果实，晒干。

川梨茎皮：全年均可采收，割去表皮，剥取内皮，晒干。

| 药材性状 | 川梨：本品近球形，直径 1 ～ 1.5cm。表面棕色至棕红色，具斑点。果肉薄，棕红色。质坚硬，横切面子房 3 ～ 5 室。气微，味酸、微甘。

| 功能主治 | 川梨：酸、甘，温。消食化积，祛瘀止痛。用于肉食积滞，消化不良，泄泻，痛经，产后瘀血作痛。

川梨茎皮：苦，凉。清热止痢，解毒。用于痢疾，肠炎，毒菇中毒。

| 用法用量 | 川梨：内服煎汤，3 ～ 9g。

川梨茎皮：内服煎汤，9 ～ 15g。

蔷薇科 Rosaceae 梨属 *Pyrus*

沙梨 *Pyrus pyrifolia* (Burm. f.) Nakai

| 药 材 名 | 参见“白梨”条。

| 形态特征 | 乔木，高 7 ~ 15m。小枝嫩时被黄褐色长柔毛或绒毛，不久脱落，二年生枝紫褐色或暗褐色，具稀疏皮孔；冬芽长卵形，先端圆钝，鳞片边缘和先端稍被长绒毛。叶片卵状椭圆形或卵形，长 7 ~ 12cm，宽 4 ~ 6.5cm，先端长尖，基部圆形或近心形，稀宽楔形，边缘有刺芒锯齿。微向内合拢，上下两面无毛或嫩时被褐色绵毛；叶柄长 3 ~ 4.5cm，嫩时被绒毛，不久脱落；托叶膜质，线状披针形，长 1 ~ 1.5cm，先端渐尖，全缘，边缘被长柔毛，早落。伞形总状花序，具花 6 ~ 9，直径 5 ~ 7cm；总花梗和花梗幼时微被柔毛，花梗长 3.5 ~ 5cm；苞片膜质，线形，边缘被长柔毛；花直径 2.5 ~ 3.5cm；萼片三角卵形，长约 5mm，先端渐尖，边缘有腺齿；外面无毛，内

沙梨

面密被褐色绒毛；花瓣卵形，长 15 ~ 17mm，先端啮齿状，基部具短爪，白色；雄蕊 20，长约等于花瓣之半；花柱 5，稀 4，光滑无毛，约与雄蕊等长。果实近球形，浅褐色，有浅色斑点，先端微向下陷，萼片脱落；种子卵形，微扁，长 8 ~ 10mm，深褐色。花期 4 月，果期 8 月。

| 生境分布 | 生于海拔 500 ~ 2000m 的温暖而多雨的地区，或栽培于山坡田坎。分布于重庆城口、巫溪、奉节、云阳、涪陵、南川、丰都等地。

| 资源情况 | 野生资源稀少，栽培资源一般。药材主要来源于栽培。

| 采收加工 | 参见“白梨”条。

| 药材性状 | 参见“白梨”条。

| 功能主治 | 参见“白梨”条。

| 用法用量 | 参见“白梨”条。

蔷薇科 Rosaceae 梨属 *Pyrus*

麻梨 *Pyrus serrulata* Rehd.

|药材名| 麻梨（药用部位：果实）。

|形态特征| 乔木，高 8 ~ 10m。小枝圆柱形，微带棱角，在幼嫩时被褐色绒毛，以后脱落无毛，二年生枝紫褐色，具稀疏白色皮孔；冬芽肥大，卵形，先端急尖，鳞片内面被黄褐色绒毛。叶片卵形至长卵形，长 5 ~ 11cm，宽 3.5 ~ 7.5cm，先端渐尖，基部宽楔形或圆形，边缘有细锐锯齿，齿尖常向内合拢，下面在幼嫩时被褐色绒毛，以后脱落，侧脉 7 ~ 13 对，网脉显明；叶柄长 3.5 ~ 7.5cm，嫩时被褐色绒毛，不久脱落；托叶膜质，线状披针形，先端渐尖，内面被褐色绒毛，早落。伞形总状花序，有花 6 ~ 11，花梗长 3 ~ 5cm，总花梗和花梗均被褐色绵毛，逐渐脱落；苞片膜质，线状披针形，长 5 ~ 10mm，先端渐尖，边缘有腺齿，内面被褐色绵毛；花直径 2 ~ 3cm；萼筒外面被稀疏

麻梨

绒毛，萼片三角卵形，长约 3mm，先端渐尖或急尖，边缘具有腺齿，外面被稀疏绒毛，内面密生绒毛；花瓣宽卵形，长 10 ~ 12cm，先端圆钝，基部具有短爪，白色；雄蕊 20，约短于花瓣之半；花柱 3，稀 4，和雄蕊近等长，基部被稀疏柔毛。果实近球形或倒卵形，长 1.5 ~ 2.2cm，深褐色，有浅褐色果点，3 ~ 4 室，萼片宿存，或有时部分脱落，果梗长 3 ~ 4cm。花期 4 月，果期 6 ~ 8 月。

| 生境分布 | 生于海拔 100 ~ 1500m 的灌丛中或林边，或栽培于山坡、田坎。分布于重庆潼南、城口、长寿、秀山、铜梁、石柱、开州、大足、合川、南川、巴南、巫溪、奉节、涪陵等地。

| 资源情况 | 栽培资源一般。药材来源于栽培。

| 采收加工 | 果期果实成熟时采收，鲜用或切片晒干。

| 功能主治 | 生津，润燥，清热，化痰。用于肺燥咳嗽，热病烦躁，津少口干，消渴，目赤，疮疡，烫火伤。

| 用法用量 | 内服煎汤，适量；或生食；或捣汁；或蒸服；或熬膏。外用捣敷或捣汁点眼，适量。

蔷薇科 Rosaceae 蔷薇属 *Rosa*

木香花 *Rosa banksiae* Ait.

|药 材 名| 木香花（药用部位：根、叶。别名：木香、锦棚儿、红根）。

|形态特征| 攀缘小灌木，高可达6m。小枝圆柱形，无毛，有短小皮刺；老枝上的皮刺较大，坚硬，经栽培后有时枝条无刺。小叶3～5，稀7，连叶柄长4～6cm；小叶椭圆状卵形或长圆状披针形，长2～5cm，宽8～18mm，先端急尖或稍钝，基部近圆形或宽楔形，边缘有紧贴细锯齿，上面无毛，深绿色，下面淡绿色，中脉凸起，沿脉被柔毛；小叶柄和叶轴被稀疏柔毛和散生小皮刺；托叶线状披针形，膜质，离生，早落。花小形，多朵成伞形花序，花直径1.5～2.5cm；花梗长2～3cm，无毛；萼片卵形，先端长渐尖，全缘，萼筒和萼片外面均无毛，内面被白色柔毛；花瓣重瓣至半重瓣，白色，倒卵形，先端圆，基部楔形；心皮多数，花柱离生，密被柔毛，比雄蕊短很多。花期4～5月。

木香花

| 生境分布 | 生于海拔 500 ~ 1300m 的溪边、路旁或山坡灌丛中。分布于重庆黔江、潼南、涪陵、长寿、城口、丰都、云阳、开州、合川等地。

| 资源情况 | 野生资源较丰富，亦有零星栽培。药材主要来源于野生。

| 采收加工 | 夏季采收叶，晒干。夏、秋季采挖根，洗净泥土，切片，晒干。

| 功能主治 | 涩，平。涩肠止泻，解毒，止血。用于腹泻，痢疾，疮疖，月经过多，便血。

| 用法用量 | 内服煎汤，9 ~ 15g。外用适量，研粉撒；或叶捣烂，调敷。

蔷薇科 Rosaceae 蔷薇属 *Rosa*

单瓣白木香 *Rosa banksiae* Ait. var. *normalis* Regel

| 药 材 名 | 香花刺（药用部位：根皮。别名：香水花、木香花、红皮）。

| 形态特征 | 本种与原变种木香花的区别在于花白色，单瓣，味香；果实球形至卵球形，直径 5 ~ 7mm，红黄色至黑褐色，萼片脱落。此为木香花野生原始类型。

| 生境分布 | 生于海拔 500 ~ 1500m 的沟谷中。分布于重庆丰都、涪陵、云阳、忠县、垫江、巫溪等地。

| 资源情况 | 野生资源较少。药材来源于野生。

| 采收加工 | 夏、秋季采挖根，洗净，剥取根皮，晒干。

单瓣白木香

| **功能主治** | 涩，温。归肝经。活血调经，消肿散瘀。用于月经不调，外伤红肿。

| **用法用量** | 内服煎汤，9 ~ 15g。外用适量，研末调敷。

蔷薇科 Rosaceae 蔷薇属 *Rosa*

月季花 *Rosa chinensis* Jacq.

药材名 月季花（药用部位：花。别名：月七花、月月红）、月季花叶（药用部位：叶）、月季花根（药用部位：根）。

形态特征 直立灌木，高1 ~ 2m。小枝粗壮，圆柱形，近无毛，有短粗的钩状皮刺。小叶3 ~ 5，稀7，连叶柄长5 ~ 11cm，小叶片宽卵形至卵状长圆形，长2.5 ~ 6cm，宽1 ~ 3cm，先端长渐尖或渐尖，基部近圆形或宽楔形，边缘有锐锯齿，两面近无毛，上面暗绿色，常带光泽，下面颜色较浅，顶生小叶片有柄，侧生小叶片近无柄，总叶柄较长，有散生皮刺和腺毛；托叶大部贴生于叶柄，仅先端分离部分成耳状，边缘常有腺毛。花几朵集生，稀单生，直径4 ~ 5cm；花梗长2.5 ~ 6cm，近无毛或有腺毛，萼片卵形，先端尾状渐尖，有时呈叶状，边缘常有羽状裂片，稀全缘，外面无毛，内面密被长柔毛；花瓣重瓣至半

月季花

重瓣，红色、粉红色至白色，倒卵形，先端有凹缺，基部楔形；花柱离生，伸出萼筒口外，约与雄蕊等长。果实卵球形或梨形，长 1 ~ 2cm，红色，萼片脱落。花期 4 ~ 9 月，果期 6 ~ 11 月。

| 生境分布 | 生于山坡或路旁，或栽培于庭园、路旁。重庆各地均有分布。

| 资源情况 | 栽培资源一般。药材主要来源于栽培。

| 采收加工 | 月季花：花期时采收，花微开时采摘，阴干或低温干燥。

月季花叶：春至秋季枝叶茂盛时采叶，鲜用或晒干。

月季花根：全年均可采挖，洗净，切段，晒干。

| 药材性状 | 月季花：本品呈类球形，直径 1.5 ~ 2.5cm。花托长圆形，萼片 5，暗绿色，先端尾尖；花瓣呈覆瓦状排列，有的散落，长圆形，紫红色或淡紫红色；雄蕊多数，黄色。体轻，质脆。气清香，味淡、微苦。

月季花叶：本品为羽状复叶，小叶 3 ~ 5，有的仅小叶入药。叶片宽卵形或卵状长圆形，长 2 ~ 6cm，宽 1.5 ~ 3cm，先端渐尖，基部宽楔形或近圆形，边缘有锐锯齿，两面光滑无毛，质较硬，不皱缩。叶柄和叶轴散生小皮刺。气微，味微涩。

| 功能主治 | 月季花：甘，温。归肝经。活血调经，疏肝解郁。用于气滞血瘀，月经不调，痛经，闭经，胸胁胀痛。

月季花叶：微苦，平。归肝经。活血消肿，解毒，止血。用于疮疡肿毒，瘰疬，跌打损伤，腰膝肿痛，外伤出血。

月季花根：甘、苦、微涩，温。归肝经。活血调经，消肿散结，涩精止带。用于月经不调，痛经，闭经，血崩，跌打损伤，瘰疬，遗精，带下。

| 用法用量 | 月季花：内服煎汤，3 ~ 6g。

月季花叶：内服煎汤，3 ~ 9g。外用适量，嫩叶捣敷。

月季花根：内服煎汤，9 ~ 30g。

蔷薇科 Rosaceae 蔷薇属 *Rosa*

小果蔷薇 *Rosa cymosa* Tratt.

| 药 材 名 | 小果蔷薇根（药用部位：根。别名：山木香根、红刺根）、小果蔷薇茎（药用部位：茎藤。别名：红茨藤、小和尚藤）、小果蔷薇叶（药用部位：叶。别名：小金樱叶、山木香叶）、小果蔷薇果（药用部位：果实。别名：小金樱子）、小果蔷薇花（药用部位：花。别名：小刺花）。

| 形态特征 | 攀缘灌木，高 2 ~ 5m。小枝圆柱形，无毛或稍被柔毛，有钩状皮刺。小叶 3 ~ 5，稀 7，连叶柄长 5 ~ 10cm；小叶片卵状披针形或椭圆形，稀长圆状披针形，长 2.5 ~ 6cm，宽 8 ~ 25mm，先端渐尖，基部近圆形，边缘有紧贴或尖锐细锯齿，两面均无毛，上面亮绿色，下面颜色较淡，中脉凸起，沿脉被稀疏长柔毛；小叶柄和叶轴无毛或被柔毛，有稀疏皮刺和腺毛；托叶膜质，离生，线形，早落。花多朵成复伞房花序；花直径 2 ~ 2.5cm；花梗长约 1.5cm，幼时密被长柔

小果蔷薇

毛，老时逐渐脱落近于无毛；萼片卵形，先端渐尖，常有羽状裂片，外面近无毛，稀被刺毛，内面被稀疏白色绒毛，沿边缘较密；花瓣白色，倒卵形，先端凹，基部楔形；花柱离生，稍伸出花托口外，与雄蕊近等长，密被白色柔毛。果实球形，直径 4 ~ 7mm，红色至黑褐色，萼片脱落。花期 5 ~ 6 月，果期 7 ~ 11 月。

| 生境分布 | 生于海拔 250 ~ 1300m 的向阳山坡、路旁、溪边或丘陵地。分布于重庆黔江、大足、潼南、酉阳、彭水、奉节、巫山、江津、云阳、巫溪、南川、长寿、丰都、武隆、北碚、南岸、梁平、合川等地。

| 资源情况 | 野生资源丰富。药材主要来源于野生。

| 采收加工 | 小果蔷薇根：全年均可采挖，洗净，切段，鲜用或晒干。
小果蔷薇茎：全年均可采割，切段，晒干。
小果蔷薇叶：夏、秋季采收，鲜用。
小果蔷薇果：秋、冬季果实成熟时采摘，鲜用或晒干。
小果蔷薇花：5 ~ 6 月花盛开时采摘，除去杂质，晾干或晒干。

| 药材性状 | 小果蔷薇果：本品呈圆形，直径 0.4 ~ 0.7cm；外表面深棕色，光滑无刺，有时具皱纹；基部附有细长果柄；先端有棕黑色扁平的花萼残基。花托薄而质脆，切开后内壁附有光亮的金黄色绒毛，含小瘦果 10 ~ 25。小瘦果棱形，红棕色或淡黄色，表面被金黄色绒毛，质坚，内含种子 1。气微，味酸、涩。

| 功能主治 | 小果蔷薇根：苦、酸，微温。归肺、肝、大肠经。散瘀，止血，消肿解毒。用于跌打损伤，外伤出血，月经不调，子宫脱垂，痔疮，风湿疼痛，腹泻，痢疾。
小果蔷薇茎：酸、微温，平。固涩益肾。用于遗尿，子宫脱垂，脱肛，带下，痔疮。
小果蔷薇叶：苦，平。归肝经。解毒，活血散瘀，消肿散结。用于痈疮肿毒，烫火伤，跌打损伤，风湿痹痛。
小果蔷薇果：甘、涩，平。归肺、肝、肾经。化痰止咳，养肝明目，益肾固涩。用于痰多咳嗽，眼目昏糊，遗精遗尿，带下。
小果蔷薇花：甘、酸，凉。归脾、胃经。健脾，解暑。用于食欲不振，暑热口渴。

| 用法用量 | 小果蔷薇根：内服煎汤，10 ~ 30g；或兑入红、白糖或甜酒；或与瘦肉或鸡同炖。外用适量，捣敷。
小果蔷薇茎：内服煎汤，30 ~ 60g；或炖肉服。
小果蔷薇叶：内服煎汤，15 ~ 30g。外用适量，鲜品捣敷。
小果蔷薇果：内服煎汤，60 ~ 90g。
小果蔷薇花：内服煎汤，3 ~ 9g。

蔷薇科 Rosaceae 蔷薇属 *Rosa*

山刺玫 *Rosa davurica* Pall.

| 药 材 名 | 刺玫花（药用部位：花）、刺玫果（药用部位：果实。别名：刺莓果、刺木果）、刺玫根（药用部位：根。别名：野玫瑰根）。

| 形态特征 | 直立灌木，高约 1.5m。分枝较多，小枝圆柱形，无毛，紫褐色或灰褐色，有带黄色皮刺，皮刺基部膨大，稍弯曲，常成对而生于小枝或叶柄基部。小叶 7 ~ 9，连叶柄长 4 ~ 10cm；小叶片长圆形或阔披针形，长 1.5 ~ 3.5cm，宽 5 ~ 15mm，先端急尖或圆钝，基部圆形或宽楔形，边缘有单锯齿和重锯齿，上面深绿色，无毛，中脉和侧脉下陷，下面灰绿色，中脉和侧脉凸起，有腺点和稀疏短柔毛；叶柄和叶轴被柔毛、腺毛和稀疏皮刺；托叶大部贴生于叶柄，离生部分卵形，边缘有带腺锯齿，下面被柔毛。花单生于叶腋，或 2 ~ 3 簇生；苞片卵形，边缘有腺齿，下面被柔毛和腺点；花梗长 5 ~ 8mm，

山刺玫

无毛或被腺毛；花直径 3 ~ 4cm；萼筒近圆形，光滑无毛，萼片披针形，先端扩展成叶状，边缘有不整齐锯齿和腺毛，下面被稀疏柔毛和腺毛，上面被柔毛，边缘较密；花瓣粉红色，倒卵形，先端不平整，基部宽楔形；花柱离生，被毛，比雄蕊短很多。果实近球形或卵球形，直径 1 ~ 1.5cm，红色，光滑，萼片宿存，直立。花期 6 ~ 7 月，果期 8 ~ 9 月。

| 生境分布 | 生于海拔 430 ~ 2500m 的山坡阳处或杂木林边、丘陵草地。分布于重庆巫溪、城口、奉节等地。

| 资源情况 | 野生资源较少。药材主要来源于野生。

| 采收加工 | 刺玫花：6 ~ 7 月花将开放时采摘，晾干或晒干。

刺玫果：秋末果实成熟变红时采摘，晒干。

刺玫根：夏、秋季采挖，洗净，切段，晒干。

| 药材性状 | 刺玫花：本品花蕾略呈类球形，直径 1 ~ 2cm，偶有苞片 2；花托类球形，与花萼合生，花梗具短腺毛；萼片 5，卵状披针形，长 1.5 ~ 2.5cm，边缘具短柔毛和腺毛，萼筒无毛；花瓣深玫瑰红色，久贮呈棕褐色，倒卵形；花柱短于雄蕊，柱头圆形，密被绒毛。气微，味涩、微苦。

刺玫果：本品为花托参与发育而成的假果，呈球形或卵形，直径 1 ~ 1.5cm；表面暗红色、枣红色或红色，极皱缩，有无数凹窝；先端凹陷处呈小盘状，为花萼脱落残基，中央有黄色柱基，下部渐尖，有的可见短柄，质硬；切开后，花托壁厚 0.5 ~ 1mm，内有多数坚硬的小瘦果，内壁及瘦果均有淡黄色绒毛。瘦果呈多角卵形至类楔形，淡黄色，长约 4mm，宽约 2mm，头扁尾尖，中部略凸起，质坚硬。气微，味酸、甘。

| 功能主治 | 刺玫花：酸、甘，平。归肝、脾经。理气和胃，止咳。用于月经不调，痛经，崩漏，吐血，肋间神经痛，肺痨咳嗽。

刺玫果：甘、酸，微温。归肝、脾经。健脾胃，助消化。用于消化不良，食欲不振，脘腹胀满，小儿积食。

刺玫根：苦、涩，平。归肺、肝、大肠经。止咳，止痢，止血。用于咳嗽，泄泻，痢疾，崩漏，跌打损伤。

| 用法用量 | 刺玫花：内服煎汤，3 ~ 6g。

刺玫果：内服煎汤，9 ~ 15g。

刺玫根：内服煎汤，5 ~ 15g。外用适量，捣敷。

蔷薇科 Rosaceae 蔷薇属 *Rosa*

绣球蔷薇 *Rosa glomerata* Rehd. et Wils.

| 药材名 | 绣球蔷薇根（药用部位：根）、绣球蔷薇叶（药用部位：叶）。

| 形态特征 | 铺散灌木植物。有长匍枝，圆柱形，无毛，有时小枝被柔毛；皮刺散生，基部膨大，向下弯曲。小叶 5 ~ 7，稀 3 或 9，连叶柄长 10 ~ 15cm；小叶片长圆形或长圆倒卵形，长 4 ~ 7cm，宽 1.8 ~ 3cm，先端渐尖或短渐尖，基部圆形，稀近心形，稍偏斜，边缘有细锐锯齿，上面深绿色，有显明褶皱，下面淡绿色至绿灰色，叶脉明显凸起，密被长柔毛；叶柄有小钩状皮刺和密生柔毛；托叶长 2 ~ 3cm，膜质，大部贴生于叶柄，离生部分耳状，全缘，被腺毛。伞房花序，密集多花，直径 4 ~ 10cm；总花梗长 2 ~ 4cm，花梗长 1 ~ 1.5cm，总花梗、花梗和萼筒密被灰色柔毛和稀疏腺毛；花直径 1.5 ~ 2cm；萼片卵状披针形，先端渐尖，全缘，内面密被柔毛，外面被柔毛和

绣球蔷薇

稀疏腺毛；花瓣宽倒卵形，先端微凹，基部楔形，外被绢毛；花柱结合成束，伸出，比雄蕊稍长，密被柔毛。果实近球形，直径 8 ~ 10mm，橘红色，有光泽，幼时被稀疏柔毛和腺毛，以后脱落；果梗被稀疏柔毛和腺毛；萼片最后脱落。花期 7 月，果期 8 ~ 10 月。

| 生境分布 | 生于海拔 500 ~ 1700m 的山坡林缘、灌丛中。分布于重庆南川、南岸、江津等地。

| 资源情况 | 野生资源稀少。药材主要来源于野生。

| 采收加工 | 绣球蔷薇根：秋季采挖，洗净，切片，晒干。
绣球蔷薇叶：夏、秋季采收，晒干。

| 功能主治 | 绣球蔷薇根：祛风除湿，活血收敛。用于关节疼痛。
绣球蔷薇叶：清热解毒。用于疮痈肿毒，烫火伤。

| 用法用量 | 绣球蔷薇根：内服煎汤，适量。外用适量，研粉敷或洗。
绣球蔷薇叶：外用适量，研粉调敷或鲜品捣敷。

蔷薇科 Rosaceae 蔷薇属 *Rosa*

卵果蔷薇 *Rosa helenae* Rehd. et Wils.

| 药 材 名 | 卵果蔷薇（药用部位：果实）。

| 形态特征 | 铺散灌木，有长匍枝。枝条粗壮，紫褐色，当年生小枝红褐色，无毛；皮刺短粗，基部膨大，稍弯曲，带黄色。小叶（5 ~ ）7 ~ 9，连叶柄长 8 ~ 17cm，小叶片长圆状卵形或卵状披针形，长 2.5 ~ 4.5cm，宽 1 ~ 2.5cm，先端急尖或短渐尖，基部圆形或宽楔形，边缘有紧贴锐锯齿，上面无毛，深绿色，下面被毛，沿叶脉较密，淡绿色，叶脉凸起；叶柄被柔毛和小皮刺；托叶长 1.5 ~ 2.5cm，大部贴生于叶柄，仅先端离生，离生部分耳状，边缘被腺毛。顶生伞房花序，部分密集近伞形，直径 6 ~ 15cm；苞片膜质，狭披针形，很早脱落；花梗长 1.5 ~ 2cm，总花梗和花梗均密被柔毛和腺毛；萼筒卵球形、椭圆形或倒卵球形，外被柔毛和腺毛；萼片卵状披针形，先端渐尖，

卵果蔷薇

常有裂片，外面被长柔毛和腺毛，内面密被长柔毛；花瓣倒卵形，白色，有香味，长约 1.5cm，先端微凹，基部楔形；花柱结合成束，伸出，密被长柔毛，约与雄蕊等长。果实卵球形、椭圆形或倒卵球形，长 1 ~ 1.5cm，直径 8 ~ 10mm，深者红色，有光泽，果梗长约 2cm，近无毛，密被腺毛；萼片花后反折，以后脱落。花期 5 ~ 7 月，果期 9 ~ 10 月。

| 生境分布 | 生于海拔 1000 ~ 1160m 的山地或沟边杂木林中。分布于重庆黔江、北碚、綦江、丰都、石柱、酉阳、潼南、彭水、长寿、江津、云阳、涪陵、城口、巫山、开州、九龙坡等地。

| 资源情况 | 野生资源一般，栽培资源较丰富。药材来源于野生和栽培。

| 采收加工 | 果期果实成熟时采摘，鲜用或晒干。

| 功能主治 | 涩、凉。润肺止咳。用于咳嗽，咽喉痛。

| 用法用量 | 内服煎汤，适量。

| 附　　注 | 本种喜阳光，亦耐半阴，较耐寒，对土壤要求不严，耐干旱，耐瘠薄，但栽植在土层深厚、疏松、肥沃、湿润而又排水通畅的土壤中更好，也可在黏重土壤中正常生长。本种不耐水湿，忌积水。

蔷薇科 Rosaceae 蔷薇属 *Rosa*

软条七蔷薇 *Rosa henryi* Bouleng.

| 药 材 名 | 饭罗泡（药用部位：根。别名：歪耳根、野刺）。

| 形态特征 | 灌木，高 3 ~ 5m，有长匍枝。小枝有短扁、弯曲皮刺或无刺。小叶通常 5，近花序小叶片常为 3，连叶柄长 9 ~ 14cm；小叶片长圆形、卵形、椭圆形或椭圆状卵形，长 3.5 ~ 9cm，宽 1.5 ~ 5cm，先端长渐尖或尾尖，基部近圆形或宽楔形，边缘有锐锯齿，两面均无毛，下面中脉凸起；小叶柄和叶轴无毛，有散生小皮刺；托叶大部贴生于叶柄，离生部分披针形，先端渐尖，全缘，无毛，或被稀疏腺毛。花 5 ~ 15，成伞形伞房状花序；花直径 3 ~ 4cm；花梗和萼筒无毛，有时被腺毛；萼片披针形，先端渐尖，全缘，有少数裂片，外面近无毛而有稀疏腺点，内面被长柔毛；花瓣白色，宽倒卵形，先端微凹，基部宽楔形；花柱结合成柱，被柔毛，比雄蕊稍长。果实近球

软条七蔷薇

形，直径 8 ~ 10mm，成熟后褐红色，有光泽，果梗有稀疏腺点；萼片脱落。

| 生境分布 | 生于海拔 1300 ~ 1600m 的山谷、林边、田边或灌丛中。分布于重庆秀山、长寿、石柱、酉阳、丰都、城口、铜梁、涪陵、巫溪、开州、武隆、垫江等地。

| 资源情况 | 野生和栽培资源均较丰富。药材来源于野生和栽培。

| 采收加工 | 全年均可采挖，洗净，切片，晒干。

| 功能主治 | 甘，温。活血调经，化瘀止血。用于月经不调，妇女不孕症，外伤出血。

| 用法用量 | 内服煎汤，5 ~ 10g。外用适量，研粉调涂。

蔷薇科 Rosaceae 蔷薇属 *Rosa*

金樱子 *Rosa laevigata* Michx.

| 药 材 名 | 金樱子（药用部位：成熟果实。别名：糖罐子、刺头、倒挂金钩）、金樱根（药用部位：根。别名：金樱蔃、脱骨丹）、金樱叶（药用部位：叶。别名：塘莺蓫）、金樱花（药用部位：花）。

| 形态特征 | 常绿攀缘灌木，高可达 5m。小枝粗壮，散生扁弯皮刺，无毛，幼时被腺毛，老时逐渐脱落减少。小叶革质，通常 3，稀 5，连叶柄长 5 ~ 10cm；小叶片椭圆状卵形、倒卵形或披针状卵形，长 2 ~ 6cm，宽 1.2 ~ 3.5cm，先端急尖或圆钝，稀尾状渐尖，边缘有锐锯齿，上面亮绿色，无毛，下面黄绿色，幼时沿中肋被腺毛，老时逐渐脱落无毛；小叶柄和叶轴有皮刺和腺毛；托叶离生或基部与叶柄合生，披针形，边缘有细齿，齿尖有腺体，早落。花单生叶腋，直径 5 ~ 7cm；花梗长 1.8 ~ 2.5cm，偶有 3cm 者，花梗和萼筒密被腺

金樱子

毛，随果实成长变为针刺；萼片卵状披针形，先端呈叶状，边缘羽状浅裂或全缘，常被刺毛和腺毛，内面密被柔毛，比花瓣稍短；花瓣白色，宽倒卵形，先端微凹；雄蕊多数；心皮多数，花柱离生，被毛，比雄蕊短很多。果梨形、倒卵形，稀近球形，紫褐色，外面密被刺毛，果梗长约3cm，萼片宿存。花期4 ~ 6月，果期7 ~ 11月。

| 生境分布 | 生于海拔200 ~ 1600m的向阳的山野、田边、溪畔灌丛中。分布于重庆长寿、丰都、綦江、万州、垫江、南岸、忠县、璧山、巫山、大足、沙坪坝、潼南、奉节、永川、合川、石柱、北碚、涪陵、梁平、江津、铜梁、黔江、云阳、酉阳、南川、九龙坡、彭水、秀山、武隆、开州、巫溪、巴南、荣昌等地。

| 资源情况 | 野生资源丰富，亦有零星栽培。药材主要来源于野生。

| 采收加工 | 金樱子：10 ~ 11 月果实成熟变红时采收，干燥，除去毛刺。

金樱根：全年均可采收，除去泥沙，砍成小段，干燥。

金樱叶：全年均可采收，多鲜用。

金樱花：4 ~ 6 月采收将开放的花蕾，干燥。

| 药材性状 | 金樱子：本品为花托发育而成的假果，呈倒卵形，长 2 ~ 3.5cm，直径 1 ~ 2cm。表面红黄色或红棕色，有凸起的棕色小点，系毛刺脱落后的残基。先端有盘状花萼残基，中央有黄色柱基，下部渐尖。质硬，切开后，花托壁厚 1 ~ 2mm，内有多数坚硬的小瘦果，内壁及瘦果均有淡黄色绒毛。无臭，味甘、微涩。

金樱根：本品呈圆柱形，长短不等，略扭曲，直径 0.5 ~ 2cm；或为不规则厚片。表面紫红色或紫褐色，粗糙，具纵皱纹，栓皮呈片状，易剥落。体重，质坚硬，断面皮部薄，紫褐色，木部发达，淡黄色或黄棕色，纤维性，具放射状纹理。气微，味微苦、涩。

金樱花：本品花蕾呈球形或卵形。花托倒卵形，与花萼基部相连，表面绿色，具直刺。萼片 5，卵状披针形，黄绿色，伸展。花瓣 5，白色或淡棕色，倒卵形。雄蕊多数，雌蕊多数。气微香，味微苦、涩。

| 功能主治 | 金樱子：酸、涩，平。归脾、大肠、膀胱经。固精缩尿，涩肠止泻，固崩止带。用于遗精滑精，遗尿尿频，崩漏带下，久泻久痢。

金樱根：苦、涩，平。固精涩肠，活血散瘀，收敛止痛。用于滑精遗尿，痢疾，泄泻，跌打损伤，腰痛，痛经，脱肛，子宫脱垂，肠粘连，肾炎。

金樱叶：苦，凉。清热解毒，活血止血，止带。用于痈肿疔疮，烫火伤，痢疾，闭经，崩漏，带下，创伤出血。

金樱花：酸、涩，平。涩肠，固精，缩尿，止带，杀虫。用于久泻久痢，遗精，尿频，遗尿，带下，绦虫、蛔虫、蛲虫病，须发早白。

| 用法用量 | 金樱子：内服煎汤，6 ~ 12g。

金樱根：内服煎汤，30 ~ 60g。

金樱叶：内服煎汤，9g。外用适量，捣敷；或研末撒。

金樱花：内服煎汤，3 ~ 9g。

| 附　　注 | 本种喜温暖、干燥的气候，以排水良好、疏松、肥沃的砂壤土栽培为宜。

蔷薇科 Rosaceae 蔷薇属 *Rosa*

野蔷薇 *Rosa multiflora* Thunb.

| 药 材 名 | 蔷薇花（药用部位：花。别名：刺花、白残花、柴米米花）、蔷薇叶（药用部位：叶）、蔷薇枝（药用部位：枝）、蔷薇根（药用部位：根）、营实（药用部位：果实。别名：蔷薇子、野蔷薇子、石珊瑚）。

| 形态特征 | 攀缘灌木。小枝圆柱形，通常无毛，有短、粗、稍弯曲皮刺。小叶 5 ~ 9，近花序的小叶有时 3，连叶柄长 5 ~ 10cm；小叶倒卵形、长圆形或卵形，长 1.5 ~ 5cm，宽 8 ~ 28mm，先端急尖或圆钝，基部近圆形或楔形，边缘有尖锐单锯齿，稀混有重锯齿，上面无毛，下面被柔毛；小叶柄和叶轴被柔毛或无毛，有散生腺毛；托叶篦齿状，大部贴生于叶柄，边缘有或无腺毛。花多朵，排成圆锥状花序，花梗长 1.5 ~ 2.5cm，无毛或被腺毛，有时基部有篦齿状小苞片；花直径 1.5 ~ 2cm，萼片披针形，有时中部具 2 线形裂片，外面无毛，内面被柔毛；花瓣白色，宽倒卵形，先端微凹，基部楔形；花柱结合成束，

野蔷薇

无毛，比雄蕊稍长。果实近球形，红褐色或紫褐色，有光泽，无毛，萼片脱落。

| 生境分布 | 生于海拔 490 ~ 2000m 的旷野或路旁、田地、丘陵灌丛中。分布于重庆黔江、江津、奉节、綦江、石柱、巫溪、城口、铜梁、大足、九龙坡、巫山、万州、云阳等地。

| 资源情况 | 野生资源较丰富。药材主要来源于野生。

| 采收加工 | 蔷薇花：5 ~ 6 月花盛开时择晴天采收，晒干。

蔷薇叶：夏、秋季采收，晒干。

蔷薇枝：全年均可采收，剪枝，切段，晒干。

蔷薇根：秋季采挖，洗净，切片，晒干。

营实：秋季采收，以半青半红未成熟者为佳，鲜用或晒干。

| 药材性状 | 蔷薇花：本品大多破碎不全。花萼披针形，密被绒毛；花瓣黄白色至棕色，多数萎落、皱缩卷曲，展平后呈三角状卵形，长约 1.3cm，宽约 1cm，先端中央微凹，中部楔形，可见条状脉纹。雄蕊多数，着生于花萼筒上，黄色，卷曲成团。花托小壶形，基部有长短不等的花柄。质脆，易碎。气微香，味微苦而涩。

营实：本品呈卵圆形，长 6 ~ 8mm，具果柄，先端有宿存花萼之裂片。果实外皮红褐色，内为肥厚、肉质果皮。种子黄褐色，果肉与种子间有白毛。果肉味甘、酸。

| 功能主治 | 蔷薇花：苦、涩，凉。归胃、肝经。清暑，和胃，活血止血，解毒。用于暑热胸闷，头痛烦躁，口渴，呕吐，不思饮食，脘腹胀满，胃痛，泄泻，口疮，口糜，吐血，疟疾。

蔷薇叶：甘，凉。解毒消肿。用于疮痈肿毒。

蔷薇枝：甘，凉。清热消肿，生发。用于疮疖，脱发。

蔷薇根：苦、涩，凉。归脾、胃、肾经。清热解毒，祛风除湿，活血调经，固精缩尿，消骨鲠。用于疮痈肿毒，烫火伤，口疮，痔血，鼻衄，关节疼痛，月经不调，痛经，久痢不愈，遗尿，尿频，白带过多，子宫脱垂，骨鲠。

营实：酸，凉。归肝、肾、胃经。清热解毒，祛风活血，利水消肿。用于疮痈肿毒，风湿痹痛，关节不利，月经不调，水肿，小便不利。

| 用法用量 | 蔷薇花：内服煎汤，3 ~ 6g。

蔷薇叶：外用适量，研粉调敷；或鲜品捣敷。

蔷薇枝：内服煎汤，10 ~ 15g。外用适量，煎汤洗。

蔷薇根：内服煎汤，10 ~ 15g；或研末，1.5 ~ 3g；或鲜品捣烂绞汁，适量。外用适量，研粉敷；煎汤含漱或洗。

营实：内服煎汤，15 ~ 30g，鲜品用量加倍。外用适量，捣敷。

蔷薇科 Rosaceae 蔷薇属 *Rosa*

七姊妹 *Rosa multiflora* Thunb. var. *carnea* Thory

| **药 材 名** | 十姊妹（药用部位：根、叶）。

| **形态特征** | 本种与原变种野蔷薇的区别在于花瓣重瓣，粉红色。

| **生境分布** | 栽培于庭院。重庆各地均有分布。

| **资源情况** | 野生资源较丰富。药材主要来源于野生，亦有少量栽培。

| **采收加工** | 全年均可采挖根，洗净，切片，晒干。夏、秋季采收叶，鲜用或晒干。

| **功能主治** | 苦、微涩，平。清热化湿，疏肝利胆。用于黄疸，痞积，妇女带下。

| **用法用量** | 内服煎汤，15 ~ 30g。

七姊妹

蔷薇科 Rosaceae 蔷薇属 *Rosa*

粉团蔷薇 *Rosa multiflora* Thunb. var. *cathayensis* Rehd. et Wils.

| 药 材 名 | 红刺玫花（药用部位：花。别名：白残花）、红刺玫根（药用部位：根）。

| 形态特征 | 本种与原变种野蔷薇的区别在于花瓣单瓣，粉红色。

| 生境分布 | 栽培或野生于海拔 200 ~ 2200m 的山坡、灌丛或河边。分布于重庆奉节、北碚、南岸、石柱、城口、秀山等地。

| 资源情况 | 野生和栽培资源均一般。药材主要来源于栽培，自产自销。

| 采收加工 | 红刺玫花：春、夏季花将开放时采摘，除去萼片等杂质，晒干。
红刺玫根：全年均可采挖，洗净，切片，晒干。

粉团蔷薇

| 功能主治 | 红刺玫花：苦、涩，寒。清暑化湿，顺气和胃。用于暑热胸闷，口渴，呕吐，食少，口疮，口糜，烫火伤。

红刺玫根：苦、涩，寒。活血通络。用于关节炎，颜面神经麻痹。

| 用法用量 | 红刺玫花：内服煎汤，3 ~ 9g。外用适量，研末调敷。

红刺玫根：内服煎汤，9 ~ 15g。外用适量，研末撒或调敷。

| 附　　注 | 本种在生产中采用种子和扦插两种繁殖方式。

蔷薇科 Rosaceae 蔷薇属 *Rosa*

香水月季 *Rosa odorata* (Andr.) Sweet.

| 药 材 名 | 香水月季（药用部位：根、叶、虫瘿）。

| 形态特征 | 常绿或半常绿攀缘灌木。有长匍匐枝，枝粗壮，无毛，有散生而粗短钩状皮刺。小叶 5 ~ 9，连叶柄长 5 ~ 10cm；小叶片椭圆形、卵形或长圆卵形，长 2 ~ 7cm，宽 1.5 ~ 3cm，先端急尖或渐尖，稀尾状渐尖，基部楔形或近圆形，边缘有紧贴的锐锯齿，两面无毛，革质；托叶大部贴生于叶柄，无毛，边缘或仅在基部有腺，先端小叶片有长柄，总叶柄和小叶柄有稀疏小皮刺和腺毛。花单生或 2 ~ 3，直径 5 ~ 8cm；花梗长 2 ~ 3cm，无毛或被腺毛；萼片全缘，稀有少数羽状裂片，披针形，先端长渐尖，外面无毛，内面密被长柔毛；花瓣芳香，白色或带粉红色，倒卵形；心皮多数，被毛；花柱离生，伸出花托口外，约与雄蕊等长。果实呈压扁的球形，稀梨形，外面

香水月季

无毛，果梗短。花期 6 ~ 9 月。

| 生境分布 | 生于海拔 1400 ~ 2700m 的混交林、山坡灌丛、牧场、草坡、路旁，或栽培于庭园、路边。重庆各地均有分布。

| 资源情况 | 野生资源较少，栽培资源一般。药材来源于野生和栽培。

| 采收加工 | 全年均可采挖根，洗净，切段，晒干。枝叶茂盛时采收叶，鲜用或晒干。

| 功能主治 | 涩，凉。调气和血，止痢，止咳，定喘，消炎，杀菌。用于痢疾，小儿疝气，哮喘，腹泻，带下。外用于疮、痈、疖。

| 用法用量 | 内服煎汤，根 6 ~ 15g，虫瘿 5 ~ 8 个。外用鲜叶适量，捣敷。

蔷薇科 Rosaceae 蔷薇属 *Rosa*

峨眉蔷薇 *Rosa omeiensis* Rolfe

| 药 材 名 | 刺石榴根（药用部位：根。别名：山石榴）、峨眉蔷薇花（药用部位：花瓣）、刺石榴果（药用部位：果实。别名：山石榴）。

| 形态特征 | 直立灌木，高 3 ~ 4m。小枝细弱，无刺或有扁而基部膨大皮刺，幼嫩时常密被针刺或无针刺。小叶 9 ~ 13（ ~ 17），连叶柄长 3 ~ 6cm；小叶片长圆形或椭圆状长圆形，长 8 ~ 30mm，宽 4 ~ 10mm，先端急尖或圆钝，基部圆钝或宽楔形，边缘有锐锯齿，上面无毛，中脉下陷，下面无毛或在中脉被疏柔毛，中脉凸起；叶轴和叶柄有散生小皮刺；托叶大部贴生于叶柄，先端离生部分呈三角状卵形，边缘有齿或全缘，有时有腺。花单生叶腋，无苞片；花梗长 6 ~ 20mm，无毛；花直径 2.5 ~ 3.5cm；萼片 4，披针形，全缘，先端渐尖或长尾尖，外面近无毛，内面被稀疏柔毛；花瓣 4，白色，倒三角状卵形，先

峨眉蔷薇

端微凹，基部宽楔形；花柱离生，被长柔毛，比雄蕊短很多。果实倒卵球形或梨形，直径 8 ~ 15mm，亮红色，成熟时果梗肥大，萼片直立，宿存。花期 5 ~ 6 月，果期 7 ~ 9 月。

| 生境分布 | 生于海拔 1300 ~ 1700m 的山坡、山脚下或灌丛中。分布于重庆城口、巫山、巫溪、梁平、开州、南川等地。

| 资源情况 | 野生资源一般。药材主要来源于野生，自采自用。

| 采收加工 | 刺石榴根：全年均可采挖，洗净，切片，晒干。

峨眉蔷薇花：夏季花盛开时采收，阴干。

刺石榴果：7 ~ 9 月果实成熟时采摘，除去萼片及果柄，晒干。

| 药材性状 | 峨眉蔷薇花：本品皱缩卷曲，完整者呈倒卵形至扇形，长 1.2 ~ 2.5cm，宽 1.2 ~ 2.3cm，暗黄色或黄白色，先端微凹，浅裂或钝圆，基部有十余条花脉，呈放射状排列。纸质，体轻。气芳香，味微苦、甘。

| 功能主治 | 刺石榴根：苦、涩，平。止血，止带，止痢，杀虫。用于吐血，崩漏，带下，泄泻，痢疾，蛔虫病。

峨眉蔷薇花：甘、酸，凉。清热解毒，活血调经。用于肺热咳嗽，吐血，血脉瘀痛，月经不调，赤白带下，乳痈。

刺石榴果：微酸、涩，平。止血，止带，止痢，杀虫。用于吐血，衄血，崩漏，带下，赤白痢疾，蛔虫病。

| 用法用量 | 刺石榴根：内服煎汤，6 ~ 15g。

峨眉蔷薇花：内服煎汤，3 ~ 6g。

刺石榴果：内服煎汤，9 ~ 15g；或研末，每次 3g，每日 3 次。

蔷薇科 Rosaceae 蔷薇属 *Rosa*

扁刺峨眉蔷薇 *Rosa omeiensis* Rolfe f. *pteracantha* Rehd. et Wils.

| 药 材 名 | 扁刺峨眉蔷薇（药用部位：果实）。

| 形态特征 | 直立灌木，高 3 ~ 4m。小枝细弱，无刺或有扁而基部膨大皮刺，幼枝密被针刺及宽扁大形紫色皮刺。小叶 9 ~ 13（~ 17），连叶柄长 3 ~ 6cm；小叶片长圆形或椭圆状长圆形，长 8 ~ 30mm，宽 4 ~ 10mm，先端急尖或圆钝，基部圆钝或宽楔形，边缘有锐锯齿；小叶片上面叶脉明显，下面被柔毛，中脉凸起；叶轴和叶柄有散生小皮刺；托叶大部贴生于叶柄，先端离生部分呈三角状卵形，边缘有齿或全缘，有时有腺。花单生叶腋，无苞片；花梗长 6 ~ 20mm，无毛；花直径 2.5 ~ 3.5cm；萼片 4，披针形，全缘，先端渐尖或长尾尖，外面近无毛，内面被稀疏柔毛；花瓣 4，白色，倒三角状卵形，先端微凹，基部宽楔形；花柱离生，被长柔毛，比雄蕊短很多。果实

扁刺峨眉蔷薇

倒卵球形或梨形，直径 8 ~ 15mm，亮红色，成熟时果梗肥大，萼片直立，宿存。花期 5 ~ 6 月，果期 7 ~ 9 月。

| **生境分布** | 生于山地灌丛中。分布于重庆南川等地。

| **资源情况** | 野生资源稀少。药材主要来源于野生。

| **采收加工** | 7 ~ 9 月果实成熟时采摘，除去萼片及果柄，晒干。

| **功能主治** | 止血，止痢，涩精。用于吐血，衄血，崩漏，赤白痢疾。

| **用法用量** | 内服煎汤，适量。

蔷薇科 Rosaceae 蔷薇属 *Rosa*

缫丝花 *Rosa roxburghii* Tratt.

| 药材名 | 刺梨根（药用部位：根。别名：茨藜子根、茨藜根）、刺梨叶（药用部位：叶。别名：茨藜叶）、刺梨（药用部位：果实。别名：茨梨、文光果、团糖二）。

| 形态特征 | 开展灌木，高 1 ~ 2.5m。树皮灰褐色，呈片状剥落；小枝圆柱形，斜向上升，有基部稍扁而成对皮刺。小叶 9 ~ 15，连叶柄长 5 ~ 11cm；小叶片椭圆形或长圆形，稀倒卵形，长 1 ~ 2cm，宽 6 ~ 12mm，先端急尖或圆钝，基部宽楔形，边缘有细锐锯齿，两面无毛，下面叶脉凸起，网脉明显，叶轴和叶柄有散生小皮刺；托叶大部贴生于叶柄，离生部分呈钻形，边缘被腺毛。花单生或 2 ~ 3，生于短枝先端；花直径 5 ~ 6cm；花梗短；小苞片 2 ~ 3，卵形，边缘被腺毛；萼片通常宽卵形，先端渐尖，有羽状裂片，内面密被绒毛，外面密

缫丝花

被针刺；花瓣重瓣至半重瓣，淡红色或粉红色，微香，倒卵形，外轮花瓣大，内轮较小；雄蕊多数着生于杯状萼筒边缘；心皮多数，着生于花托底部；花柱离生，被毛，不外伸，短于雄蕊。果实扁球形，直径 3 ~ 4cm，绿红色，外面密生针刺，萼片宿存，直立。花期 5 ~ 7 月，果期 8 ~ 10 月。

| 生境分布 | 生于山谷路旁或灌丛中。重庆各地均有分布。

| 资源情况 | 野生资源丰富。药材主要来源于野生，自产自销。

| 采收加工 | 刺梨根：全年均可采挖，洗净，晒干。

刺梨叶：全年均可采摘，晒干。

刺梨：9 ~ 10 月采收，鲜用或晒干。

| 药材性状 | 刺梨根：本品呈类圆柱形，长 15 ~ 50cm，直径 0.5 ~ 2cm 或更粗。表面棕褐色，具细纵纹及侧根痕，少数有细须根残存。皮部薄，易剥离，脱落处表面呈棕红色。质坚硬，不易折断，断面纤维性，木部呈浅红棕色与黄白色相间的放射状纹理。气微，味涩。

刺梨叶：本品完整叶序为单数羽状复叶，叶柄长 1.5 ~ 2.5cm，具条纹；托叶线形，大部分连于叶柄上，边缘具尖齿及绿毛；对生，长倒卵形至椭圆形，边缘具细锯齿，先端尖或圆形，基部阔楔形，两面无毛。气微，味微酸、涩。

刺梨：本品呈扁球形，直径 3 ~ 4cm。表面黄绿色或黄褐色，少数带红晕，被密刺，有的具褐色斑点；先端有宿萼 5，黄褐色，密生细刺；纵剖面观，果肉黄白色，脆。种子多数，着生于萼筒基部凸起的花托上，卵圆形，浅黄色，骨质，直径 0.15 ~ 0.3cm。气微香，味酸、甘、微涩。

| 功能主治 | 刺梨根：苦、涩，平。归胃、大肠经。健胃消食，止痛，涩精，止血。用于食积腹痛，牙痛，久咳，泄泻，带下，崩漏，遗精，痔疮。

刺梨叶：微酸、涩，微寒。归脾、胃、肺经。健胃消食，清热解暑，收敛，止血。用于积食饱胀，暑热倦怠，疥，痈，金疮，痔疮，外伤出血。

刺梨：甘、酸、涩，平。归脾、胃经。消食健脾，收敛止泻。用于积食腹胀，泄泻。

| 用法用量 | 刺梨根：内服煎汤，9 ~ 15g；或研末，每次 0.5g。

刺梨叶：内服煎汤，3 ~ 9g。外用适量，研末，麻油调敷；或鲜品捣敷。

刺梨：内服煎汤，10 ~ 20g，鲜品 40 ~ 100g。

蔷薇科 Rosaceae 蔷薇属 *Rosa*

悬钩子蔷薇 *Rosa rubus* Lévl. et Vant.

| 药 材 名 | 悬钩子蔷薇（药用部位：根）。

| 形态特征 | 匍匐灌木，高 5 ~ 6m。小枝圆柱形，通常被柔毛，幼时较密，老时脱落；皮刺短粗、弯曲。小叶通常 5，近花序偶有 3，连叶柄长 8 ~ 15cm；小叶片卵状椭圆形、倒卵形或圆形，长 3 ~ 6（~ 9）cm，宽 2 ~ 4.5cm，先端尾尖、急尖或渐尖，基部近圆形或宽楔形，边缘有尖锐锯齿，向基部浅而稀，上面深绿色，通常无毛或偶被柔毛，下面密被柔毛或稀疏柔毛；小叶柄和叶轴被柔毛和散生的小沟状皮刺；托叶大部贴生于叶柄，离生部分披针形，先端渐尖，全缘，常带腺体，被毛。花 10 ~ 25，排成圆锥状伞房花序；花梗长 1.5 ~ 2cm，总花梗和花梗均被柔毛和稀疏腺毛；花直径 2.5 ~ 3cm；萼筒球形至倒卵球形，外被柔毛和腺毛；萼片披针形，先端长渐尖，通常全缘，

悬钩子蔷薇

两面均密被柔毛；花瓣白色，倒卵形，先端微凹，基部宽楔形；花柱结合成柱，比雄蕊稍长，外被柔毛。果实近球形，直径 8 ～ 10mm，猩红色至紫褐色，有光泽，花后萼片反折，以后脱落。花期 4 ～ 6 月，果期 7 ～ 9 月。

| 生境分布 | 生于海拔 400 ～ 1600m 的山坡、路旁、草地或灌丛中。分布于重庆城口、巫溪、巫山、奉节、云阳、万州、石柱、彭水、酉阳、秀山、黔江、武隆、南川、綦江、江津、北碚等地。

| 资源情况 | 野生资源一般。药材来源于野生，自采自用。

| 采收加工 | 秋季采挖，洗净，切片，晒干。

| 功能主治 | 清热解毒，活血祛瘀。用于疮痈肿毒，烫火伤，口疮，痔血。

| 用法用量 | 内服煎汤，适量。外用适量，研粉敷；或煎汤含漱。

| 附　　注 | 本种喜温暖向阳的环境，耐旱，怕涝，对土壤要求不严，适宜生长于土层深厚、疏松、肥沃、湿润而又排水通畅的土壤中。

蔷薇科 Rosaceae 蔷薇属 *Rosa*

玫瑰 *Rosa rugosa* Thunb.

| 药 材 名 | 玫瑰花（药用部位：花蕾。别名：徘徊花、笔头花、湖花）、玫瑰露（药材来源：花的蒸馏液）、玫瑰根（药用部位：根）。

| 形态特征 | 直立灌木，高可达 2m。茎粗壮，丛生；小枝密被绒毛，并有针刺和腺毛，有直立或弯曲、淡黄色的皮刺，皮刺外被绒毛。小叶 5 ~ 9，连叶柄长 5 ~ 13cm；小叶片椭圆形或椭圆状倒卵形，长 1.5 ~ 4.5cm，宽 1 ~ 2.5cm，先端急尖或圆钝，基部圆形或宽楔形，边缘有尖锐锯齿，上面深绿色，无毛；叶脉下陷，有褶皱，下面灰绿色，中脉凸起，网脉明显，密被绒毛和腺毛，有时腺毛不明显；叶柄和叶轴密被绒毛和腺毛；托叶大部贴生于叶柄，离生部分卵形，边缘有带腺锯齿，下面被绒毛。花单生叶腋，或数朵簇生，苞片卵形，边缘被腺毛，外被绒毛；花梗长 5 ~ 25mm，密被绒毛和腺毛；花直径 4 ~ 5.5cm；

玫瑰

萼片卵状披针形，先端尾状渐尖，常有羽状裂片而扩展成叶状，上面被稀疏柔毛，下面密被柔毛和腺毛；花瓣倒卵形，重瓣至半重瓣，芳香，紫红色至白色；花柱离生，被毛，稍伸出萼筒口外，比雄蕊短很多。果实扁球形，直径 2 ~ 2.5cm，砖红色，肉质，平滑，萼片宿存。花期 5 ~ 6 月，果期 8 ~ 9 月。

｜生境分布｜ 生于低山丛林中，或栽培于庭院、花园中。重庆各地均有分布。

｜资源情况｜ 栽培资源丰富，无野生资源。药材来源于栽培，自产自销。

｜采收加工｜ 玫瑰花：春末夏初花将开放时分批采摘，及时低温干燥。

玫瑰根：全年均可采挖，洗净，切片，晒干。

｜药材性状｜ 玫瑰花：本品略呈半球形或不规则团状，直径 0.7 ~ 1.5cm。残留花梗上被细柔毛，花托半球形，与花萼基部合生；萼片 5，披针形，黄绿色或棕绿色，被细柔毛；花瓣多皱缩，展平后宽卵形，呈覆瓦状排列，紫红色，有的黄棕色；雄蕊多数，黄褐色；花柱多数，柱头在花托口集成头状，略凸出，短于雄蕊。体轻，质脆。气芳香、浓郁，味微苦、涩。

｜功能主治｜ 玫瑰花：甘、微苦，温。归肝、脾经。行气解郁，和血，止痛。用于肝胃气痛，食少呕恶，月经不调，跌仆伤痛。

玫瑰露：淡，平。归肝、胃经。和中，养颜泽发。用于肝气犯胃，脘腹胀满疼痛，肤发枯槁。

玫瑰根：甘、微苦，微温。归肝经。活血，调经，止带。用于月经不调，带下，跌打损伤，风湿痹痛。

｜用法用量｜ 玫瑰花：内服煎汤，3 ~ 6g。

玫瑰露：内服温饮，30 ~ 60g。

玫瑰根：内服煎汤，9 ~ 15g。

｜附　　注｜ 本种为喜阳植物，对气候、土壤适应性强，耐寒，耐旱，怕涝，适宜栽种于阳光充足、通风良好、地势较高、干燥平整的地块，低洼积水地不宜种植。

蔷薇科 Rosaceae 蔷薇属 *Rosa*

绢毛蔷薇 *Rosa sericea* Lindl.

| 药 材 名 | 山刺梨（药用部位：根、果实。别名：刺梨根、色瓦）。

| 形态特征 | 直立灌木，高 1 ~ 2m。枝粗壮，弓形；皮刺散生或对生，基部稍膨大，有时密生针刺。小叶（5 ~ ）7 ~ 11，连叶柄长 3.5 ~ 8cm；小叶片卵形或倒卵形，稀倒卵状长圆形，长 8 ~ 20mm，宽 5 ~ 8mm，先端圆钝或急尖，基部宽楔形，边缘仅上半部有锯齿，基部全缘，上面无毛，有褶皱，下面被丝状长柔毛；叶轴、叶柄有极稀疏皮刺和腺毛；托叶大部贴生于叶柄，仅先端部分离生，呈耳状，被毛或无毛，边缘有腺。花单生叶腋，无苞片；花梗长 1 ~ 2cm，无毛；花直径 2.5 ~ 5cm；萼片卵状披针形，先端渐尖或急尖，全缘，外面被稀疏柔毛或近于无毛，内面被长柔毛；花瓣白色，宽倒卵形，先端微凹，基部宽楔形；花柱离生，被长柔毛，稍伸出萼筒口外，比雄蕊短。

绢毛蔷薇

果实倒卵球形或球形，直径 8 ~ 15mm，红色或紫褐色，无毛，有宿存直立萼片。花期 5 ~ 6 月，果期 7 ~ 8 月。

| 生境分布 | 生于海拔 1400m 左右的山顶、山谷斜坡或向阳干燥地。分布于重庆城口等地。

| 资源情况 | 野生资源稀少。药材主要来源于野生。

| 采收加工 | 7 ~ 8 月采摘果实，晒干。8 ~ 10 月采挖根，洗净，切片，晒干。

| 功能主治 | 甘、酸、涩，平。归脾、大肠经。健脾助运，止痢。用于积食腹胀，肠鸣腹泻。

| 用法用量 | 内服煎汤，9 ~ 15g。

蔷薇科 Rosaceae 蔷薇属 *Rosa*

钝叶蔷薇 *Rosa sertata* Rolfe

| 药 材 名 | 钝叶蔷薇（药用部位：根）。

| 形态特征 | 灌木，高 1 ~ 2m。小枝圆柱形，细弱，无毛，散生直立皮刺或无刺。小叶 7 ~ 11，连叶柄长 5 ~ 8cm；小叶片广椭圆形至卵状椭圆形，长 1 ~ 2.5cm，宽 7 ~ 15mm，先端急尖或圆钝，基部近圆形，边缘有尖锐单锯齿，近基部全缘，两面无毛，或下面沿中脉被稀疏柔毛，中脉和侧脉均凸起；小叶柄和叶轴被稀疏柔毛、腺毛和小皮刺；托叶大部贴生于叶柄，离生部分耳状，卵形，无毛，边缘被腺毛。花单生或 3 ~ 5 排成伞房状；小苞片 1 ~ 3，苞片卵形，先端短渐尖，边缘被腺毛，无毛；花梗长 1.5 ~ 3cm，花梗和萼筒无毛，或被稀疏腺毛；花直径 2 ~ 3.5cm（据记载有 5 ~ 6cm 者）；萼片卵状披针形，先端延长成叶状，全缘，外面无毛，内面密被黄白色柔毛，

钝叶蔷薇

边缘较密；花瓣粉红色或玫瑰色，宽倒卵形，先端微凹，基部宽楔形，比萼片短；花柱离生，被柔毛，比雄蕊短。果实卵球形，先端有短颈，长 1.2 ~ 2cm，直径约 1cm，深红色。花期 6 月，果期 8 ~ 10 月。

| 生境分布 | 生于海拔 1100 ~ 2000m 的山坡、路旁、沟边或疏林中。分布于重庆城口、巫溪、黔江、南川、奉节等地。

| 资源情况 | 野生资源较少。药材来源于野生，自采自用。

| 采收加工 | 全年均可采挖，洗净，切片，晒干。

| 功能主治 | 辛，平。归肝经。活血止痛，清热解毒。用于月经不调，风湿痹痛，疮痈肿毒。

| 用法用量 | 内服煎汤，30 ~ 60g。外用适量，鲜根磨成糊状涂敷。

蔷薇科 Rosaceae 悬钩子属 *Rubus*

秀丽莓 *Rubus amabilis* Focke

| 药 材 名 | 倒扎龙（药用部位：根。别名：美丽悬钩子、倒毒散）。

| 形态特征 | 灌木，高 1 ~ 3m。枝紫褐色或暗褐色，无毛，具稀疏皮刺；花枝短，被柔毛和小皮刺。小叶 7 ~ 11，卵形或卵状披针形，长 1 ~ 5.5cm，宽 0.8 ~ 2.5cm，通常位于叶轴上部的小叶片比下部的大，先端急尖，顶生小叶先端常渐尖，基部近圆形，顶生小叶基部有时近截形，上面无毛或疏生伏毛，下面沿叶脉具柔毛和小皮刺，边缘具缺刻状重锯齿，有时浅裂或 3 裂；叶柄长 1 ~ 3cm，小叶柄长约 1cm，侧生小叶几无柄，和叶轴均于幼时被柔毛，逐渐脱落至老时无毛或近无毛，疏生小皮刺；托叶线状披针形，被柔毛。花单生侧生小枝先端，下垂；花梗长 2.5 ~ 6cm，被柔毛，疏生细小皮刺，有时被稀疏腺毛；花直径 3 ~ 4cm；花萼绿色带红色，外面密被短柔毛，无刺或有时

秀丽莓

具稀疏短针刺或腺毛；萼片宽卵形，长 1 ~ 1.5cm，先端渐尖或具凸尖头，在花果时均开展；花瓣近圆形，白色，比萼片稍长或几等长，基部具短爪；花丝线形，基部稍宽，带白色；花柱浅绿色，无毛，子房被短柔毛。果实长圆形，稀椭圆形，长 1.5 ~ 2.5cm，直径 1 ~ 1.2cm，红色，幼时被稀疏短柔毛，老时无毛，可食；核肾形，稍有网纹。花期 4 ~ 5 月，果期 7 ~ 8 月。

| 生境分布 | 生于海拔 600 ~ 1650m 的杂木林中或路旁。分布于重庆城口、开州、武隆、彭水、南川等地。

| 资源情况 | 野生资源较少。药材来源于野生，自采自用。

| 采收加工 | 秋季采挖，除去须根，抖净泥土，切片，晒干。

| 功能主治 | 苦、辛，凉。解毒疗疮，活血止痛，止汗，止带。用于疮疡肿毒，瘰疬，腰腿痛，带下，盗汗。

| 用法用量 | 内服煎汤，15 ~ 30g。外用适量，鲜品捣敷。

| 附　　注 | 本种与同属植物针刺悬钩子 *Rubus pungens* Camb. 的根同作倒扎龙入药。

蔷薇科 Rosaceae 悬钩子属 *Rubus*

周毛悬钩子 *Rubus amphidasys* Focke ex Diels

| 药 材 名 | 周毛悬钩子（药用部位：全株。别名：全毛悬钩子、红毛猫耳扭）、周毛悬钩子果（药用部位：果实）。

| 形态特征 | 蔓性小灌木，高 0.3 ~ 1m。枝红褐色，密被红褐色长腺毛、软刺毛和淡黄色长柔毛，常无皮刺。单叶，宽长卵形，长 5 ~ 11cm，宽 3.5 ~ 9cm，先端短渐尖或急尖，基部心形，两面均被长柔毛，边缘 3 ~ 5 浅裂，裂片圆钝，顶生裂片比侧生者大数倍，有不整齐尖锐锯齿；叶柄长 2 ~ 5.5cm，被红褐色长腺毛、软刺毛和淡黄色长柔毛；托叶离生，羽状深条裂，裂片条形或披针形，被长腺毛和长柔毛。花常 5 ~ 12 成近总状花序，顶生或腋生，稀 3 ~ 5 簇生；总花梗、花梗和花萼均密被红褐色长腺毛、软刺毛和淡黄色长柔毛；花梗长 5 ~ 14mm；苞片与托叶相似，但较小；花直径 1 ~ 1.5cm；萼筒长

周毛悬钩子

约 5mm；萼片狭披针形，长 1 ~ 1.7cm，先端尾尖，外萼片常 2 ~ 3 裂，在果期直立开展；花瓣宽卵形至长圆形，长 4 ~ 6mm，宽 3 ~ 4mm，白色，基部几无爪，比萼片短得多；花丝宽扁，短于花柱；子房无毛。果实扁球形，直径约 1cm，暗红色，无毛，包藏在宿萼内。花期 5 ~ 6 月，果期 7 ~ 8 月。

| 生境分布 | 生于海拔 400 ~ 1600m 的山坡路旁丛林、竹林或红黄壤的山地林下。分布于重庆奉节、万州、云阳、南川、秀山、垫江等地。

| 资源情况 | 野生资源较少。药材来源于野生，自采自用。

| 采收加工 | 周毛悬钩子：全年均可采收，洗净，切段，晒干。

周毛悬钩子果：7 ~ 8 月果实成熟时采摘，晒干。

| 功能主治 | 周毛悬钩子：苦，平。归肝经。活血调经，祛风除湿。用于月经不调，带下，风湿痹痛，外伤出血。

周毛悬钩子果：酸，平。醒酒止渴。用于醉酒，口渴。

| 用法用量 | 周毛悬钩子：内服煎汤，15 ~ 30g。外用适量，鲜品捣敷。

周毛悬钩子果：内服煎汤，9 ~ 15g。

蔷薇科 Rosaceae 悬钩子属 *Rubus*

粉枝莓 *Rubus biflorus* Buch.-Ham. ex Smith

| 药 材 名 | 粉枝莓（药用部位：果实）。

| 形态特征 | 攀缘灌木，高 1 ~ 3m。枝紫褐色至棕褐色，无毛，具白粉霜，疏生粗壮钩状皮刺。小叶常 3，稀 5，长 2.5 ~ 5cm，宽 1.5 ~ 4（~ 5）cm，顶生小叶宽卵形或近圆形，侧生小叶卵形或椭圆形，先端急尖或短渐尖，基部宽楔形至圆形，上面伏生柔毛，下面密被灰白色或灰黄色绒毛，沿中脉有极稀疏小皮刺，边缘具不整齐粗锯齿或重锯齿，顶生小叶边缘常 3 裂；叶柄长 2 ~ 4（~ 5）cm，顶生小叶柄长 1 ~ 2.5cm，侧生小叶近无柄，均无毛或位于侧生小枝基部之叶柄被疏柔毛和疏腺毛，疏生小皮刺；托叶狭披针形，常被柔毛和少数腺毛，位于侧生小枝基部之托叶，其边缘被稀疏腺毛。花 2 ~ 8，生于侧生小枝先端的花较多，常 4 ~ 8 簇生或呈伞房状花序，腋生者花较少，

粉枝莓

通常 2 ~ 3 簇生；花梗长 2 ~ 3cm，无毛，疏生小皮刺；苞片线形或狭披针形，常无毛，稀被疏柔毛；花直径 1.5 ~ 2cm；花萼外面无毛；萼片宽卵形或圆卵形，宽 5 ~ 7mm，先端急尖并具针状短尖头，花时直立开展，果时包于果实；花瓣近圆形，白色，直径 7 ~ 8mm，比萼片长得多；花丝线形或基部稍宽；花柱基部及子房顶部密被白色绒毛。果实球形，包于萼内，直径 1 ~ 1.5（~ 2）cm，黄色，无毛，或先端常有被绒毛的残存花柱；核肾形，具细密皱纹。花期 5 ~ 6 月，果期 7 ~ 8 月。

| 生境分布 | 生于海拔 1500 ~ 2790m 的山谷河边或山地杂木林内。分布于重庆丰都、北碚、城口、石柱、潼南、铜梁、巫溪、南川、永川、开州、大足等地。

| 资源情况 | 野生资源较丰富。药材来源于野生，自采自用。

| 采收加工 | 8 月采收成熟果实，鲜用或晒干。

| 功能主治 | 益肾补肝，明目，兴阳。用于滑精，遗尿，带下，泄泻，阳痿。

| 用法用量 | 内服煎汤，适量。

蔷薇科 Rosaceae 悬钩子属 *Rubus*

寒莓 *Rubus buergeri* Miq.

| 药 材 名 | 寒莓（药用部位：茎叶。别名：肺形草、寒刺泡、肺痈草）、寒莓根（药用部位：根）。

| 形态特征 | 直立或匍匐小灌木。茎常伏地生根，长出新株。匍匐枝长达 2m，与花枝均密被绒毛状长柔毛，无刺或具稀疏小皮刺。单叶，卵形至近圆形，直径 5 ~ 11cm，先端圆钝或急尖，基部心形，上面微被柔毛或仅沿叶脉被柔毛，下面密被绒毛，沿叶脉被柔毛，成长时下面绒毛常脱落，故在同一枝上往往嫩叶密被绒毛，老叶则下面仅被柔毛，边缘 5 ~ 7 浅裂，裂片圆钝，有不整齐锐锯齿，基部具掌状五出脉，侧脉 2 ~ 3 对；叶柄长 4 ~ 9cm，密被绒毛状长柔毛，无刺或疏生针刺；托叶离生，早落，掌状或羽状深裂，裂片线形或线状披针形，被柔毛。花呈短总状花序，顶生或腋生，或花数朵簇生叶腋；总花

寒莓

梗和花梗密被绒毛状长柔毛，无刺或疏生针刺，花梗长 0.5 ~ 0.9cm；苞片与托叶相似，较小；花直径 0.6 ~ 1cm；花萼外密被淡黄色长柔毛和绒毛；萼片披针形或卵状披针形，先端渐尖，外萼片先端常浅裂，内萼片全缘，在果期常直立开展，稀反折；花瓣倒卵形，白色，几与萼片等长；雄蕊多数，花丝线形，无毛；雌蕊无毛，花柱长于雄蕊。果实近球形，直径 6 ~ 10mm，紫黑色，无毛；核具粗皱纹。花期 7 ~ 8 月，果期 9 ~ 10 月。

| 生境分布 | 生于海拔 1300 ~ 2500m 的阔叶林下或山地杂木林中。分布于重庆北碚、綦江、丰都、垫江、合川、铜梁、南川、九龙坡、涪陵、武隆、开州、梁平、云阳、彭水、酉阳等地。

| 资源情况 | 野生资源丰富。药材主要来源于野生，自产自销。

| 采收加工 | 寒莓：夏、秋季采收，鲜用或晒干。

寒莓根：全年均可采收，洗净，切片，晒干或鲜用。

| 功能主治 | 寒莓：苦、酸，凉。凉血止血，解毒敛疮。用于肺痨咯血，外伤出血，疮痈肿毒，湿疮流脓。

寒莓根：苦、酸，寒。清热解毒，活血止痛。用于湿热黄疸，产后发热，小儿高热，月经不调，白带过多，胃痛吐酸，痔疮肿痛，肛瘘。

| 用法用量 | 寒莓：内服煎汤，9 ~ 15g，鲜品 30 ~ 60g。外用适量，鲜品捣敷。

寒莓根：内服煎汤，9 ~ 15g，鲜品 30 ~ 60g。

蔷薇科 Rosaceae 悬钩子属 *Rubus*

毛萼莓 *Rubus chroosepalus* Focke

| 药 材 名 | 毛萼莓（药用部位：根）。

| 形态特征 | 半常绿攀缘灌木。枝细，幼时被柔毛，老时无毛，疏生微弯皮刺。单叶，近圆形或宽卵形，直径 5 ~ 10.5cm，先端尾状短渐尖，基部心形，上面无毛，下面密被灰白色或黄白色绒毛，沿叶脉被稀疏柔毛；下面叶脉凸起，侧脉 5 ~ 6 对，基部有 5 掌状脉，边缘呈不明显的波状并有不整齐的尖锐锯齿；叶柄长 4 ~ 7cm，无毛，疏生微弯小皮刺；托叶离生，披针形，不分裂或先端浅裂，早落。圆锥花序顶生，连总花梗长可达 27cm，下部的花序枝开展；总花梗和花梗均被绢状长柔毛；花梗长 3 ~ 6mm；苞片披针形，两面均被柔毛，全缘或先端常 3 浅裂，早落；花直径 1 ~ 1.5cm；花萼外密被灰白色或黄白色绢状长柔毛；萼筒浅杯状；萼片卵形或卵状披针形，先端渐尖，全缘，

毛萼莓

里面紫色而无毛，仅边缘被绒毛状短毛；无花瓣；雄蕊多数，花丝钻形，短于萼片；雌蕊约 15 或较少，比雄蕊长，通常无毛。果实球形，直径约 1cm，紫黑色或黑色，无毛；核具皱纹。花期 5 ~ 6 月，果期 7 ~ 8 月。

| 生境分布 | 生于海拔 750 ~ 1500m 的山坡灌丛中或林缘。分布于重庆垫江、涪陵、长寿、奉节、云阳、武隆、开州、石柱、永川、城口、南川等地。

| 资源情况 | 野生资源一般。药材来源于野生，自采自用。

| 采收加工 | 全年均可采收，洗净，切片，晒干。

| 功能主治 | 清热，解毒，止泻。用于湿热黄疸，泄泻。

| 用法用量 | 内服煎汤，适量。

蔷薇科 Rosaceae 悬钩子属 *Rubus*

山莓 *Rubus corchorifolius* L. f.

| 药 材 名 | 三月泡（药用部位：根皮）、覆盆子（药用部位：果实。别名：悬钩子、沿钩子、藨子）、山莓根（药用部位：根。别名：悬钩根、木莓根、三月藨根）、山莓叶（药用部位：茎叶。别名：对嘴泡叶、三月泡叶）。

| 形态特征 | 直立灌木，高 1 ~ 3m。枝具皮刺，幼时被柔毛。单叶，卵形至卵状披针形，长 5 ~ 12cm，宽 2.5 ~ 5cm，先端渐尖，基部微心形，有时近截形或近圆形，上面色较浅，沿叶脉被细柔毛，下面色稍深，幼时密被细柔毛，逐渐脱落至老时近无毛，沿中脉疏生小皮刺，边缘不分裂或 3 裂，通常不育枝上的叶 3 裂，有不规则锐锯齿或重锯齿，基部具 3 脉；叶柄长 1 ~ 2cm，疏生小皮刺，幼时密生细柔毛；托叶线状披针形，被柔毛。花单生或少数生于短枝上；花梗长 0.6 ~ 2cm，被细柔毛；花直径可达 3cm；花萼外密被细柔毛，无刺；萼片卵形

山莓

或三角状卵形，长 5 ~ 8mm，先端急尖至短渐尖；花瓣长圆形或椭圆形，白色，先端圆钝，长 9 ~ 12mm，宽 6 ~ 8mm，长于萼片；雄蕊多数，花丝宽扁；雌蕊多数，子房被柔毛。果实由很多小核果组成，近球形或卵球形，直径 1 ~ 1.2cm，红色，密被细柔毛；核具皱纹。花期 2 ~ 3 月，果期 4 ~ 6 月。

| 生境分布 | 生于海拔 200 ~ 1800m 的向阳山坡、溪边、山谷、荒地和疏密灌丛中潮湿处。重庆各地均有分布。

| 资源情况 | 野生资源丰富。药材来源于野生，自产自销。

| 采收加工 | 三月泡：秋季采挖根，剥取根皮，除去杂质，洗净，晒干或烘干。

覆盆子：夏初果实由绿色变黄色时采摘，除去梗、叶，置沸水中略烫，取出，干燥或鲜用。

山莓根：秋季采挖，洗净，切片，晒干。

山莓叶：春季至秋季均可采收，洗净，鲜用或晒干。

| 药材性状 | 三月泡：本品呈不规则卷筒状或槽状，长短不等，宽 1 ~ 3cm，厚 0.1 ~ 0.7cm。老根皮先端展开如喇叭口；外表面灰棕色至棕色，表面粗糙，有明显的纵皱纹。细根外表面色较深，多为暗棕色，表面较光滑，内表面黄棕色至棕色，有明显的细纵纹。老根皮质硬而脆，不易折断；细根皮质脆，易折断，断面淡黄色或浅棕色，外层有颗粒状突起，内层有纵向排列的射线纹理。气微，味苦、涩。

覆盆子：本品为聚合果，由多数小核果聚生在隆起的花托上，呈长圆锥形或半球形，高 5 ~ 13mm，直径 5 ~ 12mm。表面黄绿色或淡棕色，先端钝

圆，基部扁平或中心微凹入，密被灰白色绒毛；宿萼黄绿色或淡棕色，5 裂；裂片先端反折；基部着生极多棕色花丝；果柄细长或留有残痕。小果易剥落，半月形，长约 2mm，宽约 1mm；背面隆起，密被灰白色柔毛，两侧有明显的网纹，腹部有凸起的棱线。体轻，质稍硬。气微，味酸、微涩。

山莓根：本品长短不等，直径 2 ~ 3cm。表面灰棕色至灰黄色。质坚硬，断面白色，有菊花状纹理，外侧皮部厚 3 ~ 6mm。

| 功能主治 | 三月泡：苦、涩，平。归肝、脾经。活血散瘀，解毒敛疮，镇痛止血。用于疮肿，痔疮出血，骨折，筋骨疼痛。

覆盆子：酸、微甘，平。归肝、肺、肾经。醒酒止渴，化痰解毒，收涩。用于醉酒，痛风，丹毒，烫火伤，遗精，遗尿。

山莓根：苦、涩，平。归肝、脾经。凉血止血，活血调经，清热利湿，解毒敛疮。用于咯血，崩漏，痔疮出血，痢疾，泄泻，经闭，痛经，跌打损伤，毒蛇咬伤，疮疡肿毒，湿疹。

山莓叶：苦、涩，平。清热利咽，解毒敛疮。用于咽喉肿痛，疮痈疖肿，乳腺炎，湿疹，黄水疮。

| 用法用量 | 三月泡：内服煎汤，10 ~ 30g。外用适量，研末调敷。孕妇慎服。忌食豆腐和酸、涩食物。

覆盆子：内服煎汤，9 ~ 15g。外用适量，捣敷。

山莓根：内服煎汤，10 ~ 30g。外用适量，捣敷。孕妇慎服。

山莓叶：内服煎汤，9 ~ 15g。外用适量，鲜品捣敷。

| 附　　注 | 有研究者采用高效液相色谱 - 串联质谱（HPLC-MS/MS）联用技术分析山莓叶中的甲醇提取物，根据紫外光谱、负离子模式下的一级和二级质谱信息，与文献数据和部分对照品质谱信息对照，推测化合物的结构，推测出山莓叶中 7 种化合物的结构，其中 3 种为黄酮苷类化合物。该研究使人们对山莓叶中的化学成分有了进一步认识，为山莓叶资源的开发提供了依据。

蔷薇科 Rosaceae 悬钩子属 *Rubus*

插田泡 *Rubus coreanus* Miq.

| 药 材 名 | 倒生根（药用部位：根。别名：大乌泡根）、插田泡果（药用部位：果实。别名：覆盆子、插田藨、栽秧藨）、插田泡叶（药用部位：叶。别名：大乌泡叶）。

| 形态特征 | 灌木，高1～3m。枝粗壮，红褐色，被白粉，具近直立或钩状扁平皮刺。小叶通常5，稀3，卵形、菱状卵形或宽卵形，长（2～）3～8cm，宽2～5cm，先端急尖，基部楔形至近圆形，上面无毛或仅沿叶脉被短柔毛，下面被稀疏柔毛或仅沿叶脉被短柔毛，边缘有不整齐粗锯齿或缺刻状粗锯齿，顶生小叶先端有时3浅裂；叶柄长2～5cm，顶生小叶叶柄长1～2cm，侧生小叶近无柄，与叶轴均被短柔毛和疏生钩状小皮刺；托叶线状披针形，被柔毛。伞房花序生于侧枝先端，具花数朵至超过30朵，总花梗和花梗均被灰白色短柔毛；花梗

插田泡

长 5 ~ 10mm；苞片线形，被短柔毛；花直径 7 ~ 10mm；花萼外面被灰白色短柔毛；萼片长卵形至卵状披针形，长 4 ~ 6mm，先端渐尖，边缘被绒毛，花时开展，果时反折；花瓣倒卵形，淡红色至深红色，与萼片近等长或稍短；雄蕊比花瓣短或近等长，花丝带粉红色；雌蕊多数；花柱无毛，子房被稀疏短柔毛。果实近球形，直径 5 ~ 8mm，深红色至紫黑色，无毛或近无毛；核具皱纹。花期 4 ~ 6 月，果期 6 ~ 8 月。

| 生境分布 | 生于海拔 200 ~ 1700m 的山坡灌丛、山谷、河边、路旁。分布于重庆长寿、北碚、丰都、垫江、万州、忠县、石柱、永川、酉阳、奉节、合川、云阳、綦江、城口、巫溪、九龙坡、涪陵、南川、武隆、梁平、沙坪坝等地。

| 资源情况 | 野生资源丰富。药材来源于野生，自产自销。

| 采收加工 | 倒生根：9 ~ 10 月采挖，洗净，切片，晒干。

插田泡果：6 ~ 8 月果实成熟时采收，鲜用或晒干。

插田泡叶：春、夏季采收，鲜用或晒干。

| 药材性状 | 插田泡果：本品聚合果单个或数个成束，单个聚合果近球形，直径约 4mm，基部较平坦。表面淡绿色、灰棕色或红棕色至紫红色，周围密布许多小核果，近无毛。宿萼棕褐色，5 裂。气微，味酸、甘。

| 功能主治 | 倒生根：苦、涩，凉。活血止血，祛风除湿。用于跌打损伤，骨折，月经不调，吐血，衄血，风湿痹痛，水肿，小便不利，瘰疬。

插田泡果：甘、酸，温。归肝、肾经。补肾固精，平肝明目。用于阳痿，遗精，遗尿，带下，不孕症，胎动不安，风眼流泪，目生翳障。

插田泡叶：苦、涩，凉。祛风明目，除湿解毒。用于风眼流泪，风湿痹痛，狗咬伤。

| 用法用量 | 倒生根：内服煎汤，6 ~ 15g；或浸酒。外用适量，鲜品捣敷。体弱、无瘀血停滞者慎服。

插田泡果：内服煎汤，9 ~ 15g。

插田泡叶：内服煎汤，10 ~ 15g。外用适量，捣敷。

蔷薇科 Rosaceae 悬钩子属 *Rubus*

毛叶插田泡 *Rubus coreanus* Miq. var. *tomentosus* Card.

| 药 材 名 | 毛叶插田泡（药用部位：根。别名：柱序悬钩子）。

| 形态特征 | 本种与原变种插田泡的区别在于叶片下面密被短绒毛。

| 生境分布 | 生于海拔 800 ~ 1900m 的山坡灌丛或沟谷旁。分布于重庆垫江、涪陵、忠县、云阳、九龙坡、酉阳、南川等地。

| 资源情况 | 野生资源较少。药材来源于野生，自采自用。

| 采收加工 | 9 ~ 10 月采挖根，洗净，切片，晒干。

| 功能主治 | 酸、咸，平。行气活血，补肾固精，助阳明目，缩小便。用于劳伤吐血，衄血，月经不调，跌打损伤。

毛叶插田泡

| **用法用量** | 内服煎汤，适量；或浸酒。外用适量，鲜品捣敷。

蔷薇科 Rosaceae 悬钩子属 *Rubus*

栽秧泡 *Rubus ellipticus* Smith var. *obcordatus* (Franch.) Focke.

| 药 材 名 | 钻地风（药用部位：根。别名：黄锁梅根、黄泡刺根、红锁梅）、黄锁梅叶（药用部位：叶）、黄锁梅果（药用部位：果实）。

| 形态特征 | 灌木，高 1 ~ 3m。小枝紫褐色，被较密的紫褐色刺毛或腺毛，并被柔毛和稀疏钩状皮刺。小叶 3，叶较小，长 2 ~ 5.5cm，宽 1.5 ~ 4（~ 5）cm，倒卵形，先端浅心形或近截形，上面叶脉下陷，沿中脉被柔毛，下面密生绒毛，叶脉凸起，沿叶脉被紫红色刺毛，边缘具不整齐细锐锯齿；叶柄长 2 ~ 6cm，顶生小叶叶柄长 2 ~ 3cm，侧生小叶近无柄，均被紫红色刺毛、柔毛和小皮刺；托叶线形，被柔毛和腺毛。花数朵至十几朵，密集成顶生短总状花序，或腋生成束，稀单生；花梗短，长 4 ~ 6mm，几无刺毛；苞片线形，被柔毛；花直径 1 ~ 1.5cm；萼片卵形，先端急尖而具短尖头，在花果期均

栽秧泡

直立；花瓣匙形，边缘啮蚀状，被较密柔毛，基部具爪，白色或浅红色；花丝宽扁，短于花柱；花柱无毛，子房被柔毛。果实近球形，直径约 1cm，金黄色，无毛或小核果先端被柔毛；核三角状卵球形，密被皱纹。花期 3 ~ 4 月，果期 4 ~ 5 月。

| **生境分布** | 生于海拔 300 ~ 2000m 的山坡、路旁或灌丛中。分布于重庆万州、武隆、南川等地。

| **资源情况** | 野生资源较少。药材来源于野生，自采自用。

| **采收加工** | 钻地风：夏、秋季采挖，除去杂质，晒干。

黄锁梅叶：春、夏季采收，洗净，晒干。

黄锁梅果：春、夏季果实成熟时采收，鲜用或晒干。

| **药材性状** | 钻地风：本品呈圆柱形，直径 2 ~ 6cm。外皮灰褐色。质坚硬，不易折断，断面皮部棕色，木部黄白色，有排列紧密的放射状纹理，髓部褐色。气微，味涩、微酸。

黄锁梅叶：本品鲜者倒卵形，先端浅心形或近截形，长 2 ~ 5.5cm，宽 1.5 ~ 4cm，边缘有锯齿，下表面毛茸较上表面多。干者皱缩，深绿色或枯绿色；质脆，易碎。气微，味微涩。

| **功能主治** | 钻地风：涩、微酸，温。归肝、脾、大肠经。通经活络，收敛止泻。用于筋骨疼痛，痿软麻木，久痢，腹泻。

黄锁梅叶：苦、涩，平。止血，敛疮。用于外伤出血，湿疹，黄水疮。

黄锁梅果：甘、酸，平。补肾涩精。用于神经衰弱，多尿，遗精，早泄。

| 用法用量 | 钻地风：内服煎汤，9 ~ 15g。外用适量。

黄锁梅叶：外用适量，研末撒；或调敷。

黄锁梅果：内服煎汤，6 ~ 15g，鲜品 30 ~ 60g。

蔷薇科 Rosaceae 悬钩子属 *Rubus*

大红泡 *Rubus eustephanus* Focke ex Diels

| **药 材 名** | 大红泡（药用部位：根、叶）。

| **形态特征** | 灌木，高 0.5 ~ 2m。小枝灰褐色，常有棱角，无毛，疏生钩状皮刺。小叶 3 ~ 5（~ 7），卵形、椭圆形，稀卵状披针形，长 2 ~ 5（~ 7）cm，宽 1 ~ 3cm，先端渐尖至长渐尖，基部圆形，幼时两面疏生柔毛，老时仅下面沿叶脉被柔毛，沿中脉有小皮刺，边缘具缺刻状尖锐重锯齿；叶柄长 1.5 ~ 2（~ 4）cm，顶生小叶叶柄长 1 ~ 1.5cm，和叶轴均无毛或幼时疏生柔毛，有小皮刺；托叶披针形，先端尾尖，无毛或边缘稍被柔毛。花常单生，稀 2 ~ 3，常生于侧生小枝先端；花梗长 2.5 ~ 5cm，无毛，疏生小皮刺，常无腺毛，但其变种疏生短腺毛；苞片和托叶相似；花大，开展时直径 3 ~ 4cm；花萼无毛；萼片长圆状披针形，先端钻状长渐尖，内萼片边缘被绒毛，花后开

大红泡

展，果时常反折；花瓣椭圆形或宽卵形，白色，长于萼片；雄蕊多数，花丝线形；雌蕊很多，子房和花柱无毛。果实近球形，直径达 1cm，红色，无毛；核较平滑或微皱。花期 4 ~ 5 月，果期 6 ~ 7 月。

| 生境分布 | 生于海拔 500 ~ 2310m 的山麓潮湿地、山坡密林下或河沟边灌丛中。分布于重庆奉节、涪陵、南川、北碚、綦江等地。

| 资源情况 | 野生资源较少。药材来源于野生，自采自用。

| 采收加工 | 秋季采挖根，洗净，切片，晒干。春、夏季采收叶，洗净，晒干。

| 功能主治 | 消肿，止痛，收敛。用于无名肿毒。

| 用法用量 | 内服煎汤，适量。

| 附　　注 | 在 FOC 中，本种的拉丁学名被修订为 *Rubus eustephanos* Focke。

蔷薇科 Rosaceae 悬钩子属 *Rubus*

鸡爪茶 *Rubus henryi* Hemsl. et Ktze.

鸡爪茶

|药 材 名|

鸡爪茶（药用部位：根。别名：大熊泡）。

|形态特征|

常绿攀缘灌木，高达 6m。枝疏生微弯小皮刺，幼时被绒毛，老时近无毛，褐色或红褐色。单叶，革质，长 8 ~ 15cm，基部较狭窄，宽楔形至近圆形，稀近心形，深 3 裂，稀 5 裂，分裂至叶片的 2/3 处或超过之，顶生裂片与侧生裂片之间常成锐角，裂片披针形或狭长圆形，长 7 ~ 11cm，宽 1.5 ~ 2.5cm，先端渐尖，边缘有稀疏细锐锯齿，上面亮绿色，无毛，下面密被灰白色或黄白色绒毛，叶脉凸起，有时疏生小皮刺；叶柄细，长 3 ~ 6cm，被绒毛；托叶长圆形或长圆状披针形，离生，膜质，长 1 ~ 1.8cm，宽 0.3 ~ 0.6cm，全缘或先端有 2 ~ 3 锯齿，被长柔毛。花常 9 ~ 20，成顶生和腋生总状花序；总花梗、花梗和花萼密被灰白色或黄白色绒毛和长柔毛，混生少数小皮刺；花梗短，长达 1cm；苞片和托叶相似；花萼长约 1.5cm，有时混生腺毛；萼片长三角形，先端尾状渐尖，全缘，花后反折；花瓣狭卵圆形，粉红色，两面疏生柔毛，基部具短爪；雄蕊多数，被长柔毛；雌蕊多数，被长柔毛。果实近

球形，黑色，直径 1.3 ~ 1.5cm，宿存花柱带红色并被长柔毛；核稍有网纹。花期 5 ~ 6 月，果期 7 ~ 8 月。

| 生境分布 | 生于海拔 2000m 以下的山坡、林缘、草丛。重庆各地均有分布。

| 资源情况 | 野生资源稀少。药材来源于野生，自产自销。

| 采收加工 | 秋、冬季采挖，洗净，晒干。

| 功能主治 | 微苦、涩，平。除湿利尿，清热解毒。用于小便不利，痈疮肿毒。

| 用法用量 | 内服煎汤，适量。外用适量，研末撒或调敷。

蔷薇科 Rosaceae 悬钩子属 *Rubus*

宜昌悬钩子 *Rubus ichangensis* Hemsl. et Ktze.

| 药 材 名 | 牛尾泡（药用部位：根、叶。别名：黄泡子、山泡刺藤、小米泡）。

| 形态特征 | 落叶或半常绿攀缘灌木，高达 3m。枝圆形，浅绿色，无毛或近无毛，幼时被腺毛，逐渐脱落，疏生短小微弯皮刺。单叶，近革质，卵状披针形，长 8 ~ 15cm，宽 3 ~ 6cm，先端渐尖，基部深心形，弯曲幅度较大，两面均无毛，下面沿中脉疏生小皮刺，边缘浅波状或近基部有小裂片，有稀疏具短尖头小锯齿；叶柄长 2 ~ 4cm，无毛，常疏生腺毛和短小皮刺；托叶钻形或线状披针形，全缘，脱落。顶生圆锥花序狭窄，长达 25cm，腋生花序有时形似总状；总花梗、花梗和花萼被稀疏柔毛和腺毛，有时具小皮刺；花梗长 3 ~ 6mm；苞片与托叶相似，被腺毛；花直径 6 ~ 8mm；萼片卵形，先端急尖或短渐尖，外面疏生柔毛和腺毛，边缘有时被灰白色短柔毛，故呈

宜昌悬钩子

白色，里面密被白色短柔毛；花瓣直立，椭圆形，白色，短于或几与萼片等长；雄蕊多数，花丝稍宽扁；雌蕊 12 ~ 30，无毛。果实近球形，红色，无毛，直径 6 ~ 8mm；核有细皱纹。花期 7 ~ 8 月，果期 10 月。

| **生境分布** | 生于海拔 350 ~ 1800m 的山坡、山谷疏密林中或灌丛内。分布于重庆涪陵、石柱、丰都、巫溪、铜梁、璧山、开州、巫山、奉节、南川、北碚等地。

| **资源情况** | 野生资源丰富。药材来源于野生，自产自销。

| **采收加工** | 秋、冬季采挖根，洗净，晒干。夏季采摘叶，晒干。

| **功能主治** | 酸、涩，凉。收敛止血，通经利尿，解毒敛疮。用于吐血，衄血，痔血，尿血，血崩，痛经，小便短涩，湿热疮毒，黄水疮。

| **用法用量** | 内服煎汤，6 ~ 15g。外用适量，研末撒或调敷。

蔷薇科 Rosaceae 悬钩子属 *Rubus*

白叶莓 *Rubus innominatus* S. Moore

| 药 材 名 | 白叶莓（药用部位：根。别名：早谷藨）。

| 形态特征 | 灌木，高 1 ~ 3m。枝拱曲，褐色或红褐色，小枝密被绒毛状柔毛，疏生钩状皮刺。小叶常 3，稀于不孕枝上具 5 小叶，长 4 ~ 10cm，宽 2.5 ~ 5（~ 7）cm，先端急尖至短渐尖，顶生小叶卵形或近圆形，稀卵状披针形，基部圆形至浅心形，边缘常 3 裂或缺刻状浅裂，侧生小叶斜卵状披针形或斜椭圆形，基部楔形至圆形，上面疏生平贴柔毛或几无毛，下面密被灰白色绒毛，沿叶脉混生柔毛，边缘有不整齐粗锯齿或缺刻状粗重锯齿；叶柄长 2 ~ 4cm，顶生小叶叶柄长 1 ~ 2cm，侧生小叶近无柄，与叶轴均密被绒毛状柔毛；托叶线形，被柔毛。总状或圆锥状花序，顶生或腋生，腋生花序常为短总状；总花梗和花梗均密被黄灰色或灰色绒毛状长柔毛和腺毛；花梗长

白叶莓

4 ~ 10mm；苞片线状披针形，被绒毛状柔毛；花直径 6 ~ 10mm；花萼外面密被黄灰色或灰色绒毛状长柔毛和腺毛；萼片卵形，长 5 ~ 8mm，先端急尖，内萼片边缘被灰白色绒毛，在花果时均直立；花瓣倒卵形或近圆形，紫红色，边缘啮蚀状，基部具爪，稍长于萼片；雄蕊稍短于花瓣；花柱无毛；子房稍被柔毛。果实近球形，直径约 1cm，橘红色，初期被疏柔毛，成熟时无毛；核具细皱纹。花期 5 ~ 6 月，果期 7 ~ 8 月。

| 生境分布 | 生于海拔 300 ~ 1800m 的山坡疏林、灌丛中或山谷河旁。分布于重庆垫江、綦江、大足、江津、长寿、石柱、合川、奉节、涪陵、巫溪、云阳、南川、武隆、丰都、忠县、开州、北碚等地。

| 资源情况 | 野生资源丰富。药材来源于野生，自产自销。

| 采收加工 | 秋、冬季采挖，洗净，鲜用或切片晒干。

| 功能主治 | 祛风散寒，止咳。用于小儿风寒咳喘。

| 用法用量 | 内服煎汤，适量。

蔷薇科 Rosaceae 悬钩子属 *Rubus*

红花悬钩子 *Rubus inopertus* (Diels) Focke

| **药 材 名** | 红花悬钩子（药用部位：根。别名：秃裸悬钩子）。

| **形态特征** | 攀缘灌木，高 1 ~ 2m。小枝紫褐色，无毛，疏生钩状皮刺。小叶 7 ~ 11，稀 5，卵状披针形或卵形，长（2 ~ ）3 ~ 7cm，宽 1 ~ 3cm，先端渐尖，基部圆形或近截形，上面疏生柔毛，下面沿叶脉被柔毛，边缘具粗锐重锯齿；叶柄长 3.5 ~ 6cm，紫褐色，顶生小叶叶柄长 0.6 ~ 2cm，侧生小叶几无柄，与叶轴均具稀疏小钩刺，无毛或微被柔毛；托叶线状披针形。花数朵簇生或呈顶生伞房花序；总花梗和花梗均无毛，花梗长 1 ~ 1.5cm，无毛；苞片线状披针形；花直径达 1.2cm；花萼外面无毛或仅于萼片边缘被绒毛；萼片卵形或三角状卵形，先端急尖至渐尖，在果期常反折；花瓣倒卵形，粉红至紫红色，基部具短爪或微被柔毛；花丝线形或基部增宽；花柱基部和子房被柔毛。果

红花悬钩子

实球形，直径 6 ~ 8mm，熟时紫黑色，外面被柔毛；核有细皱纹。花期 5 ~ 6 月，果期 7 ~ 8 月。

| 生境分布 | 生于海拔 580 ~ 1800m 的山地密林边、沟谷旁或山脚岩石上。分布于重庆丰都、南川、奉节等地。

| 资源情况 | 野生资源稀少。药材来源于野生，自采自用。

| 采收加工 | 秋季采挖，洗净，切片，晒干或鲜用。

| 功能主治 | 祛风除湿。用于风湿痹痛。

| 用法用量 | 内服煎汤，适量。

蔷薇科 Rosaceae 悬钩子属 *Rubus*

灰毛泡 *Rubus irenaeus* Focke

| 药 材 名 | 地乌泡藤（药用部位：全株）、地五泡藤根（药用部位：根。别名：家正牛根、蒲团叶、路路泡）、地五泡藤叶（药用部位：叶。别名：家正牛叶）。

| 形态特征 | 常绿矮小灌木，高 0.5 ～ 2m。枝灰褐色至棕褐色，密被灰色绒毛状柔毛；花枝自根茎上长出，疏生细小皮刺或无刺。单叶，近革质，近圆形，直径 8 ～ 14cm，先端圆钝或急尖，基部深心形，上面无毛，下面密被灰色或黄灰色绒毛，具掌状五出脉，下面叶脉凸出，黄棕色，沿叶脉被长柔毛，边缘波状或不明显浅裂，裂片圆钝或急尖，有不整齐粗锐锯齿；叶柄长 5 ～ 10cm，密被绒毛状柔毛，无刺或具极稀小皮刺；托叶大，叶状，棕褐色，长圆形，长 2 ～ 3cm，宽 1 ～ 2cm，被绒毛状柔毛，近先端较宽，缺刻状条裂，裂片披针形。花数朵成

灰毛泡

顶生伞房状或近总状花序，也常单花或数朵生于叶腋；总花梗和花梗密被绒毛状柔毛；花梗长 1 ~ 1.5cm；苞片与托叶相似，较小，被绒毛状柔毛，先端分裂；花直径 1.5 ~ 2cm；花萼外密被绒毛状柔毛；萼片宽卵形，先端短渐尖，外萼片先端或边缘条裂，裂片线状披针形，内萼片常全缘，在果期反折；花瓣近圆形，白色，具爪，稍长于萼片；雄蕊多数，短于萼片，花丝线形，近基部稍宽，花药被长柔毛；雌蕊 30 ~ 60，无毛，花柱长于雄蕊。果实球形，直径 1 ~ 1.5cm，红色，无毛；核具网纹。花期 5 ~ 6 月，果期 8 ~ 9 月。

| 生境分布 | 生于海拔 500 ~ 1300m 的山坡疏密杂林下或树荫下腐殖质较多的地方。分布于重庆城口、永川、丰都、璧山、忠县、石柱、奉节、南川、合川等地。

| 资源情况 | 野生资源一般。药材来源于野生，自采自用。

| 采收加工 | 地乌泡藤：全年均可采收，晒干。

地五泡藤根：秋、冬季采挖，洗净，晒干。

地五泡藤叶：夏、秋季采收，晒干。

| 药材性状 | 地乌泡藤：本品根多分枝。茎有小刺并密被灰色绒毛。叶互生，完整者展平后呈近圆形或阔心形，先端微尖，基部心形；叶柄长 4 ~ 8cm。托叶大，叶状，有裂齿。花 1 ~ 2 腋生或数朵顶生；总花梗、花梗和萼片密生灰色绒毛。气微，味淡、微涩。

| 功能主治 | 地乌泡藤：涩，温。归胃经。理气止痛，散毒生肌。用于气滞腹痛，口角炎。

地五泡藤根：咸，温。理气止痛。用于气滞腹痛。

地五泡藤叶：咸，平。解毒敛疮。用于口疮。

| 用法用量 | 地乌泡藤：内服煎汤，5 ~ 10g。

地五泡藤根：内服煎汤，15 ~ 30g；或浸酒。

地五泡藤叶：外用适量，研末调敷。

蔷薇科 Rosaceae 悬钩子属 *Rubus*

高粱泡 *Rubus lambertianus* Ser.

|药 材 名| 高粱泡（药用部位：根）、高粱泡叶（药用部位：叶）。

|形态特征| 半落叶藤状灌木，高达 3m。枝幼时被细柔毛或近无毛，有微弯小皮刺。单叶宽卵形，稀长圆状卵形，长 5 ~ 10（~ 12）cm，宽 4 ~ 8cm，先端渐尖，基部心形，上面疏生柔毛或沿叶脉被柔毛，下面被疏柔毛，沿叶脉毛较密，中脉上常疏生小皮刺，边缘明显 3 ~ 5 裂或呈波状，有细锯齿；叶柄长 2 ~ 4（~ 5）cm，被细柔毛或近于无毛，有稀疏小皮刺；托叶离生，线状深裂，被细柔毛或近无毛，常脱落。圆锥花序顶生，生于枝上部叶腋内的花序常近总状，有时仅数朵花簇生叶腋；总花梗、花梗和花萼均被细柔毛；花梗长 0.5 ~ 1cm；苞片与托叶相似；花直径约 8mm；萼片卵状披针形，先端渐尖，全缘，外面边缘和内面均被白色短柔毛，仅在内萼片边缘被灰

高粱泡

白色绒毛；花瓣倒卵形，白色，无毛，稍短于萼片；雄蕊多数，稍短于花瓣，花丝宽扁；雌蕊 15 ~ 20，通常无毛。果实小，近球形，直径 6 ~ 8mm，由多数小核果组成，无毛，熟时红色；核较小，长约 2mm，有明显皱纹。花期 7 ~ 8 月，果期 9 ~ 11 月。

| 生境分布 | 生于海拔 400 ~ 1300m 的山坡、山谷、路旁灌丛阴湿处或林缘及草坪。分布于重庆潼南、合川、江津、垫江、铜梁、涪陵、长寿、石柱等地。

| 资源情况 | 野生资源一般。药材来源于野生，自采自用。

| 采收加工 | 高粱泡：全年均可采挖，除去茎叶，洗净，切碎，鲜用或晒干。
高粱泡叶：夏、秋季采收，晒干。

| 功能主治 | 高粱泡：苦、涩，平。祛风清热，凉血止血，活血祛瘀。用于风热感冒，风湿痹痛，半身不遂，咯血，衄血，便血，崩漏，经闭，痛经，产后腹痛，疮疡。
高粱泡叶：甘、苦，平。清热凉血，解毒疗疮。用于感冒发热，咯血，便血，崩漏，创伤出血，瘰疬溃烂，皮肤糜烂，黄水疮。

| 用法用量 | 高粱泡：内服煎汤，15 ~ 30g。外用适量，鲜品捣敷。
高粱泡叶：内服煎汤，9 ~ 15g。外用适量，鲜品捣敷；或研末撒，调搽。

蔷薇科 Rosaceae 悬钩子属 *Rubus*

绵果悬钩子 *Rubus lasiostylus* Focke

| **药 材 名** | 绵果悬钩子（药用部位：果实）。

| **形态特征** | 灌木，高达 2m。枝红褐色，有时具白粉，幼时无毛或被柔毛，老时无毛，具疏密不等的针状或微钩状皮刺。小叶 3，稀 5，顶生小叶宽卵形，侧生小叶卵形或椭圆形，长 3 ~ 10cm，宽 2.5 ~ 9cm，先端渐尖或急尖，基部圆形至浅心形，上面疏生细柔毛，老时无毛，下面密被灰白色绒毛，沿叶脉疏生小皮刺，边缘具不整齐重锯齿，顶生小叶常浅裂或 3 裂；叶柄长 5 ~ 10cm，顶生小叶叶柄长 2 ~ 3.5cm，侧生小叶几无柄，均无毛或被稀疏柔毛，疏生小皮刺；托叶卵状披针形至卵形，长 1 ~ 1.5cm，宽 5 ~ 8mm，膜质，棕褐色，无毛，先端渐尖。花 2 ~ 6 成顶生伞房状花序，有时 1 ~ 2 腋生；花梗长 2 ~ 4cm，无毛，有疏密不等的小皮刺；苞片大，卵形或卵

绵果悬钩子

状披针形，长 0.8 ~ 1.6cm，宽 5 ~ 10mm，膜质，棕褐色，无毛；花开展时直径 2 ~ 3cm；花萼外面紫红色，无毛；萼片宽卵形，长 1.2 ~ 1.8cm，宽 0.6 ~ 1cm，先端尾尖，仅内萼片边缘被灰白色绒毛，在花果时均开展，稀于果时反折；花瓣近圆形，红色，短于萼片，基部具短爪；花丝白色，线形；花柱下部和子房上部密被灰白色或灰黄色长绒毛。果实球形，直径 1.5 ~ 2cm，红色，外面密被灰白色长绒毛，具宿存花柱。花期 6 月，果期 8 月。

| 生境分布 | 生于海拔 1000 ~ 1800m 的山坡灌丛或谷底林下。分布于重庆云阳等地。

| 资源情况 | 野生资源较少。药材来源于野生，自采自用。

| 采收加工 | 果实成熟时采收，去除梗、叶，晒干。

| 功能主治 | 固肾涩精，止遗。用于肾虚腰痛，阳痿早泄，遗尿。

| 用法用量 | 内服煎汤，适量；或浸酒。

蔷薇科 Rosaceae 悬钩子属 *Rubus*

棠叶悬钩子 *Rubus malifolius* Focke

| 药 材 名 | 棠叶悬钩子（药用部位：根、叶。别名：羊屎泡、羊尿泡）。

| 形态特征 | 攀缘灌木，高 1.5 ~ 3.5m，具稀疏微弯小皮刺。一年生枝、不育枝和结果枝（或花枝）幼时均被柔毛，老时渐脱落。单叶，椭圆形或长圆状椭圆形，长 5 ~ 12cm，宽 2.5 ~ 5cm，先端渐尖，稀急尖，基部近圆形，下面无毛，下面被平贴灰白色绒毛，不育枝和老枝上叶片下面的绒毛不脱落，结果枝上的叶片下面绒毛脱落；叶脉 8 ~ 10 对，边缘具不明显浅齿或粗锯齿；叶柄短，长 1 ~ 1.5cm，幼时被绒毛状毛，以后脱落，有时具少数小针刺；托叶和苞片线状披针形，膜质，幼时被平铺柔毛，早落。花呈顶生总状花序，长 5 ~ 10cm；总花梗和花梗被较密绒毛状长柔毛，逐渐脱落近无毛，花梗长 1 ~ 1.5cm；花萼密被绒毛状长柔毛；萼筒盆形；萼片卵形或三角状

棠叶悬钩子

卵形，先端渐尖，长 8 ~ 10mm，全缘；花直径可达 2.5cm；花瓣宽，倒卵形至近圆形，基部具短爪，白色，或白色有粉红色斑，两面微被细柔毛；雄蕊多数，花丝细，先端钻状，近基部较宽大，微被柔毛，花药被长硬毛；雌蕊多数，花柱长于雄蕊很多，先端棍棒状，花柱和子房无毛。果实扁球形，无毛，由多数小核果组成，无毛，熟时紫黑色；小核果半圆形，核稍有皱纹或较平滑。花期 5 ~ 6 月，果期 6 ~ 8 月。

| 生境分布 | 生于海拔 600 ~ 1400m 的山坡、山沟杂木林内或灌丛中荫蔽处。分布于重庆北碚、江津、永川、忠县、涪陵、长寿、南川、綦江、合川等地。

| 资源情况 | 野生资源一般。药材来源于野生，自采自用。

| 采收加工 | 全年均可采收，洗净，切片，晒干。

| 功能主治 | 消肿，止痛，收敛。用于无名肿毒，跌打损伤。

| 用法用量 | 内服煎汤，适量。外用适量，研末敷。

蔷薇科 Rosaceae 悬钩子属 *Rubus*

喜阴悬钩子 *Rubus mesogaeus* Focke

| 药 材 名 | 喜阴悬钩子（药用部位：根。别名：莓子）。

| 形态特征 | 攀缘灌木，高 1 ~ 4m。老枝有稀疏基部宽大的皮刺，小枝红褐色或紫褐色，具稀疏针状皮刺或近无刺，幼时被柔毛。小叶常 3，稀 5，顶生小叶宽菱状卵形或椭圆卵形，先端渐尖，边缘常羽状分裂，基部圆形至浅心形，侧生小叶斜椭圆形或斜卵形，先端急尖，基部楔形至圆形，长 4 ~ 9（~ 11）cm，宽 3 ~ 7（~ 9）cm，上面疏生平贴柔毛，下面密被灰白色绒毛，边缘有不整齐粗锯齿并常浅裂；叶柄长 3 ~ 7cm，顶生小叶叶柄长 1.5 ~ 4cm，侧生小叶有短柄或几无柄，与叶轴均被柔毛和稀疏钩状小皮刺；托叶线形，被柔毛，长达 1cm。伞房花序生于侧生小枝先端或腋生，具花数朵至 20 余朵，通常短于叶柄；总花梗被柔毛，有稀疏针刺；花梗长 6 ~ 12mm，

喜阴悬钩子

密被柔毛；苞片线形，被柔毛；花直径约 1cm 或稍大；花萼外密被柔毛；萼片披针形，先端急尖至短渐尖，长 5 ~ 8mm，内萼片边缘被绒毛，花后常反折；花瓣倒卵形、近圆形或椭圆形，基部稍被柔毛，白色或浅粉红色；花丝线形，几与花柱等长；花柱无毛，子房被疏柔毛。果实扁球形，直径 6 ~ 8mm，紫黑色，无毛；核三角状卵球形，有皱纹。花期 4 ~ 5 月，果期 7 ~ 8 月。

| 生境分布 | 生于海拔 900 ~ 2700m 的山坡、山谷林下潮湿处或沟边冲积台地。分布于重庆石柱、丰都、城口、璧山、巫山、巫溪、奉节、开州、梁平、云阳、南川等地。

| 资源情况 | 野生资源较少。药材来源于野生，自采自用。

| 采收加工 | 全年均可采收，洗净，切片，晒干。

| 功能主治 | 祛风，除湿。用于风湿痹痛。

| 用法用量 | 内服煎汤，适量。外用适量，鲜品捣敷。

蔷薇科 Rosaceae 悬钩子属 *Rubus*

红泡刺藤 *Rubus niveus* Thunb.

| 药 材 名 | 红泡刺藤（药用部位：根、果实。别名：硬枝黑锁梅、倒生根、倒竹伞）。

| 形态特征 | 灌木，高 1 ～ 2.5m。枝常紫红色，被白粉，疏生钩状皮刺，小枝带紫色或绿色，幼时被绒毛状毛。小叶常 7 ～ 9，稀 5 或 11，椭圆形、卵状椭圆形或菱状椭圆形，顶生小叶卵形或椭圆形，仅稍长于侧生者，长 2.5 ～ 6（～ 8）cm，宽 1 ～ 3（～ 4）cm，先端急尖，稀圆钝，顶生小叶有时渐尖，基部楔形或圆形，上面无毛或仅沿叶脉被柔毛，下面被灰白色绒毛，边缘常具不整齐粗锐锯齿，稀具稍钝锯齿，顶生小叶有时具 3 裂片；叶柄长 1.5 ～ 4cm，顶生小叶叶柄长 0.5 ～ 1.5cm，侧生小叶近无柄，和叶轴均被绒毛状柔毛和稀疏钩状小皮刺；托叶线状披针形，被柔毛。花呈伞房花序或短圆锥状花序，顶生或腋生；总花梗和花梗被绒毛状柔毛；花梗长 0.5 ～ 1cm；苞

红泡刺藤

片披针形或线形，被柔毛；花直径达 1cm；花萼外面密被绒毛，并混生柔毛；萼片三角状卵形或三角状披针形，先端急尖或突尖，在花果期常直立开展；花瓣近圆形，红色，基部有短爪，短于萼片；雄蕊几与花柱等长，花丝基部稍宽；雌蕊 55 ~ 70，花柱紫红色，子房和花柱基部密被灰白色绒毛。果实半球形，直径 8 ~ 12mm，深红色转为黑色，密被灰白色绒毛；核有浅皱纹。花期 5 ~ 7 月，果期 7 ~ 9 月。

| 生境分布 | 生于海拔 500 ~ 2750m 的山坡灌丛、疏林或山谷河滩、溪流旁。分布于重庆潼南、永川、武隆、巫溪、城口、奉节等地。

| 资源情况 | 野生资源一般。药材主要来源于野生。

| 采收加工 | 秋、冬季采挖根，洗净，切片，晒干。果实成熟时采收果实，鲜用或晒干。

| 功能主治 | 根，清热，祛风利湿，收敛止血，止咳消炎，调经止带。用于脱肛，痢疾，泄泻，肺病，流行性感冒，头痛，顿咳，月经不调，风湿病。果实，补肾涩精。用于痢疾，腹泻，风湿关节痛，痛风，肝炎，月经不调，小儿疳积，挫伤疼痛，湿疹，皮肤化脓感染，口腔炎，牙龈炎，尿道结石，神经衰弱，遗精，早泄。

| 用法用量 | 内服煎汤，9 ~ 15g。

蔷薇科 Rosaceae 悬钩子属 *Rubus*

乌泡子 *Rubus parkeri* Hance

| 药 材 名 | 小乌泡根（药用部位：根。别名：乌泡根）、小乌泡叶（药用部位：叶）。

| 形态特征 | 攀缘灌木。枝细长，密被灰色长柔毛，疏生紫红色腺毛和微弯皮刺。单叶，卵状披针形或卵状长圆形，长 7 ~ 16cm，宽 3.5 ~ 6cm，先端渐尖，基部心形，弯曲较宽而浅，两耳短而不相靠近，下面伏生长柔毛，沿叶脉较多，下面密被灰色绒毛，沿叶脉被长柔毛；侧脉 5 ~ 6 对，在下面凸起，沿中脉疏生小皮刺，边缘有细锯齿和浅裂片；叶柄通常长 0.5 ~ 1cm，极稀达 2cm，密被长柔毛，疏生腺毛和小皮刺；托叶脱落，长达 1cm，常掌状条裂，裂片线形，被长柔毛。大型圆锥花序顶生，稀腋生；总花梗、花梗和花萼密被长柔毛和长短不等的紫红色腺毛，具稀疏小皮刺；花梗长约 1cm；苞片与托叶

乌泡子

相似，被长柔毛和腺毛；花直径约 8mm；花萼带紫红色；萼片卵状披针形，长 5 ~ 10mm，先端短渐尖，全缘，里面被灰白色绒毛；花瓣白色，但常无花瓣；雄蕊多数，花丝线形；雌蕊少数，无毛。果实球形，直径 4 ~ 6mm，紫黑色，无毛。花期 5 ~ 6 月，果期 7 ~ 8 月。

| 生境分布 | 生于海拔 400 ~ 1000m 的山地疏密林中阴湿处、溪旁或山谷岩石上。分布于重庆丰都、垫江、綦江、忠县、南岸、石柱、涪陵、合川、潼南、长寿、万州、铜梁、南川、巫溪、云阳、开州、北碚、荣昌、奉节、沙坪坝等地。

| 资源情况 | 野生资源丰富。药材主要来源于野生。

| 采收加工 | 小乌泡根：9 ~ 10 月采挖，除去茎叶，洗净，晒干。

小乌泡叶：5 ~ 6 月采收，鲜用或晒干。

| 功能主治 | 小乌泡根：咸，凉。归肾经。活血调经，止血，止咳。用于劳伤咳嗽，吐血，月经不调，经闭，血崩，癥瘕痞块，咳嗽，牙痛，外伤出血，湿疹，血热疮疡。

小乌泡叶：咸，凉。清热泻火，止痛，杀虫。用于牙痛，眼多泪眵，疥癞。

| 用法用量 | 小乌泡根：内服煎汤，15 ~ 30g。外用适量，鲜品捣敷。

小乌泡叶：外用适量，鲜品捣汁点眼或涂搽。

蔷薇科 Rosaceae 悬钩子属 *Rubus*

茅莓 *Rubus parvifolius* L.

| 药材名 | 茅莓根（药用部位：根。别名：薅田藨根、托盘根、米花托盘根）、茅莓（药用部位：地上部分。别名：薅田藨、薅秧藨、蛇泡簕）。

| 形态特征 | 灌木，高 1 ~ 2m。枝呈弓形弯曲，被柔毛和稀疏钩状皮刺。小叶 3，在新枝上偶有 5，菱状圆形或倒卵形，长 2.5 ~ 6cm，宽 2 ~ 6cm，先端圆钝或急尖，基部圆形或宽楔形，上面伏生疏柔毛，下面密被灰白色绒毛，边缘有不整齐粗锯齿或缺刻状粗重锯齿，常具浅裂片；叶柄长 2.5 ~ 5cm，顶生小叶叶柄长 1 ~ 2cm，均被柔毛和稀疏小皮刺；托叶线形，长 5 ~ 7mm，被柔毛。伞房花序顶生或腋生，稀顶生花序呈短总状，具花数朵至多朵，被柔毛和细刺；花梗长 0.5 ~ 1.5cm，被柔毛和稀疏小皮刺；苞片线形，被柔毛；花直径约 1cm；花萼外面密被柔毛和疏密不等的针刺；萼片卵状披针形或披

茅莓

针形，先端渐尖，有时条裂，在花果时均直立开展；花瓣卵圆形或长圆形，粉红至紫红色，基部具爪；雄蕊花丝白色，稍短于花瓣；子房被柔毛。果实卵球形，直径 1 ~ 1.5cm，红色，无毛或被稀疏柔毛；核有浅皱纹。花期 5 ~ 6 月，果期 7 ~ 8 月。

| 生境分布 | 生于海拔 200 ~ 1500m 的山坡杂木林下、向阳山谷、路旁或荒野。分布于重庆巫山、南川、江北、南岸、北碚等地。

| 资源情况 | 野生资源一般。药材来源于野生，自产自销。

| 采收加工 | 茅莓根：冬季至翌年春季采挖，除去须根及泥沙，晒干。
茅莓：春、夏季花开时采割，除去杂质，晒干。

| 药材性状 | 茅莓根：本品呈圆柱形，多扭曲，长 10 ~ 30cm，直径 0.2 ~ 1.2cm。根头粗大，有残留茎基或茎痕。表面灰棕色或棕褐色，有纵皱纹；栓皮剥落后内皮显红棕色。质坚硬，横切面黄棕色，呈放射状纹理，木部导管多单个散在。气微，味微苦、涩。
茅莓：本品茎呈细长圆柱形，直径 1 ~ 4mm；表面红棕色或暗绿色，散生短刺；质脆，易折断，断面黄白色，中部有髓。叶多卷缩破碎，完整者为单数羽状复叶，小叶 3 或 5，展平后呈宽卵形或椭圆形，上表面黄绿色，下表面灰白色，密被绒毛。聚伞状圆锥花序顶生或生于上部叶腋，小花棕黄色，花瓣 5。气微，味微苦、涩。以叶多、色绿者为佳。

| 功能主治 | 茅莓根：苦、涩，微寒。活血消肿，祛风利湿。用于跌打损伤，痈肿，风湿痹痛。
茅莓：苦、涩，微寒。活血消肿，清解热毒，祛风湿。用于跌打损伤，风湿痹痛，疮痈肿毒。

| 用法用量 | 茅莓根：内服煎汤，30 ~ 60g。
茅莓：内服煎汤，15 ~ 30g。外用鲜品适量，捣敷。

| 附　　注 | 本种喜温暖气候，耐热，耐寒，对土壤要求不严，一般土壤均可种植。

蔷薇科 Rosaceae 悬钩子属 *Rubus*

黄泡 *Rubus pectinellus* Maxim.

| 药 材 名 | 小黄泡（药用部位：根、叶）。

| 形态特征 | 草本或半灌木，高 8 ~ 20cm。茎匍匐，节处生根，被长柔毛和稀疏微弯针刺。单叶，叶片心状，近圆形，长 2.5 ~ 4.5cm，宽 3 ~ 5（~ 7）cm，先端圆钝，基部心形，边缘有时波状浅裂或 3 浅裂，有不整齐细钝锯齿或重锯齿，两面被稀疏长柔毛，下面沿叶脉有针刺；叶柄长 3 ~ 6cm，被长柔毛和针刺；托叶离生，被长柔毛，长 0.6 ~ 0.9cm，2 回羽状深裂，裂片线状披针形。花单生，顶生，稀 2 ~ 3，直径达 2cm；花梗长 2 ~ 4cm，被长柔毛和针刺；苞片和托叶相似；花萼长 1.5 ~ 2cm，外面密被针刺和长柔毛；萼筒卵球形；萼片不等大，叶状，卵形至卵状披针形，外萼片宽大，梳齿状深裂或缺刻状，内萼片较狭，先端渐尖，有少数锯齿或全缘；花瓣狭倒卵形，白色，

黄泡

有爪，稍短于萼片；雄蕊多数，直立，无毛；雌蕊多数，但很多不育，子房先端和花柱基部微被柔毛。果实红色，球形，直径 1 ~ 1.5cm，具反折萼片；小核近光滑或微皱。花期 5 ~ 7 月，果实 7 ~ 8 月。

| 生境分布 | 生于海拔 1000 ~ 2700m 的山地林中。分布于重庆大足、巫溪、涪陵、石柱、南川等地。

| 资源情况 | 野生资源一般。药材来源于野生，自采自用。

| 采收加工 | 全年均可采挖根，除去泥土，洗净，鲜用或晒干。夏季采摘叶，鲜用或晒干。

| 功能主治 | 清热，利湿，解毒。用于黄疸，水泻，黄水疮。

| 用法用量 | 内服煎汤，鲜品 60g。外用适量，研末撒敷。

蔷薇科 Rosaceae 悬钩子属 *Rubus*

盾叶莓 *Rubus peltatus* Maxim.

| 药 材 名 | 盾叶莓（药用部位：果实。别名：天青地白扭、大叶覆盆子）。

| 形态特征 | 直立或攀缘灌木，高 1 ~ 2m。枝红褐色或棕褐色，无毛，疏生皮刺，小枝常有白粉。叶片盾状，卵圆形，长 7 ~ 17cm，宽 6 ~ 15cm，基部心形，两面均被贴生柔毛，下面毛较密并沿中脉有小皮刺，边缘 3 ~ 5 掌状分裂，裂片三角状卵形，先端急尖或短渐尖，有不整齐细锯齿；叶柄 4 ~ 8cm，无毛，有小皮刺；托叶大，膜质，卵状披针形，长 1 ~ 1.5cm，无毛。单花顶生，直径约 5cm 或更大；花梗长 2.5 ~ 4.5cm，无毛；苞片与托叶相似；萼筒常无毛；萼片卵状披针形，两面均被柔毛，边缘常有齿；花瓣近圆形，直径 1.8 ~ 2.5cm，白色，长于萼片；雄蕊多数，花丝钻形或线形；雌蕊很多，可达 100，被柔毛。果实圆柱形或圆筒形，长 3 ~ 4.5cm，橘红色，密被

盾叶莓

柔毛；核具皱纹。花期 4 ~ 5 月，果期 6 ~ 7 月。

| 生境分布 | 生于海拔 1000 ~ 1800m 的山坡、山脚、山沟林下、林缘或较阴湿处。分布于重庆奉节、云阳、酉阳、南川、石柱等地。

| 资源情况 | 野生资源稀少。药材主要来源于野生。

| 采收加工 | 夏、秋季采摘成熟果实，直接晒干；或用沸水浸一下，再晒至全干。

| 功能主治 | 酸、咸，温。强腰健肾，祛风止痛。用于四肢关节疼痛，腰脊酸痛。

| 用法用量 | 内服煎汤，15 ~ 30g。

蔷薇科 Rosaceae 悬钩子属 *Rubus*

菰帽悬钩子 *Rubus pileatus* Focke

| 药 材 名 | 软覆盆子（药用部位：果实）、菰帽悬钩子（药用部位：根）。

| 形态特征 | 攀缘灌木，高 1 ~ 3m。小枝紫红色，无毛，被白粉，疏生皮刺。小叶常 5 ~ 7，卵形、长圆状卵形或椭圆形，长 2.5 ~ 6（~ 8）cm，宽 1.5 ~ 4（~ 6）cm，先端急尖至渐尖，基部近圆形或宽楔形，两面沿叶脉被短柔毛，顶生小叶稍有浅裂片，边缘具粗重锯齿；叶柄长 3 ~ 10cm，顶生小叶叶柄长 1 ~ 2cm，侧生小叶近无柄，与叶轴均被疏柔毛和稀疏小皮刺；托叶线形或线状披针形。伞房花序顶生，具花 3 ~ 5，稀单花腋生；花梗细，长 2 ~ 3.5cm，无毛，疏生细小皮刺或无刺；苞片线形，无毛；花直径 1 ~ 2cm；花萼外面无毛，紫红色；萼片卵状披针形，长 7 ~ 10mm，宽 2 ~ 4mm，先端长尾尖，外面无毛或仅边缘被绒毛，在果期常反折；花瓣倒卵形，

菰帽悬钩子

白色，基部具短爪并疏生短柔毛，比萼片稍短或几等长；雄蕊长 5 ~ 7mm，花丝线形；花柱下部和子房密被灰白色长绒毛，花柱在果期增长。果实卵球形，直径 0.8 ~ 1.2cm，红色，具宿存花柱，密被灰白色绒毛；核具明显皱纹。花期 6 ~ 7 月，果期 8 ~ 9 月。

| 生境分布 | 生于海拔 1400 ~ 2100m 的沟谷边、路旁疏林下或山谷阴处密林下。分布于重庆酉阳、开州、大足、云阳等地。

| 资源情况 | 野生资源较少。药材来源于野生，自产自销。

| 采收加工 | 软覆盆子：夏季果实未成熟时采收，除去果柄及果蒂，晒干。

菰帽悬钩子：秋季挖根，洗净，晒干。

| 药材性状 | 软覆盆子：本品为聚合果，由多数小核果聚合而成，呈圆锥形或扁圆锥形，长 0.7 ~ 1.5cm，直径 0.7 ~ 1.2cm。表面灰绿色或灰褐色，密被灰白色绒毛。先端钝圆，基部平截，中央具 1 圆形凹窝（宿存萼脱落后的痕迹）。小核果呈半月形，具细网纹及密集的白色绒毛。体轻，质软。味微酸、涩。

| 功能主治 | 软覆盆子：甘、酸，温。归肾、膀胱经。益肾，固精，缩尿。用于肾虚尿频，遗尿，滑精。

菰帽悬钩子：祛风活络，清热收敛。用于风湿关节痛，筋骨疼痛。

| 用法用量 | 软覆盆子：内服煎汤，1.5 ~ 9g。

菰帽悬钩子：内服煎汤，适量。外用适量，捣敷。

蔷薇科 Rosaceae 悬钩子属 *Rubus*

红毛悬钩子 *Rubus pinfaensis* Lévl. et Vant.

红毛悬钩子

药材名

老虎泡（药用部位：根。别名：老熊泡）、老虎泡叶（药用部位：叶。别名：黄泡叶）、老虎泡果（药用部位：果实）。

形态特征

攀缘灌木，高 1 ~ 2m。小枝粗壮，红褐色，有棱，密被红褐色刺毛，并被柔毛和稀疏皮刺。小叶 3，椭圆形、卵形，稀倒卵形，长（3 ~ ）4 ~ 9cm，宽 2 ~ 7cm，先端尾尖或急尖，稀圆钝，基部圆形或宽楔形，上面紫红色，无毛，叶脉下陷，下面仅沿叶脉疏生柔毛、刺毛和皮刺，边缘有不整齐细锐锯齿；叶柄长 2 ~ 4.5cm，顶生小叶叶柄长 1.5 ~ 3cm，侧生小叶近无柄，与叶轴均被红褐色刺毛、柔毛和稀疏皮刺；托叶线形，被柔毛和稀疏刺毛。花数朵在叶腋团聚成束，稀单生；花梗短，长 4 ~ 7mm，密被短柔毛；苞片线形或线状披针形，被柔毛；花直径 1 ~ 1.3cm；花萼外面密被绒毛状柔毛；萼片卵形，先端急尖，在果期直立；花瓣长倒卵形，白色，基部具爪，长于萼片；雄蕊花丝稍宽扁，几与雌蕊等长；花柱基部和子房先端被柔毛。果实球形，直径 5 ~ 8mm，熟时金黄色或红黄色，无毛；核有深刻皱纹。花期 3 ~ 4 月，果期 5 ~ 6 月。

| 生境分布 | 生于海拔 500 ~ 1100m 的山坡灌丛、杂木林内或林缘、山谷或山沟边。分布于重庆垫江、南川、武隆、巫溪、北碚、开州、合川、奉节、石柱、万州、云阳等地。

| 资源情况 | 野生资源一般。药材来源于野生，自采自用。

| 采收加工 | 老虎泡：秋季采挖，洗净，晒干。

老虎泡叶：夏季采收，鲜用或晒干。

老虎泡果：5 ~ 6 月果实成熟时采收，晒干。

| 功能主治 | 老虎泡：酸、咸，凉。凉血止血，祛风除湿，解毒疗疮。用于血热吐血，尿血，便血，崩漏，风湿关节痛，瘰疬，湿疹，带下。

老虎泡叶：酸、涩，凉。清热利湿，解毒疗疮。用于湿疹，黄水疮，烫火伤，狗咬伤。

老虎泡果：甘、酸，平。补肾益精。用于肾虚腰痛，阳痿，遗精，带下，耳聋耳鸣。

| 用法用量 | 老虎泡：内服煎汤，15 ~ 30g；或浸酒。外用适量，捣敷。

老虎泡叶：外用适量，鲜叶捣敷；或煎汤洗。

老虎泡果：内服煎汤，9 ~ 15g。

| 附　　注 | 在 FOC 中，本种的拉丁学名被修订为 *Rubus wallichianus* Wight et Arnott。

蔷薇科 Rosaceae 悬钩子属 *Rubus*

羽萼悬钩子 *Rubus pinnatisepalus* Hemsl.

| 药 材 名 | 羽萼悬钩子（药用部位：根）。

| 形态特征 | 藤状灌木，高达 1m。有匍匐茎；小枝被绒毛状长柔毛和刺毛状小刺。单叶，圆形或宽卵形，直径 7 ~ 14cm，先端圆钝或急尖，基部心形，上面疏生长柔毛，有明显皱纹，下面被灰白色绒毛，沿叶脉被长柔毛和刺毛状小刺，边缘 5 ~ 7 浅裂，裂片圆钝或急尖，有不规则粗锯齿或重锯齿，叶脉 5 对；叶柄长 3 ~ 7cm，被绒毛状长柔毛和刺毛状小刺；托叶较宽大，宽扇状，长 1 ~ 1.5（~ 2）cm，梳齿状或掌状深裂，裂片披针形或条形，被长柔毛。花呈顶生短总状花序，花数朵腋生或单生；总花梗和花梗被灰白色或浅黄色绒毛状长柔毛，花梗长不到 1cm，有时混生稀疏腺毛；苞片与托叶相似；花直径 1.5cm；花萼外被灰白色或浅黄色绒毛和长柔毛，并被刺毛；萼

羽萼悬钩子

片长卵形或卵状披针形，外萼片羽状深裂，裂片披针形，内萼片全缘，先端长尾尖，常被细腺毛；花瓣宽倒卵形或近圆形，白色，基部稍被柔毛；雄蕊多数，花丝宽扁而被柔毛；雌蕊多数，子房无毛或微被柔毛。果实近球形，直径约1cm，红色，无毛。花期6～7月，果期9～10月。

｜生境分布｜ 生于海拔2800m以下的山地溪旁或杂木林内。分布于重庆忠县、云阳、南川等地。

｜资源情况｜ 野生资源较少。药材来源于野生，自采自用。

｜采收加工｜ 秋、冬季采挖，洗净，切片，晒干。

｜功能主治｜ 凉血止血，清热解毒。用于吐血，便血，风火牙痛。

｜用法用量｜ 内服煎汤，适量。

蔷薇科 Rosaceae 悬钩子属 *Rubus*

密腺羽萼悬钩子 *Rubus pinnatisepalus* Hemsl. var. *glandulosus* Yu et Lu

| 药 材 名 | 密腺羽萼悬钩子（药用部位：根）。

| 形态特征 | 本种与原变种羽萼悬钩子的区别在于枝、叶柄、花梗和花萼被较密长短不等的腺毛。

| 生境分布 | 生于海拔 2100m 的湿润山坡或沟边灌丛中。分布于重庆南川等地。

| 资源情况 | 野生资源稀少。药材来源于野生。

| 采收加工 | 全年均可采挖，洗净，切片，晒干。

密腺羽萼悬钩子

| 功能主治 | 凉血止血，清热解毒。用于吐血，便血，风火牙痛。

| 用法用量 | 内服煎汤，适量。

蔷薇科 Rosaceae 悬钩子属 *Rubus*

梨叶悬钩子 *Rubus pirifolius* Smith

| 药 材 名 | 红簕钩（药用部位：根）。

| 形态特征 | 攀缘灌木。枝被柔毛和扁平皮刺。单叶，近革质，卵形、卵状长圆形或椭圆状长圆形，长 6 ~ 11cm，宽 3.5 ~ 5.5cm，先端急尖至短渐尖，基部圆形，两面沿叶脉被柔毛，逐渐脱落至近无毛，侧脉 5 ~ 8 对，在下面凸起，边缘具不整齐的粗锯齿；叶柄长达 1cm，伏生粗柔毛，有稀疏皮刺；托叶分离，早落、条裂，被柔毛。圆锥花序顶生或生于上部叶腋内；总花梗、花梗和花萼密被灰黄色短柔毛，无刺或有少数小皮刺；花梗长 4 ~ 12mm；苞片条裂成 3 ~ 4 线状裂片，被柔毛，早落；花直径 1 ~ 1.5cm；萼筒浅杯状；萼片卵状披针形或三角状披针形，内外两面均密被短柔毛，先端 2 ~ 3 条裂或全缘；花瓣小，白色，长 3 ~ 5mm，长椭圆形或披针形，短于萼片；雄蕊多

梨叶悬钩子

数，花丝线形；雌蕊 5 ~ 10，通常无毛。果实直径 1 ~ 1.5cm，由数个小核果组成，带红色，无毛；小核果较大，长 5 ~ 6mm，宽 3 ~ 5mm，有皱纹。花期 4 ~ 7 月，果期 8 ~ 10 月。

生境分布 生于低海拔至中海拔的山地较荫蔽处。分布于重庆忠县、北碚、大足等地。

资源情况 野生资源较少。药材来源于野生，自采自用。

采收加工 秋、冬季采挖，洗净，切片，晒干。

功能主治 酸、涩，凉。清肺止咳，行气解郁。用于肺热咳嗽，气滞胁痛，脘腹胀痛。

用法用量 内服煎汤，10 ~ 30g，鲜品 60 ~ 90g；或炖猪瘦肉。

附　　注 本种喜温暖、湿润气候，耐寒，不耐旱，忌积水。一般土壤均能种植。生产中多采用分株繁殖方式。

蔷薇科 Rosaceae 悬钩子属 *Rubus*

五叶鸡爪茶 *Rubus playfairianus* Hemsl. ex Focke

| 药 材 名 | 五叶鸡爪茶（药用部位：根、叶）。

| 形态特征 | 落叶或半常绿攀缘或蔓性灌木。枝暗色，幼时被绒毛，疏生钩状小皮刺。掌状复叶具 3 ~ 5 小叶，小叶片椭圆状披针形或长圆状披针形，长 5 ~ 12cm，宽 1 ~ 3cm，顶生小叶远较侧生小叶大，先端渐尖，基部楔形，上面无毛，下面密被平贴灰色或黄灰色绒毛，边缘有不整齐尖锐锯齿，侧生小叶片有时在近基部 2 裂；叶柄长 2 ~ 4cm，被绒毛状柔毛，疏生钩状小皮刺，顶生小叶有极短柄，侧生小叶几无柄；托叶离生，长达 1cm，长圆形，掌状深裂，裂片披针形或线形，脱落。花呈顶生或腋生总状花序；总花梗和花梗被灰色或灰黄色绒毛状长柔毛，混生少数小皮刺，花梗长 1 ~ 2cm；苞片与托叶相似；花直径 1 ~ 1.5cm；花萼外密被黄灰色至灰白色绒毛状长柔毛，无

五叶鸡爪茶

腺毛；萼片卵状披针形或三角状披针形，先端渐尖至尾尖，全缘；花瓣卵圆形，锐尖；雄蕊多数，幼时被柔毛，老时脱落，花丝不膨大；雌蕊约 60，被长柔毛。果实近球形，幼时红色，被长柔毛，老时转变为黑色，由多数小核果组成。花期 4 ~ 5 月，果期 6 ~ 7 月。

| **生境分布** | 生于海拔 300 ~ 1700m 的山坡路旁、溪边及灌丛中。分布于重庆南川、北碚等地。

| **资源情况** | 野生资源稀少。药材来源于野生。

| **采收加工** | 全年均可采收，洗净，晒干。

| **功能主治** | 清热解毒，除湿利尿。用于发热，水泻，黄水疮。

| **用法用量** | 内服煎汤，适量。外用适量，研末撒敷。

蔷薇科 Rosaceae 悬钩子属 *Rubus*

空心泡 *Rubus rosifolius* Smith

| 药 材 名 | 倒触伞（药用部位：根、嫩枝、叶。别名：蔷薇莓、空心藨、七叶饭消扭）。

| 形态特征 | 直立或攀缘灌木，高 2 ~ 3m。小枝圆柱形，被柔毛或近无毛，常有浅黄色腺点，疏生较直立皮刺。小叶 5 ~ 7，卵状披针形或披针形，长 3 ~ 5（~ 7）cm，宽 1.5 ~ 2cm，先端渐尖，基部圆形，两面疏生柔毛，老时几无毛，有浅黄色发亮的腺点，下面沿中脉有稀疏小皮刺，边缘有尖锐缺刻状重锯齿；叶柄长 2 ~ 3cm，顶生小叶叶柄长 0.8 ~ 1.5cm，和叶轴均被柔毛和小皮刺，有时近无毛，被浅黄色腺点；托叶卵状披针形或披针形，被柔毛。花常 1 ~ 2，顶生或腋生；花梗长 2 ~ 3.5cm，被较稀或较密柔毛，疏生小皮刺，有时被腺点；花直径 2 ~ 3cm；花萼外被柔毛和腺点；萼片披针形或卵状披针形，

空心泡

先端长尾尖，花后常反折；花瓣长圆形、长倒卵形或近圆形，长 1 ~ 1.5cm，宽 0.8 ~ 1cm，白色，基部具爪，长于萼片，外面被短柔毛，逐渐脱落；花丝较宽；雌蕊很多，花柱和子房无毛；花托具短柄。果实卵球形或长圆状卵圆形，长 1 ~ 1.5cm，红色，有光泽，无毛；核有深窝孔。花期 3 ~ 5 月，果期 6 ~ 7 月。

| 生境分布 | 生于海拔 2000m 的山地杂木林内阴处、草坡或高山。分布于重庆綦江、涪陵、长寿、云阳、忠县、垫江、巫山、南川、北碚等地。

| 资源情况 | 野生资源一般。药材来源于野生。

| 采收加工 | 夏季采嫩枝、叶，鲜用或晒干。秋、冬季采挖根，洗净，晒干。

| 功能主治 | 涩、微辛、苦，平。归肺、肝经。清热，止咳，收敛止血，解毒，接骨。用于肺热咳嗽，小儿百日咳，咯血，小儿惊风，月经不调，痢疾，跌打损伤，外伤出血，烫火伤。

| 用法用量 | 内服煎汤，9 ~ 15g；或浸酒。外用适量，鲜品捣敷；或煎汤洗。

| 附　　注 | 本种喜阴凉环境，宜选排水良好的夹砂土或腐殖质土栽培。

蔷薇科 Rosaceae 悬钩子属 *Rubus*

川莓 *Rubus setchuenensis* Bureau et Franch.

| 药 材 名 | 川莓（药用部位：叶。别名：老牛黄泡、乌泡、牛毛泡刺）。

| 形态特征 | 落叶灌木，高 2 ~ 3m。小枝圆柱形，密被淡黄色绒毛状柔毛，老时脱落，无刺。单叶，近圆形或宽卵形，直径 7 ~ 15cm，先端圆钝或近截形，基部心形，上面粗糙，无毛或仅沿叶脉稍被柔毛，下面密被灰白色绒毛，有时绒毛逐渐脱落；叶脉凸起，基部具掌状五出脉，侧脉 2 ~ 3 对，边缘 5 ~ 7 浅裂，裂片圆钝或急尖并再浅裂，有不整齐浅钝锯齿；叶柄长 5 ~ 7cm，被浅黄色绒毛状柔毛，常无刺；托叶离生，卵状披针形，先端条裂，早落。花呈狭圆锥花序，顶生或腋生，或花少数簇生于叶腋；总花梗和花梗均密被浅黄色绒毛状柔毛，花梗长约 1cm；苞片与托叶相似；花直径 1 ~ 1.5cm；花萼外密被浅黄色绒毛和柔毛；萼片卵状披针形，先端尾尖，全缘或外

川莓

萼片先端浅条裂，在果期直立，稀反折；花瓣倒卵形或近圆形，紫红色，基部具爪，比萼片短很多；雄蕊较短，花丝线形；雌蕊无毛，花柱比雄蕊长。果实半球形，直径约 1cm，黑色，无毛，常包藏在宿萼内；核较光滑。花期 7 ~ 8 月，果期 9 ~ 10 月。

| 生境分布 | 生于海拔 500 ~ 1200m 的山坡、路旁、林缘或灌丛中。分布于重庆黔江、綦江、垫江、忠县、大足、巫山、潼南、奉节、石柱、长寿、城口、酉阳、南川、彭水、武隆、丰都、开州、巫溪、云阳、北碚、南岸、合川、巴南、荣昌等地。

| 资源情况 | 野生资源丰富。药材来源于野生。

| 采收加工 | 夏季采收，除去杂质，干燥。

| 药材性状 | 本品多破碎或皱缩成团，完整者展平后呈近圆形或宽卵形，直径 6 ~ 15cm，先端急尖或圆钝，基部心形，边缘有不整齐锯齿，常 5 浅裂或不明显的 7 裂，上表面黄绿色或红褐色，粗糙，下表面灰绿色，网脉上有绒毛。叶柄长 3 ~ 7cm，无刺。质脆，易破碎。气微，味微酸、涩。

| 功能主治 | 酸、咸，凉。祛风除湿，活血止呕，敛疮。用于劳伤吐血，瘰疬，口臭，黄水疮。

| 用法用量 | 内服煎汤，15 ~ 30g；或浸酒；或炖肉。外用适量，捣敷或研末敷；或煎汤洗。

蔷薇科 Rosaceae 悬钩子属 *Rubus*

红腺悬钩子 *Rubus sumatranus* Miq.

| 药 材 名 | 牛奶莓（药用部位：根。别名：虎泡、七月泡、灯笼泡）。

| 形态特征 | 直立或攀缘灌木。小枝、叶轴、叶柄、花梗和花序均被紫红色腺毛、柔毛和皮刺；腺毛长短不等，长者 4 ~ 5mm，短者 1 ~ 2mm。小叶 5 ~ 7，稀 3，卵状披针形至披针形，长 3 ~ 8cm，宽 1.5 ~ 3cm，先端渐尖，基部圆形，两面疏生柔毛，沿中脉较密，下面沿中脉有小皮刺，边缘具不整齐的尖锐锯齿；叶柄长 3 ~ 5cm，顶生小叶叶柄长达 1cm；托叶披针形或线状披针形，被柔毛和腺毛。花 3 或数朵成伞房状花序，稀单生；花梗长 2 ~ 3cm；苞片披针形；花直径 1 ~ 2cm；花萼被长短不等的腺毛和柔毛；萼片披针形，长 0.7 ~ 1cm，宽 0.2 ~ 0.4cm，先端长尾尖，在果期反折；花瓣长倒卵形或匙状，白色，基部具爪；花丝线形；雌蕊数可达 400，花柱和子房均无毛。

红腺悬钩子

果实长圆形，长 1.2 ~ 1.8cm，橘红色，无毛。花期 4 ~ 6 月，果期 7 ~ 8 月。

| 生境分布 | 生于海拔 500 ~ 1800m 的山地、山谷疏密林内、林缘、灌丛内、竹林下及草丛中。分布于重庆奉节、合川、永川、涪陵、江津、开州、石柱、璧山等地。

| 资源情况 | 野生资源一般。药材来源于野生。

| 采收加工 | 秋季采挖匍匐枝的细根及块根，洗净，晒干。

| 功能主治 | 苦，寒。归肝、肾、胃经。清热解毒，健脾利水。用于产后寒热，腹痛，食欲不振，风湿骨痛，水肿，急性耳炎。

| 用法用量 | 内服煎汤，9 ~ 15g。

蔷薇科 Rosaceae 悬钩子属 *Rubus*

木莓 *Rubus swinhoei* Hance

| 药材名 | 木莓（药用部位：根、叶）。

| 形态特征 | 落叶或半常绿灌木，高 1 ~ 4m。茎细而圆，暗紫褐色，幼时被灰白色短绒毛，老时脱落，疏生微弯小皮刺。单叶，叶形变化较大，自宽卵形至长圆状披针形，长 5 ~ 11cm，宽 2.5 ~ 5cm，先端渐尖，基部截形至浅心形，上面仅沿中脉被柔毛，下面密被灰色绒毛或近无毛，往往不育枝和老枝上的叶片下面密被灰色平贴绒毛，不脱落，而结果枝（或花枝）上的叶片下面仅沿叶脉被少许绒毛或完全无毛，主脉上疏生钩状小皮刺，边缘有不整齐粗锐锯齿，稀缺刻状，叶脉 9 ~ 12 对；叶柄长 5 ~ 10（~ 15）mm，被灰白色绒毛，有时具钩状小皮刺；托叶卵状披针形，稍被柔毛，长 5 ~ 8mm，宽约 3mm，全缘或先端有齿，膜质，早落。花常 5 ~ 6，成总状花序；总花梗、

木莓

花梗和花萼均被长 1 ~ 3mm 的紫褐色腺毛和稀疏针刺；花直径 1 ~ 1.5cm；花梗细，长 1 ~ 3cm，被绒毛状柔毛；苞片与托叶相似，有时具深裂锯齿；花萼被灰色绒毛；萼片卵形或三角状卵形，长 5 ~ 8mm，先端急尖，全缘，在果期反折；花瓣白色，宽卵形或近圆形，被细短柔毛；雄蕊多数，花丝基部膨大，无毛；雌蕊多数，比雄蕊长很多，子房无毛。果实球形，直径 1 ~ 1.5cm，由多数小核果组成，无毛，成熟时由绿紫红色转变为黑紫色，味酸、涩；核具明显皱纹。花期 5 ~ 6 月，果期 7 ~ 8 月。

| 生境分布 | 生于海拔 300 ~ 1600m 的沟边林下或灌丛中。分布于重庆北碚、垫江、黔江、璧山、忠县、彭水、酉阳、长寿、城口、永川、南川、武隆、开州、梁平、石柱、綦江、江津等地。

| 资源情况 | 野生资源较丰富。药材来源于野生。

| 采收加工 | 全年均可采挖根，洗净，晒干。夏、秋季采收叶，鲜用或晒干。

| 功能主治 | 苦、涩，平。凉血止血，活血调经，收敛解毒。用于牙痛，疮漏，疔疮肿毒，月经不调。

| 用法用量 | 内服煎汤，适量。

蔷薇科 Rosaceae 悬钩子属 *Rubus*

三花悬钩子 *Rubus trianthus* Focke

| 药材名 | 三花悬钩子（药用部位：根、叶）。

| 形态特征 | 藤状灌木，高 0.5 ~ 2m。枝细瘦，暗紫色，无毛，疏生皮刺，有时具白粉。单叶，卵状披针形或长圆状披针形，长 4 ~ 9cm，宽 2 ~ 5cm，先端渐尖，基部心形，稀近截形，两面无毛，上面色较浅，3 裂或不裂，通常不育枝上的叶较大而 3 裂，顶生裂片卵状披针形，边缘有不规则或缺刻状锯齿；叶柄长 1 ~ 3（ ~ 4）cm，无毛，疏生小皮刺，基部有 3 脉；托叶披针形或线形，无毛。花常 3，有时花超过 3 而成短总状花序，常顶生；花梗长 1 ~ 2.5cm，无毛；苞片披针形或线形；花直径 1 ~ 1.7cm；花萼外面无毛；萼片三角形，先端长尾尖；花瓣长圆形或椭圆形，白色，几与萼片等长；雄蕊多数，花丝宽扁；雌蕊 10 ~ 50，子房无毛。果实近球形，直径约 1cm，红色，无毛；

三花悬钩子

核具皱纹。花期 4 ~ 5 月，果期 5 ~ 6 月。

| **生境分布** | 生于海拔 500 ~ 2200m 的山地灌丛中。分布于重庆奉节、云阳、南川等地。

| **资源情况** | 野生资源稀少。药材来源于野生。

| **采收加工** | 全年均可采挖根，洗净，晒干。夏、秋季采收叶，鲜用或晒干。

| **功能主治** | 苦，涩，平。凉血止血，活血调经，收敛解毒。

| **用法用量** | 内服煎汤，适量。

蔷薇科 Rosaceae 悬钩子属 *Rubus*

黄果悬钩子 *Rubus xanthocarpus* Bureau et Franch.

| 药 材 名 | 地莓子（药用部位：根。别名：黄帽子、黄刺儿根）、黄果悬钩子（药用部位：茎叶。别名：猛子刺）。

| 形态特征 | 低矮半灌木，高 15 ~ 50cm。根茎匍匐，木质。地上茎草质，分枝或不分枝，通常直立，有钝棱，幼时密被柔毛，老时几无毛，疏生较长直立针刺。小叶 3，有时 5，长圆形或椭圆状披针形，稀卵状披针形，顶生小叶片长 5 ~ 10cm，宽 1.5 ~ 3cm，基部常有 2 浅裂片，侧生小叶长、宽约为顶生小叶之半，长 2 ~ 5cm，宽 1 ~ 2cm，先端急尖至圆钝，基部宽楔形至近圆形，老时两面无毛或仅沿叶脉被柔毛，下面沿脉有细刺，边缘具不整齐锯齿；叶柄长（2 ~ ）3 ~ 8cm，顶生小叶柄长 1 ~ 2.5cm，侧生小叶几无柄，均被疏柔毛和直立针刺；托叶基部与叶柄合生，披针形或线状披针形，长达 1.5cm，全

黄果悬钩子

缘或边缘浅条裂。花 1 ~ 4 成伞房状，顶生或腋生，稀单生；花梗长 1 ~ 2.5cm，被柔毛和疏生针刺；花直径 1 ~ 2.5cm；花萼外被较密直立针刺和柔毛；萼片长卵圆形至卵状披针形，先端尾状或钻状渐尖，里面被绒毛状毛；花瓣倒卵圆形至匙形，白色，长 1 ~ 1.3cm，常较萼片长，基部有长爪，被细柔毛；雄蕊多数，短于花瓣，花丝宽扁；雌蕊多数，子房近先端被柔毛。果实扁球形，直径 1 ~ 1.2cm，橘黄色，无毛；核具皱纹。花期 5 ~ 6 月，果期 8 月。

| 生境分布 | 生于海拔 600 ~ 2750m 的山坡、路旁、林缘、林中或山沟石砾滩地。分布于重庆巫溪等地。

| 资源情况 | 野生资源稀少。药材主要来源于野生。

| 采收加工 | 地莓子：春、秋季采挖，除去茎叶及细根，洗净，切片，晒干。

黄果悬钩子：夏、秋季采收，鲜用或晒干。

| 功能主治 | 地莓子：酸，微寒。归肝经。清湿热，消炎止痛，杀虫，止血。用于湿热泻痢，鼻衄不止，结膜炎，睑缘炎，黄水疮，疥癣，无名肿毒。

黄果悬钩子：苦、酸，微寒。清湿热，止血，杀虫。用于湿热泻痢，黄水疮，鼻衄，疥癣。

| 用法用量 | 地莓子：外用适量，捣敷；或煎汤熏洗。

黄果悬钩子：内服煎汤，10 ~ 15g。外用适量，煎汤熏洗；或捣敷。

蔷薇科 Rosaceae 悬钩子属 *Rubus*

黄脉莓 *Rubus xanthoneurus* Focke ex Diels

黄脉莓

|药 材 名|

黄脉莓（药用部位：叶、根）。

|形态特征|

攀缘灌木，高达 3m。小枝被灰白色或黄灰色绒毛，老时脱落，疏生微弯小皮刺。单叶，长卵形至卵状披针形，长 7 ~ 12cm，宽 4 ~ 7cm，先端渐尖，基部浅心形或截形，上面沿叶脉被长柔毛，下面密被灰白色或黄白色绒毛；侧脉 7 ~ 8 对，棕黄色，边缘常浅裂，有不整齐粗锐锯齿；叶柄长 2 ~ 3cm，被绒毛，疏生小皮刺；托叶离生，长 7 ~ 9mm，边缘或先端深条裂，裂片线形，被毛。圆锥花序顶生或腋生；总花梗和花梗被绒毛状短柔毛；花梗长达 1.2cm；苞片与托叶相似；花小，直径在 1cm 以下；萼筒外被绒毛状短柔毛，老时毛较稀疏；萼片卵形，外被灰白色绒毛，先端渐尖，外萼片浅条裂，边缘干膜质而绒毛不脱落，至老时常显现白色边缘；花瓣小，白色，倒卵圆形，长约 3mm，比萼片短得多，被细柔毛；雄蕊多数，短于萼片，花丝线形；雌蕊 10 ~ 35；无毛。果实近球形，暗红色，无毛；核具细皱纹。花期 6 ~ 7 月，果期 8 ~ 9 月。

| **生境分布** | 生于海拔 1000m 以下的荒野、山坡疏林阴处、密林中或路旁沟边。分布于重庆城口、巫溪、巫山、南川、綦江等地。

| **资源情况** | 野生资源较少。药材来源于野生。

| **采收加工** | 夏、秋季采收，洗净，切碎，鲜用或晒干。

| **功能主治** | 清热除湿。用于湿热痢疾，风湿痹痛。

| **用法用量** | 内服煎汤，适量。

蔷薇科 Rosaceae 地榆属 *Sanguisorba*

地榆 *Sanguisorba officinalis* L.

|药 材 名| 地榆（药用部位：根。别名：酸赭、鼠地榆、酢枣）、地榆叶（药用部位：叶）。

|形态特征| 多年生草本，高 30 ~ 120cm。根粗壮，多呈纺锤形，稀圆柱形，表面棕褐色或紫褐色，有纵皱及横裂纹，横切面黄白色或紫红色，较平正。茎直立，有棱，无毛或基部被稀疏腺毛。基生叶为羽状复叶，有小叶 4 ~ 6 对，叶柄无毛或基部被稀疏腺毛；小叶片有短柄，卵形或长圆状卵形，长 1 ~ 7cm，宽 0.5 ~ 3cm，先端圆钝稀急尖，基部心形至浅心形，边缘有多数粗大圆钝稀急尖的锯齿，两面绿色，无毛；茎生叶较少，小叶片有短柄至几无柄，长圆形至长圆状披针形，狭长，基部微心形至圆形，先端急尖；基生叶托叶膜质，褐色，外面无毛或被稀疏腺毛，茎生叶托叶大，草质，半卵形，外侧

地榆

边缘有尖锐锯齿。穗状花序椭圆形、圆柱形或卵球形，直立，通常长 1 ~ 3（~ 4）cm，横径 0.5 ~ 1cm，从花序先端向下开放，花序梗光滑或偶被稀疏腺毛；苞片膜质，披针形，先端渐尖至尾尖，比萼片短或近等长，背面及边缘被柔毛；萼片 4，紫红色，椭圆形至宽卵形，背面被疏柔毛，中央微有纵棱脊，先端常具短尖头；雄蕊 4，花丝丝状，不扩大，与萼片近等长或稍短；子房外面无毛或基部微被毛，柱头先端扩大，盘形，边缘具流苏状乳头。果实包藏在宿存萼筒内，外面有 4 棱。花果期 7 ~ 10 月。

| 生境分布 | 生于海拔 250 ~ 1800m 的草原、草甸、山坡草地、灌丛中、疏林下。分布于重庆城口、巫溪、南川、北碚、巫山、开州、奉节等地。

| 资源情况 | 野生资源一般，亦有零星栽培。药材主要来源于野生，自产自销。

| 采收加工 | 地榆：春季将发芽时或秋季植株枯萎后采挖，除去须根，洗净，干燥；或趁鲜切片，干燥。

地榆叶：夏季采收，鲜用或晒干。

| 药材性状 | 地榆：本品呈不规则纺锤形或圆柱形，稍弯曲，长 5 ~ 25cm，直径 0.5 ~ 2cm。表面灰褐色至暗棕色，粗糙，有纵纹。质硬，断面较平坦，粉红色或淡黄色，木部略呈放射状排列。气微，味微苦、涩。

| 功能主治 | 地榆：苦、酸、涩，微寒。归肝、大肠经。凉血止血，解毒敛疮。用于便血，痔血，血痢，崩漏，烫火伤，痈肿疮毒。

地榆叶：苦，微寒。归胃经。清热解毒。用于热病发热，疮疡肿痛。

| 用法用量 | 地榆：内服煎汤，9 ~ 15g。外用适量，研末涂敷。

地榆叶：内服煎汤或泡茶，3 ~ 9g。外用适量，鲜品捣敷。

蔷薇科 Rosaceae 地榆属 *Sanguisorba*

长叶地榆 *Sanguisorba officinalis* L. var. *longifolia* (Bertol.) Yu et Li

| 药 材 名 | 地榆（药用部位：根。别名：绵地榆、黄瓜香、玉札）、地榆叶（药用部位：叶）。

| 形态特征 | 本种与原变种地榆的区别在于基生叶小叶带状长圆形至带状披针形，基部微心形、圆形至宽楔形，茎生叶较多，与基生叶相似，但更长而狭窄，花穗长圆柱形，长 2 ~ 6cm，直径通常 0.5 ~ 1cm，雄蕊与萼片近等长，花果期 8 ~ 11 月。

| 生境分布 | 生于山坡草地、溪边、灌丛中、湿草地及疏林中，或栽培于房前屋后。分布于重庆巫山、开州、武隆、南川等地。

| 资源情况 | 野生和栽培资源均稀少。药材来源于野生和栽培。

长叶地榆

| **采收加工** | 参见“地榆”条。

| **功能主治** | 参见“地榆”条。

| **用法用量** | 参见“地榆”条。

| **附　　注** | 本种与地榆 *Sanguisorba officinalis* L. 同作地榆药材使用。

蔷薇科 Rosaceae 珍珠梅属 *Sorbaria*

高丛珍珠梅 *Sorbaria arborea* Schneid.

高丛珍珠梅

| 药 材 名 |

珍珠梅（药用部位：茎皮、果穗。别名：山高粱、八木条、珍珠杆）。

| 形态特征 |

落叶灌木，高达 6m。枝条开展，小枝圆柱形，稍有棱角，幼时黄绿色，微被星状毛或柔毛，老时暗红褐色，无毛；冬芽卵形或近长圆形，先端圆钝，紫褐色，具数枚外露鳞片，外被绒毛。羽状复叶，小叶片 13 ~ 17，连叶柄长 20 ~ 32cm，微被短柔毛或无毛；小叶片对生，相距 2.5 ~ 3.5cm，披针形至长圆状披针形，长 4 ~ 9cm，宽 1 ~ 3cm，先端渐尖，基部宽楔形或圆形，边缘有重锯齿，上下两面无毛或下面微被星状绒毛；羽状网脉，侧脉 20 ~ 25 对，下面显著；小叶柄短或几无柄；托叶三角状卵形，长 8 ~ 10mm，宽 4 ~ 5mm，先端渐尖，基部宽楔形，两面无毛或近于无毛。顶生大型圆锥花序，分枝开展，直径 15 ~ 25cm，长 20 ~ 30cm；花梗长 2 ~ 3mm，总花梗与花梗微被星状柔毛；苞片线状披针形至披针形，长 4 ~ 5mm，微被短柔毛；花直径 6 ~ 7mm；萼筒浅钟状，内外两面无毛，萼片长圆形至卵形，先端钝，稍短于萼筒；花瓣近圆形，先端钝，基部楔

形，长 3 ~ 4mm，白色；雄蕊 20 ~ 30，着生于花盘边缘，约长于花瓣 1.5 倍；心皮 5，无毛，花柱长不及雄蕊的一半。蓇葖果圆柱形，无毛，长约 3mm，花柱在先端稍下方向外弯曲，萼片宿存，反折，果梗弯曲，果实下垂。花期 6 ~ 7 月，果期 9 ~ 10 月。

| 生境分布 | 生于海拔 1600 ~ 2300m 的山坡林边、山溪沟边。分布于重庆城口、巫溪、开州等地。

| 资源情况 | 野生资源较少。药材来源于野生。

| 采收加工 | 春、秋季采收茎枝，剥取外皮，晒干。9 ~ 10 月果穗成熟时采收果穗，晒干。

| 药材性状 | 本品茎皮呈条状或片状，长短、宽窄不一，厚约 3mm。外表面棕褐色，有多数淡黄棕色疣状突起，内表面淡黄棕色。质脆，断面略平坦。气微，味苦。

| 功能主治 | 苦，寒；有毒，归肝、肾经。活血祛瘀，消肿止痛。用于骨折，跌打损伤，风湿痹痛。

| 用法用量 | 内服煎汤，0.6 ~ 1.2g；或研末。

| 附　　注 | 本种喜光，耐阴，抗寒，耐旱，对土壤要求不严，一般土壤均可栽培，但宜选择排水良好、肥沃、湿润的砂壤土栽培。

蔷薇科 Rosaceae 花楸属 *Sorbus*

水榆花楸 *Sorbus alnifolia* (Sieb. et Zucc.) K. Koch

水榆花楸

药材名

水榆果（药用部位：果实。别名：糯米珠）。

形态特征

乔木，高达20m。小枝圆柱形，具灰白色皮孔，幼时微被柔毛，二年生枝暗红褐色，老枝暗灰褐色，无毛；冬芽卵形，先端急尖，外具数枚暗红褐色无毛鳞片。叶片卵形至椭圆状卵形，长5～10cm，宽3～6cm，先端短渐尖，基部宽楔形至圆形，边缘有不整齐的尖锐重锯齿，有时微浅裂，上下两面无毛或在下面的中脉和侧脉上微被短柔毛，侧脉6～10（～14）对，直达叶边齿尖；叶柄长1.5～3cm，无毛或微被稀疏柔毛。复伞房花序较疏松，具花6～25，总花梗和花梗被稀疏柔毛；花梗长6～12mm；花直径10～14（～18）mm；萼筒钟状，外面无毛，内面近无毛；萼片三角形，先端急尖，外面无毛，内面密被白色绒毛；花瓣卵形或近圆形，长5～7mm，宽3.5～6mm，先端圆钝，白色；雄蕊20，短于花瓣；花柱2，基部或中部以下合生，光滑无毛，短于雄蕊。果实椭圆形或卵形，直径7～10mm，长10～13mm，红色或黄色，不具斑点或具极少数细小斑点，2室，萼片脱落后果实先端残留圆斑。花期5月，果期8～9月。

| **生境分布** | 生于海拔 500 ~ 2300m 的山坡、山沟、山顶混交林或灌丛中。分布于重庆武隆、城口等地。

| **资源情况** | 野生资源较少，亦有零星栽培。药材来源于野生。

| **采收加工** | 秋季果实成熟时采摘，晒干。

| **功能主治** | 甘，平。归肝、脾经。养血补虚。用于血虚萎黄，劳倦乏力。

| **用法用量** | 内服煎汤，60 ~ 150g。

| **附　　注** | （1）本属中石灰花楸 *Sorbus folgneri* (Schneid.) Rehd. 和黄山花楸 *Sorbus amabilis* Cheng ex Yu 果实的功效与本种果实的功效相同。

（2）本种喜温凉、潮湿环境，耐寒，宜选择微酸性土壤栽培。

蔷薇科 Rosaceae 花楸属 *Sorbus*

美脉花楸 *Sorbus caloneura* (Stapf) Rehd.

| 药 材 名 | 美脉花楸（药用部位：果实、茎皮）。

| 形态特征 | 乔木或灌木，高达 10m。小枝圆柱形，具少数不显明皮孔，暗红褐色，幼时无毛；冬芽卵形，外被数枚褐色鳞片，无毛。叶片长椭圆形、长椭圆状卵形至长椭圆状倒卵形，长 7 ~ 12cm，宽 3 ~ 5.5cm，先端渐尖，基部宽楔形至圆形，边缘有圆钝锯齿，上面常无毛，下面叶脉上被稀疏柔毛；侧脉 10 ~ 18 对，直达叶边齿尖；叶柄长 1 ~ 2cm，无毛。复伞房花序有多花，总花梗和花梗被稀疏黄色柔毛，花梗长 5 ~ 8mm；花直径 6 ~ 10mm；萼筒钟状，外面被稀疏柔毛，内面无毛；萼片三角卵形，先端急尖，外面被稀疏柔毛，内面近无毛；花瓣宽卵形，长 3 ~ 4mm，宽几与长相等，先端圆钝，白色；雄蕊 20，稍短于花瓣；花柱 4 ~ 5，中部以下部分合生，无毛，短于雄蕊。

美脉花楸

果实球形，稀倒卵形，直径约 1cm，长 1 ~ 1.4cm，褐色，外被显著斑点，4 ~ 5 室，萼片脱落后残留圆斑。花期 4 月，果期 8 ~ 10 月。

| 生境分布 | 生于海拔 500 ~ 2500m 的杂木林内、河谷地或山地。分布于重庆城口、巫山、巫溪、奉节、云阳、酉阳、石柱、南川、江津、北碚等地。

| 资源情况 | 野生资源较少。药材来源于野生。

| 采收加工 | 秋季果实成熟时采摘果实，鲜用或晒干。春季剥取树皮，晒干。

| 功能主治 | 健脾利水。用于脾虚浮肿。

| 用法用量 | 内服煎汤，适量。

蔷薇科 Rosaceae 花楸属 *Sorbus*

石灰花楸 *Sorbus folgneri* (Schneid.) Rehd.

石灰花楸

|药 材 名|

石灰树（药用部位：茎枝。别名：粉背叶）。

|形态特征|

乔木，高达10m。小枝圆柱形，具少数皮孔，黑褐色，幼时被白色绒毛；冬芽卵形，先端急尖，外具数枚褐色鳞片。叶片卵形至椭圆卵形，长5 ~ 8cm，宽2 ~ 3.5cm，先端急尖或短渐尖，基部宽楔形或圆形，边缘有细锯齿或在新枝上的叶片有重锯齿和浅裂片，上面深绿色，无毛，下面密被白色绒毛，中脉和侧脉上也被绒毛；侧脉通常8 ~ 15对，直达叶边锯齿先端；叶柄长5 ~ 15mm，密被白色绒毛。复伞房花序具多花，总花梗和花梗均被白色绒毛；花梗长5 ~ 8mm；花直径7 ~ 10mm；萼筒钟状，外被白色绒毛，内面稍被绒毛；萼片三角卵形，先端急尖，外面被绒毛，内面微被绒毛；花瓣卵形，长3 ~ 4mm，宽3 ~ 3.5mm，先端圆钝，白色；雄蕊18 ~ 20，几与花瓣等长或稍长；花柱2 ~ 3，近基部合生并被绒毛，短于雄蕊。果实椭圆形，直径6 ~ 7mm，长9 ~ 13mm，红色，近平滑或有极少数不显明的细小斑点，2 ~ 3室，先端萼片脱落后留有圆穴。花期4 ~ 5月，果期7 ~ 8月。

｜生境分布｜ 生于海拔 600 ~ 1800m 的山坡杂木林中。分布于重庆城口、巫山、奉节、云阳、万州、石柱、黔江、南川、江津、璧山、北碚、綦江、丰都、武隆等地。

｜资源情况｜ 野生资源一般。药材主要来源于野生。

｜采收加工｜ 秋季采收，切段，晒干。

｜功能主治｜ 祛风除湿，舒筋活络。用于风湿痹痛，周身麻木。

｜用法用量｜ 外用适量，煎汤熏洗。

蔷薇科 Rosaceae 花楸属 *Sorbus*

江南花楸 *Sorbus hemsleyi* (Schneid.) Rehd.

| 药 材 名 | 江南花楸（药用部位：果实、根、茎皮）。

| 形态特征 | 乔木或灌木，高 7 ~ 10m。小枝圆柱形，暗红褐色，有显明皮孔，无毛，棕褐色；冬芽卵形，先端急尖，外被数枚暗红色鳞片，无毛。叶片卵形至长椭卵形，稀长椭倒卵形，长 5 ~ 11cm，宽 2.5 ~ 5.5cm，先端急尖或短渐尖，基部楔形，稀圆形，边缘有细锯齿并微向下卷，上面深绿色，无毛，下面除中脉和侧脉外均被灰白色绒毛；侧脉 12 ~ 14 对，直达叶边齿端；叶柄通常长 1 ~ 2cm，无毛或微被绒毛。复伞房花序有花 20 ~ 30；花梗长 5 ~ 12mm，被白色绒毛；花直径 10 ~ 12mm；萼筒钟状，外面密被白色绒毛，内面微被柔毛；萼片三角卵形，先端急尖，外被白色绒毛，内面微被绒毛；花瓣宽卵形，长 4 ~ 5mm，宽约 4mm，先端圆钝，白色，内面微被绒毛；雄蕊

江南花楸

20，长短不齐，长者几与花瓣等长；花柱 2，基部合生，并被白色绒毛，短于雄蕊。果实近球形，直径 5 ~ 8mm，有少数斑点，先端萼片脱落后留有圆斑。花期 5 月，果期 8 ~ 9 月。

| 生境分布 | 生于海拔 600 ~ 1400m 的山坡干燥地疏林内或与常绿阔叶树混交。分布于重庆石柱、武隆、南川、丰都、云阳等地。

| 资源情况 | 野生资源稀少。药材主要来源于野生。

| 采收加工 | 秋季果实成熟时采摘，鲜用或晒干。秋、冬季挖根，除尽泥土，切段，晒干。春季剥取树皮，晒干。

| 功能主治 | 健脾利水。用于脾虚浮肿。

| 用法用量 | 内服煎汤，适量。

蔷薇科 Rosaceae 花楸属 *Sorbus*

湖北花楸 *Sorbus hupehensis* Schneid.

| 药材名 | 湖北花楸（药用部位：叶）。

| 形态特征 | 乔木，高 5 ~ 10m。小枝圆柱形，暗灰褐色，具少数皮孔，幼时微被白色绒毛，不久脱落；冬芽长卵形，先端急尖或短渐尖，外被数枚红褐色鳞片，无毛。奇数羽状复叶，连叶柄共长 10 ~ 15cm，叶柄长 1.5 ~ 3.5cm；小叶片 4 ~ 8 对，间隔 0.5 ~ 1.5cm，基部和先端的小叶片较中部的稍长，长圆状披针形或卵状披针形，长 3 ~ 5cm，宽 1 ~ 1.8cm，先端急尖、圆钝或短渐尖，边缘有尖锐锯齿，近基部 1/3 或 1/2 几为全缘，上面无毛，下面沿中脉被白色绒毛，逐渐脱落无毛；侧脉 7 ~ 16 对，几乎直达叶边锯齿；叶轴上面有沟，初期被绒毛，以后脱落；托叶膜质，线状披针形，早落。复伞房花序具多数花朵，总花梗和花梗无毛或被稀疏白色柔毛；花梗长 3 ~ 5mm；

湖北花楸

花直径 5 ~ 7mm；萼筒钟状，外面无毛，内面几无毛；萼片三角形，先端急尖，外面无毛，内面近先端微被柔毛；花瓣卵形，长 3 ~ 4mm，宽约 3mm，先端圆钝，白色；雄蕊 20，长约为花瓣的 1/3；花柱 4 ~ 5，基部被灰白色柔毛，稍短于雄蕊或几与雄蕊等长。果实球形，直径 5 ~ 8mm，白色，有时带粉红晕，先端具宿存闭合萼片。花期 5 ~ 7 月，果期 8 ~ 9 月。

| 生境分布 | 生于海拔 1500 ~ 2000m 的高山阴坡或山沟密林内。分布于重庆城口、巫溪、巫山等地。

| 资源情况 | 野生资源较少。药材主要来源于野生。

| 采收加工 | 全年均可采收，晒干或鲜用。

| 功能主治 | 止痒，杀虫。用于皮肤瘙痒，风癣疥癞。

| 用法用量 | 内服煎汤，适量。外用适量，煎汤洗。

蔷薇科 Rosaceae 花楸属 *Sorbus*

毛序花楸 *Sorbus keissleri* (Schneid.) Rehd.

|药 材 名| 毛序花楸（药用部位：茎皮）。

|形态特征| 乔木，高达 15m。小枝圆柱形，嫩时被白色绒毛，不久脱落；二年生枝黑褐色，具显著皮孔；冬芽卵形，先端稍急尖，外有数枚暗褐色鳞片，无毛。叶片倒卵形或长圆状倒卵形，长 7 ~ 11.5cm，宽 3.5 ~ 6cm，先端短渐尖，基部楔形，边缘有圆钝细锯齿，近基部全缘，上下两面均被绒毛，不久脱落，或仅在下面主脉上残存稀疏绒毛；侧脉 8 ~ 10 对，在叶边缘分枝成网状；叶柄长约 5mm，幼时被灰白色绒毛，以后逐渐脱落。复伞房花序有多数密集花朵，总花梗和花梗密被灰白色绒毛；花梗长 2 ~ 5mm；萼筒钟状，外面微被绒毛，内面无毛；萼片三角状卵形，先端稍圆钝，内外两面无毛；花瓣卵形或近圆形，长约 3mm，宽几与长相等，先端圆钝，白色；

毛序花楸

雄蕊 20，几与花瓣等长；花柱 2 ~ 3，通常 3，中部以下合生，光滑无毛，稍短于雄蕊。果实卵形，直径约 1cm，外面有少数不显著的细小斑点，2 ~ 3 室，先端萼片脱落后残留圆穴。花期 5 月，果期 8 ~ 9 月。

| **生境分布** | 生于海拔 1200 ~ 1800m 的山谷、山坡或多石坡地疏密林中。分布于重庆城口、巫溪、巫山、奉节、南川等地。

| **资源情况** | 野生资源较少。药材来源于野生。

| **采收加工** | 春季剥取树皮，晒干。

| **功能主治** | 清肺止咳，祛风除湿。用于肺痨，哮喘，咳嗽，风湿关节痛。

| **用法用量** | 内服煎汤，适量。

蔷薇科 Rosaceae 花楸属 *Sorbus*

华西花楸 *Sorbus wilsoniana* Schneid.

| 药 材 名 | 华西花楸（药用部位：根皮）。

| 形态特征 | 乔木，高 5 ~ 10m。小枝粗壮，圆柱形，暗灰色，有皮孔，无毛；冬芽长卵形，肥大，先端急尖，外被数枚红褐色鳞片，无毛或先端被柔毛。大形奇数羽状复叶，连叶柄长 20 ~ 25cm，叶柄长 5 ~ 6cm；小叶片 6 ~ 7 对，间隔 1.5 ~ 3cm，先端和基部的小叶片常较中部的稍小，长圆状椭圆形或长圆状披针形，长 5 ~ 8.5cm，宽 1.8 ~ 2.5cm，先端急尖或渐尖，基部宽楔形或圆形，边缘每侧有 8 ~ 20 细锯齿，基部近于全缘，上下两面均无毛或仅在下面沿中脉附近被短柔毛；侧脉 17 ~ 20 对，在边缘稍弯曲；叶轴上面有浅沟，下面无毛或在小叶着生处被短柔毛；托叶发达，草质，半圆形，有锐锯齿，开花后有时脱落。复伞房花序具多数密集的花朵，总花梗和花梗均被短

华西花楸

柔毛；花梗长 2 ~ 4mm；花直径 6 ~ 7mm；萼筒钟状，外面被短柔毛，内面无毛；萼片三角形，先端稍钝，外面微被短柔毛或无毛，内面无毛；花瓣卵形，长与宽均 3 ~ 3.5mm，先端圆钝，稀微凹，白色，内面无毛或微被柔毛；雄蕊 20，短于花瓣；花柱 3 ~ 5，较雄蕊短，基部密被柔毛。果实卵形，直径 5 ~ 8mm，橘红色，先端有宿存闭合萼片。花期 5 月，果期 9 月。

| 生境分布 | 生于海拔 1300 ~ 2000m 的山地杂木林中。分布于重庆城口、巫溪、巫山、奉节、云阳、南川等地。

| 资源情况 | 野生资源较少。药材来源于野生。

| 采收加工 | 秋、冬季采挖根，除尽泥土，剥取根皮，晒干。

| 功能主治 | 祛风除湿，清热止咳。用于咳嗽，风湿关节痛。

| 用法用量 | 内服煎汤，适量。

蔷薇科 Rosaceae 花楸属 *Sorbus*

黄脉花楸 *Sorbus xanthoneura* Rehd.

| 药 材 名 | 黄脉花楸（药用部位：根、树皮、果实）。

| 形态特征 | 乔木，高达15m。小枝圆柱形，具皮孔，无毛；冬芽长卵形，先端急尖，具数枚暗褐色光滑鳞片。叶片长椭圆形或长椭圆状卵形，长8 ~ 15cm，宽4 ~ 8cm，先端短渐尖，基部楔形至近圆形，边缘有不整齐的重锯齿，齿边缘微向下卷，上面深绿色，无毛，下面被灰白色绒毛，仅在中脉和侧脉上光滑无毛；侧脉12 ~ 14对，直达叶边锯齿；叶柄长8 ~ 20mm，无毛。复伞房花序具花15 ~ 20，约长2cm，微被灰白色绒毛；花直径约8mm；萼筒钟状，外面被灰白色绒毛，内面无毛；萼片长三角形，先端渐尖，外面被灰白色绒毛，内面微被绒毛；花瓣卵形或长圆形，长3 ~ 4mm，宽2 ~ 3mm，先端圆钝或微凹，内面被绒毛；雄蕊20，短于花瓣；花柱3，稍短于雄蕊，基部合生

黄脉花楸

并被灰白色绒毛。果实近球形，直径约 1cm，红色，有浅褐色斑点，3 室，先端具宿存萼片。花期 5 ~ 6 月，果期 7 ~ 9 月。

| **生境分布** | 生于海拔 800 ~ 1500m 的山地杂木林中。分布于重庆彭水、丰都、江津、城口、南川等地。

| **资源情况** | 野生资源较少。药材来源于野生。

| **采收加工** | 秋、冬季挖根，除尽泥土，切断，晒干。春季剥取树皮，晒干。秋季果实成熟时采摘果实，鲜用或晒干。

| **功能主治** | 镇咳，祛痰，健胃利水。用于咳嗽，脾虚浮肿，胃炎。

| **用法用量** | 内服煎汤，适量。

| **附　　注** | 在 FOC 中，本种被修订为江南花楸 *Sorbus hemsleyi* (Schneid.) Rehd.。

蔷薇科 Rosaceae 绣线菊属 *Spiraea*

中华绣线菊 *Spiraea chinensis* Maxim.

中华绣线菊

| 药材名 |

中华绣线菊（药用部位：根）。

| 形态特征 |

灌木，高 1.5 ~ 3m。小枝呈拱形弯曲，红褐色，幼时被黄色绒毛，有时无毛；冬芽卵形，先端急尖，有数枚鳞片，外被柔毛。叶片菱状卵形至倒卵形，长 2.5 ~ 6cm，宽 1.5 ~ 3cm，先端急尖或圆钝，基部宽楔形或圆形，边缘有缺刻状粗锯齿，或具不显明 3 裂，上面暗绿色，被短柔毛，脉纹深陷，下面密被黄色绒毛，脉纹凸起；叶柄长 4 ~ 10mm，被短绒毛。伞形花序具花 16 ~ 25；花梗长 5 ~ 10mm，被短绒毛；苞片线形，被短柔毛；花直径 3 ~ 4mm；萼筒钟状，外面被稀疏柔毛，内面密被柔毛；萼片卵状披针形，先端长渐尖，内面被短柔毛；花瓣近圆形，先端微凹或圆钝，长与宽均 2 ~ 3mm，白色；雄蕊 22 ~ 25，短于花瓣或与花瓣等长；花盘波状圆环形或具不整齐的裂片；子房被短柔毛，花柱短于雄蕊。蓇葖果开展，全体被短柔毛，花柱顶生，直立或稍倾斜，具直立、稀反折萼片。花期 3 ~ 6 月，果期 6 ~ 10 月。

| 生境分布 | 生于海拔 320 ~ 1260m 的山坡灌丛中、山谷溪边、田野路旁。分布于重庆黔江、秀山、酉阳、彭水、奉节、丰都、城口、巫溪、南川、忠县、武隆、石柱、开州等地。

| 资源情况 | 野生资源丰富，亦有零星栽培。药材主要来源于野生，自产自销。

| 采收加工 | 秋、冬季采挖根，除去泥土、须根，晒干备用。

| 功能主治 | 清热止咳。用于咽喉痛，咳嗽。

| 用法用量 | 内服煎汤，适量。

蔷薇科 Rosaceae 绣线菊属 *Spiraea*

粉花绣线菊 *Spiraea japonica* L. f.

| 药 材 名 | 绣线菊（药用部位：地上部分）、绣线菊叶（药用部位：叶）、绣线菊根（药用部位：根。别名：火烧尖、土黄连）。

| 形态特征 | 直立灌木，高达 1.5m。枝条细长，开展，小枝近圆柱形，无毛或幼时被短柔毛；冬芽卵形，先端急尖，有数个鳞片。叶片卵形至卵状椭圆形，长 2 ~ 8cm，宽 1 ~ 3cm，先端急尖至短渐尖，基部楔形，边缘有缺刻状重锯齿或单锯齿，上面暗绿色，无毛或沿叶脉微被短柔毛，下面色浅或有白霜，通常沿叶脉被短柔毛；叶柄长 1 ~ 3mm，被短柔毛。复伞房花序生于当年生的直立新枝先端，花朵密集，密被短柔毛；花梗长 4 ~ 6mm；苞片披针形至线状披针形，下面微被柔毛；花直径 4 ~ 7mm；花萼外面被稀疏短柔毛，萼筒钟状，内面被短柔毛；萼片三角形，先端急尖，内面近先端被短柔毛；花

粉花绣线菊

瓣卵形至圆形，先端通常圆钝，长 2.5 ~ 3.5mm，宽 2 ~ 3mm，粉红色；雄蕊 25 ~ 30，远较花瓣长；花盘圆环形，约有 10 不整齐的裂片。蓇葖果半开展，无毛或沿腹缝被稀疏柔毛，花柱顶生，稍倾斜开展，萼片常直立。花期 6 ~ 7 月，果期 8 ~ 9 月。

| 生境分布 | 生于海拔 700 ~ 2790m 的山坡、田野或杂木林下。分布于重庆丰都、城口、巫溪、南川、北碚、石柱等地。

| 资源情况 | 野生资源较少。药材主要来源于野生。

| 采收加工 | 绣线菊：春、秋季采收，鲜用或晒干。

绣线菊叶：春、秋季采收，鲜用或晒干研末。

绣线菊根：7 ~ 8 月采挖，除去泥土，洗净，晒干。

| 药材性状 | 绣线菊：本品茎呈圆柱形，上部有分枝，淡绿色或灰绿色，嫩枝有短柔毛。叶互生，多皱折，完整者展平后呈卵形至卵状长椭圆形，长 3 ~ 8cm，先端尖；叶柄长 0.1 ~ 0.3cm。复伞房花序，花淡红色或深粉红色，有的为白色。气微，味微苦。

| 功能主治 | 绣线菊：微苦，平。归肝、肺、大肠经。消肿解毒，去腐生肌，止痛调经。用于经闭，月经不调，便结腹胀，疮痈肿痛，骨髓炎。

绣线菊叶：淡，平。解毒消肿，去腐生肌。用于阴疽瘘管。

绣线菊根：苦、微辛，凉。祛风清热，明目退翳。用于咳嗽，头痛，牙痛，目赤翳障。

| 用法用量 | 绣线菊：内服煎汤，5 ~ 15g。外用适量，研末调敷或鲜品捣敷。

绣线菊叶：外用适量，鲜叶捣敷；或干叶研末撒敷。

绣线菊根：内服煎汤，9 ~ 15g。外用适量，煎汤熏洗。

蔷薇科 Rosaceae 绣线菊属 *Spiraea*

粉花绣线菊（渐尖叶变种） *Spiraea japonica* L. f. var. *acuminata* Franch.

| 药 材 名 | 吹火筒（药用部位：全株。别名：千颗米）。

| 形态特征 | 本种与原变种粉花绣线菊的区别在于叶片长卵形至披针形，先端渐尖，基部楔形，长 3.5 ~ 8cm，边缘有尖锐重锯齿，下面沿叶脉有短柔毛。复伞房花序直径 10 ~ 14cm，有时达 18cm，花粉红色。

| 生境分布 | 生于海拔 720 ~ 2000m 的山坡旷地、疏密杂木林中、山谷或河沟旁。分布于重庆忠县、丰都、酉阳、南川、巫山、城口、巫溪等地。

| 资源情况 | 野生资源较丰富。药材主要来源于野生。

| 采收加工 | 全年均可采收，以夏、秋季花叶茂盛时采者为佳，洗净，晒干。

粉花绣线菊（渐尖叶变种）

| **功能主治** | 微苦，平。归肺、肝、大肠经。清热解毒，活血调经，通利二便。用于流行性感冒发热，月经不调，便秘腹胀，小便不利。

| **用法用量** | 内服煎汤，10 ~ 15g。

蔷薇科 Rosaceae 绣线菊属 *Spiraea*

粉花绣线菊（光叶变种） *Spiraea japonica* L. f. var. *fortunei* (Planchon) Rehd.

| 药 材 名 | 绣线菊（药用部位：地上部分）、绣线菊根（药用部位：根。别名：火烧尖、土黄连）、绣线菊子（药用部位：果实）。

| 形态特征 | 本种与原变种粉花绣线菊的区别在于本种较高大，叶片长圆披针形，先端短渐尖，基部楔形，边缘具尖锐重锯齿，长 5 ~ 10cm，上面有皱纹，两面无毛，下面有白霜。复伞房花序直径 4 ~ 8cm，花粉红色，花盘不发达。

| 生境分布 | 生于海拔 600 ~ 1850m 的山坡、田野或杂木林下。分布于重庆綦江、彭水、奉节、云阳、酉阳、南川、江津、北碚、城口、黔江等地。

| 资源情况 | 野生资源一般，亦有零星栽培。药材主要来源于野生，自产自销。

粉花绣线菊（光叶变种）

| 采收加工 | 绣线菊：参见“粉花绣线菊”条。

绣线菊根：参见“粉花绣线菊”条。

绣线菊子：秋季果实成熟时采收，晒干。

| 药材性状 | 绣线菊：参见“粉花绣线菊”条。

| 功能主治 | 绣线菊：参见“粉花绣线菊”条。

绣线菊根：参见“粉花绣线菊”条。

绣线菊子：苦，凉。清热祛湿。用于痢疾。

| 用法用量 | 绣线菊：参见“粉花绣线菊”条。

绣线菊根：参见“粉花绣线菊”条。

绣线菊子：内服煎汤，9 ~ 15g。

蔷薇科 Rosaceae 绣线菊属 *Spiraea*

南川绣线菊 *Spiraea rosthornii* Pritz.

| 药 材 名 | 南川绣线菊（药用部位：果实、根）。

| 形态特征 | 灌木，高达 2m。枝条开展，幼时被短柔毛，黄褐色，以后脱落，老时灰褐色；冬芽长卵形，先端渐尖，与叶柄等长或稍长于叶柄，无毛，有 2 外露鳞片。叶片卵状长圆形至卵状披针形，长 2.5 ~ 5（~ 8）cm，宽 1 ~ 2（~ 3）cm，先端急尖或短渐尖。基部圆形至近截形，边缘有缺刻和重锯齿，上面绿色，被稀疏短柔毛，下面带灰绿色，被短柔毛，沿叶脉较多；叶柄长 5 ~ 6mm，被柔毛。复伞房花序生于侧枝先端，被短柔毛，有多数花朵；花梗长 5 ~ 7mm；苞片卵状披针形至线状披针形，先端急尖，基部楔形，有少数锯齿，两面被短柔毛；花直径约 6mm；萼筒钟状，内外两面被短柔毛；萼片三角形，先端急尖，内面稍被短柔毛；花瓣卵形至近圆形，先端钝，长

南川绣线菊

2 ~ 3mm，宽几与长相等，白色；雄蕊 20，长于花瓣；花盘圆环形，有 10 肥厚裂片，裂片先端有时微凹；子房被短柔毛，花柱短于雄蕊。蓇葖果开展，被短柔毛，花柱顶生，倾斜开展，萼片反折。花期 5 ~ 6 月，果期 8 ~ 9 月。

| 生境分布 | 生于海拔 1700m 左右的山溪沟边或山坡杂木林内。分布于重庆武隆、南川、城口、忠县等地。

| 资源情况 | 野生资源稀少。药材主要来源于野生。

| 采收加工 | 秋季果实成熟时采收果实，晒干。秋、冬季采挖根，除去泥土，须根，晒干。

| 功能主治 | 清热利咽。用于牙痛，咽喉痛。

| 用法用量 | 内服煎汤，适量。

蔷薇科 Rosaceae 绣线菊属 *Spiraea*

鄂西绣线菊 *Spiraea veitchii* Hemsl.

鄂西绣线菊

|药材名|

鄂西绣线菊（药用部位：根）。

|形态特征|

灌木，高达 4m。枝条细长，呈拱形弯曲，幼时被短柔毛，红褐色，稍有棱角，老时无毛，圆柱形，灰褐色或暗红色；冬芽小，卵形，先端急尖或圆钝，外被短柔毛，有数枚外露鳞片。叶片长圆形、椭圆形或倒卵形，长 1.5 ~ 3cm，宽 7 ~ 10mm，先端圆钝或微尖，基部楔形，全缘，上面绿色，通常无毛，下面灰绿色，具白霜，有时被极细短柔毛；具不明显的羽状脉；叶柄长约 2mm，被细短柔毛。复伞房花序着生于侧生小枝先端，直径 4.5 ~ 6cm，花小而密集，密被极细短柔毛；花梗短，长 3 ~ 4mm；花直径约 4mm；萼筒钟状，内外两面被细短柔毛；萼片三角形，先端急尖，内面先端被细柔毛；花瓣卵形或近圆形，先端圆钝，长 1 ~ 1.5mm，宽 1 ~ 2mm；雄蕊约 20，稍长于花瓣；花盘约有 10 裂片，排列成环形，裂片先端常稍凹陷；子房几无毛，花柱短于雄蕊。蓇葖果小，开展，无毛，花柱生于背部先端，倾斜开展，萼片直立。花期 5 ~ 7 月，果期 7 ~ 10 月。

| **生境分布** | 生于海拔 1260 ～ 1800m 的山坡草地或灌丛中。分布于重庆忠县、丰都、酉阳、南川、巫山、城口、巫溪等地。

| **资源情况** | 野生资源较少。药材来源于野生。

| **采收加工** | 7 ～ 8 月采挖根，除去泥土，洗净，晒干。

| **功能主治** | 清热利湿，止血止咳。用于头痛，咳嗽。

| **用法用量** | 内服煎汤，适量。

蔷薇科 Rosaceae 小米空木属 *Stephanandra*

华空木 *Stephanandra chinensis* Hance

| 药 材 名 | 野珠兰（药用部位：根。别名：鲤鱼红、凤尾米筛花、滴滴金）。

| 形态特征 | 灌木，高达 1.5m。小枝细弱，圆柱形，微被柔毛，红褐色；冬芽小，卵形，先端稍钝，红褐色，鳞片边缘微被柔毛。叶片卵形至长椭圆状卵形，长 5 ~ 7cm，宽 2 ~ 3cm，先端渐尖，稀尾尖，基部近心形、圆形，稀宽楔形，边缘常浅裂并有重锯齿，两面无毛，或下面沿叶脉微被柔毛；侧脉 7 ~ 10 对，斜出；叶柄长 6 ~ 8mm，近于无毛；托叶线状披针形至椭圆状披针形，长 6 ~ 8mm，先端渐尖，全缘或有锯齿，两面近于无毛。顶生疏松的圆锥花序，长 5 ~ 8cm，直径 2 ~ 3cm；花梗长 3 ~ 6mm，总花梗和花梗均无毛；苞片小，披针形至线状披针形；萼筒杯状，无毛；萼片三角状卵形，长约 2mm，先端钝，有短尖，全缘；花瓣倒卵形，稀长圆形，长约 2mm，先端

华空木

钝，白色；雄蕊 10，着生于萼筒边缘，较花瓣短约一半；心皮 1，子房外被柔毛，花柱顶生，直立。蓇葖果近球形，直径约 2mm，被稀疏柔毛，具宿存直立的萼片；种子 1，卵球形。花期 5 月，果期 7 ~ 8 月。

| **生境分布** | 生于海拔 1000 ~ 1500m 的阔叶林边或灌丛中。分布于重庆奉节、南川等地。

| **资源情况** | 野生资源稀少。药材主要来源于野生。

| **采收加工** | 秋季采挖，洗净，切片，晒干。

| **功能主治** | 苦，微寒。归肺、肝经。解毒利咽，止血调经。用于咽喉肿痛，血崩，月经不调。

| **用法用量** | 内服煎汤，15 ~ 30g。

| **附　　注** | 本种喜温暖湿润气候，宜选用排水良好、疏松、肥沃的土壤栽培。

蔷薇科 Rosaceae 红果树属 *Stranvaesia*

毛萼红果树 *Stranvaesia amphidoxa* Schneid.

| 药 材 名 | 毛萼红果（药用部位：果实）。

| 形态特征 | 灌木或小乔木，高 2 ～ 4m。分枝较密，小枝粗壮，有棱条，幼时被黄褐色柔毛，以后脱落，当年生枝紫褐色，老枝黑褐色，疏生浅褐色皮孔；冬芽卵形，先端急尖，红褐色，鳞片边缘被柔毛。叶片椭圆形、长圆形或长圆状倒卵形，长 4 ～ 10cm，宽 2 ～ 4cm，先端渐尖或尾状渐尖，基部楔形或宽楔形，稀近圆形，边缘有带短芒的细锐锯齿，上面深绿色，无毛或近于无毛；中脉和 6 ～ 8 对侧脉均下陷，下面褐黄色，沿中脉被柔毛，中脉和侧脉均显著凸起；叶柄宽短，长 2 ～ 4mm，被柔毛；托叶很小，早落。顶生伞房花序，直径 2.5 ～ 4cm，具花 3 ～ 9；总花梗和花梗均密被褐黄色绒毛，花梗长 4 ～ 10mm；苞片及小苞片膜质，钻形，早落；花直径约 8mm；萼

毛萼红果树

筒钟状，萼筒和萼片外面密被黄色绒毛，萼片三角状卵形，长 2 ~ 3mm，比萼筒约短一半，先端急尖，全缘；花瓣白色，近圆形，直径 5 ~ 7mm，基部具短爪；雄蕊 20，花药黄褐色，比花瓣稍短；花柱 5，大部分合生，外被黄白色绒毛，柱头头状，比雄蕊稍短。果实卵形，红黄色，直径 1 ~ 1.4cm，外面常微被柔毛，具浅色斑点；萼片宿存，直立或内弯，外被柔毛。花期 5 ~ 6 月，果期 9 ~ 10 月。

| 生境分布 | 生于海拔 500 ~ 2000m 的山坡、路旁、灌丛中。分布于重庆合川、忠县、云阳、南川、璧山、城口、奉节、石柱等地。

| 资源情况 | 野生资源一般。药材主要来源于野生。

| 采收加工 | 秋季果实成熟时采收。

| 功能主治 | 酸、涩，平。消食健胃，收敛止泻。用于食积，吐血，咯血，痢疾。

| 用法用量 | 内服煎汤，适量。

蔷薇科 Rosaceae 红果树属 *Stranvaesia*

红果树 *Stranvaesia davidiana* Dcne.

| 药 材 名 | 红果树（药用部位：果实）。

| 形态特征 | 灌木或小乔木，高 1 ～ 10m。枝条密集，小枝粗壮，圆柱形，幼时密被长柔毛，逐渐脱落，当年生枝条紫褐色，老枝灰褐色，有稀疏不显明皮孔；冬芽长卵形，先端短渐尖，红褐色，近于无毛或在鳞片边缘被短柔毛。叶片长圆形、长圆状披针形或倒披针形，长 5 ～ 12cm，宽 2 ～ 4.5cm，先端急尖或凸尖，基部楔形至宽楔形，全缘；上面中脉下陷，沿中脉被灰褐色柔毛，下面中脉凸起，侧脉 8 ～ 16 对，不明显，沿中脉被稀疏柔毛；叶柄长 1.2 ～ 2cm，被柔毛，逐渐脱落；托叶膜质，钻形，长 5 ～ 6mm，早落。复伞房花序，直径 5 ～ 9cm，密具多花；总花梗和花梗均被柔毛，花梗短，长 2 ～ 4mm；苞片与小苞片均膜质，卵状披针形，早落；花直径

红果树

5 ~ 10mm；萼筒外面被稀疏柔毛，萼片三角卵形，先端急尖，全缘，长 2 ~ 3mm，长不及萼筒之半，外被少数柔毛；花瓣近圆形，直径约 4mm，基部有短爪，白色；雄蕊 20，花药紫红色；花柱 5，大部分联合，柱头头状，比雄蕊稍短；子房先端被绒毛。果实近球形，橘红色，直径 7 ~ 8mm，萼片宿存，直立；种子长椭圆形。花期 5 ~ 6 月，果期 9 ~ 10 月。

| 生境分布 | 生于海拔 1000 ~ 1600m 的山坡、山顶、路旁或灌丛中。分布于重庆城口、巫山、黔江、綦江、彭水、忠县、丰都、石柱、涪陵、南川、云阳、武隆、巫溪等地。

| 资源情况 | 野生资源较丰富。药材来源于野生。

| 采收加工 | 秋季果实成熟时采收，晒干。

| 功能主治 | 清热除湿，化瘀止痛。用于风湿病，跌打损伤，消化不良，痢疾。

| 用法用量 | 内服煎汤，适量。

豆科 Leguminosae 金合欢属 *Acacia*

金合欢 *Acacia farnesiana* (L.) Willd.

金合欢

药材名

鸭皂树皮（药用部位：树皮。别名：鸭皂树、牛角花、消息花）、鸭皂树根（药用部位：根）。

形态特征

灌木或小乔木，高 2 ~ 4m。树皮粗糙，褐色，多分枝，小枝常呈“之”字形弯曲，有小皮孔。托叶针刺状，刺长 1 ~ 2cm，生于小枝上的较短；二回羽状复叶长 2 ~ 7cm，叶轴槽状，被灰白色柔毛，有腺体；羽片 4 ~ 8 对，长 1.5 ~ 3.5cm；小叶通常 10 ~ 20 对，线状长圆形，长 2 ~ 6mm，宽 1 ~ 1.5mm，无毛。头状花序 1 或 2 ~ 3 簇生叶腋，直径 1 ~ 1.5cm；总花梗被毛，长 1 ~ 3cm，苞片位于总花梗的先端或近顶部；花黄色，有香味；花萼长 1.5mm，5 齿裂；花瓣联合成管状，长约 2.5mm，5 齿裂；雄蕊长约为花冠的 2 倍；子房圆柱形，被微柔毛。荚果膨胀，近圆柱形，长 3 ~ 7cm，宽 8 ~ 15mm，褐色，无毛，劲直或弯曲；种子多颗，褐色，卵形，长约 6mm。花期 3 ~ 6 月，果期 7 ~ 11 月。

| 生境分布 | 生于阳光充足，土壤较肥沃、疏松的地方，或栽培于庭园。分布于重庆南川、忠县等地。

| 资源情况 | 野生资源较少。药材来源于栽培。

| 采收加工 | 鸭皂树皮：全年均可采收，剥取树皮，除去杂质，切片，晒干。

鸭皂树根：全年均可采挖，除去泥土，切片，晒干。

| 功能主治 | 鸭皂树皮：微酸、涩，平。收敛，止血，止咳。用于遗精，带下，脱肛，外伤出血，咳喘。

鸭皂树根：微酸、苦，凉。清热解毒，消痈排脓，祛风除湿。用于疟疾，丹毒，肺结核，结核性脓肿，骨髓炎，风湿性关节炎。

| 用法用量 | 内服煎汤，9 ~ 15g。外用适量，研末调敷。

豆科 Leguminosae 金合欢属 *Acacia*

羽叶金合欢 *Acacia pennata* (L.) Willd.

| 药 材 名 | 蛇藤（药用部位：根、老茎）。

| 形态特征 | 攀缘、多刺藤本。小枝和叶轴均被锈色短柔毛。总叶柄基部及叶轴上部羽片着生处稍下均有凸起的腺体 1；羽片 8 ~ 22 对；小叶 30 ~ 54 对，线形，长 5 ~ 10mm，宽 0.5 ~ 1.5mm，彼此紧靠，先端稍钝，基部截平，具缘毛，中脉靠近上边缘。头状花序圆球形，直径约 1cm，具长 1 ~ 2cm 的总花梗，单生或 2 ~ 3 聚生，排成腋生或顶生的圆锥花序，被暗褐色柔毛；花萼近钟状，长约 1.5mm，5 齿裂；花冠长约 2mm；子房被微柔毛。果实带状，长 9 ~ 20cm，宽 2 ~ 3.5cm，无毛或幼时被极细柔毛，边缘稍隆起，呈浅波状；种子 8 ~ 12，长椭圆形而扁。花期 3 ~ 10 月，果期 7 月至翌年 4 月。

羽叶金合欢

| 生境分布 | 生于低海拔的疏林中、水边，常攀附于灌木或小乔木的顶部。分布于重庆云阳、南川、武隆、大足、涪陵等地。

| 资源情况 | 野生资源稀少。药材来源于栽培，自产自销。

| 采收加工 | 秋、冬季采收，晒干。

| 药材性状 | 本品根呈条状，有分枝；表面黄褐色，具淡黄色横生皮孔；切面中心呈淡黄色。茎枝具 5 棱，棱上和叶轴散布钩刺及锈色短柔毛。

| 功能主治 | 苦、辛、微甘，温。祛风渗湿，活血止痛。用于腰肌劳损，跌打损伤，风湿痹痛，渗出性皮炎，阴囊湿疹，下肢溃疡。

| 用法用量 | 内服煎汤，15 ~ 30g。

豆科 Leguminosae 合萌属 *Aeschynomene*

合萌 *Aeschynomene indica* L.

| 药材名 | 田皂角（药用部位：地上部分。别名：水茸角、合明草）、合萌叶（药用部位：叶）、合萌根（药用部位：根）、梗通草（药用部位：茎的木部。别名：白梗通、野通草、气通草）。

| 形态特征 | 一年生草本或亚灌木状。茎直立，高 0.3 ~ 1m，多分枝，圆柱形，无毛，具小凸点而稍粗糙，小枝绿色。叶具 20 ~ 30 对小叶或更多；托叶膜质，卵形至披针形，长约 1cm，基部下延成耳状，通常有缺刻或啮蚀状；叶柄长约 3mm；小叶近无柄，薄纸质，线状长圆形，长 5 ~ 10（~ 15）mm，宽 2 ~ 2.5（~ 3.5）mm，上面密布腺点，下面稍带白粉，先端钝圆或微凹，具细刺尖头，基部歪斜，全缘；小托叶极小。总状花序比叶短，腋生，长 1.5 ~ 2cm；总花梗长 8 ~ 12mm；花梗长约 1cm；小苞片卵状披针形，宿存；花萼膜质，

合萌

具纵脉纹，长约 4mm，无毛；花冠淡黄色，具紫色的纵脉纹，易脱落，旗瓣大，近圆形，基部具极短的瓣柄，翼瓣篦状，龙骨瓣比旗瓣稍短，比翼瓣稍长或近相等；雄蕊二体；子房扁平，线形。荚果线状长圆形，直或弯曲，长 3 ~ 4cm，宽约 3mm，腹缝直，背缝多少呈波状；荚节 4 ~ 8（~ 10），平滑或中央有小疣突，不开裂，成熟时逐节脱落；种子黑棕色，肾形，长 3 ~ 3.5mm，宽 2.5 ~ 3mm。花期 7 ~ 8 月，果期 8 ~ 10 月。

| 生境分布 | 生于海拔 250 ~ 1250m 的潮湿地或水边。分布于重庆酉阳、南川、垫江、忠县、长寿等地。

| 资源情况 | 野生资源一般，亦有零星栽培。药材来源于野生。

| 采收加工 | 田皂角：夏、秋季采收，除去根，晒干。

合萌叶：夏、秋季采收，鲜用或晒干。

合萌根：秋季采收，鲜用或晒干。

梗通草：9 ~ 10 月拔起全株，除去根、枝叶及茎先端部分，剥去茎皮，取木部，晒干。

| 药材性状 | 田皂角：本品长 50 ~ 100cm。茎圆柱形，具细纵纹，无毛，常有红褐色不规则斑点，上部中空，下部实心或中央有 1 小孔，木部白色，松软。叶多皱缩卷曲，展平后为偶数羽状复叶，互生；小叶长椭圆形，长 3 ~ 8mm，宽 1 ~ 3mm，全缘，近无毛，先端圆钝，有短尖头，基部圆形，无柄；托叶膜质，披针形，长约 1cm，先端锐尖。总状花序腋生，花 1 ~ 4。荚果线状长圆形，扁平，长 2 ~ 5cm，宽不及 1cm，有 4 ~ 10 荚节，平滑或中央有小瘤状突起，成熟时逐节脱落，常见最后荚节留在果柄上，每个荚节有种子 1。种子肾形，黄棕色至黑棕色，有光泽。气微，味淡。

合萌根：本品呈圆柱形，上端渐细，直径 1 ~ 2cm。表面乳白色，平滑，具细密的纵纹理及残留的分枝痕，基部有时连有多数须状根。体轻，质松软，易折断，折断面白色，不平坦，中央有小孔洞。气微，味淡。以根粗、质轻软、白色、干燥者为佳。

梗通草：本品呈圆柱状，上端较细，长达 40cm，直径 1 ~ 3cm。表面乳白色，平滑，具细密纵纹，并有皮孔样凹点及枝痕，体轻，质脆，易折断，断面类白色，不平坦，隐约可见同心性环纹，中央有小孔。气微，味淡。

| 功能主治 | 田皂角：甘，平。清热解毒，利尿，明目。用于小便不利，肠炎，夜盲，荨麻疹。

合萌叶：甘，微寒。解毒，消肿，止痛。用于痈肿疮毒，创伤出血，毒蛇咬伤。

合萌根：甘，苦，寒。清热利湿，消积，解毒。用于血淋，泄泻，痢疾，疳积，目昏，牙痛，疮疖。

梗通草：淡，微苦，凉。清热，利尿，通乳，明目。用于热淋，小便不利，水肿，乳汁不通，夜盲。

| **用法用量** | 田皂角：内服煎汤，15 ~ 30g。外用适量，煎汤外洗。
合萌叶：内服捣汁，60 ~ 90g。外用适量，研末调涂；或捣敷。
合萌根：内服煎汤，9 ~ 15g，鲜品 30 ~ 60g。外用适量，捣敷。
梗通草：内服煎汤，6 ~ 15g。

| **附　　注** | 本种喜温暖气候，对土壤要求不严，可在潮湿荒地、塘边或河边的湿润处栽培。

豆科 Leguminosae 合欢属 *Albizia*

合欢 *Albizia julibrissin* Durazz.

药材名 合欢皮（药用部位：树皮。别名：合昏皮、夜合皮、合欢木皮）、合欢花（药用部位：花序。别名：夜合花、乌绒）。

形态特征 落叶乔木，高可达 16m。树冠开展，小枝有棱角，嫩枝、花序和叶轴被绒毛或短柔毛。托叶线状披针形，较小叶小，早落；二回羽状复叶，总叶柄近基部及最顶一对羽片着生处各有 1 腺体；羽片 4 ~ 12 对，栽培的有时达 20 对；小叶 10 ~ 30 对，线形至长圆形，长 6 ~ 12mm，宽 1 ~ 4mm，向上偏斜，先端有小尖头，有缘毛，有时在下面或仅中脉上被短柔毛；中脉紧靠上边缘。头状花序于枝顶排成圆锥花序；花粉红色；花萼管状，长 3mm；花冠长 8mm，裂片三角形，长 1.5mm，花萼、花冠外均被短柔毛；花丝长 2.5cm。荚果带状，长 9 ~ 15cm，宽 1.5 ~ 2.5cm，嫩荚被柔毛，老荚无毛。

合欢

花期 6 ~ 7 月，果期 8 ~ 10 月。

| 生境分布 | 生于山坡。分布于重庆万州、綦江、城口、巫山、忠县、合川、涪陵、潼南、江津、九龙坡、秀山、铜梁、巫溪、长寿、丰都、武隆、南川、云阳、石柱、开州、大足、梁平等地。

| 资源情况 | 野生资源较丰富。药材来源于栽培和野生，以栽培为主。

| 采收加工 | 合欢皮：夏、秋季剥取，晒干。

合欢花：夏季花开放时择晴天采收或花蕾形成时采收，及时晒干。

| 药材性状 | 合欢皮：本品呈卷曲筒状或半筒状，长 40 ~ 80cm，厚 0.1 ~ 0.3cm。外表面灰棕色至灰褐色，稍有纵皱纹，有的成浅裂纹，密生明显的椭圆形横向皮孔，棕色或棕红色，偶有凸起的横棱或较大的圆形枝痕，常附有地衣斑；内表面淡黄棕色或黄白色，平滑，有细密纵纹。质硬而脆，易折断，断面呈纤维性片状，淡黄棕色或黄白色。气微香，味淡、微涩，稍刺舌，而后喉头有不适感。

合欢花：本品皱缩成团。总花梗长 3 ~ 4cm，有时与花序脱离，黄绿色，有纵纹，被稀疏毛茸。花全体密被毛茸，细长而弯曲，长 0.7 ~ 1cm，淡黄色或黄褐色，无花梗或几无花梗。花萼筒状，先端有 5 小齿；花冠筒长约为萼筒的 2 倍，先端 5 裂，裂片披针形；雄蕊多数，花丝细长，黄棕色至黄褐色，下部合生，上部分离，伸出花冠筒外。气微香，味淡。

| 功能主治 | 合欢皮：甘，平。归心、肝、脾经。解郁安神，活血消肿。用于心神不安，忧郁失眠，肺痈，疮肿，跌仆伤痛。

合欢花：甘，平。归心、脾经。解郁安神。用于心神不安，忧郁失眠。

| 用法用量 | 合欢皮：内服煎汤，6 ~ 12g。外用适量，研末调敷。

合欢花：内服煎汤，5 ~ 10g。

| 附　　注 | 本种喜温暖向阳环境，耐寒，耐干旱，对土壤要求不严，在砂壤土和黏壤土中生长迅速。

豆科 Leguminosae 合欢属 *Albizia*

山槐 *Albizia kalkora* (Roxb.) Prain

| 药 材 名 | 山合欢皮（药用部位：树皮）。

| 形态特征 | 落叶小乔木或灌木，通常高 3 ~ 8m。枝条暗褐色，被短柔毛，有显著皮孔。二回羽状复叶，羽片 2 ~ 4 对；小叶 5 ~ 14 对，长圆形或长圆状卵形，长 1.8 ~ 4.5cm，宽 7 ~ 20mm，先端圆钝而有细尖头，基部不等侧，两面均被短柔毛，中脉稍偏于上侧。头状花序 2 ~ 7 生于叶腋，或于枝顶排成圆锥花序；花初白色，后变黄色，具明显的小花梗；花萼管状，长 2 ~ 3mm，5 齿裂；花冠长 6 ~ 8mm，中部以下联合成管状，裂片披针形，花萼、花冠均密被长柔毛；雄蕊长 2.5 ~ 3.5cm，基部联合成管状。荚果带状，长 7 ~ 17cm，宽 1.5 ~ 3cm，深棕色，嫩荚密被短柔毛，老时无毛；种子 4 ~ 12，倒卵形。花期 5 ~ 6 月，果期 8 ~ 10 月。

山槐

| 生境分布 | 生于 200 ~ 1400m 的山坡灌丛、疏林中。分布于重庆奉节、开州、丰都、垫江、涪陵、酉阳、秀山、南川、江北、合川、大足、璧山、江津、永川、荣昌等地。

| 资源情况 | 野生资源较丰富。药材来源于野生。

| 采收加工 | 夏、秋季剥取，晒干。

| 药材性状 | 本品呈卷筒状或半卷筒状，厚 0.1 ~ 0.3cm。外表面灰黑色或棕红色，不规则纵向交错排列，皮孔常不明显；内表面淡黄白色或黄白色，平滑，有细密纵纹。质硬而脆，易折断，断面呈纤维性片状。气微，味淡。

| 功能主治 | 甘，平。归心、肝、肺经。安神，活血，消肿。用于失眠，肺痈疮肿，跌仆伤痛。

| 用法用量 | 内服煎汤，6 ~ 12g。外用适量，研末调敷。

豆科 Leguminosae 紫穗槐属 *Amorpha*

紫穗槐 *Amorpha fruticosa* L.

| 药材名 | 紫穗槐（药用部位：叶。别名：穗花槐、紫翠槐、紫槐）。

| 形态特征 | 落叶灌木，丛生，高 1 ~ 4m。小枝灰褐色，被疏毛，后变无毛，嫩枝密被短柔毛。叶互生，奇数羽状复叶，长 10 ~ 15cm，有小叶 11 ~ 25，基部有线形托叶；叶柄长 1 ~ 2cm；小叶卵形或椭圆形，长 1 ~ 4cm，宽 0.6 ~ 2cm，先端圆形，锐尖或微凹，有 1 短而弯曲的尖刺，基部宽楔形或圆形，上面无毛或被疏毛，下面被白色短柔毛，具黑色腺点。穗状花序常 1 至数个顶生和枝端腋生，长 7 ~ 15cm，密被短柔毛；花有短梗；苞片长 3 ~ 4mm；花萼长 2 ~ 3mm，被疏毛或几无毛，萼齿三角形，较萼筒短；旗瓣心形，紫色，无翼瓣和龙骨瓣；雄蕊 10，下部合生成鞘，上部分裂，包于旗瓣之中，伸出花冠外。荚果下垂，长 6 ~ 10mm，宽 2 ~ 3mm，微弯曲，先端具

紫穗槐

小尖，棕褐色，表面有凸起的疣状腺点。花果期 5 ~ 10 月。

| 生境分布 | 栽培于庭园、路边。分布于重庆南岸、潼南、丰都、长寿、忠县、江津、酉阳、南川、巴南等地。

| 资源情况 | 野生资源稀少，栽培资源一般。药材来源于栽培。

| 采收加工 | 春、夏季采收，鲜用或晒干。

| 功能主治 | 微苦，凉。清热解毒，祛湿消肿。用于痈疮，烫火伤，湿疹。

| 用法用量 | 外用适量，捣敷；或煎汤洗。

豆科 Leguminosae 两型豆属 *Amphicarpaea*

两型豆 *Amphicarpaea edgeworthii* Benth.

|药材名| 两型豆（药用部位：全草或根）。

|形态特征| 一年生缠绕草本。茎纤细，长 0.3 ~ 1.3m，被淡褐色柔毛。叶具羽状 3 小叶；托叶小，披针形或卵状披针形，长 3 ~ 4mm，具明显线纹；叶柄长 2 ~ 5.5cm；小叶薄纸质或近膜质，顶生小叶菱状卵形或扁卵形，长 2.5 ~ 5.5cm，宽 2 ~ 5cm，稀更大或更宽，先端钝或有时短尖，常具细尖头，基部圆形、宽楔形或近截平，上面绿色，下面淡绿色，两面常被贴伏的柔毛，基出脉 3，纤细，小叶柄短；小托叶极小，常早落，侧生小叶稍小，常偏斜。花二型。生于茎上部的为正常花，排成腋生的短总状花序，有花 2 ~ 7，各部被淡褐色长柔毛；苞片近膜质，卵形至椭圆形，长 3 ~ 5mm，具线纹多条，腋内通常具花 1；花梗纤细，长 1 ~ 2mm；花萼管状，5 裂，裂片不等；

两型豆

花冠淡紫色或白色，长 1 ~ 1.7cm，各瓣近等长，旗瓣倒卵形，具瓣柄，两侧具内弯的耳，翼瓣长圆形亦具瓣柄和耳，龙骨瓣与翼瓣近似，先端钝，具长瓣柄；雄蕊二体，子房被毛。另生于下部者为闭锁花，无花瓣，柱头弯至与花药接触，子房伸入地下结实。荚果二型。生于茎上部的完全花结的荚果为长圆形或倒卵状长圆形，长 2 ~ 3.5cm，宽约 6mm，扁平，微弯，被淡褐色柔毛，以背、腹缝线上的毛较密；种子 2 ~ 3，肾状圆形，黑褐色，种脐小。由闭锁花伸入地下结的荚果呈椭圆形或近球形，不开裂，内含 1 种子。花果期 8 ~ 11 月。

| 生境分布 | 生于海拔 300 ~ 1800m 的山坡路旁或旷野草地上。分布于重庆城口、巫溪、奉节、开州、万州、云阳、丰都、涪陵、南川等地。

| 资源情况 | 野生资源稀少。药材来源于野生。

| 采收加工 | 夏、秋季采收，洗净，晒干。

| 功能主治 | 消食，解毒，止痛。用于消化不良，体虚自汗，盗汗，各种疼痛，疮疖。

| 用法用量 | 内服煎汤，10 ~ 30g。

豆科 Leguminosae 土圞儿属 *Apios*

土圞儿 *Apios fortunei* Maxim.

| 药 材 名 | 土圞儿（药用部位：块根。别名：野地瓜、地栗子、土子）。

| 形态特征 | 缠绕草本。有球形或卵形块根。茎细长，被白色稀疏短硬毛。奇数羽状复叶；小叶 3 ~ 7，卵形或菱状卵形，长 3 ~ 7.5cm，宽 1.5 ~ 4cm，先端急尖，有短尖头，基部宽楔形或圆形，上面被极稀疏的短柔毛，下面近于无毛，脉上被疏毛；小叶柄有时被毛。总状花序腋生，长 6 ~ 26cm；苞片和小苞片线形，被短毛；花带黄绿色或淡绿色，长约 11mm，花萼稍呈二唇形；旗瓣圆形，较短，长约 10mm，翼瓣长圆形，长约 7mm，龙骨瓣最长，卷成半圆形；子房被疏短毛，花柱卷曲。荚果长约 8cm，宽约 6mm。花期 6 ~ 8 月，果期 9 ~ 10 月。

| 生境分布 | 生于海拔 300 ~ 1000m 的山坡灌丛中，缠绕在树上。分布于重庆城口、

土圞儿

巫山、奉节、酉阳、南川、江津、武隆等地。

| 资源情况 | 野生资源较少，亦有零星栽培。药材主要来源于野生。

| 采收加工 | 冬季倒苗前采收栽培 2 ~ 3 年者，挖大留小，可连年收获。挖出块根，晒干或烘干，撞去泥土；或鲜用。

| 药材性状 | 本品呈扁长卵形，长约 2.2cm，直径约 1.2cm。根头部有数个茎基或茎痕，基部稍偏斜，并有支根或支根痕。表面棕色，不规则皱缩，具须根痕。体轻，质较柔韧，易折断，断面粗糙。微有豆腥气，味微苦、涩。

| 功能主治 | 甘，微苦，平。清热解毒，止咳祛痰。用于感冒咳嗽，喉肿痛，百日咳，乳痈，瘰疬，无名肿毒，毒蛇咬伤，带状疱疹。

| 用法用量 | 内服煎汤，9 ~ 15g，鲜品 30 ~ 60g。外用鲜品适量，捣敷；或酒、醋磨汁涂。本品有毒，内服宜慎。

| 附　　注 | 本种喜温暖气候，在低山和平坝均可栽种，栽培土壤以肥沃、深厚、疏松的夹砂土为好。

豆科 Leguminosae 落花生属 *Arachis*

落花生 *Arachis hypogaea* L.

|药 材 名| 落花生（药用部位：种子。别名：花生、落花参、番豆）、花生油（药材来源：种子油。别名：果油、落花生油）、花生衣（药用部位：种皮。别名：落花生衣、花生皮）、花生壳（药用部位：果皮）、落花生枝叶（药用部位：茎叶。别名：花生茎叶）、落花生根（药用部位：根。别名：花生根）。

|形态特征| 一年生草本。根部有丰富的根瘤。茎直立或匍匐，长 30 ~ 80cm，茎和分枝均有棱，被黄色长柔毛，后变无毛。叶通常具小叶 2 对；托叶长 2 ~ 4cm，具纵脉纹，被毛；叶柄基部抱茎，长 5 ~ 10cm，被毛；小叶纸质，卵状长圆形至倒卵形，长 2 ~ 4cm，宽 0.5 ~ 2cm，先端钝圆形，有时微凹，具小刺尖头，基部近圆形，全缘，两面被毛，边缘被睫毛；侧脉每边约 10，叶脉边缘互相联结成网状；小叶

落花生

柄长 2 ~ 5mm，被黄棕色长毛。花长约 8mm；苞片 2，披针形；小苞片披针形，长约 5mm，具纵脉纹，被柔毛；萼管细，长 4 ~ 6cm；花冠黄色或金黄色，旗瓣直径 1.7cm，开展，先端凹入；翼瓣与龙骨瓣分离，翼瓣长圆形或斜卵形，细长；龙骨瓣长卵圆形，内弯，先端渐狭成喙状，较翼瓣短；花柱延伸于萼管咽部之外，柱头顶生，小，疏被柔毛。荚果长 2 ~ 5cm，宽 1 ~ 1.3cm，膨胀，荚厚；种子横径 0.5 ~ 1cm。花果期 6 ~ 8 月。

| 生境分布 | 生于温暖的砂壤土地区。重庆各地均有分布。

| 资源情况 | 野生资源稀少，栽培资源丰富。药材来源于栽培。

| 采收加工 | 落花生：秋季挖取果实，剥去果壳，取出种子，晒干。

花生油：将成熟种子用冷压法压出的脂肪油。

花生衣：在加工油料或者制作食品时收集红色种皮，晒干。

花生壳：剥取落花生时收集荚壳，晒干。

落花生枝叶：夏、秋季采收茎叶，洗净，鲜用或切碎，晒干。

落花生根：秋季采挖，鲜用或切碎，晒干。

| 药材性状 | 落花生：本品呈短圆柱形或一端较平截，长 0.5 ~ 1.5cm，直径 0.5 ~ 0.8cm。种皮棕色或淡棕红色，不易剥离；子叶 2，类白色，油润，中间有胚芽。气微，味淡，嚼之有豆腥味。

花生油：本品为淡黄色澄明液体，有类似落花生种子的香气，味淡。在乙醇中极微溶解，与乙醚、氯仿、石油醚能任意混合。相对密度为 0.911 ~ 0.918，折光率为 1.469 ~ 1.472，碘价为 84 ~ 100，皂化价为 185 ~ 195，酸价不大于 3，脂肪酸的凝点为 26 ~ 32℃。

花生衣：本品呈碎片状，大小不一。外表面红色，有纵脉纹，内表面黄白色或白色，脉纹明显。体轻，易碎。气微，味涩、微苦。

落花生枝叶：本品下部茎呈圆柱形，表面有纵纹；上部茎及枝呈类方形，长 30 ~ 70cm，直径 0.3 ~ 0.5cm，表面黄绿色至黄棕色，有棱及长毛；质较脆，断面有髓或中空。偶数羽状复叶，互生；小叶片长圆形至卵圆形，长 2.5 ~ 5.5cm，宽 1.5 ~ 3cm，先端钝或有小突尖，基部渐窄，全缘；表面黄绿色至棕褐色，侧脉明显；叶柄长 2 ~ 5cm，被毛。气微，味淡。

| 功能主治 | 落花生：甘，平。归脾、肺经。健脾养胃，润肺化痰。用于脾虚不运，反胃不舒，乳妇奶少，脚气，肺燥咳嗽，大便燥结。

花生油：甘，平。润燥滑肠，去积。用于蛔虫性肠梗阻，胎衣不下，烫火伤。

花生衣：甘、微苦、涩，平。凉血止血，散瘀。用于血友病，类血友病，血小板减少性紫癜，手术后出血，咳血，便血，衄血，子宫出血。

花生壳：淡、涩，平。化痰止咳，降压。用于咳嗽气喘，痰中带血，高胆固醇血症，高血压。

落花生枝叶：甘、淡，平。清热解毒，宁神降压。用于跌打损伤，痈肿疮毒，失眠，高血压。

落花生根：淡，平。祛风除湿，通络。用于风湿关节痛。

| 用法用量 | 落花生：内服煎汤，30 ~ 100g；生研冲汤，每次 10 ~ 15g；炒熟或煮熟食，30 ~ 60g。外用适量，涂抹。

花生油：内服煎汤，60 ~ 125g。外用适量，涂抹。

花生衣、花生壳：内服煎汤，10 ~ 30g。

落花生枝叶：内服煎汤，30 ~ 60g。外用适量，鲜品捣敷。

落花生根：内服煎汤，15 ~ 30g。

| 附　　注 | 本种宜栽培于气候温暖、雨量适中的砂壤土地区。

豆科 Leguminosae 黄耆属 *Astragalus*

紫云英 *Astragalus sinicus* L.

药材名 紫云英子（药用部位：种子。别名：蒺藜子、草蒺藜）。

形态特征 二年生草本，多分枝，匍匐，高 10 ~ 30cm，被白色疏柔毛。奇数羽状复叶，具 7 ~ 13 小叶，长 5 ~ 15cm；叶柄较叶轴短；托叶离生，卵形，长 3 ~ 6mm，先端尖，基部互相多少合生，具缘毛；小叶倒卵形或椭圆形，长 10 ~ 15mm，宽 4 ~ 10mm，先端钝圆或微凹，基部宽楔形，上面近无毛，下面散生白色柔毛，具短柄。总状花序生花 5 ~ 10，呈伞形；总花梗腋生，较叶长；苞片三角状卵形，长约 0.5mm；花梗短；花萼钟状，长约 4mm，被白色柔毛，萼齿披针形，长约为萼筒的 1/2；花冠紫红色或橙黄色，旗瓣倒卵形，长 10 ~ 11mm，先端微凹，基部渐狭成瓣柄，翼瓣较旗瓣短，长约 8mm，瓣片长圆形，基部具短耳，瓣柄长约为瓣片的 1/2，龙骨瓣

紫云英

与旗瓣近等长，瓣片半圆形，瓣柄长约为瓣片的 1/3；子房无毛或疏被白色短柔毛，具短柄。荚果线状长圆形，稍弯曲，长 12 ~ 20mm，宽约 4mm，具短喙，黑色，具隆起的网纹；种子肾形，栗褐色，长约 3mm。花期 2 ~ 6 月，果期 3 ~ 7 月。

| 生境分布 | 生于海拔 400 ~ 2750m 的山坡、溪边或潮湿处。分布于重庆黔江、彭水、丰都、城口、石柱、奉节、巫山、南川等地。

| 资源情况 | 野生资源一般。药材主要来源于野生，自产自销。

| 采收加工 | 春、夏季果实成熟时割下全草，打下种子，晒干。

| 药材性状 | 本品呈长方状肾形，两侧明显压扁，长达 3mm；腹面中央内陷较深，一侧呈沟状。表面黄绿色或棕绿色。质坚硬。气微弱，味淡，嚼之微有豆腥气。

| 功能主治 | 辛，凉。归肝经。清热解毒，利尿消肿。用于风痰咳嗽，咽喉痛，目赤红痛，疔疮，缠腰火丹，外伤出血。

| 用法用量 | 内服煎汤，6 ~ 9g；或研末。

豆科 Leguminosae 羊蹄甲属 *Bauhinia*

鞍叶羊蹄甲 *Bauhinia brachycarpa* Wall. ex Benth.

| 药 材 名 | 鞍叶羊蹄甲（药用部位：枝叶、根。别名：大飞扬、蝴蝶风、羊蹄藤）。

| 形态特征 | 直立或攀缘小灌木。小枝纤细，具棱，被微柔毛，很快变秃净。叶纸质或膜质，近圆形，通常宽度大于长度，长 3 ~ 6cm，宽 4 ~ 7cm，基部近截形、阔圆形或有时浅心形，先端 2 裂达中部，罅口狭，裂片先端圆钝，上面无毛，下面略被稀疏的微柔毛，多少具松脂质丁字毛；基出脉 7 ~ 9（~ 11）；托叶丝状早落；叶柄纤细，长 6 ~ 16mm，具沟，略被微柔毛。伞房式总状花序侧生，连总花梗长 1.5 ~ 3cm，有密集的花超过 10；总花梗短，与花梗同被短柔毛；苞片线形，锥尖，早落；花蕾椭圆形，多少被柔毛；花托陀螺形；花萼佛焰状，裂片 2；花瓣白色，倒披针形，连瓣柄长 7 ~ 8mm，具羽状脉；能育雄蕊通常 10，其中 5 较长，花丝长 5 ~ 6mm，无毛；子房被茸毛，具短的

鞍叶羊蹄甲

子房柄，柱头盾状。荚果长圆形，扁平，长 5 ~ 7.5cm，宽 9 ~ 12mm，两端渐狭，中部 2 荚缝近平行，先端具短喙，成熟时开裂，果瓣革质，初时被短柔毛，渐变无毛，平滑，开裂后扭曲；种子 2 ~ 4，卵形，略扁平，褐色，有光泽。花期 5 ~ 7 月，果期 8 ~ 10 月。

| 生境分布 | 生于海拔 800 ~ 2200m 的山地草坡或河旁灌丛中。分布于重庆巫溪、巫山等地。

| 资源情况 | 野生资源稀少。药材主要来源于野生。

| 采收加工 | 夏、秋季采收枝叶。秋季采挖根，除去杂质，切段或片，鲜用或晒干。

| 功能主治 | 苦、涩，平。祛湿通络，收敛解毒。用于风湿痹痛，睾丸肿痛，久咳盗汗，遗精，尿频，腹泻，心悸失眠，瘰疬，湿疹，疥癣，烫伤，痈肿疮毒。

| 用法用量 | 内服煎汤，15 ~ 30g；或浸酒；或研末。外用适量，捣敷；或煎汤洗。

豆科 Leguminosae 羊蹄甲属 *Bauhinia*

龙须藤 *Bauhinia championii* (Benth.) Benth.

| 药 材 名 | 九龙藤（药用部位：根、藤茎。别名：过岗龙、过江龙、邬郎藤）、九龙藤叶（药用部位：叶。别名：燕子尾、猪蹄叉、羊蹄叉）、过江龙子（药用部位：种子）。

| 形态特征 | 藤本，有卷须。嫩枝和花序薄被紧贴的小柔毛。叶纸质，卵形或心形，长 3 ~ 10cm，宽 2.5 ~ 6.5（~ 9）cm，先端锐渐尖、圆钝、微凹或 2 裂，裂片长度不一，基部截形、微凹或心形，上面无毛，下面被紧贴的短柔毛，渐变无毛或近无毛，干时粉白褐色；基出脉 5 ~ 7；叶柄长 1 ~ 2.5cm，纤细，略被毛。总状花序狭长，腋生，有时与叶对生或数个聚生枝顶而成复总状花序，长 7 ~ 20cm，被灰褐色小柔毛；苞片与小苞片小，锥尖；花蕾椭圆形，长 2.5 ~ 3mm，具凸头，与花萼及花梗同被灰褐色短柔毛；花直径约 8mm；花梗纤

龙须藤

细，长 10 ~ 15mm；花托漏斗形，长约 2mm；萼片披针形，长约 3mm；花瓣白色，具瓣柄，瓣片匙形，长约 4mm，外面中部疏被丝毛；能育雄蕊 3，花丝长约 6mm，无毛；退化雄蕊 2；子房具短柄，仅沿两缝线被毛，花柱短，柱头小。荚果倒卵状长圆形或带状，扁平，长 7 ~ 12cm，宽 2.5 ~ 3cm，无毛，果瓣革质；种子 2 ~ 5，圆形，扁平，直径约 12mm。花期 6 ~ 10 月，果期 7 ~ 12 月。

| 生境分布 | 生于低海拔至中海拔的丘陵灌丛、山地疏林或密林中。分布于重庆涪陵、丰都、武隆、彭水、南川等地。

| 资源情况 | 野生资源稀少。药材主要来源于野生。

| 采收加工 | 九龙藤：全年均可采收，砍取茎干或挖取根部，除去杂质、泥土，切片，鲜用或晒干。
九龙藤叶：全年均可采收，鲜用或晒干。
过江龙子：秋季果实成熟时采收，晒干，打下种子。

| 药材性状 | 九龙藤：本品呈圆柱形，稍扭曲。表面粗糙，灰棕色或灰褐色，具不规则皱沟纹。质坚实，难折断，切断面皮部棕红色，木部浅棕色，有 2 ~ 4 圈深棕红色环纹，习称"鸡眼圈纹"，针孔状导管细而密。气微，味微涩。

| 功能主治 | 九龙藤：苦、辛，平。祛风，止痛，祛瘀。用于风湿骨痛，跌打损伤，接骨。
九龙藤叶：苦、甘，温。利尿，化瘀，理气止痛。用于小便不利，腰痛，跌打损伤，目翳。
过江龙子：苦、辛，温。行气止痛，活血化瘀。用于胸胁胀痛，胃脘痛，跌打损伤。

| 用法用量 | 九龙藤：内服煎汤，6 ~ 15g，鲜品 50 ~ 60g。外用适量，煎汤洗；或鲜品捣敷。
九龙藤叶：内服煎汤，10 ~ 30g。外用适量，捣敷。
过江龙子：内服煎汤，6 ~ 15g。

豆科 Leguminosae 羊蹄甲属 *Bauhinia*

羊蹄甲 *Bauhinia purpurea* L.

羊蹄甲

| 药 材 名 |

紫羊蹄甲（药用部位：叶。别名：玲甲花、洋紫荆）。

| 形态特征 |

乔木或直立灌木，高 7 ~ 10m。树皮厚，近光滑，灰色至暗褐色；枝初时略被毛，毛渐脱落。叶硬纸质，近圆形，长 10 ~ 15cm，宽 9 ~ 14cm，基部浅心形，先端分裂为叶长的 1/3 ~ 1/2，裂片先端圆钝或近急尖，两面无毛或下面薄被微柔毛；基出脉 9 ~ 11；叶柄长 3 ~ 4cm。总状花序侧生或顶生，少花，长 6 ~ 12cm，有时 2 ~ 4 生于枝顶而成复总状花序，被褐色绢毛；花蕾多少纺锤形，具 4 ~ 5 棱或狭翅，顶钝；花梗长 7 ~ 12mm；花萼佛焰苞状，一侧开裂达基部成外反的 2 裂片，裂片长 2 ~ 2.5cm，先端微裂，其中一片具 2 齿，另一片具 3 齿；花瓣桃红色，倒披针形，长 4 ~ 5cm，具脉纹和长的瓣柄；能育雄蕊 3，花丝与花瓣等长；退化雄蕊 5 ~ 6，长 6 ~ 10mm；子房具长柄，被黄褐色绢毛，柱头稍大，斜盾形。荚果带状，扁平，长 12 ~ 25cm，宽 2 ~ 2.5cm，略呈弯镰状，成熟时开裂，木质的果瓣扭曲将种子弹出；

种子近圆形，扁平，直径 12 ~ 15mm，种皮深褐色。花期 9 ~ 11 月，果期 2 ~ 3 月。

| 生境分布 | 生于丛林中，或栽培于路旁。分布于重庆渝北、北碚、云阳、綦江、九龙坡等地。

| 资源情况 | 野生资源稀少，栽培资源丰富。药材主要来源于栽培。

| 采收加工 | 全年均可采收，鲜用或晒干。

| 功能主治 | 苦，寒。解毒清热。用于疮疖，烫火伤，跌打瘀肿。

| 用法用量 | 外用适量，捣敷，或煎汤洗。

豆科 Leguminosae 羊蹄甲属 *Bauhinia*

洋紫荆 *Bauhinia variegata* L.

| 药材名 | 羊蹄甲（药用部位：根。别名：弯叶树、红花紫荆、红紫荆）、羊蹄甲树皮（药用部位：树皮）、羊蹄甲叶（药用部位：叶）、老白花（药用部位：花）。

| 形态特征 | 落叶乔木。树皮暗褐色，近光滑，幼嫩部分常被灰色短柔毛；枝广展，硬而稍呈“之”字曲折，无毛。叶近革质，广卵形至近圆形，宽度常超过长度，长 5 ~ 9cm，宽 7 ~ 11cm，基部浅至深心形，有时近截形，先端 2 裂达叶长的 1/3，裂片阔，钝头或圆，两面无毛或下面略被灰色短柔毛；基出脉（9 ~ ）13；叶柄长 2.5 ~ 3.5cm，被毛或近无毛。总状花序侧生或顶生，极短缩，多少呈伞房花序式，少花，被灰色短柔毛；总花梗短而粗；苞片和小苞片卵形，极早落；花大，近无梗；花蕾纺锤形；花萼佛焰苞状，被短柔毛，一侧开

洋紫荆

裂为 1 广卵形、长 2 ~ 3cm 的裂片；花托长 12mm；花瓣倒卵形或倒披针形，长 4 ~ 5cm，具瓣柄，紫红色或淡红色，杂以黄绿色及暗紫色的斑纹，近轴 1 片较阔；能育雄蕊 5，花丝纤细，无毛，长约 4cm；退化雄蕊 1 ~ 5，丝状，较短；子房具柄，被柔毛，尤以缝线上被毛较密，柱头小。荚果带状，扁平，长 15 ~ 25cm，宽 1.5 ~ 2cm，具长柄及喙；种子 10 ~ 15，近圆形，扁平，直径约 1cm。花期全年，3 月最盛。

| 生境分布 | 生于丛林中，或栽培于路旁。分布于重庆南川、巴南、南岸、渝北、北碚等地。

| 资源情况 | 野生和栽培资源均稀少。药材主要来源于栽培。

| 采收加工 | 羊蹄甲：全年均可采收，洗净，切片，晒干。

羊蹄甲树皮：全年均可采收，剥取树皮，切片，鲜用或晒干。

羊蹄甲叶：夏、秋季采收，鲜用或晒干。

老白花：春、夏季花盛开时采收，烘干。

| 功能主治 | 羊蹄甲：苦、涩，平。健脾去湿，止血。用于消化不良，急性胃肠炎，肝炎，咳嗽咯血，关节疼痛，跌打损伤。

羊蹄甲树皮：苦、涩，平。健脾祛湿。用于消化不良，呕吐，腹泻。

羊蹄甲叶：淡，凉。止咳化痰，通便。用于咳嗽，支气管炎，便秘。

老白花：淡，凉。清热解毒，止咳。用于肺炎，气管炎，肺结核咯血，肝炎。

| 用法用量 | 羊蹄甲：内服煎汤，10 ~ 30g。

羊蹄甲树皮：内服煎汤，10 ~ 30g。

羊蹄甲叶：内服煎汤，10 ~ 15g。

老白花：内服煎汤，9 ~ 15g。

| 附　　注 | 本种喜温暖、湿润、阳光充足的环境，适宜在酸性土壤中栽培。

豆科 Leguminosae 云实属 *Caesalpinia*

华南云实 *Caesalpinia crista* L.

|药材名| 南天藤（药用部位：根、茎叶）。

|形态特征| 木质藤本，长可达 10m。树皮黑色，有少数倒钩刺。二回羽状复叶长 20 ~ 30cm；叶轴上有黑色倒钩刺；羽片 2 ~ 3 对，有时 4 对，对生；小叶 4 ~ 6 对，对生，具短柄，革质，卵形或椭圆形，长 3 ~ 6cm，宽 1.5 ~ 3cm，先端圆钝，有时微缺，很少急尖，基部阔楔形或钝，两面无毛，上面有光泽。总状花序长 10 ~ 20cm，复排列成顶生、疏松的大型圆锥花序；花芳香；花梗纤细，长 5 ~ 15mm；萼片 5，披针形，长约 6mm，无毛；花瓣 5，不相等，其中 4 黄色，卵形，无毛，瓣柄短，稍明显，上面 1 具红色斑纹，向瓣柄渐狭，内面中部被毛；雄蕊略伸出，花丝基部膨大，被毛；子房被毛，有胚珠 2。荚果斜阔卵形，革质，长 3 ~ 4cm，宽 2 ~ 3cm，

华南云实

肿胀，具网脉，先端有喙；种子 1，扁平。花期 4 ~ 7 月，果期 7 ~ 12 月。

| **生境分布** | 生于海拔 400 ~ 1500m 的山地林中。分布于重庆彭水、铜梁、合川、江北、北碚、沙坪坝、綦江、潼南、九龙坡等地。

| **资源情况** | 野生资源一般。药材来源于野生。

| **采收加工** | 全年均可采收茎叶，秋季采挖根，洗净，切段或片，鲜用或晒干。

| **功能主治** | 苦，凉。清热解毒，利尿通淋。用于疮疡疖肿，小便不利，热淋，砂淋。

| **用法用量** | 内服煎汤，5 ~ 10g。外用适量，捣敷。

豆科 Leguminosae 云实属 *Caesalpinia*

云实 *Caesalpinia decapetala* (Roth) Alston

| 药 材 名 | 云实（药用部位：种子。别名：员实、天豆、马豆）、云实皮（药用部位：根皮。别名：倒挂牛）、云实根（药用部位：根、茎。别名：牛王茨根、阎王刺根）、四时青（药用部位：叶。别名：云实叶）、云实蛀虫（药材来源：茎及根中寄生的天牛及其近缘昆虫的幼虫。别名：老姆木虫、阎王刺虫）。

| 形态特征 | 藤本。树皮暗红色，枝、叶轴和花序均被柔毛和钩刺。二回羽状复叶长 20 ~ 30cm；羽片 3 ~ 10 对，对生，具柄，基部有刺 1 对；小叶 8 ~ 12 对，膜质，长圆形，长 10 ~ 25mm，宽 6 ~ 12mm，两端近圆钝，两面均被短柔毛，老时渐无毛；托叶小，斜卵形，先端渐尖，早落。总状花序顶生，直立，长 15 ~ 30cm，具多花；总花梗多刺；花梗长 3 ~ 4cm，被毛，在花萼下具关节，故花易脱落；萼片 5，

云实

长圆形，被短柔毛；花瓣黄色，膜质，圆形或倒卵形，长 10 ~ 12mm，盛开时反卷，基部具短柄；雄蕊与花瓣近等长，花丝基部扁平，下部被绵毛；子房无毛。荚果长圆状舌形，长 6 ~ 12cm，宽 2.5 ~ 3cm，脆革质，栗褐色，无毛，有光泽，沿腹缝线膨胀成狭翅，成熟时沿腹缝线开裂，先端具尖喙；种子 6 ~ 9，椭圆形，长约 11mm，宽约 6mm，种皮棕色。花果期 4 ~ 10 月。

| 生境分布 | 生于山坡灌丛中或平原、丘陵、河旁等地。分布于重庆潼南、巫山、奉节、万州、丰都、酉阳、铜梁、云阳、南川、秀山、长寿、城口、武隆、开州、巫溪、璧山、巴南、荣昌、丰都、垫江、石柱、彭水、合川、江津等地。

| 资源情况 | 野生资源丰富。药材来源于野生。

| 采收加工 | 云实：秋季果实成熟时采收，剥取种子，晒干。

云实皮：春初、秋末采挖根，除去泥沙，剥取根皮，晒干。

云实根：全年均可采收，洗净，切片，干燥。

四时青：夏、秋季采收，鲜用或晒干。

云实蛀虫：夏、秋季视云实茎中下部有蛀虫孔、有较新鲜的木渣推出孔口外时，将茎截下，用刀纵剖，取出幼虫；冬、春季幼虫多寄生于根部，可挖根剖取。取出的幼虫置于瓦片上焙干，保持虫体完整；鲜用可随时采收。

| 药材性状 |

云实：本品呈长圆形，长约 1cm，宽约 6mm。外皮棕黑色，有纵向灰黄色纹理及横向裂缝状环圈。种子坚硬，剥开后，内有棕黄色子叶 2。气微，味苦。

云实皮：本品呈卷筒状、槽状或板片状，长 3 ~ 10cm，厚 0.2 ~ 0.6cm。外表面灰褐色，较粗糙，具疣状突起及横长皮孔，有内陷环纹；内表面浅灰棕色，具纵纹，偶有木部残留。质硬而脆，断面不平坦，棕黄色或淡紫褐色，可见色较浅的筋脉点（纤维束）。气微，味涩、微苦。

云实根：本品根近圆柱形，弯曲，有分枝，长短不等，直径 2 ~ 7cm；根头膨大；外皮灰褐色，粗糙，具横长皮孔或纵皱纹，栓皮脱落处显红褐色；质坚硬，不易折断，切面棕褐色、淡棕黄色或白色，皮部薄，显颗粒状，木部宽广，有多数小孔。茎圆柱形，直径 2 ~ 3cm；外皮和切面与根相似，外皮散生圆锥状钉刺或钉刺痕，切面木部中央有髓。气微，味辛、涩、微苦。

云实蛀虫：本品鲜者形如蚕，长圆筒形，稍扁，乳白色（干品棕色），长 4 ~ 5cm，前胸硬皮板有凸形纹，深棕色，前方有飞鸟状纹，后方密生棕色粒状小点，其中两侧各夹有 1 对尖叶状空白纹；后胸至第 7 腹节背部各有 1 呈扁圆状突起的移动器，其上整齐密生 2 圈棕色小粒点；前胸至第 7 节腹面亦有移动器。腹节两侧丛生棕色毛。

| 功能主治 |

云实：辛，温。解毒除湿，止咳化痰，杀虫。用于痢疾，疟疾，胃溃疡，慢性气管炎，小儿疳积，虫积。

云实皮：辛、苦，微温。解表散寒，止咳祛痰。用于感冒，支气管炎。

云实根：苦、辛，温。解表散寒，祛风除湿。用于感冒咳嗽，身痛，腰痛，喉痛，牙痛，跌打损伤，鱼口便毒，慢性支气管炎。

四时青：苦、辛，凉。除湿解毒，活血消肿。用于皮肤瘙痒，口疮，痢疾，跌打损伤，产后恶露不尽。

云实蛀虫：益气，透疹，消疳。用于劳伤，疹毒内陷，疳积。

| 用法用量 | 云实：内服煎汤，9 ~ 15g；或入丸、散。

云实皮：内服煎汤，15 ~ 30g。

云实根：内服煎汤，10 ~ 15g，鲜品加倍；或捣汁。外用适量，捣敷。

四时青：内服煎汤，10 ~ 30g。外用适量，煎汤洗；或研末搽。

云实蛀虫：内服研末，3 ~ 6g；或制成食品。

豆科 Leguminosae 荒子梢属 *Campylotropis*

西南荒子梢 *Campylotropis delavayi* (Franch.) Schindl.

西南荒子梢

药材名

豆角柴（药用部位：根）。

形态特征

灌木，高 1 ~ 3m，全株除小叶上面及花冠外均密被灰白色绢毛。小枝有细棱，因密被毛而呈灰白色，老枝毛少，呈灰褐色或褐色。羽状复叶具 3 小叶；托叶披针状钻形，长 4 ~ 8mm；叶柄长 1 ~ 4cm；小叶宽倒卵形、宽椭圆形或倒心形，长 2.5 ~ 6cm，宽 2 ~ 4cm，先端微凹至圆形，具小凸尖，基部圆形或稍渐狭或近宽楔形，上面无毛，下面因密生短绢毛而呈银白色或灰白色。总状花序通常单一腋生并顶生，长达 10cm，总花梗长 1.5 ~ 3（~ 4）cm，有时花序轴再分枝，常于顶部形成无叶的较大圆锥花序；苞片披针形，长（2 ~）2.5 ~ 3mm，宿存；花梗长 3 ~ 4.5（~ 5）mm，密生开展的丝状柔毛；小苞片早落；花萼长 6.3 ~ 7.5mm，密被灰白色绢毛，萼筒长 1.8 ~ 2mm，裂片线状披针形，长 4.5 ~ 5.5mm，上方裂片大部分合生，先端分离部分长 0.8 ~ 2.2mm；花冠深堇色或红紫色，长 10 ~ 11（~ 12）mm，旗瓣宽卵状椭圆形，翼瓣略呈半椭圆形，均具细瓣柄，龙骨瓣略呈直角或锐

角内弯，瓣片上部比瓣片下部（连瓣柄）短约 2mm；子房被毛。荚果压扁而两面凸，长 6 ~ 7mm，宽 4 ~ 5mm，先端喙尖长 0.3 ~ 0.8mm，基部果颈长不及 1mm，表面被短绢毛。花期 10 ~ 11（~ 12）月，果期 11 ~ 12 月。

| 生境分布 | 生于海拔 400 ~ 2200m 的山坡、灌丛、向阳草地等处。分布于重庆南川、江津、云阳等地。

| 资源情况 | 野生资源稀少。药材主要来源于野生。

| 采收加工 | 夏、秋季采挖，洗净，切片，晒干。

| 功能主治 | 辛、微苦，凉。疏风清热。用于风热感冒，发热。

| 用法用量 | 内服煎汤，15 ~ 30g。

豆科 Leguminosae 荒子梢属 *Campylotropis*

荒子梢 *Campylotropis macrocarpa* (Bge.) Rehd.

| 药 材 名 | 壮筋草（药用部位：根、枝叶。别名：假花生、马料梢、细叶马料梢）。

| 形态特征 | 灌木，高 1 ~ 2（~ 3）m。小枝贴生或近贴生短或长柔毛，嫩枝毛密，少有被绒毛，老枝常无毛。羽状复叶具 3 小叶；托叶狭三角形、披针形或披针状钻形，长（2 ~ ）3 ~ 6mm；叶柄长（1 ~ ）1.5 ~ 3.5cm，稍密生短柔毛或长柔毛，少为毛少或无毛，枝上部（或中部）的叶柄常较短，有时长不及 1cm；小叶椭圆形或宽椭圆形，有时过渡为长圆形，长（2 ~ ）3 ~ 7cm，宽 1.5 ~ 3.5（~ 4）cm，先端圆形、钝或微凹，具小凸尖，基部圆形，稀近楔形，上面通常无毛，脉明显，下面通常贴生或近贴生短柔毛或长柔毛，疏生至密生，中脉明显隆起，毛较密。总状花序单一（稀二）腋生并顶生，花序连总花梗长 4 ~ 10cm 或有时更长，总花梗长 1 ~ 4（~ 5）cm，花序

荒子梢

轴密生开展的短柔毛或微柔毛，总花梗常斜生或贴生短柔毛，稀为被绒毛；苞片卵状披针形，长 1.5 ~ 3mm，早落或花后逐渐脱落，小苞片近线形或披针形，长 1 ~ 1.5mm，早落；花梗长（4 ~ ）6 ~ 12mm，被开展的微柔毛或短柔毛，极稀贴生毛；花萼钟形，长 3 ~ 4（ ~ 5）mm，稍浅裂或近中裂，稀稍深裂或深裂，通常贴生短柔毛，花萼裂片狭三角形或三角形，渐尖，下方萼裂片较狭长，上方萼裂片几乎全部合生或少有分离；花冠紫红色或近粉红色，长 10 ~ 12（ ~ 13）mm，稀为长不及 10mm，旗瓣椭圆形、倒卵形或近长圆形等，近基部狭窄，瓣柄长 0.9 ~ 1.6mm，翼瓣微短于旗瓣或等长，龙骨瓣呈直角或微钝角内弯，瓣片上部通常比瓣片下部（连瓣柄）短 1 ~ 3（ ~ 3.5）mm。荚果长圆形、近长圆形或椭圆形，长（9 ~ ）10 ~ 14（ ~ 16）mm，宽（3.5 ~ ）4.5 ~ 5.5（ ~ 6）mm，先端具短喙尖，果颈长 1 ~ 1.4（ ~ 1.8）mm，稀短于 1mm，无毛，具网脉，边缘生纤毛。花果期（5 ~ ）6 ~ 10 月。

| 生境分布 | 生于海拔 150 ~ 1900m 的山坡、灌丛、林缘、山谷沟边及林中。分布于重庆忠县、巫山、涪陵、奉节、丰都、酉阳、云阳、武隆、城口、巫溪、石柱、南川、北碚等地。

| 资源情况 | 野生资源一般。药材主要来源于野生。

| 采收加工 | 夏、秋季采挖根部或采收枝叶，洗净，切片或段，晒干。

| 功能主治 | 苦、微辛，平。疏风解表，活血通络。用于风寒感冒，痧症，肾炎水肿，肢体麻木，半身不遂。

| 用法用量 | 内服煎汤，10 ~ 15g；或浸酒。

豆科 Leguminosae 刀豆属 *Canavalia*

刀豆 *Canavalia gladiata* (Jacq.) DC.

刀豆

| 药材名 |

刀豆（药用部位：种子。别名：挟剑豆、刀豆子、大戈豆）、刀豆壳（药用部位：果皮）。

| 形态特征 |

缠绕草本。羽状复叶具 3 小叶，小叶卵形，长 8 ~ 15cm，宽（4 ~）8 ~ 12cm，先端渐尖或具急尖的尖头，基部宽楔形，两面薄被微柔毛或近无毛，侧生小叶偏斜；叶柄常较小叶片为短；小叶柄长约 7mm，被毛。总状花序具长总花梗，有花数朵生于总轴中部以上；花梗极短，生于花序轴隆起的节上；小苞片卵形，长约 1mm，早落；花萼长 15 ~ 16mm，稍被毛，上唇约为萼管长的 1/3，具 2 阔而圆的裂齿，下唇 3 裂，齿小，长 2 ~ 3mm，急尖；花冠白色或粉红色，长 3 ~ 3.5cm，旗瓣宽椭圆形，先端凹入，基部具不明显的耳及阔瓣柄，翼瓣和龙骨瓣均弯曲，具向下的耳；子房线形，被毛。荚果带状，略弯曲，长 20 ~ 35cm，宽 4 ~ 6cm，离缝线约 5mm 处有棱；种子椭圆形或长椭圆形，种皮红色或褐色，种脐约为种子周长的 3/4。花期 7 ~ 9 月，果期 10 月。

| 生境分布 | 栽培于菜园。重庆各地均有分布。

| 资源情况 | 野生资源稀少，栽培资源丰富。药材来源于栽培。

| 采收加工 | 刀豆：播种当年 8 ~ 11 月分批采摘成熟果荚，剥取种子，晒干或烘干。
刀豆壳：秋季采收成熟果实，晒干，剥去种子（另作药用），收集果皮，晒至全干。

| 药材性状 | 刀豆：本品呈扁卵形或扁肾形，长 2 ~ 3.5cm，宽 1 ~ 2cm，厚 0.5 ~ 1.2cm。表面淡红色至红紫色，微皱缩，略有光泽。边缘具眉状黑色种脐，长约 2cm，上有白色细纹 3。质硬，难破碎。种皮革质，内表面棕绿色而光亮；子叶 2，黄白色，油润。气微，味淡，嚼之有豆腥味。

| 功能主治 | 刀豆：甘，温。归脾、胃、肾经。温中，下气，止呃。用于虚寒呃逆，肾虚腰痛。
刀豆壳：甘，平。止泻，通经。用于久痢，经闭。

| 用法用量 | 刀豆：内服煎汤，9 ~ 15g；或烧灰存性研末。
刀豆壳：内服煎汤，4.5 ~ 9g。外用适量，烧灰存性，研末撒。

| 附　　注 | 在 FOC 中，本种已被合并到直生刀 *Canavalia ensiformis* (L.) DC. 中。

豆科 Leguminosae 锦鸡儿属 *Caragana*

锦鸡儿 *Caragana sinica* (Buc'hoz) Rehd.

| 药 材 名 | 锦鸡儿花（药用部位：花。别名：阳雀花、金雀花、金鹊花）、锦鸡儿（药用部位：根皮。别名：白心皮、金鹊花根、板参）。

| 形态特征 | 灌木，高 1 ~ 2m。树皮深褐色；小枝有棱，无毛。托叶三角形，硬化成针刺，长 5 ~ 7mm；叶轴脱落或硬化成针刺，针刺长 7 ~ 15（~ 25）mm；小叶 2 对，羽状，有时假掌状，上部 1 对常较下部的为大，厚革质或硬纸质，倒卵形或长圆状倒卵形，长 1 ~ 3.5cm，宽 5 ~ 15mm，先端圆形或微缺，具刺尖或无刺尖，基部楔形或宽楔形，上面深绿色，下面淡绿色。花单生，花梗长约 1cm，中部有关节；花萼钟状，长 12 ~ 14mm，宽 6 ~ 9mm，基部偏斜；花冠黄色，常带红色，长 2.8 ~ 3cm，旗瓣狭倒卵形，具短瓣柄，翼瓣稍长于旗瓣，瓣柄与瓣片近等长，耳短小，龙骨瓣宽钝；子房无毛。荚果圆筒状，

锦鸡儿

长 3 ~ 3.5cm，宽约 5mm。花期 4 ~ 5 月，果期 7 月。

| 生境分布 | 生于海拔 400 ~ 1800m 的山坡或灌丛。分布于重庆城口、开州、巫溪、奉节、长寿、南川、江津、江北、北碚、渝北、云阳、石柱等地。

| 资源情况 | 野生资源稀少。药材主要来源于野生，自产自销。

| 采收加工 | 锦鸡儿花：栽培 3 ~ 4 年后，在 4 ~ 5 月花盛开时采摘，晒干或烘干。

锦鸡儿：秋季采挖根，除去粗皮，剥取根皮，干燥。

| 药材性状 | 锦鸡儿花：本品为蝶形花，呈长形，花冠黄色或褚黄色；花萼钟状，基部具囊状突起，萼齿 5 裂；花冠旗瓣狭倒卵形，基部粉红色；翼瓣顶圆钝，基部伸长成短耳状，具长爪；龙骨瓣宽而钝，直立；雄蕊 10，二体。气微，味淡。以干燥、色新鲜、无霉变、无杂质者为佳。

锦鸡儿：本品呈卷筒状或半卷筒状，长 12 ~ 20cm，厚 3 ~ 7mm。外表面淡黄色，有不规则细纹和棕褐色横长皮孔样疤痕；内表面淡棕色，有细纵纹。质坚脆，不易折断，断面淡黄色或棕黄色，略显粉性。气微香，味苦，嚼之微有豆腥味。

| 功能主治 | 锦鸡儿花：甘，微温。归脾、肾经。健脾益肾，和血祛风，解毒。用于头昏耳鸣，肺虚久咳，风湿痹痛，妇女气虚带下，小儿疳积，乳痈，跌打损伤。

锦鸡儿：苦、辛，平。归肺、脾经。补肺健脾，活血祛风。用于虚劳倦怠，肺虚久咳，妇女血崩，带下，乳少，风湿骨痛，痛风，半身不遂，跌打损伤。

| 用法用量 | 锦鸡儿花：内服煎汤，3 ~ 15g；或研末。

锦鸡儿：内服煎汤，15 ~ 30g。外用适量，捣敷。

豆科 Leguminosae 决明属 *Cassia*

双荚决明 *Cassia bicapsularis* L.

|药材名| 双荚决明（药用部位：叶、种子）。

|形态特征| 直立灌木，多分枝，无毛。叶长 7 ~ 12cm，有小叶 3 ~ 4 对；叶柄长 2.5 ~ 4cm；小叶倒卵形或倒卵状长圆形，膜质，长 2.5 ~ 3.5cm，宽约 1.5cm，先端圆钝，基部渐狭，偏斜，下面粉绿色，侧脉纤细，在近边缘处呈网结；在最下方的 1 对小叶间有黑褐色线形而具钝头的腺体 1。总状花序生于枝条先端的叶腋间，常集成伞房花序状，长约与叶相等，花鲜黄色，直径约 2cm；雄蕊 10，7 能育，3 退化而无花药，能育雄蕊中有 3 特大，高出于花瓣，4 较小，短于花瓣。荚果圆柱形，膜质，直或微曲，长 13 ~ 17cm，直径 1.6cm，缝线狭窄；种子 2 列。花期 10 ~ 11 月，果期 11 月至翌年 3 月。

双荚决明

| **生境分布** | 栽培于庭院或菜园。分布于重庆潼南、永川、璧山、合川、荣昌等地。

| **资源情况** | 野生资源稀少。药材来源于栽培。

| **采收加工** | 全年均可采收叶，晒干。秋末果实成熟，荚果变黄褐色时采收果实，打下种子，去净杂质，晒干。

| **功能主治** | 泻下导滞。用于便秘。

| **用法用量** | 内服煎汤，适量。外用适量，研末调敷。

| **附　　注** | 在 FOC 中，本种的拉丁学名被修订为 *Senna bicapsularis* (L.) Roxb.。属名“*Senna*”“*Cassia*”在 FOC 中被称为“番泻决明属”“决明属”，在 CFH 中被称为“决明属”“腊肠树属”。

豆科 Leguminosae 决明属 *Cassia*

决明 *Cassia obtusifolia* L.

| 药 材 名 | 决明子（药用部位：种子。别名：草决明、羊明、羊角）、野花生（药用部位：全草或叶）。

| 形态特征 | 直立、粗壮、一年生亚灌木状草本，高 1 ~ 2m。叶长 4 ~ 8cm；叶柄上无腺体；叶轴上每对小叶间有棒状的腺体 1；小叶 3 对，膜质，倒卵形或倒卵状长椭圆形，长 2 ~ 6cm，宽 1.5 ~ 2.5cm，先端圆钝而有小尖头，基部渐狭，偏斜，上面被稀疏柔毛，下面被柔毛；小叶柄长 1.5 ~ 2mm；托叶线状，被柔毛，早落。花腋生，通常 2 聚生；总花梗长 6 ~ 10mm；花梗长 1 ~ 1.5cm，丝状；萼片稍不等大，卵形或卵状长圆形，膜质，外面被柔毛，长约 8mm；花瓣黄色，下面 2 片略长，长 12 ~ 15mm，宽 5 ~ 7mm；能育雄蕊 7，花药四方形，顶孔开裂，长约 4mm，花丝短于花药；子房无柄，被白色柔毛。荚

决明

果纤细，近四棱形，两端渐尖，长达 15cm，宽 3 ~ 4mm，膜质；种子约 25，菱形，光亮。花果期 8 ~ 11 月。

| 生境分布 | 生于山坡、旷野及河滩沙地上。分布于重庆南岸、南川、巫溪等地。

| 资源情况 | 野生资源稀少，栽培资源较少。药材来源于栽培。

| 采收加工 | 决明子：秋末采收成熟果实，晒干，打下种子，除去杂质。

野花生：夏、秋季采收，晒干。

| 药材性状 | 决明子：本品略呈菱柱形或短圆柱形，两端平行倾斜，长 3 ~ 7mm，宽 2 ~ 4mm。表面绿棕色或暗棕色，平滑，有光泽。一端较平坦，另一端斜尖，背、腹面各有 1 凸起的棱线，棱线两侧各有 1 斜向对称而色较浅的线形凹纹。质坚硬，不易破碎。种皮薄，子叶 2，黄色，呈“S”形折曲并重叠。气微，味微苦。

| 功能主治 | 决明子：甘、苦、咸，微寒。归肝、大肠经。清热明目，润肠通便。用于目赤涩痛，羞明多泪，头痛眩晕，目暗不明，大便秘结。

野花生：咸、微苦，平。祛风清热，解毒利湿。用于风热感冒，流行性感冒，急性结膜炎，湿热黄疸，急慢性肾炎，带下，瘰疬，疮痈疖肿，乳腺炎。

| 用法用量 | 决明子：内服煎汤，6 ~ 15g。脾胃虚寒及便溏者慎用。

野花生：内服煎汤，9 ~ 15g。

| 附　　注 | 在 FOC 中，本种的拉丁学名被修订为 *Cassia tora* Linn.。

豆科 Leguminosae 决明属 *Cassia*

望江南 *Cassia occidentalis* L.

望江南

药材名

望江南茎叶（药用部位：茎叶。别名：野扁豆、金豆子、羊角豆）、望江南（药用部位：种子）。

形态特征

直立、少分枝的亚灌木或灌木，无毛，高 0.8 ~ 1.5m。根黑色。枝带草质，有棱。叶长约 20cm；叶柄近基部有大而带褐色、圆锥形的腺体 1；小叶 4 ~ 5 对，膜质，卵形至卵状披针形，长 4 ~ 9cm，宽 2 ~ 3.5cm，先端渐尖，有小缘毛；小叶柄长 1 ~ 1.5mm，揉之有腐败气味；托叶膜质，卵状披针形，早落。花数朵组成伞房状总状花序，腋生和顶生，长约 5cm；苞片线状披针形或长卵形，长渐尖，早脱；花长约 2cm；萼片不等大，外生的近圆形，长 6mm，内生的卵形，长 8 ~ 9mm；花瓣黄色，外生的卵形，长约 15mm，宽 9 ~ 10mm，其余可长达 20mm，宽 15mm，先端圆形，均有短狭的瓣柄；雄蕊 7 能育，3 不育，无花药。荚果带状镰形，褐色，压扁，长 10 ~ 13cm，宽 8 ~ 9mm，稍弯曲，边缘色较淡，加厚，有尖头，果柄长 1 ~ 1.5cm；种子 30 ~ 40，种子间有薄隔膜。花期 4 ~ 8 月，果期 6 ~ 10 月。

| 生境分布 | 生于村边荒地、河边滩地、旷野或丘陵的灌木林或疏林中。分布于重庆涪陵、南川等地。

| 资源情况 | 野生资源稀少，栽培资源较少。药材来源于野生和栽培。

| 采收加工 | 望江南茎叶：夏季植株生长旺盛时采收，阴干。鲜用者可随采随用。

望江南：10 月果实成熟变黄时，割取全株，晒干后脱粒，取种子再晒干。

| 药材性状 | 望江南：本品呈卵形而扁，一端稍尖，长径 3 ~ 4mm，短径 2 ~ 3mm。暗绿色，中央有淡褐色椭圆形斑点，微凹，有的四周有白色细网纹，但贮藏后渐脱落而平滑，先端具斜生的黑色条状种脐。质坚硬。气香，有豆腥味，富黏液。

| 功能主治 | 望江南茎叶：苦，寒；有小毒。肃肺，清肝，利尿，通便，解毒消肿。用于咳嗽气喘，头痛目赤，血淋，大便秘结，痈肿疮毒，蛇虫咬伤。

望江南：甘、苦，凉；有毒。归肝、胃、大肠经。清肝，健胃，通便，解毒。用于目赤肿痛，头晕头胀，消化不良，胃痛，痢疾，便秘，痈肿疔毒。

| 用法用量 | 望江南茎叶：内服煎汤，6 ~ 9g，鲜品 15 ~ 30g；或捣汁。外用适量，鲜叶捣敷。体虚者慎服。

望江南：内服煎汤，6 ~ 9g；研末，1.5 ~ 3g。外用适量，研末调敷。体虚者慎服。过量服用易引起呕吐、腹泻。

| 附　　注 | 本种原产于热带，喜温暖气候，不耐寒，植株适宜生长温度为 15 ~ 30℃，若气温低于 10℃则停止生长，气温降至 5℃时植株开始死亡。一般土壤均可种植，以排水良好的砂壤土为好。

豆科 Leguminosae 紫荆属 *Cercis*

紫荆 *Cercis chinensis* Bunge

| 药 材 名 | 紫荆皮（药用部位：树皮。别名：肉红、内消、紫荆木皮）、紫荆木（药用部位：茎干）、紫荆根（药用部位：根、根皮）、紫荆花（药用部位：花）、紫荆果（药用部位：果实）。

| 形态特征 | 丛生或单生灌木，高 2 ~ 5m。树皮和小枝灰白色。叶纸质，近圆形或三角状圆形，长 5 ~ 10cm，宽与长相若或略短于长，先端急尖，基部浅心形至深心形，两面通常无毛，嫩叶绿色，仅叶柄略带紫色，叶缘膜质透明，新鲜时明显可见。花紫红色或粉红色，2 ~ 10 成束，簇生老枝和主干上，尤以主干上花束较多，越到上部幼嫩枝条则花越少，通常先叶开放，嫩枝或幼株上的花则与叶同时开放，花长 1 ~ 1.3cm；花梗长 3 ~ 9mm；龙骨瓣基部具深紫色斑纹；子房嫩绿色，花蕾时光亮无毛，后期则密被短柔毛，有胚珠 6 ~ 7。荚果

紫荆

扁狭长形，绿色，长 4 ~ 8cm，宽 1 ~ 1.2cm，翅宽约 1.5mm，先端急尖或短渐尖，喙细而弯曲，基部长渐尖，两侧缝线对称或近对称，果颈长 2 ~ 4mm；种子 2 ~ 6，阔长圆形，长 5 ~ 6mm，宽约 4mm，黑褐色，光亮。花期 3 ~ 4 月，果期 8 ~ 10 月。

| 生境分布 | 生于山坡、溪边、灌丛中或栽培于庭园。分布于重庆巫溪、丰都、秀山、南川、南岸、大足、永川、奉节、璧山、涪陵等地。

| 资源情况 | 栽培资源丰富。药材主要来源于栽培。

| 采收加工 | 紫荆皮：7 ~ 8 月剥取树皮，干燥。

紫荆木：全年均可采收，鲜时切片，干燥。

紫荆根：全年均可采挖根，洗净，剥皮鲜用或切片晒干。

紫荆花：4 ~ 5 月采收，晒干。

紫荆果：5 ~ 7 月采收，晒干。

| 药材性状 | 紫荆皮：本品呈筒状、槽状或不规则块片状，向内卷曲，长 6 ~ 25cm，宽约 3cm，厚 0.3 ~ 0.6cm。外表面灰棕色，粗糙，有皱纹，常呈鳞甲状；内表面紫棕色或红棕色，有细纵纹理。质坚实，不易折断，断面灰红棕色。对光照视可见细小的亮点。无臭，味涩。

紫荆花：本品花蕾呈椭圆形，开放的花呈蝶形，长约 10mm。花萼钟状，先端 5 裂，钝齿状，长约 3mm，黄绿色。花冠蝶形，花瓣 5，大小不一，紫色，有黄白色晕纹。雄蕊 10，分离，基部附着于花萼内，花药黄色。雌蕊 1，略扁，有柄，光滑无毛，花柱上部弯曲，柱头短小，呈压扁状，色稍深。花梗细，长 1 ~ 1.5mm。体轻，质脆。具茶叶香气，味酸、略甘。

| 功能主治 | 紫荆皮：甘，平。归肝经。活血通淋，解毒消肿。用于月经不调，瘀滞腹痛，风湿痹痛，小便淋痛，痈肿，疥癣，跌打损伤。

紫荆木：苦，平。活血，通淋。用于妇女月经不调，瘀滞腹痛，小便淋沥涩痛。

紫荆根：甘，平。破瘀活血，消痈解毒。用于妇女月经不调，瘀滞腹痛，痈肿疮毒，痄腮，狂犬咬伤。

紫荆花：甘，平。归心、肝、膀胱经。清热凉血，通淋解毒。用于热淋，血淋，疮疡。

紫荆果：甘、微苦，平。止咳平喘，行气止痛。用于咳嗽多痰，哮喘，心口痛。

| 用法用量 | 紫荆皮：内服煎汤，3 ~ 6g。外用适量，研末调敷。

紫荆木：内服煎汤，9 ~ 15g。

紫荆根：内服煎汤，6 ~ 12g。外用适量，捣敷。

紫荆花：内服煎汤，3 ~ 6g。外用适量，研末调敷。

紫荆果：内服煎汤，6 ~ 12g。

豆科 Leguminosae 紫荆属 *Cercis*

湖北紫荆 *Cercis glabra* Pampan.

| 药材名 | 湖北紫荆（药用部位：树皮。别名：箩筐树）。

| 形态特征 | 乔木，高 6 ~ 16m，胸径达 30cm。树皮和小枝灰黑色。叶较大，厚纸质或近革质，心形或三角状圆形，长 5 ~ 12cm，宽 4.5 ~ 11.5cm，先端钝或急尖，基部浅心形至深心形，幼叶常呈紫红色，成长后绿色，上面光亮，下面无毛或基部脉腋间常被簇生柔毛；基脉（5 ~ ）7；叶柄长 2 ~ 4.5cm。总状花序短，总轴长 0.5 ~ 1cm，有花数朵至超过 10；花淡紫红色或粉红色，先于叶或与叶同时开放，稍大，长 1.3 ~ 1.5cm；花梗细长，长 1 ~ 2.3cm。荚果狭长圆形，紫红色，长 9 ~ 14cm，少数短于 9cm，宽 1.2 ~ 1.5cm，翅宽约 2mm，先端渐尖，基部圆钝，两缝线不等长，背缝稍长，向外弯拱，少数基部渐尖而缝线等长，果颈长 2 ~ 3mm；种子 1 ~ 8，近圆形，扁，长

湖北紫荆

6 ~ 7mm，宽 5 ~ 6mm。花期 3 ~ 4 月，果期 9 ~ 11 月。

| 生境分布 | 生于海拔 600 ~ 1900m 的山地疏林或密林中、山谷、路边或岩石上。分布于重庆城口、开州、巫山、奉节、南川等地。

| 资源情况 | 野生资源一般。药材来源于野生。

| 采收加工 | 7 ~ 8 月剥取树皮，晒干。

| 功能主治 | 清热解毒，活血补气，消肿止痛。用于产后血气痛，疔疮肿毒，喉痹。

| 用法用量 | 内服煎汤，适量。外用适量，研末调敷。

豆科 Leguminosae 紫荆属 *Cercis*

垂丝紫荆 *Cercis racemosa* Oliv.

| 药材名 | 马藤（药用部位：树皮。别名：南紫荆）。

| 形态特征 | 乔木，高 8 ~ 15m。叶阔卵圆形，长 6 ~ 12.5cm，宽 6.5 ~ 10.5cm，先端急尖而呈 1 长约 1cm 的短尖头，基部截形或浅心形，上面无毛，下面被短柔毛，尤以主脉上被毛较多；主脉 5，于下面凸起，网脉两面明显；叶柄较粗壮，长 2 ~ 3.5cm，无毛。总状花序单生，下垂，长 2 ~ 10cm，花先开或与叶同时开放，总花梗和总轴被毛；花多数，长约 1.2cm，具纤细，长约 1cm 的花梗；花萼长约 5mm；花瓣玫瑰红色，旗瓣具深红色斑点；雄蕊内藏，花丝基部被毛。荚果长圆形，稍弯拱，长 5 ~ 10cm，宽 1.2 ~ 1.8cm，翅宽 2 ~ 2.5mm，扁平，先端急尖并有 1 长约 5mm 的细喙，基部渐狭，背、腹缝线近等长，果颈长约 4mm，果梗细，长约 1.5cm；种子 2 ~ 9，扁平。花期 5 月，

垂丝紫荆

果期 10 月。

| **生境分布** | 生于海拔 1000 ~ 1800m 的山地密林、路旁或村落附近。分布于重庆巫溪、南川、丰都、巫山等地。

| **资源情况** | 野生资源稀少。药材来源于野生。

| **采收加工** | 全年均可采收，鲜时切片，干燥。

| **功能主治** | 苦，平。活血通经，消肿解毒。用于筋骨痛，肢体痿软，瘫痪，痰火，血寒经闭。

| **用法用量** | 内服煎汤，9 ~ 15g。

豆科 Leguminosae 蝶豆属 *Clitoria*

蝶豆 *Clitoria ternatea* L.

| 药 材 名 | 蝴蝶花豆（药用部位：种子。别名：羊豆）。

| 形态特征 | 攀缘状草质藤本。茎、小枝细弱，被脱落性贴伏短柔毛。叶长2.5 ~ 5cm；托叶小，线形，长2 ~ 5mm；叶柄长1.5 ~ 3cm；总叶轴上面具细沟纹；小叶5 ~ 7，但通常为5，薄纸质或近膜质，宽椭圆形或有时近卵形，长2.5 ~ 5cm，宽1.5 ~ 3.5cm，先端钝，微凹，常具细微的小凸尖，基部钝，两面疏被贴伏的短柔毛或有时无毛，干后带绿色或绿褐色；小托叶小，刚毛状；小叶柄长1 ~ 2mm，和叶轴均被短柔毛。花大，单朵腋生；苞片2，披针形；小苞片大，膜质，近圆形，绿色，直径5 ~ 8mm，有明显的网脉；花萼膜质，长1.5 ~ 2cm，有纵脉，5裂，裂片披针形，长不及花萼管的1/2，先端具凸尖；花冠蓝色、粉红色或白色，长可达5.5cm，旗瓣宽倒卵

蝶豆

形，直径约 3cm，中央有 1 白色或橙黄色浅晕，基部渐狭，具短瓣柄，翼瓣与龙骨瓣远较旗瓣为小，均具柄，翼瓣倒卵状长圆形，龙骨瓣椭圆形；雄蕊二体；子房被短柔毛。荚果长 5 ~ 11cm，宽约 1cm，扁平，具长喙，有种子 6 ~ 10；种子长圆形，长约 6mm，宽约 4mm，黑色，具明显种阜。花果期 7 ~ 11 月。

|生境分布| 栽培于菜园或庭园。分布于重庆南川、北碚等地。

|资源情况| 野生资源稀少，栽培资源较少。药材主要来源于栽培。

|采收加工| 秋季采收成熟果实，晒干，取出种子。

|功能主治| 有毒。止痛。用于关节疼痛。

|用法用量| 外用适量，研末油调敷。

豆科 Leguminosae 猪屎豆属 *Crotalaria*

响铃豆 *Crotalaria albida* Heyne ex Roth

| 药 材 名 | 响铃豆（药用部位：全草。别名：黄花地丁、马口铃、小响铃）。

| 形态特征 | 多年生直立草本，基部常木质，高 30 ~ 60（~ 80）cm。植株或上部分枝，通常细弱，被紧贴的短柔毛。托叶细小，刚毛状，早落；单叶，叶片倒卵形、长圆状椭圆形或倒披针形，长 1 ~ 2.5cm，宽 0.5 ~ 1.2cm，先端钝或圆，具细小的短尖头，基部楔形，上面绿色，近无毛，下面暗灰色，略被短柔毛；叶柄近无。总状花序顶生或腋生，有花 20 ~ 30，花序长达 20cm，苞片丝状，长约 1mm，小苞片与苞片同形，生于萼筒基部；花梗长 3 ~ 5mm；花萼二唇形，长 6 ~ 8mm，深裂，上面 2 萼齿宽大，先端稍钝圆，下面 3 萼齿披针形，先端渐尖；花冠淡黄色，旗瓣椭圆形，长 6 ~ 8mm，先端被束状柔毛，基部胼胝体可见，翼瓣长圆形，约与旗瓣等长，龙骨瓣弯

响铃豆

曲，几达 90° ，中部以上变狭形成长喙；子房无柄。荚果短圆柱形，长约 10mm，无毛，稍伸出花萼之外；种子 6 ~ 12。花果期 5 ~ 12 月。

| 生境分布 | 生于荒地路旁或山坡疏林下。分布于重庆秀山等地。

| 资源情况 | 野生资源稀少。药材主要来源于野生。

| 采收加工 | 夏、秋季采收，鲜用或扎成把晒干。

| 功能主治 | 苦、辛，凉。归心、肺经。泻肺消痰，清热利湿，解毒消肿。用于咳喘痰多，湿热泻痢，黄疸，小便淋痛，心烦不眠，乳痈，痈肿疮毒。

| 用法用量 | 内服煎汤，9 ~ 15g。外用适量，鲜品捣敷。

豆科 Leguminosae 猪屎豆属 *Crotalaria*

假地蓝 *Crotalaria ferruginea* Grah. ex Benth.

假地蓝

|药材名|

假地蓝（药用部位：全草或根。别名：响铃草、马响铃、铃铃草）。

|形态特征|

草本，基部常木质，高 60 ~ 120cm。茎直立或铺地蔓延，具多分枝，被棕黄色伸展的长柔毛。托叶披针形或三角状披针形，长 5 ~ 8mm；单叶，叶片椭圆形，长 2 ~ 6cm，宽 1 ~ 3cm，两面被毛，尤以叶下面叶脉上的毛更密，先端钝或渐尖，基部略楔形，侧脉隐见。总状花序顶生或腋生，有花 2 ~ 6；苞片披针形，长 2 ~ 4mm，小苞片与苞片同型，生于萼筒基部；花梗长 3 ~ 5mm；花萼二唇形，长 10 ~ 12mm，密被粗糙的长柔毛，深裂，几达基部，萼齿披针形；花冠黄色，旗瓣长椭圆形，长 8 ~ 10mm，翼瓣长圆形，长约 8mm，龙骨瓣与翼瓣等长，中部以上变狭形成长喙，包被萼内或与之等长；子房无柄。荚果长圆形，无毛，长 2 ~ 3cm；种子 20 ~ 30。花果期 6 ~ 12 月。

| 生境分布 | 生于海拔 400 ~ 1000m 的山坡疏林或荒山草地。分布于重庆万州、南川、北碚、江津等地。

| 资源情况 | 野生资源稀少。药材来源于野生。

| 采收加工 | 秋季采收，除去杂质，干燥。

| 药材性状 | 本品主根呈长圆锥形，略弯曲，直径 0.4 ~ 1cm，有的具侧根，表面黄棕色。茎呈圆柱形，全体被黄棕色绒毛，表面灰绿色、棕绿色。叶片皱缩，多脱落，完整者呈长椭圆形或矩圆状卵形，黄绿色。总状花序顶生或腋生，棕黄色。荚果圆柱形，摇之作响。种子肾形。气微，味淡。

| 功能主治 | 甘、微苦，寒。归肺、肝、肾经。清热利湿，滋肾养肝，止咳平喘。用于热淋，耳鸣耳聋，痰热咳嗽，牙龈肿痛，腰膝疼痛，赤白带下，小儿疳积。

| 用法用量 | 内服煎汤，10 ~ 20g。外用适量。

| 附　　注 | 本种同属植物线叶猪屎豆（*Crotalaria linifolia* L. f.）亦作响铃草使用。

豆科 Leguminosae 黄檀属 *Dalbergia*

南岭黄檀 *Dalbergia balansae* Prain

|药 材 名| 南岭黄檀（药用部位：木材。别名：茶丫藤、水相思、黄类树）。

|形态特征| 乔木，高 6 ～ 15m。树皮灰黑色，粗糙，有纵裂纹。羽状复叶长 10 ～ 15cm；叶轴和叶柄被短柔毛；托叶披针形；小叶 6 ～ 7 对，皮纸质，长圆形或倒卵状长圆形，长 2 ～ 3（～ 4）cm，宽约 2cm，先端圆形，有时近截形，常微缺，基部阔楔形或圆形，初时略被黄褐色短柔毛，后变无毛。圆锥花序腋生，疏散，长 5 ～ 10cm，直径约 5cm，中部以上具短分枝；总花梗、分枝和花序轴疏被黄褐色短柔毛或近无毛；基生小苞片卵状披针形，副萼状小苞片披针形，均早落；花长约 10mm；花梗长 1 ～ 2mm，与花萼同被黄褐色短柔毛；花萼钟状，长约 3mm，萼齿 5，最下 1 较长，先端尖，其余的三角形，先端钝，上方 2 近合生；花冠白色，长 6 ～ 7mm，各瓣均具柄，旗

南岭黄檀

瓣圆形，近基部有 2 小附属体，先端凹缺，翼瓣倒卵形，龙骨瓣近半月形；雄蕊 10，二体；子房具柄，密被短柔毛，有胚珠 1 ～ 3（～ 5），花柱短，柱头小，头状。荚果舌状或长圆形，长 5 ～ 6cm，宽 2 ～ 2.5cm，两端渐狭，通常有种子 1，稀 2 ～ 3，果瓣对种子部分有明显网纹。花期 6 月。

| **生境分布** | 生于海拔 300 ～ 900m 的山地杂木林中或灌丛中。分布于重庆潼南、合川、奉节、南川、北碚等地。

| **资源情况** | 野生资源稀少。药材主要来源于野生。

| **采收加工** | 全年均可采收，砍碎，晒干或鲜用。

| **功能主治** | 辛，温。行气止痛，解毒消肿。用于跌打瘀痛，外伤疼痛，痈疽肿毒。

| **用法用量** | 内服煎汤，9 ～ 15g。外用适量，研末调敷；或鲜品调敷。

| **附　　注** | 在 FOC 中，本种被修订为秧青 *Dalbergia assamica* Benth.。

豆科 Leguminosae 黄檀属 *Dalbergia*

藤黄檀 *Dalbergia hancei* Benth.

| 药 材 名 | 藤檀（药用部位：藤茎。别名：红香藤、藤香、降香）、藤黄檀树脂（药材来源：树脂）、藤黄檀（药用部位：根）。

| 形态特征 | 藤本。枝纤细，幼枝略被柔毛，小枝有时变钩状或旋扭。羽状复叶长 5 ~ 8cm；托叶膜质，披针形，早落；小叶 3 ~ 6 对，较小，狭长圆形或倒卵状长圆形，长 10 ~ 20cm，宽 5 ~ 10mm，先端钝或圆，微缺，基部圆或阔楔形，嫩时两面被伏贴疏柔毛，成长时上面无毛。总状花序远较复叶短，幼时包藏于舟状、覆瓦状排列、早落的苞片内，数个总状花序常再集成腋生短圆锥花序；花梗长 1 ~ 2mm，与花萼和小苞片同被褐色短茸毛；基生小苞片卵形，副萼状小苞片披针形，均早落；花萼阔钟状，长约 3mm，萼齿短，阔三角形，除最下 1 先端急尖外，其余的均钝或圆，具缘毛；花冠绿白色，芳香，长

藤黄檀

约 6mm，各瓣均具长柄，旗瓣椭圆形，基部两侧稍呈截形，具耳，中间渐狭下延而成 1 瓣柄，翼瓣与龙骨瓣长圆形；雄蕊 9，单体，有时 10，其中 1 对着旗瓣；子房线形，除腹缝略具缘毛外，其余无毛，具短的子房柄，花柱稍长，柱头小。荚果扁平，长圆形或带状，无毛，长 3 ~ 7cm，宽 8 ~ 14mm，基部收缩为 1 细果颈，通常有 1 种子，稀 2 ~ 4；种子肾形，极扁平，长约 8mm，宽约 5mm。花期 4 ~ 5 月。

| 生境分布 | 生于海拔 700 ~ 1600m 的山坡灌丛中或山谷溪旁。分布于重庆黔江、城口、彭水、潼南、石柱、长寿、酉阳、云阳、璧山、涪陵、巫山、丰都、梁平、巴南、奉节、南川等地。

| 资源情况 | 野生资源丰富。药材主要来源于野生。

| 采收加工 | 藤檀：夏、秋季采收，砍碎，晒干。

藤黄檀树脂：夏、秋季采集，砍破树皮，让树脂渗出，干燥后收集。

藤黄檀：夏、秋季采挖，洗净，切片，晒干。

| 药材性状 | 藤檀：本品呈圆柱形，可见呈钩状或螺旋状排列的小枝条；折断面木部占大部分。羽状复叶，小叶 9 ~ 13 或散落，小叶片长圆形，长 1 ~ 2.5cm，宽 8 ~ 12mm，先端钝，呈截形，微缺，基部楔形或圆形，全缘，绿色或橘绿色，下表面具贴伏的柔毛。质脆。气微。

藤黄檀：本品呈圆柱形，直径 0.4 ~ 2.6cm。表面棕褐色，粗糙，栓皮易破裂脱落，破裂后向外卷曲，脱落后呈红褐色，未脱落处有凸起的皮孔及支根痕。质硬，难折断，断面黄棕色或灰白色，针孔密集。气微，味微甘。

| 功能主治 | 藤檀：辛，温。理气止痛。用于胸胁痛，胃脘痛，腹痛，劳伤疼痛。

藤黄檀树脂：辛，温。行气止痛，止血。用于胸胁痛，胃脘痛，腹痛及外伤出血。

藤黄檀：辛，温。归肝经。理气止痛，舒筋活络，强壮筋骨。用于胸胁痛，胃脘痛，腹痛，腰腿痛，关节痛，劳伤疼痛，跌打损伤。

| 用法用量 | 藤檀：内服煎汤，3 ~ 9g。

藤黄檀树脂：内服煎汤，6 ~ 9g。

藤黄檀：内服煎汤，3 ~ 6g。

豆科 Leguminosae 黄檀属 *Dalbergia*

黄檀 *Dalbergia hupeana* Hance

| 药材名 | 檀根（药用部位：根、根皮。别名：檀、水檀、望水檀）、黄檀叶（药用部位：叶）。

| 形态特征 | 乔木，高 10 ~ 20m。树皮暗灰色，呈薄片状剥落；幼枝淡绿色，无毛。羽状复叶长 15 ~ 25cm；小叶 3 ~ 5 对，近革质，椭圆形至长圆状椭圆形，长 3.5 ~ 6cm，宽 2.5 ~ 4cm，先端钝，或稍凹入，基部圆形或阔楔形，两面无毛，细脉隆起，上面有光泽。圆锥花序顶生或生于最上部的叶腋间，连总花梗长 15 ~ 20cm，直径 10 ~ 20cm，疏被锈色短柔毛；花密集，长 6 ~ 7mm；花梗长约 5mm，与花萼同疏被锈色柔毛；基生和副萼状小苞片卵形，被柔毛，脱落；花萼钟状，长 2 ~ 3mm，萼齿 5，上方 2 阔圆形，近合生，侧方的卵形，最下 1 披针形，长为其余 4 之倍；花冠白色或淡紫色，长倍于花萼，各

黄檀

瓣均具柄，旗瓣圆形，先端微缺，翼瓣倒卵形，龙骨瓣半月形，与翼瓣内侧均具耳；雄蕊 10，二体；子房具短柄，除基部与子房柄外无毛，胚珠 2 ~ 3，花柱纤细，柱头小，头状。荚果长圆形或阔舌状，长 4 ~ 7cm，宽 13 ~ 15mm，先端急尖，基部渐狭成果颈，果瓣薄革质，对种子部分有网纹，有 1 ~ 2（~ 3）种子；种子肾形，长 7 ~ 14mm，宽 5 ~ 9mm。花期 5 ~ 7 月。

| 生境分布 | 生于海拔 300 ~ 1400m 的山地林下或灌丛中，山沟溪旁或有小树林的坡地常见。分布于重庆垫江、黔江、大足、石柱、潼南、城口、忠县、酉阳、万州、奉节、涪陵、合川、巫山、云阳、梁平、丰都、巫溪、长寿、江津、北碚、九龙坡、开州、永川、巴南、南川等地。

| 资源情况 | 野生资源丰富。药材主要来源于野生。

| 采收加工 | 檀根：夏、秋季采挖，洗净，切片，晒干。

黄檀叶：夏、秋季采收，鲜用或晒干。

| 功能主治 | 檀根：辛、苦，平；有小毒。归心经。清热解毒，止血消肿。用于疮疖疔毒，毒蛇咬伤，细菌性痢疾，跌打损伤。

黄檀叶：辛、苦，平；有小毒。清热解毒，活血消肿。用于疔疮肿毒，跌打损伤。

| 用法用量 | 檀根：内服煎汤，15 ~ 30g。外用适量，研末调敷。

黄檀叶：外用适量，鲜品捣敷；或晒干研末调敷。

豆科 Leguminosae 山蚂蝗属 *Desmodium*

小槐花 *Desmodium caudatum* (Thunb.) DC.

小槐花

| 药 材 名 |

小槐花（药用部位：全株。别名：草鞋板、山蚂蝗、畏草）、清酒缸根（药用部位：根。别名：粘衣草根、蚂蝗根）。

| 形态特征 |

直立灌木或亚灌木，高 1 ~ 2m。树皮灰褐色，分枝多，上部分枝略被柔毛。叶为羽状三出复叶，小叶 3；托叶披针状线形，长 5 ~ 10mm，基部宽约 1mm，具条纹，宿存；叶柄长 1.5 ~ 4cm，扁平，较厚，上面具深沟，多少被柔毛，两侧具极窄的翅；小叶近革质或纸质，顶生小叶披针形或长圆形，长 5 ~ 9cm，宽 1.5 ~ 2.5cm，侧生小叶较小，先端渐尖，急尖或短渐尖，基部楔形，全缘，上面绿色，有光泽，疏被极短柔毛，老时渐变无毛，下面疏被贴伏短柔毛，中脉上毛较密，侧脉每边 10 ~ 12，不达叶缘；小托叶丝状，长 2 ~ 5mm；小叶柄长达 14mm。总状花序顶生或腋生，长 5 ~ 30cm，花序轴密被柔毛并混生小钩状毛，每节生花 2；苞片钻形，长约 3mm；花梗长 3 ~ 4mm，密被贴伏柔毛；花萼窄钟形，长 3.5 ~ 4mm，被贴伏柔毛和钩状毛，裂片披针形，上部裂片先端微 2 裂；花冠绿白色或黄白色，长约 5mm，具明显脉纹，旗瓣椭圆形，瓣柄极短，翼瓣狭长圆形，具瓣柄，龙骨瓣长圆形，具瓣柄；雄蕊二体；雌蕊长约 7mm，子房在缝线上密被贴伏柔毛。荚果线形，扁平，长 5 ~ 7cm，稍弯曲，被伸展的钩状毛，腹、背缝线浅缢缩，有荚节 4 ~ 8，荚节长椭圆形，长 9 ~ 12mm，宽约 3mm。花期 7 ~ 9 月，果期 9 ~ 11 月。

| 生境分布 | 生于海拔 150 ~ 1000m 的山坡、路旁草地、沟边、林缘或林下。分布于重庆綦江、石柱、合川、涪陵、潼南、秀山、忠县、黔江、酉阳、彭水、南川、长寿、丰都、北碚、垫江、璧山、开州、南岸、沙坪坝等地。

| 资源情况 | 野生资源丰富。药材主要来源于野生。

| 采收加工 | 小槐花：全年均可采收，除去杂质，晒干。

清酒缸根：9 ~ 10 月采挖，洗净，切段，晒干。

| 药材性状 | 小槐花：本品根呈圆柱形，大小、长短不一，有支根；表面灰褐色或棕褐色，具细纵皱纹，可见疣状突起及长圆形皮孔；质坚韧，不易折断，断面黄白色，纤维性。茎呈圆柱形，常有分枝；表面灰褐色，具类圆形皮孔突起；质硬而脆，断面黄白色，纤维性。叶为三出复叶，互生；叶柄长 1.5 ~ 3cm；小叶多皱缩脱落，展开后呈长圆状披针形，长 3 ~ 10cm，宽 1 ~ 3cm，先端渐尖或锐尖，基部楔形，全缘，上表面深褐色，下表面色稍浅。气微，味淡。

| 功能主治 | 小槐花：甘，凉。清热利湿，消积散瘀。用于劳伤咳嗽，吐血，水肿，小儿疳积，痈疮溃疡，跌打损伤。

清酒缸根：苦，温。祛风利湿，化痰拔毒。用于风湿痹痛，痢疾，黄疸，痈疽，瘰疬，跌打损伤。

| 用法用量 | 小槐花：内服煎汤，9 ~ 30g。外用适量，煎汤洗；或捣敷；或研末敷。

清酒缸根：内服煎汤，15 ~ 30g；或浸酒。外用适量，捣敷；或煎汤洗。本品有催吐作用，孕妇忌用。

| 附　　注 | 在 FOC 中，本种的拉丁学名被修订为 *Ohwia caudata* (Thunbery) H. Ohashi，属名被修订为小槐花属。

豆科 Leguminosae 山蚂蝗属 *Desmodium*

圆锥山蚂蝗 *Desmodium elegans* DC.

圆锥山蚂蝗

| 药 材 名 |

山毛豆（药用部位：全株。别名：毛排钱草、麒麟片、排钱草）。

| 形态特征 |

多分枝灌木，高 1 ~ 2m。小枝被短柔毛至渐变无毛。叶为羽状三出复叶，小叶 3；托叶早落，狭卵形，长 4 ~ 10mm，宽 1 ~ 2mm，外面疏生柔毛，边缘被睫毛；叶柄长 2 ~ 4cm，被柔毛至渐变无毛；小叶纸质，形状、大小变化较大，卵状椭圆形、宽卵形、菱形或圆菱形，长 2 ~ 7cm，宽 1.5 ~ 5cm，侧生小叶略小，先端圆或钝，或急尖至渐尖，基部宽楔形，常不对称或斜钝，上面被贴伏短柔毛或几无毛，下面被密或疏的短柔毛至近无毛，全缘或浅波状；侧脉 4 ~ 6，直达叶缘；小托叶线形，长 1 ~ 3mm，密被小柔毛；小叶柄长 2 ~ 3mm，被柔毛。花序顶生或腋生，顶生者多为圆锥花序，腋生者为总状花序，长 5 ~ 20cm 或更长，总花梗密被或疏生小柔毛；花通常 2 ~ 3 生于每节上；花梗长 4 ~ 10mm，被柔毛或近无毛；苞片线状披针形，早落，被柔毛；花萼钟形，长 3 ~ 4mm，被柔毛或近无毛，4 裂，裂片三角形，较萼筒短，长 1 ~ 12mm，上部裂片

全缘或先端微 2 裂；花冠紫色或紫红色，长 9 ~ 17mm，旗瓣宽椭圆形或倒卵形，先端微凹，圆形，基部楔形，翼瓣、龙骨瓣均具瓣柄，翼瓣具耳；雄蕊长 7 ~ 13mm；雌蕊长 9 ~ 15mm，子房被贴伏短柔毛。荚果扁平，线形，长 3 ~ 5cm，宽 4 ~ 5mm，疏被贴伏短柔毛，腹缝线近直，背缝线圆齿状，有荚节 4 ~ 6。花果期 6 ~ 10 月。

| 生境分布 | 生于海拔 1000 ~ 2700m 的松、栎林缘，林下，山坡路旁或水沟边。分布于重庆合川、綦江、北碚、巫溪、巫山、梁平等地。

| 资源情况 | 野生资源较少。药材来源于野生，自产自销。

| 采收加工 | 9 ~ 10 月采收，鲜用或晒干。

| 药材性状 | 本品小枝呈圆柱形，光滑。掌状复叶，小叶 3，具长柄；先端小叶菱形，光滑，先端急尖，基部阔楔形，边缘浅波状，长 2.5 ~ 6.5cm，宽 1.3 ~ 3.7cm，两侧小叶较小，表面枯绿色，质脆，气微。有时可见总状花序，花棕色。荚果长 30 ~ 45mm，宽约 5mm，具 5 ~ 7 节，光滑，无毛。

| 功能主治 | 活血消肿，止血敛疮。用于跌打损伤，骨折，外伤出血，烫火伤。

| 用法用量 | 外用适量，捣敷；或研末撒。

豆科 Leguminosae 山蚂蝗属 *Desmodium*

大叶拿身草 *Desmodium laxiflorum* DC.

| 药 材 名 | 大叶拿身草（药用部位：全草。别名：饿蚂蝗、羊带归、路蚂蝗）。

| 形态特征 | 直立或平卧灌木或亚灌木，高 30 ~ 120cm。茎单一或分枝，具不明显的棱，被贴伏毛和小钩状毛。叶为羽状三出复叶，小叶 3；托叶狭三角形，长 7 ~ 10mm，宽 2 ~ 3mm，被柔毛和小钩状毛；叶柄长 1.5 ~ 4cm，被柔毛和小钩状毛；顶生小叶卵形或椭圆形，长 4.5 ~ 10（~ 15）cm，宽 3 ~ 6（~ 8）cm，侧生小叶略小，先端急尖或渐尖，基部楔形、圆形或浅心形，上面散生贴伏毛或近无毛，下面密被淡黄色丝状毛；侧脉每边 7 ~ 12，直达叶缘；小托叶钻形，长 4 ~ 6mm，宽 0.5 ~ 0.8mm，被柔毛和小钩状毛；小叶柄长约 2mm，被柔毛和小钩状毛。总状花序腋生或顶生，顶生者具少数分枝呈圆锥状，长达 28cm；总轴被柔毛和小钩状毛；花 2 ~ 7 簇生于每一节上；苞片

大叶拿身草

小，线状钻形；花梗长 2 ~ 3mm，结果时长 5 ~ 8mm，密被小钩状毛和混生稀疏开展毛；花萼漏斗形，长约 2.5mm，密被长柔毛，裂片披针形，较萼筒稍长，上部裂片先端微 2 裂；花冠紫堇色或白色，长 4 ~ 7mm，旗瓣宽倒卵形或近圆形，翼瓣基部具耳和短瓣柄，龙骨瓣无耳，但具瓣柄；雄蕊二体，长约 5mm；雌蕊长 4 ~ 6mm，子房疏生柔毛。荚果线形，长 2 ~ 6cm，腹、背缝线在荚节处稍缢缩，有荚节 4 ~ 12，荚节长圆形，长 4 ~ 5mm，宽 1.5 ~ 2mm，密被钩状小毛。花期 8 ~ 10 月，果期 10 ~ 11 月。

| 生境分布 | 生于海拔 160 ~ 2400m 的次生林林缘、灌丛或草坡上。分布于重庆南川、綦江、合川等地。

| 资源情况 | 野生资源稀少。药材来源于野生，自采自用。

| 采收加工 | 9 ~ 10 月采收，切段，晒干。

| 药材性状 | 本品茎呈圆柱形，长 50 ~ 100cm，密生短柔毛，具不明显的棱；质脆，折断面髓部明显。三出复叶，小叶 3，卵形或椭圆形，先端急尖，基部圆形，全缘，长 4.5 ~ 15cm，宽 3 ~ 6.2cm，表面枯绿色，下表面具毛茸，两侧小叶较小，气微。有时可见荚果，长 1.8 ~ 5.8cm，具 4 ~ 12 节，节处缢缩，表面密被带钩的黄棕色小毛。气微。

| 功能主治 | 甘，平。活血，平肝，清热，利湿，解毒。用于跌打损伤，高血压，肝炎，肾炎水肿，膀胱结石，过敏性皮炎，梅毒。

| 用法用量 | 内服煎汤，15 ~ 30g。外用适量，捣敷。

豆科 Leguminosae 山蚂蝗属 *Desmodium*

小叶三点金 *Desmodium microphyllum* (Thunb.) DC.

| 药 材 名 | 小叶三点金草（药用部位：全草。别名：碎米柴、马尾藤、辫子草）、辫子草根（药用部位：根。别名：小叶三点金根、爬地香）。

| 形态特征 | 多年生草本。根粗，木质。茎纤细，多分枝，直立或平卧，通常红褐色，近无毛。叶为羽状三出复叶，或有时仅为单小叶；托叶披针形，长 3 ~ 4mm，具条纹，疏生柔毛，有缘毛；叶柄长 2 ~ 3mm，疏生柔毛，如为单小叶，则叶柄较长，长 3 ~ 10mm；小叶薄纸质，较大的为倒卵状长椭圆形或长椭圆形，长 10 ~ 12mm，宽 4 ~ 6mm，较小的为倒卵形或椭圆形，长只有 2 ~ 6mm，宽 1.5 ~ 4mm，先端圆形，少有微凹入，基部宽楔形或圆形，全缘；侧脉每边 4 ~ 5，不明显，不达叶缘，上面无毛，下面被极稀疏柔毛或无毛；小托叶小，长 0.2 ~ 0.4mm；顶生小叶柄长 3 ~ 10mm，疏被柔毛。总状花

小叶三点金

序顶生或腋生，被黄褐色开展柔毛；有花 6 ～ 10，花小，长约 5mm；苞片卵形，被黄褐色柔毛；花梗长 5 ～ 8mm，纤细，略被短柔毛；花萼长 4mm，5 深裂，密被黄褐色长柔毛，裂片线状披针形，较萼筒长 3 ～ 4 倍；花冠粉红色，与花萼近等长，旗瓣倒卵形或倒卵状圆形，中部以下渐狭，具短瓣柄，翼瓣倒卵形，具耳和瓣柄，龙骨瓣长椭圆形，较翼瓣长，弯曲；雄蕊二体，长约 5mm；子房线形，被毛。荚果长 12mm，宽约 3mm，腹、背两缝线浅齿状，通常有荚节 3 ～ 4，有时 2 或 5，荚节近圆形，扁平，被小钩状毛和缘毛或近于无毛，有网脉。花期 5 ～ 9 月，果期 9 ～ 11 月。

| 生境分布 | 生于海拔 150 ～ 2500m 的荒地草丛或灌木林中。分布于重庆奉节等地。

| 资源情况 | 野生资源稀少。药材来源于野生，自产自销。

| 采收加工 | 小叶三点金草：夏、秋季采收，鲜用或晒干。

辫子草根：夏、秋季采收，鲜用或晒干。

| 药材性状 | 小叶三点金草：本品多缠绕成团。根粗壮，有分枝，木化。茎较细，小叶 3，先端小叶较大，长 2 ～ 9mm，可达 17mm，宽约 4mm，椭圆形，先端圆形，具短尖，基部圆形，全缘，绿色，下表面具柔毛，两侧小叶很小。有时可见总状花序或荚果，荚果长 8 ～ 16mm，直径约 3mm，有荚节 2 ～ 4，节处缢缩，表面被短毛。气特异。

| 功能主治 | 小叶三点金草：甘、苦，凉。清热利湿，止咳平喘，消肿解毒。用于石淋，胃痛，黄疸，痢疾，咳嗽，哮喘，小儿疳积，毒蛇咬伤，痈疮瘰疬，漆疮，痔疮。

辫子草根：甘，平。清热利湿，调经止血，活血通络。用于黄疸，痢疾，淋证，风湿痹痛，咯血，崩漏，带下，痔疮，跌打损伤。

| 用法用量 | 小叶三点金草：内服煎汤，9 ～ 15g，鲜品 30 ～ 60g。外用适量，鲜品捣敷；或煎汤熏洗。

辫子草根：内服煎汤，15 ～ 30g；或泡酒。

豆科 Leguminosae 山蚂蝗属 *Desmodium*

饿蚂蝗 *Desmodium multiflorum* DC.

| 药材名 | 饿蚂蝗（药用部位：全株。别名：粘身草、胃痛草、红掌草）、山豆根种子（药用部位：种子）。

| 形态特征 | 直立灌木，高 1 ~ 2m。多分枝，幼枝具棱角，密被淡黄色至白色柔毛，老时渐变无毛。叶为羽状三出复叶，小叶 3；托叶狭卵形至卵形，长 4 ~ 11mm，宽 1.5 ~ 2.5mm；叶柄长 1.5 ~ 4cm，密被绒毛；小叶近革质，椭圆形或倒卵形，顶生小叶长 5 ~ 10cm，宽 3 ~ 6cm，侧生小叶较小，先端钝或急尖，具硬细尖，基部楔形、钝或稀为圆形，上面几无毛，干时常呈黑色，下面多少灰白色，被贴伏或伸展丝状毛，中脉尤密；侧脉每边 6 ~ 8，直达叶缘，明显；小托叶狭三角形，长 1 ~ 3mm，宽 0.3 ~ 0.8mm；小叶柄长约 2mm，被绒毛。花序顶生或腋生，顶生者多为圆锥花序，腋生者为总状花序，长可达

饿蚂蝗

18cm；总花梗密被向上丝状毛和小钩状毛；花常 2 生于每节上；苞片披针形，长约 1cm，被毛；花梗长约 5mm，结果时稍增长，被直毛和钩状毛；花萼长约 4.5mm，密被钩状毛，裂片三角形，与萼筒等长；花冠紫色，旗瓣椭圆形、宽椭圆形至倒卵形，长 8 ~ 11mm，翼瓣狭椭圆形，微弯曲，长 8 ~ 14mm，具瓣柄，龙骨瓣长 7 ~ 10mm，具长瓣柄；雄蕊单体，长 6 ~ 7mm；雌蕊长约 9mm，子房线形，被贴伏柔毛。荚果长 15 ~ 24mm，腹缝线近直或微波状，背缝线圆齿状，有荚节 4 ~ 7，荚节倒卵形，长 3 ~ 4mm，宽约 3mm，密被贴伏褐色丝状毛。花期 7 ~ 9 月，果期 8 ~ 10 月。

| 生境分布 | 生于海拔 500 ~ 2790m 的山坡草地或林缘。分布于重庆黔江、忠县、城口、巫溪、石柱、秀山、南川、綦江、九龙坡、云阳等地。

| 资源情况 | 野生资源一般。药材来源于野生，自采自用。

| 采收加工 | 饿蚂蝗：夏、秋季采收，切段，晒干或鲜用。

山豆根种子：秋季果实成熟时采收，晒干，剥取种子。

| 药材性状 | 饿蚂蝗：本品茎枝呈圆柱形，直径约 3mm；表面具纵棱。三出复叶，先端小叶较大，长 5.5 ~ 9cm，宽 3.5 ~ 5cm，椭圆状倒卵形，先端钝或急尖，具硬尖，基部楔形，全缘，枯绿色，下表面具柔毛，质脆。有时可见总状花序或荚果。荚果长 1.5 ~ 2.4cm，腹缝线具缢缩，背缝线深波状，有 4 ~ 7 节，表面密被褐色绢状毛。气微，具豆腥气。

| 功能主治 | 饿蚂蝗：甘、苦，凉。活血止痛，解毒消肿。用于脘腹疼痛，小儿疳积，妇女干血痨，腰扭伤，创伤，尿道炎，腮腺炎，毒蛇咬伤。

山豆根种子：苦，凉。活血止痛，截疟。用于腹痛，疟疾。

| 用法用量 | 饿蚂蝗：内服煎汤，9 ~ 30g。外用适量，鲜品捣敷；或取汁涂。

山豆根种子：内服研末或烧灰存性研末，0.3g。

豆科 Leguminosae 山蚂蝗属 *Desmodium*

长波叶山蚂蝗 *Desmodium sequax* Wall.

长波叶山蚂蝗

药材名

粘人花（药用部位：茎叶。别名：野豆子、牛巴嘴、山蚂蝗）、粘人花根（药用部位：根）、山蚂蝗果（药用部位：果实）。

形态特征

直立灌木，高1～2m，多分枝。幼枝和叶柄被锈色柔毛，有时混有小钩状毛。叶为羽状三出复叶，小叶3；托叶线形，长4～5mm，宽约1mm，外面密被柔毛，有缘毛；叶柄长2～3.5cm；小叶纸质，卵状椭圆形或圆菱形，顶生小叶长4～10cm，宽4～6cm，侧生小叶略小，先端急尖，基部楔形至钝，边缘自中部以上呈波状，上面密被贴伏小柔毛或渐无毛，下面被贴伏柔毛并混有小钩状毛；侧脉通常每边4～7，网脉隆起；小托叶丝状，长1～4mm；小叶柄长约2mm，被锈黄色柔毛，混有小钩状毛。总状花序顶生和腋生，顶生者通常分枝成圆锥花序，长达12cm；总花梗密被开展或向上硬毛和小绒毛；花通常2生于每节上；苞片早落，狭卵形，长3～4mm，宽约1mm，被毛；花梗长3～5mm，结果时稍增长，密被开展柔毛；花萼长约3mm，花萼裂片三角形，与萼筒等长；花冠紫色，长约8mm，旗瓣椭圆形至宽椭圆形，先端微凹，翼瓣狭椭圆形，具瓣柄和耳，龙骨瓣具长瓣柄，微具耳；雄蕊单体，长 7.5 ~ 8.5mm；雌蕊长 7 ~ 10mm，子房线形，疏被短柔毛。荚果腹、背缝线缢缩成念珠状，长 3 ~ 4.5cm，宽 3mm，有荚节 6 ~ 10，荚节近方形，密被开展褐色小钩状毛。花期 7 ~ 9 月，果期 9 ~ 11 月。

| 生境分布 | 生于海拔 650 ~ 2200m 的山地草坡或林缘。分布于重庆綦江、万州、长寿、秀山、彭水、丰都、九龙坡、忠县、黔江、璧山、铜梁、涪陵、南川、石柱、巫溪、巫山等地。

| 资源情况 | 野生资源丰富。药材来源于野生，自产自销。

| 采收加工 | 粘人花：夏、秋季采收，切段，晒干。

粘人花根：秋季采收，切段，晒干。

山蚂蝗果：秋季采摘，晒干。

| 药材性状 | 粘人花：本品茎枝呈圆柱形，直径约 3mm；表面被褐色短柔毛。三出复叶，中间小叶较大，长达 9.5cm，宽达 4.5cm，卵状椭圆形，先端渐尖，基部楔形，叶缘自中部以上呈波状；侧生小叶较小，几全缘，两面均被柔毛，以下表面较多。有时可见花序或荚果。荚果长约 2.8cm，宽约 2.5mm，表面被带钩的褐色小毛，腹、背缝线缢缩，有 6 ~ 9 节。气微，具豆腥气。

| 功能主治 | 粘人花：苦、涩，平。清热泻火，活血祛瘀，敛疮。用于风热目赤，胞衣不下，血瘀经闭，烫火伤。

粘人花根：苦、涩，温。润肺止咳，驱虫。用于肺结核咳嗽、盗汗，产后瘀滞腹痛，蛔虫、蛲虫病。

山蚂蝗果：涩，平。收涩止血。用于内伤出血。

| 用法用量 | 粘人花：内服煎汤，30 ~ 60g。外用适量，煎汤洗；或研末撒。

粘人花根：内服煎汤，10 ~ 30g。

山蚂蝗果：内服煎汤，9 ~ 15g。

豆科 Leguminosae 山豆根属 *Euchresta*

管萼山豆根 *Euchresta tubulosa* Dunn

| 药 材 名 | 鄂豆根（药用部位：全株或根。别名：胡豆连、胡豆七、山豆根）。

| 形态特征 | 灌木。叶具小叶 3 ~ 7，叶柄长 6 ~ 7cm；小叶纸质，椭圆形或卵状椭圆形，先端短渐尖至钝，基部楔形至圆形，上面无毛，下面被黄褐色短柔毛，顶生小叶和侧生小叶近等大，长 8 ~ 10.5cm，宽 3.5 ~ 4.5cm，侧生小叶柄长 2mm，顶生小叶柄长 0.6 ~ 1cm；中脉在上面平或稍凹，下面稍凸起，侧脉 5 ~ 6 对，不明显。总状花序顶生，长 8cm，总花梗长 4cm，花梗长 4mm，均被黄褐色短柔毛；花长 2 ~ 2.2cm；花萼管状，下半部狭，长 9mm，宽 2mm，基部有小囊，上半部扩展成杯状，长 6mm，裂片钝三角形，长 1 ~ 1.5mm；旗瓣折合并向背后弯曲，长 1.5cm，先端钝而微凹，上半部宽 5mm，向下渐狭成瓣柄，最基部宽 2mm，翼瓣瓣片长圆形，长 8.5mm，宽

管萼山豆根

3.5mm，先端钝圆，基部平截，无耳状凸出，瓣片一侧直，一侧弧曲，瓣柄于弧曲的一侧下延并略弯，长约 7mm，宽 1mm，龙骨瓣长圆形，下部分离，上部粘合，先端钝圆，瓣片长 7mm，宽 3mm，基部有小耳凸出，瓣柄长 6mm，宽不及 1mm；雄蕊管长 1.2cm；子房线形，长 5.5mm，子房柄长 1.3cm，花柱线形，长 4mm。果实椭圆形，长 1.5 ~ 1.8cm，宽 8mm，黑褐色，两端钝圆而先端有 1 极短的小尖头，果序长 10cm，果柄长 5mm，果颈长 1.4cm。花期 5 ~ 6（~ 7）月，果期 7 ~ 9 月。

| 生境分布 | 生于海拔 300 ~ 1700m 的山地密林下或沟边。分布于重庆南川、丰都、涪陵等地。

| 资源情况 | 野生资源较少。药材来源于野生，自采自用。

| 采收加工 | 夏、秋季采挖，除去泥土，晒干。

| 药材性状 | 本品根呈长圆柱形。表面棕褐色，有纵皱纹。质坚硬而脆，易折断，断面略平坦，微角质，皮部浅黄色，形成层为暗色环，木部黄色；根头部中心有髓。具豆腥气，味苦。

| 功能主治 | 苦，寒。清热解毒，行气止痛。用于咽喉肿痛，痢疾，胃痛，胁痛，牙痛，疮疖肿毒。

| 用法用量 | 内服煎汤，5 ~ 10g；或研末。外用适量，捣敷。

豆科 Leguminosae 千斤拔属 *Flemingia*

大叶千斤拔 *Flemingia macrophylla* (Willd.) Prain

|药材名| 千斤拔（药用部位：根、茎。别名：大猪尾、千斤力、千金红）。

|形态特征| 直立灌木，高 0.8 ~ 2.5m。幼枝有明显纵棱，密被紧贴丝质柔毛。叶具指状 3 小叶；托叶大，披针形，长可达 2cm，先端长尖，被短柔毛，具腺纹，常早落；叶柄长 3 ~ 6cm，具狭翅，被毛与幼枝同；小叶纸质或薄革质，顶生小叶宽披针形至椭圆形，长 8 ~ 15cm，宽 4 ~ 7cm，先端渐尖，基部楔形，基出脉 3，两面除沿脉上被紧贴的柔毛外，通常无毛，下面被黑褐色小腺点；侧生小叶稍小，偏斜，基部一侧圆形，另一侧楔形，基出脉 2 ~ 3，小叶柄长 2 ~ 5mm，密被毛。总状花序常数个聚生叶腋，长 3 ~ 8cm，常无总梗；花多而密集；花梗极短；花萼钟状，长 6 ~ 8mm，被丝质短柔毛，裂齿线状披针形，较花萼管长 1 倍，下部 1 最长，花序轴、苞片、花梗

大叶千斤拔

均密被灰色至灰褐色柔毛；花冠紫红色，稍长于花萼，旗瓣长椭圆形，具短瓣柄及 2 耳，翼瓣狭椭圆形，一侧略具耳，瓣柄纤细，龙骨瓣长椭圆形，先端微弯，基部具长瓣柄，一侧具耳；雄蕊二体；子房椭圆形，被丝质毛，花柱纤细。荚果椭圆形，长 1 ~ 1.6cm，宽 7 ~ 9mm，褐色，略被短柔毛，先端具小尖喙；种子 1 ~ 2，球形，光亮，黑色。花期 6 ~ 9 月，果期 10 ~ 12 月。

| 生境分布 | 生于海拔 600 ~ 2100m 的山坡多石处或灌丛中。分布于重庆九龙坡、南川、巴南等地。

| 资源情况 | 野生资源较少。药材来源于野生，自采自用。

| 采收加工 | 全年均可采挖，除去泥沙，洗净，趁鲜切段，干燥。

| 药材性状 | 本品根有多数分枝，头部常呈结节状膨大，长 5 ~ 10cm，直径 0.5 ~ 8cm；表面灰棕色或红棕色，有细纵纹及横长皮孔样斑痕；质硬，不易折断，切面皮部薄，棕红色，木部淡红色，具放射状纹理。茎呈圆柱形，直径 0.5 ~ 2cm；表面红棕色，有细纵纹及点状皮孔；质坚硬，切面皮部薄，棕红色，木部黄白色，具放射状纹理，髓居中，多中空。微具豆腥气，味微甘、涩。

| 功能主治 | 甘，温。归肝、肾经。祛风除湿，强筋壮骨，活血解毒。用于风湿骨痛，腰肌劳损，偏瘫，痈肿，带下。

| 用法用量 | 内服煎汤，10 ~ 30g。

豆科 Leguminosae 皂荚属 *Gleditsia*

皂荚 *Gleditsia sinensis* Lam.

| 药 材 名 | 大皂角（药用部位：果实。别名：皂角、大皂荚、长皂荚）、猪牙皂（药用部位：不育果实。别名：牙皂、小皂、眉皂）、皂角子（药用部位：种子。别名：皂子、皂儿、皂角核）、皂角刺（药用部位：棘刺。别名：皂荚刺、皂刺、天丁明）、皂荚木皮（药用部位：树皮、根皮。别名：木乳）、皂荚叶（药用部位：叶）。

| 形态特征 | 落叶乔木或小乔木，高可达 30m。枝灰色至深褐色；刺粗壮，圆柱形，常分枝，多呈圆锥状，长达 16cm。叶为一回羽状复叶，长 10 ~ 18（~ 26）cm；小叶（2 ~ ）3 ~ 9 对，纸质，卵状披针形至长圆形，长 2 ~ 8.5（~ 12.5）cm，宽 1 ~ 4（~ 6）cm，先端急尖或渐尖，先端圆钝，具小尖头，基部圆形或楔形，有时稍歪斜，边缘具细锯齿，上面被短柔毛，下面中脉上稍被柔毛；网脉明显，在两面凸起；

皂荚

小叶柄长 1 ~ 2（~ 5）mm，被短柔毛。花杂性，黄白色，组成总状花序；花序腋生或顶生，长 5 ~ 14cm，被短柔毛。雄花直径 9 ~ 10mm；花梗长 2 ~ 8（~ 10）mm；花托长 2.5 ~ 3mm，深棕色，外面被柔毛；萼片 4，三角状披针形，长 3mm，两面被柔毛；花瓣 4，长圆形，长 4 ~ 5mm，被微柔毛；雄蕊（6 ~）8；退化雌蕊长 2.5mm。两性花直径 10 ~ 12mm；花梗长 2 ~ 5mm；花萼、花瓣与雄花的相似，唯萼片长 4 ~ 5mm，花瓣长 5 ~ 6mm；雄蕊 8；子房缝线上及基部被毛，柱头浅 2 裂；胚珠多数。荚果带状，长 12 ~ 37cm，宽 2 ~ 4cm，劲直或扭曲，果肉稍厚，两面鼓起，或有的荚果短小，多少呈柱形，长 5 ~ 13cm，宽 1 ~ 1.5cm，弯曲成新月形，通常称猪牙皂，内无种子；果颈长 1 ~ 3.5cm；果瓣革质，褐棕色或红褐色，常被白色粉霜；种子多颗，长圆形或椭圆形，长 11 ~ 13mm，宽 8 ~ 9mm，棕色，光亮。花期 3 ~ 5 月，果期 5 ~ 12 月。

| 生境分布 | 生于海拔 200 ~ 2000m 的山坡林中或谷地、路旁，常栽培于庭院或宅旁。重庆各地均有分布。

| 资源情况 | 野生资源较少。药材主要来源于栽培，自产自销。

| 采收加工 | 大皂角：秋季果实成熟时采摘，晒干。

猪牙皂：秋季采收，除去杂质，干燥。

皂角子：秋季果实成熟时采收，剥取种子，晒干。

皂角刺：全年均可采收，干燥或趁鲜切片干燥。

皂荚木皮：秋、冬季采收，切片，晒干。

皂荚叶：春季采摘，晒干。

| 药材性状 | 大皂角：本品呈扁长的剑鞘状，有的略弯曲，长 15 ~ 37cm，宽 2 ~ 4cm，厚 0.2 ~ 1.5cm。表面棕褐色或紫褐色，被灰色粉霜，擦去后有光泽，种子所在处隆起。基部渐窄而弯曲，有短果柄或果柄痕，两侧有明显的纵棱线。质硬，摇之有声，易折断，断面黄色，纤维性。种子多数，扁椭圆形，黄棕色至棕褐色，光滑。气特异，有刺激性，味辛、辣。

猪牙皂：本品呈圆柱形，略扁而弯曲，长 5 ~ 11cm，宽 0.7 ~ 1.5cm。表面紫棕色或紫褐色，被灰白色蜡质粉霜，擦去后有光泽，并有细小的疣状突起和线状或网状裂纹。先端有鸟喙状花柱残基，基部具果梗残痕。质硬而脆，易折断，断面棕黄色，中间疏松，有淡绿色或淡棕黄色的丝状物，偶有发育不全的种子。气微，有刺激性，味先甘而后辣。

皂角子：本品略呈卵圆形，一端略狭长，长 1 ~ 1.3cm，宽 6 ~ 8mm，厚 4 ~ 7mm。表面黄棕色至棕褐色，平滑，略有光泽，具不甚明显的横裂纹，较狭尖的一端有微凹的点状种脐，有的不甚明显。质坚硬，剥开种皮，可见半透明、带黏液性的胚乳包围着胚，子叶 2，鲜黄色，基部有歪向一侧的胚根。气微，味淡。

皂角刺：本品为主刺和 1 ~ 2 回分枝的棘刺。主刺长圆锥形，长 3 ~ 15cm 或更长，直径 0.3 ~ 1cm；分枝刺长 1 ~ 6cm，刺端锐尖。表面紫棕色或棕褐色。体轻，质坚硬，不易折断。切片厚 0.1 ~ 0.3cm，常带有尖细的刺端；木部黄白色，髓部疏松，淡红棕色；质脆，易折断。气微，味淡。

| 功能主治 | 大皂角、猪牙皂：辛、咸，温；有小毒。归肺、大肠经。祛痰开窍，散结消肿。用于中风口噤，昏迷不醒，癫痫痰盛，关窍不通，喉痹痰阻，顽痰喘咳，咳痰不爽，大便燥结。外用于痈肿。

皂角子：辛，温；有小毒。归肺、大肠经。润肠通便，祛风消肿。用于大便燥结，肠风下血，下痢，疝气，瘰疬，肿毒，疮癣。

皂角刺：辛，温。归肝、胃经。消肿托毒，排脓，杀虫。用于痈疽初起或脓成不溃。外用于疥癣麻风。

皂荚木皮：辛，温。解毒散结，祛风杀虫。用于淋巴结核，无名肿毒，风湿骨痛，疥癣，恶疮。

皂荚叶：辛，微温。祛风解毒，生发。用于风热疮癣，毛发不生。

| 用法用量 | 大皂角、猪牙皂：1 ~ 1.5g，多入丸、散用。外用适量，研末吹鼻取嚏或研末调敷患处。

皂角子：内服煎汤，4.5 ~ 9g。孕妇慎服。

皂角刺：内服煎汤，3 ~ 10g。外用适量，醋蒸取汁涂患处。

皂荚木皮：内服煎汤，3 ~ 15g；或研末。外用适量，煎汤熏洗。

皂荚叶：外用，10 ~ 20g，煎汤洗。

| 附　　注 | 本种喜温暖向阳的环境，对土壤要求不严，只要排水良好即可，山区、平坝、边角隙地均可栽培。

豆科 Leguminosae 大豆属 *Glycine*

大豆 *Glycine max* (L.) Merr.

| 药 材 名 | 黄大豆（药用部位：种皮黄色的种子。别名：黄豆）、大豆根（药用部位：根）。

| 形态特征 | 一年生草本，高 30 ~ 90cm。茎粗壮，直立，或上部近缠绕状，上部多少具棱，密被褐色长硬毛。叶通常具 3 小叶；托叶宽卵形，渐尖，长 3 ~ 7mm，具脉纹，被黄色柔毛；叶柄长 2 ~ 20cm，幼嫩时散生疏柔毛或具棱并被长硬毛；小叶纸质，宽卵形、近圆形或椭圆状披针形，顶生 1 枚较大，长 5 ~ 12cm，宽 2.5 ~ 8cm，先端渐尖或近圆形，稀有钝形，具小尖凸，基部宽楔形或圆形，侧生小叶较小，斜卵形，通常两面散生糙毛或下面无毛；侧脉每边 5；小托叶披针形，长 1 ~ 2mm；小叶柄长 1.5 ~ 4mm，被黄褐色长硬毛。总状花序短的少花，长的多花；总花梗长 10 ~ 35mm 或更长，通常有 5 ~ 8 无柄、

大豆

紧挤的花，植株下部的花有时单生或成对生于叶腋间；苞片披针形，长 2 ~ 3mm，被糙伏毛；小苞片披针形，长 2 ~ 3mm，被伏贴的刚毛；花萼长 4 ~ 6mm，密被长硬毛或糙伏毛，常深裂成二唇形，裂片 5，披针形，上部 2 裂片常合生至中部以上，下部 3 裂片分离，均密被白色长柔毛；花紫色、淡紫色或白色，长 4.5 ~ 8（~ 10）mm，旗瓣倒卵状近圆形，先端微凹并通常外反，基部具瓣柄，翼瓣篦状，基部狭，具瓣柄和耳，龙骨瓣斜倒卵形，具短瓣柄；雄蕊二体；子房基部有不发达的腺体，被毛。荚果肥大，长圆形，稍弯，下垂，黄绿色，长 4 ~ 7.5cm，宽 8 ~ 15mm，密被褐黄色长毛；种子 2 ~ 5，椭圆形、近球形、卵圆形至长圆形，长约 1cm，宽 5 ~ 8mm，种皮光滑，淡绿色、黄色、褐色和黑色等多样，因品种而异，种脐明显，椭圆形。花期 6 ~ 7 月，果期 7 ~ 9 月。

| 生境分布 | 栽培于菜园。重庆各地均有分布。

| 资源情况 | 野生资源稀少，栽培资源丰富。药材来源于栽培，自产自销。

| 采收加工 | 黄大豆：8 ~ 10 月果实成熟时采收，取其种子，晒干。

大豆根：秋季采挖，洗净，晒干。

| 药材性状 | 黄大豆：本品呈黄色、黄绿色。种皮薄，除去种皮，可见子叶 2，黄绿色，肥厚。质坚硬。气微，具豆腥气。

| 功能主治 | 黄大豆：甘，平。归脾、胃、大肠经。宽中导滞，健脾利水，解毒消肿。用于食积泻痢，腹胀食呆，疮痈肿毒，脾虚水肿，外伤出血。

大豆根：甘，平。归膀胱经。利水消肿。用于水肿。

| 用法用量 | 黄大豆：内服煎汤，30 ~ 90g；或研末。外用捣敷；或炒焦研末调敷。内服不宜过量。

大豆根：内服煎汤，30 ~ 60g。

| 附　　注 | 本种喜温暖向阳的环境，对土壤要求不严，只要排水良好即可，山区、平坝、边角隙地均可栽培。

豆科 Leguminosae 大豆属 *Glycine*

野大豆 *Glycine soja* Sieb. et Zucc.

| 药 材 名 | 野黑豆（药用部位：种子。别名：穞豆、乌豆、冬豆子）、野大豆藤（药用部位：茎、叶、根）。

| 形态特征 | 一年生缠绕草本，长 1 ~ 4m。茎、小枝纤细，全体疏被褐色长硬毛。叶具 3 小叶，长可达 14cm；托叶卵状披针形，急尖，被黄色柔毛；顶生小叶卵圆形或卵状披针形，长 3.5 ~ 6cm，宽 1.5 ~ 2.5cm，先端锐尖至钝圆，基部近圆形，全缘，两面均被绢状的糙伏毛，侧生小叶斜卵状披针形。总状花序通常短，稀长可达 13cm；花小，长约 5mm；花梗密生黄色长硬毛；苞片披针形；花萼钟状，密生长毛，裂片 5，三角状披针形，先端锐尖；花冠淡红紫色或白色，旗瓣近圆形，先端微凹，基部具短瓣柄，翼瓣斜倒卵形，有明显的耳，龙骨瓣比旗瓣及翼瓣短小，密被长毛；花柱短而向一侧弯曲。荚果长圆

野大豆

形，稍弯，两侧稍扁，长 17 ~ 23mm，宽 4 ~ 5mm，密被长硬毛，种子间稍缢缩，干时易裂；种子 2 ~ 3，椭圆形，稍扁，长 2.5 ~ 4mm，宽 1.8 ~ 2.5mm，褐色至黑色。花期 7 ~ 8 月，果期 8 ~ 10 月。

| 生境分布 | 生于海拔 150 ~ 2650m 的潮湿的田边、园边、沟旁、河岸、湖边、沼泽。分布于重庆城口、巫溪、巫山、奉节、开州、云阳、万州、北碚、黔江、忠县、垫江等地。

| 资源情况 | 野生资源较少。药材来源于野生，自采自用。

| 采收加工 | 野黑豆：秋、冬季采收成熟果实，晒干。

野大豆藤：秋季采收，晒干。

| 药材性状 | 野黑豆：本品呈椭圆形，略扁，长 2.5 ~ 4mm，宽 1.8 ~ 2.5mm，厚 1 ~ 6mm。表面黑色，略有光泽，有的具横向皱纹，一侧边缘具长圆形种脐。质较坚硬。种皮薄，内表面灰黄色，子叶 2，肥厚，黄绿色。气微，味淡，嚼之有豆腥气。

| 功能主治 | 野黑豆：甘，平。归脾、肾经。益精明目，养血祛风，利水解毒。用于阴虚烦渴，头晕目昏，体虚多汗，肾虚腰痛，水肿尿少，痹痛拘挛，手足麻木，食物中毒。

野大豆藤：甘，凉。清热敛汗，舒筋止痛。用于盗汗，劳伤筋痛，胃脘痛，小儿食积。

| 用法用量 | 野黑豆：内服煎汤，9 ~ 30g。脾虚腹胀、肠滑泄泻者慎服。

野大豆藤：内服煎汤，30 ~ 120g。外用适量，捣敷或研末调敷。

豆科 Leguminosae 甘草属 *Glycyrrhiza*

刺果甘草 *Glycyrrhiza pallidiflora* Maxim.

| 药 材 名 | 狗甘草（药用部位：果实。别名：胡苍耳、奶椎）、狗甘草根（药用部位：根）。

| 形态特征 | 多年生草本。根和根茎无甜味。茎直立，多分枝，高 1 ~ 1.5m，具条棱，密被黄褐色鳞片状腺点，几无毛。叶长 6 ~ 20cm；托叶披针形，长约 5mm；叶柄无毛，密生腺点；小叶 9 ~ 15，披针形或卵状披针形，长 2 ~ 6cm，宽 1.5 ~ 2cm，上面深绿色，下面淡绿色，两面均密被鳞片状腺体，无毛，先端渐尖，具短尖，基部楔形，边缘具微小的钩状细齿。总状花序腋生，花密集成球形；总花梗短于叶，密生短柔毛及黄色鳞片状腺点；苞片卵状披针形，长 6 ~ 8mm，膜质，具腺点；花萼钟状，长 4 ~ 5mm，密被腺点，基部常疏被短柔毛；萼齿 5，披针形，与萼筒近等长；花冠淡紫色、紫色或淡紫红色，

刺果甘草

旗瓣卵圆形，长 6 ~ 8mm，先端圆，基部具短瓣柄，翼瓣长 5 ~ 6mm，龙骨瓣稍短于翼瓣。果序呈椭圆状，荚果卵圆形，长 10 ~ 17mm，宽 6 ~ 8mm，先端具凸尖，外面被长约 5mm 刚硬的刺；种子 2，黑色，圆肾形，长约 2mm。花期 6 ~ 7 月，果期 7 ~ 9 月。

| 生境分布 | 生于海拔 2790m 以下的河滩地、岸边、田野、路旁，或栽培于路边。分布于重庆南川等地。

| 资源情况 | 栽培资源稀少，无野生资源。药材来源于栽培。

| 采收加工 | 狗甘草：8 ~ 9 月果实成熟时采收，鲜用或晒干。

狗甘草根：秋季采收，洗净，切段，晒干。

| 药材性状 | 狗甘草根：本品呈圆柱形，头部有分枝，长 20 ~ 100cm，直径 0.3 ~ 1.5cm。表面灰黄色至灰褐色，有不规则扭曲的纵皱纹及横长皮孔。质坚硬，难折断，断面纤维状，有粉性，皮部灰白色，占断面的 1/5 ~ 1/4，木部淡黄色，有放射状纹理。气微，味苦、涩，嚼之微有豆腥气。

| 功能主治 | 狗甘草：甘、辛，微温。催乳。用于产后缺乳。

狗甘草根：甘、辛，温。杀虫止痒，镇咳。用于滴虫性阴道炎，百日咳。

| 用法用量 | 狗甘草：内服煎汤，6 ~ 9g。

狗甘草根：内服煎汤，9 ~ 15g。外用适量，煎汤熏洗。

豆科 Leguminosae 木蓝属 *Indigofera*

多花木蓝 *Indigofera amblyantha* Craib

| 药 材 名 | 陕豆根（药用部位：根、根茎。别名：木蓝山豆根、山豆根）。

| 形态特征 | 直立灌木，高 0.8 ~ 2m，少分枝。茎褐色或淡褐色，圆柱形；幼枝禾秆色，具棱，密被白色平贴丁字毛，后变无毛。羽状复叶长达 18cm；叶柄长 2 ~ 5cm，叶轴上面具浅槽，与叶柄均被平贴丁字毛；托叶微小，三角状披针形，长约 1.5mm；小叶 3 ~ 4（~ 5）对，对生，稀互生，形状、大小变异较大，通常为卵状长圆形、长圆状椭圆形、椭圆形或近圆形，长 1 ~ 3.7（~ 6.5）cm，宽 1 ~ 2（~ 3）cm，先端圆钝，具小尖头，基部楔形或阔楔形，上面绿色，疏生丁字毛，下面苍白色，被毛较密；中脉上面微凹，下面隆起，侧脉 4 ~ 6 对，上面隐约可见；小叶柄长约 1.5mm，被毛；小托叶微小。总状花序腋生，长 11（~ 15）cm，近无总花梗；苞片线形，长约

多花木蓝

2mm，早落；花梗长约 1.5mm；花萼长约 3.5mm，被白色平贴丁字毛，萼筒长约 1.5mm，最下萼齿长约 2mm，两侧萼齿长约 1.5mm，上方萼齿长约 1mm；花冠淡红色，旗瓣倒阔卵形，长 6 ~ 6.5mm，先端螺壳状，瓣柄短，外面被毛，翼瓣长约 7mm，龙骨瓣较翼瓣短，距长约 1mm；花药球形，先端具小凸尖；子房线形，被毛，有胚珠 17 ~ 18。荚果棕褐色，线状圆柱形，长 3.5 ~ 6（~ 7）cm，被短丁字毛，种子间有横隔，内果皮无斑点；种子褐色，长圆形，长约 2.5mm。花期 5 ~ 7 月，果期 9 ~ 11 月。

| 生境分布 | 生于海拔 600 ~ 1800m 的山坡草地、沟边、路旁灌丛中或林缘。分布于重庆城口、奉节、南川、秀山等地。

| 资源情况 | 野生资源稀少。药材来源于野生，自产自销。

| 采收加工 | 秋季采收，除去杂质，洗净，干燥。

| 药材性状 | 本品根茎呈不规则结节状，先端常残留茎基，其下着生根数条。根呈长纺锤形或长圆柱形，长短不等，直径 0.5 ~ 1.5cm。表面灰黄色至棕褐色，有不规则纵皱纹及横长皮孔样突起，栓皮多皱缩开裂，易脱落，脱落处呈深棕褐色。质硬而脆，易折断，断面纤维状，皮部浅棕色，木部淡黄色。具豆腥气，味微苦。

| 功能主治 | 苦，寒；有毒。归肺、胃经。清热解毒，消肿利咽。用于火毒蕴结，咽喉肿痛，齿龈肿痛。

| 用法用量 | 内服煎汤，3 ~ 6g。

| 附　　注 | 本种同属植物华东木蓝 *Indigofera fortunei* Craib、宜昌木蓝 *Indigofera decora* Lindl. var. *ichangensis* (Craib) Y. Y. Fang et C. Z. Zheng、花木蓝 *Indigofera kirilowii* Maxim. ex Palibin、甘肃木蓝 *Indigofera potaninii* Craib 的根亦作为木蓝山豆根药材使用。

豆科 Leguminosae 木蓝属 *Indigofera*

马棘 *Indigofera pseudotinctoria* Matsum.

| 药 材 名 | 马棘（药用部位：根、地上部分。别名：山绿豆、一味药、野槐树）。

| 形态特征 | 小灌木，高 1 ~ 3m，多分枝。枝细长，幼枝灰褐色，明显有棱，被丁字毛。羽状复叶长 3.5 ~ 6cm；叶柄长 1 ~ 1.5cm，被平贴丁字毛，叶轴上面扁平；托叶小，狭三角形，长约 1mm，早落；小叶（2 ~ ）3 ~ 5 对，对生，椭圆形、倒卵形或倒卵状椭圆形，长 1 ~ 2.5cm，宽 0.5 ~ 1.1（ ~ 1.5）cm，先端圆或微凹，有小尖头，基部阔楔形或近圆形，两面被白色丁字毛，有时上面毛脱落；小叶柄长约 1mm；小托叶微小，钻形或不明显。总状花序，花开后较复叶为长，长 3 ~ 11cm，花密集；总花梗短于叶柄；花梗长约 1mm；花萼钟状，外面被白色和棕色平贴丁字毛，萼筒长 1 ~ 2mm，萼齿不等长，与萼筒近等长或略长；花冠淡红色或紫红色，旗瓣倒阔卵形，长 4.5 ~ 6.5mm，

马棘

先端螺壳状，基部有瓣柄，外面被丁字毛，翼瓣基部有耳状附属物，龙骨瓣近等长，距长约 1mm，基部具耳；花药圆球形，子房被毛。荚果线状圆柱形，长 2.5 ～ 4（～ 5.5）cm，直径约 3mm，先端渐尖，幼时密生短丁字毛，种子间有横隔，仅在横隔上有紫红色斑点，果梗下弯；种子椭圆形。花期 5 ～ 8 月，果期 9 ～ 10 月。

| 生境分布 | 生于海拔 580 ～ 1300m 的山坡林缘或灌丛中。分布于重庆丰都、綦江、垫江、黔江、大足、酉阳、巫山、城口、彭水、涪陵、南川、忠县、武隆、奉节、北碚、开州、巫溪等地。

| 资源情况 | 野生资源丰富。药材来源于野生，自产自销。

| 采收加工 | 播种后第 2 年 8 ～ 9 月收获，选晴天，离地面 10cm 处，割下地上部分，晒干即成，以后每年可收割 1 次。秋后采收根，切段，晒干或鲜用。

| 功能主治 | 苦、涩，平。清热解表，散瘀消积。用于风热感冒，肺热咳嗽，烫火伤，疔疮，毒蛇咬伤，瘰疬，跌打损伤，食积腹胀。

| 用法用量 | 内服煎汤，20 ～ 30g。外用适量，鲜品捣敷；干品或炒炭存性研末，调敷。

| 附　　注 | （1）在 FOC 中，本种被修订为河北木蓝 *Indigofera bungeana* Walp.。

（2）本种喜温暖向阳环境，耐贫瘠。栽培宜选排水良好的夹砂土，可利用荒坡和边角隙地栽种。

豆科 Leguminosae 鸡眼草属 *Kummerowia*

长萼鸡眼草 *Kummerowia stipulacea* (Maxim.) Makino

| 药材名 | 鸡眼草（药用部位：全草。别名：掐不齐、蚂蚁草、上文花）。

| 形态特征 | 一年生草本，高 7 ~ 15cm。茎平伏，上升或直立，多分枝，茎和枝上被疏生向上的白毛，有时仅节处被毛。叶为三出羽状复叶；托叶卵形，长 3 ~ 8mm，比叶柄长或有时近相等，边缘通常无毛；叶柄短；小叶纸质，倒卵形、宽倒卵形或倒卵状楔形，长 5 ~ 18mm，宽 3 ~ 12mm，先端微凹或近截形，基部楔形，全缘；下面中脉及边缘被毛，侧脉多而密。花常 1 ~ 2 腋生；小苞片 4，较萼筒稍短、稍长或近等长，生于萼下，其中 1 很小，生于花梗关节之下，常具 1 ~ 3 脉；花梗被毛；花萼膜质，阔钟形，5 裂，裂片宽卵形，有缘毛；花冠上部暗紫色，长 5.5 ~ 7mm，旗瓣椭圆形，先端微凹，下部渐狭成瓣柄，较龙骨瓣短，翼瓣狭披针形，与旗瓣近等长，龙骨

长萼鸡眼草

瓣钝，上面有暗紫色斑点；雄蕊二体（9+1）。荚果椭圆形或卵形，稍侧偏，长约 3mm，常较萼长 1.5 ~ 3 倍。花期 7 ~ 8 月，果期 8 ~ 10 月。

| **生境分布** | 生于海拔 160 ~ 1200m 的路旁、草地、山坡。重庆各地均有分布。

| **资源情况** | 野生资源较少。药材来源于野生，自采自用。

| **采收加工** | 夏、秋季植株茂盛时采挖，晒干。

| **药材性状** | 本品茎长 20 ~ 30cm，多有分枝，较粗壮；表面红棕色，下部色较深，向上则变淡；小枝被向上伸出的毛；质脆，易折断，断面纤维性，淡黄白色，髓部充实或老茎为中空。叶皱缩，易脱落，完整者为三出复叶；小叶倒卵形，先端钝圆或中央凹入，中央 1 枚较大，长 0.8 ~ 1.4cm，宽 3 ~ 5mm，上面棕绿色，下面灰绿色，先端圆，具小短尖头，基部狭楔形，侧面 2 小叶较小而呈圆形；具羽状网脉；叶柄、叶缘及叶背主脉上均具细毛；托叶膜质，棕褐色。花簇生于叶腋，花梗有白色硬毛，花萼钟状，花冠暗紫色。荚果卵形，长约 3mm。种子黑色，平滑。气微，味淡。

| **功能主治** | 微苦，凉。清热解毒，健脾利湿。用于感冒发热，暑湿吐泻，痢疾。

| **用法用量** | 内服煎汤，15 ~ 60g。

豆科 Leguminosae 鸡眼草属 *Kummerowia*

鸡眼草 *Kummerowia striata* (Thunb.) Schindl.

| 药 材 名 | 鸡眼草（药用部位：全草。别名：掐不齐、蚂蚁草、上文花）。

| 形态特征 | 一年生草本，披散或平卧，多分枝，高（5 ~ ）10 ~ 45cm。茎和枝上被倒生的白色细毛。叶为三出羽状复叶；托叶大，膜质，卵状长圆形，比叶柄长，长 3 ~ 4mm，具条纹，有缘毛；叶柄极短；小叶纸质，倒卵形、长倒卵形或长圆形，较小，长 6 ~ 22mm，宽 3 ~ 8mm，先端圆形，稀微缺，基部近圆形或宽楔形，全缘；两面沿中脉及边缘被白色粗毛，但上面毛较稀少，侧脉多而密。花小，单生或 2 ~ 3 簇生叶腋；花梗下端具 2 大小不等的苞片，花萼基部具 4 小苞片，其中 1 极小，位于花梗关节处，小苞片常具 5 ~ 7 纵脉；花萼钟状，带紫色，5 裂，裂片宽卵形，具网状脉，外面及边缘被白毛；花冠粉红色或紫色，长 5 ~ 6mm，较花萼约长 1 倍，旗瓣椭圆形，下部

鸡眼草

渐狭成瓣柄，具耳，龙骨瓣比旗瓣稍长或近等长，翼瓣比龙骨瓣稍短。荚果圆形或倒卵形，稍侧扁，长 3.5 ~ 5mm，较萼稍长或长达 1 倍，先端短尖，被小柔毛。花期 7 ~ 9 月，果期 8 ~ 10 月。

| 生境分布 | 生于海拔 500m 以下的路旁、田边、溪旁、砂质地或缓山坡草地。分布于重庆北碚、黔江、丰都、綦江、长寿、酉阳、涪陵、巫山、彭水、云阳、石柱、江津、忠县、万州、垫江、南川、武隆、开州、梁平、巴南等地。

| 资源情况 | 野生资源丰富。药材来源于野生，自产自销。

| 采收加工 | 夏、秋季植株茂盛时采挖，晒干。

| 药材性状 | 本品茎长 20 ~ 30cm，直径 1.5 ~ 2mm，多有分枝；表面红棕色，下部色较深，向上则变淡；小枝密被向下反卷的白毛；质脆，易折断，断面纤维性，淡黄白色，髓部充实或老茎为中空。叶皱缩，易脱落，完整者为三出复叶；小叶长椭圆形或倒卵状长椭圆形，中央 1 枚较大，长 0.8 ~ 1.4cm，宽 3 ~ 5mm，上面棕绿色，下面灰绿色，先端圆，具小短尖头，基部狭楔形，侧面 2 小叶较小而呈圆形；具羽状网脉；叶柄、叶缘及叶背主脉上均具细毛；托叶膜质，棕褐色。气微，味淡。

| 功能主治 | 微苦，凉。清热解毒，健脾利湿。用于感冒发热，暑湿吐泻，痢疾。

| 用法用量 | 内服煎汤，15 ~ 60g。

豆科 Leguminosae 扁豆属 *Lablab*

扁豆 *Lablab purpureus* (L.) Sweet

| 药 材 名 | 白扁豆（药用部位：种子。别名：小刀豆、树豆、峨眉豆）、白扁豆衣（药用部位：种皮。别名：扁豆衣、扁豆皮）、扁豆花（药用部位：花。别名：南豆花）、扁豆叶（药用部位：叶）、扁豆藤（药用部位：藤茎）、扁豆根（药用部位：根）。

| 形态特征 | 多年生缠绕藤本，全株几无毛。茎长可达 6m，常呈淡紫色。羽状复叶具 3 小叶；托叶基着，披针形；小托叶线形，长 3 ~ 4mm；小叶宽三角状卵形，长 6 ~ 10cm，宽约与长相等，侧生小叶两边不等大，偏斜，先端急尖或渐尖，基部近截平。总状花序直立，长 15 ~ 25cm，花序轴粗壮，总花梗长 8 ~ 14cm；小苞片 2，近圆形，长 3mm，脱落；花 2 至多朵簇生每一节上；花萼钟状，长约 6mm，上方 2 裂齿几完全合生，下方的 3 枚近相等；花冠白色或紫色，旗

扁豆

瓣圆形，基部两侧具 2 长而直立的小附属体，附属体下有 2 耳，翼瓣宽倒卵形，具截平的耳，龙骨瓣呈直角弯曲，基部渐狭成瓣柄；子房线形，无毛，花柱比子房长，弯曲不逾 90°，一侧扁平，近顶部内缘被毛。荚果长圆状镰形，长 5 ~ 7cm，近先端最阔，宽 1.4 ~ 1.8cm，扁平，直或稍向背弯曲，先端有弯曲的尖喙，基部渐狭；种子 3 ~ 5，扁平，长椭圆形，在白花品种中为白色，在紫花品种中为紫黑色，种脐线形，长约占种子周围的 2/5。花期 4 ~ 12 月。

| 生境分布 | 栽培于菜园。重庆各地均有分布。

| 资源情况 | 野生资源稀少，栽培资源丰富。药材来源于栽培，自产自销。

| 采收加工 | 白扁豆：秋、冬季采收成熟果实，晒干，取出种子，再晒干。

白扁豆衣：秋季采收种子，剥取种皮，晒干；或将白扁豆置沸水锅内，沸水焯至种皮松软、能捏去皮时，取出，浸于凉水中，搓取种皮，干燥。

扁豆花：夏、秋季采摘未完全开放的白花，除去杂质，晒干。

扁豆叶：秋季采收，鲜用或晒干。

扁豆藤：秋季采收，晒干。

扁豆根：秋季采收，洗净，晒干。

| 药材性状 | 白扁豆：本品呈扁椭圆形或扁卵圆形，长 8 ~ 13mm，宽 6 ~ 9mm，厚约 7mm。表面淡黄白色或淡黄色，平滑，略有光泽，一侧边缘有隆起的白色眉状种阜。质坚硬。种皮薄而脆，子叶 2，肥厚，黄白色。气微，味淡，嚼之有豆腥气。

| 功能主治 | 白扁豆、白扁豆衣：甘，微温。归脾、胃经。健脾化湿，和中消暑。用于脾胃虚弱，食欲不振，大便溏泄，白带过多，暑湿吐泻，胸闷腹胀。

扁豆花：甘，平。归脾、胃、大肠经。消暑，化湿，和中。用于暑湿泄泻，痢疾，赤白带下。

扁豆叶：微甘，平。消暑利湿，解毒消肿。用于暑湿吐泻，疮疖肿毒，蛇虫咬伤。

扁豆藤：苦，平。化湿和中。用于暑湿吐泻不止。

扁豆根：苦，平。消暑，化湿，止血。用于暑湿泄泻，痢疾，淋浊，带下，便血，痔疮。

| 用法用量 | 白扁豆、白扁豆衣：内服煎汤，9 ~ 15g。

扁豆花：内服煎汤，4.5 ~ 9g。

扁豆叶：内服煎汤，6 ~ 15g；或捣汁。外用适量，捣敷；或烧存性，研末调敷。

扁豆藤：内服煎汤，9 ~ 15g。

扁豆根：内服煎汤，5 ~ 15g。

| 附　　注 | 本种喜温暖湿润气候，怕寒霜。适宜于肥沃、排水良好的砂壤土种植。

豆科 Leguminosae 山黧豆属 *Lathyrus*

牧地山黧豆 *Lathyrus pratensis* L.

|**药 材 名**| 牧地山黧豆（药用部位：全草。别名：牧地香豌豆）。

|**形态特征**| 多年生草本，高 30 ~ 120cm。茎上升、平卧或攀缘。叶具 1 对小叶；托叶箭形，基部两侧不对称，长（5 ~）10 ~ 45mm，宽 3 ~ 10（~ 15）mm；叶轴末端具卷须，单一或分枝；小叶椭圆形、披针形或线状披针形，长 10 ~ 30（~ 50）mm，宽 2 ~ 9（~ 13）mm，先端渐尖，基部宽楔形或近圆形，两面或多或少被毛，具平行脉。总状花序腋生，具 5 ~ 12 花，长于叶数倍；花黄色，长 12 ~ 18mm；花萼钟状，被短柔毛，最下 1 齿长于萼筒；旗瓣长约 14mm，瓣片近圆形，宽 7 ~ 9mm，下部变狭为瓣柄，翼瓣稍短于旗瓣，瓣片近倒卵形，基部具耳及线形瓣柄，龙骨瓣稍短于翼瓣，瓣片近半月形，基部具耳及线形瓣柄。荚果线形，长 23 ~ 44mm，宽 5 ~ 6mm，黑色，具网纹；种子近圆形，直径 2.5 ~ 3.5mm，厚约 2mm，种脐长约 1.5mm，平滑，黄色或棕色。花期 6 ~ 8

牧地山黧豆

月，果期 8 ~ 10 月。

| **生境分布** | 生于海拔 1000 ~ 2500m 的山坡草地、疏林下、路旁阴处。分布于重庆巫山、南川、城口等地。

| **资源情况** | 野生资源稀少。药材主要来源于野生。

| **采收加工** | 春、夏季采收，鲜用或晒干。

| **功能主治** | 辛、苦，微温。祛痰止咳。用于支气管炎，肺炎，肺脓肿，肺结核，疥癣，疮疖。

| **用法用量** | 内服煎汤，9 ~ 15g。外用适量，捣敷。

豆科 Leguminosae 胡枝子属 *Lespedeza*

胡枝子 *Lespedeza bicolor* Turcz.

| 药 材 名 | 胡枝子（药用部位：枝叶。别名：随军茶、胡枝条、野花生）、胡枝子根（药用部位：根。别名：野山豆根、扫皮）、胡枝子花（药用部位：花。别名：胡枝花、鹿鸣花）。

| 形态特征 | 直立灌木，高 1 ~ 3m，多分枝。小枝黄色或暗褐色，有条棱，被疏短毛；芽卵形，长 2 ~ 3mm，具数枚黄褐色鳞片。羽状复叶具 3 小叶；托叶 2，线状披针形，长 3 ~ 4.5mm；叶柄长 2 ~ 7（~ 9）cm；小叶质薄，卵形、倒卵形或卵状长圆形，长 1.5 ~ 6cm，宽 1 ~ 3.5cm，先端钝圆或微凹，稀稍尖，具短刺尖，基部近圆形或宽楔形，全缘，上面绿色，无毛，下面色淡，被疏柔毛，老时渐无毛。总状花序腋生，比叶长，常构成大型、较疏松的圆锥花序；总花梗长 4 ~ 10cm；小苞片 2，卵形，长不到 1cm，先端钝圆或稍尖，黄褐色，被短柔毛；

胡枝子

花梗短，长约 2mm，密被毛；花萼长约 5mm，5 浅裂，裂片通常短于萼筒，上方 2 裂片合生成 2 齿，裂片卵形或三角状卵形，先端尖，外面被白毛；花冠红紫色，极稀白色，长约 10mm，旗瓣倒卵形，先端微凹，翼瓣较短，近长圆形，基部具耳和瓣柄，龙骨瓣与旗瓣近等长，先端钝，基部具较长的瓣柄；子房被毛。荚果斜倒卵形，稍扁，长约 10mm，宽约 5mm，表面具网纹，密被短柔毛。花期 7 ~ 9 月，果期 9 ~ 10 月。

| 生境分布 | 生于海拔 150 ~ 1000m 的山坡、林缘、路旁、灌丛或杂木林间。分布于重庆黔江、丰都、璧山、城口、奉节、巫山、潼南、石柱、万州、巫溪、铜梁、涪陵、武隆、江津、云阳、开州、北碚、大足、梁平、荣昌等地。

| 资源情况 | 野生资源丰富。药材来源于野生，自产自销。

| 采收加工 | 胡枝子：夏、秋季采收，鲜用或切段晒干。

胡枝子根：夏、秋季采挖，洗净，切片，晒干。

胡枝子花：7 ~ 8 月花开时采收，阴干。

| 药材性状 | 胡枝子根：本品呈圆柱形，稍弯曲，长短不等，直径 0.8 ~ 1.4cm。表面灰棕色，有支根痕、横向凸起及纵皱纹。质坚硬，难折断，断面中央无髓，木部灰黄色，皮部棕褐色。气微弱，味微苦、涩。

| 功能主治 | 胡枝子：甘，平。润肺清热，利尿通淋。用于肺热咳嗽，感冒发热，百日咳，淋证，吐血，衄血，尿血，便血。

胡枝子根：甘，平。归心、肝经。祛风除湿，活血止痛，止血止带，清热解毒。用于感冒发热，风湿痹痛，跌打损伤，鼻衄，赤白带下，流注肿毒。

胡枝子花：甘，平。清热止血，润肺止咳。用于便血，肺热咳嗽。

| 用法用量 | 胡枝子：内服煎汤，9 ~ 15g，鲜品 30 ~ 60g；或泡作茶饮。

胡枝子根：内服煎汤，9 ~ 15g，鲜品 30 ~ 60g；或炖肉；或浸酒。外用适量，研末调敷。

胡枝子花：内服煎汤，9 ~ 15g。

豆科 Leguminosae 胡枝子属 *Lespedeza*

截叶铁扫帚 *Lespedeza cuneata* (Dum.-Cours.) G. Don

| 药 材 名 | 夜关门（药用部位：地上部分。别名：蛇垮皮、菌串子、蛇脱壳）。

| 形态特征 | 小灌木，高达 1m。茎直立或斜升，被毛，上部分枝，分枝斜上举。叶密集，叶柄短；小叶楔形或线状楔形，长 1 ~ 3cm，宽 2 ~ 5（~ 7）mm，先端截形或近截形，具小刺尖，基部楔形，上面近无毛，下面密被伏毛。总状花序腋生，具 2 ~ 4 花；总花梗极短；小苞片卵形或狭卵形，长 1 ~ 1.5mm，先端渐尖，背面被白色伏毛，边缘具缘毛；花萼狭钟形，密被伏毛，5 深裂，裂片披针形；花冠淡黄色或白色，旗瓣基部有紫斑，有时龙骨瓣先端带紫色，翼瓣与旗瓣近等长，龙骨瓣稍长；闭锁花簇生叶腋。荚果宽卵形或近球形，被伏毛，长 2.5 ~ 3.5mm，宽约 2.5mm。花期 7 ~ 8 月，果期 9 ~ 10 月。

截叶铁扫帚

|生境分布| 生于海拔 2500m 以下的山坡路旁。重庆各地均有分布。

|资源情况| 野生资源丰富。药材来源于野生，自产自销。

|采收加工| 9 ~ 10 月采收，除去泥沙，晒干。

|药材性状| 本品长 40 ~ 100cm。茎呈圆柱形，淡棕褐色或棕黄色，直径 5 ~ 8mm，有纵棱，多分枝；质硬，易折断，折断面浅黄色，中央有黄白色髓。三出复叶，互生，总柄长约 1cm；小叶 3，完整者矩圆形，长 1 ~ 2cm，宽 2 ~ 4mm，先端截形，有短尖头，基部楔形，全缘，暗绿色或灰绿色，上面无毛，斜向平行脉，下面被白色长柔毛，侧生叶较小，叶柄长约 1mm，有柔毛；托叶针状，棕褐色。气微，味微苦。

|功能主治| 苦、涩，平。归肝、肾经。固精缩尿，健脾利湿。用于肾虚遗精，滑精，遗尿，尿频，带下，泄泻。

|用法用量| 内服煎汤，15 ~ 30g。

|附　　注| 本种药材作为民间药，常用于糖尿病、血尿、失眠、小儿疳积等。

豆科 Leguminosae 胡枝子属 *Lespedeza*

多花胡枝子 *Lespedeza floribunda* Bunge

| 药 材 名 | 铁鞭草（药用部位：全草或根。别名：米汤草、石告杯）。

| 形态特征 | 小灌木，高 30 ~ 60（~ 100）cm。根细长。茎常近基部分枝；枝有条棱，被灰白色绒毛。托叶线形，长 4 ~ 5mm，先端刺芒状；羽状复叶具 3 小叶；小叶具柄，倒卵形、宽倒卵形或长圆形，长 1 ~ 1.5cm，宽 6 ~ 9mm，先端微凹、钝圆或近截形，具小刺尖，基部楔形，上面被疏伏毛，下面密被白色伏柔毛；侧生小叶较小。总状花序腋生；总花梗细长，显著超出叶；花多数；小苞片卵形，长约 1mm，先端急尖；花萼长 4 ~ 5mm，被柔毛，5 裂，上方 2 裂片下部合生，上部分离，裂片披针形或卵状披针形，长 2 ~ 3mm，先端渐尖；花冠紫色、紫红色或蓝紫色，旗瓣椭圆形，长 8mm，先端圆形，基部有柄，翼瓣稍短，龙骨瓣长于旗瓣，具钝头。荚果宽卵形，长约 7mm，超

多花胡枝子

出宿存萼，密被柔毛，有网状脉。花期 6 ~ 9 月，果期 9 ~ 10 月。

| 生境分布 | 生于海拔 300 ~ 1300m 的石质山坡。分布于重庆城口、奉节、南川、北碚、巫溪等地。

| 资源情况 | 野生资源较少。药材来源于野生，自采自用。

| 采收加工 | 6 ~ 10 月采收，根洗净，切片，晒干；茎叶切段，晒干。

| 药材性状 | 本品茎多近基部分枝，枝条细长柔弱，具条纹。三出复叶，叶片多皱缩，完整小叶倒卵形或狭长倒卵形，长 6 ~ 15mm，宽 3 ~ 9mm，先端截形，具尖刺，嫩叶下表面密被白色绒毛。总状花序腋生，蝶形花冠暗紫红色。荚果卵状菱形，长约 5mm，有柔毛。气微，味涩。

| 功能主治 | 涩，凉。消积，截疟。用于小儿疳积，疟疾。

| 用法用量 | 内服煎汤，9 ~ 15g。

豆科 Leguminosae 胡枝子属 *Lespedeza*

美丽胡枝子 *Lespedeza formosa* (Vog.) Koehne

| 药材名 | 马扫帚（药用部位：茎叶。别名：三妹木、假蓝根、红布纱）、马扫帚花（药用部位：花。别名：把天门花）、马扫帚根（药用部位：根。别名：马胡须、苗长根）。

| 形态特征 | 直立灌木，高 1 ~ 2m。多分枝，枝伸展，被疏柔毛。托叶披针形至线状披针形，长 4 ~ 9mm，褐色，被疏柔毛；叶柄长 1 ~ 5cm，被短柔毛；小叶椭圆形、长圆状椭圆形或卵形，稀倒卵形，两端稍尖或稍钝，长 2.5 ~ 6cm，宽 1 ~ 3cm，上面绿色，稍被短柔毛，下面淡绿色，贴生短柔毛。总状花序单一，腋生，比叶长，或构成顶生的圆锥花序；总花梗长可达 10cm，被短柔毛；苞片卵状渐尖，长 1.5 ~ 2mm，密被绒毛；花梗短，被毛；花萼钟状，长 5 ~ 7mm，5 深裂，裂片长圆状披针形，长为萼筒的 2 ~ 4 倍，外面密被短柔毛；

美丽胡枝子

花冠红紫色，长 10 ~ 15mm，旗瓣近圆形或稍长，先端圆，基部具明显的耳和瓣柄，翼瓣倒卵状长圆形，短于旗瓣和龙骨瓣，长 7 ~ 8mm，基部有耳和细长瓣柄，龙骨瓣比旗瓣稍长，在花盛开时明显长于旗瓣，基部有耳和细长瓣柄。荚果倒卵形或倒卵状长圆形，长 8mm，宽 4mm，表面具网纹且被疏柔毛。花期 7 ~ 9 月，果期 9 ~ 10 月。

| 生境分布 | 生于海拔 800 ~ 2400m 的山坡、路旁或林缘灌丛中。分布于重庆城口、巫溪、奉节、巫山、石柱、丰都、秀山、云阳、武隆等地。

| 资源情况 | 野生资源较少。药材来源于野生，自采自用。

| 采收加工 | 马扫帚：夏季花开前采收，鲜用或切段晒干。

马扫帚花：夏季花盛开时采摘，鲜用或晒干。

马扫帚根：夏、秋季采挖，除去须根，洗净，鲜用或切片晒干。

| 药材性状 | 马扫帚：本品茎呈圆柱形，棕色至棕褐色，小枝常有纵沟，幼枝密被短柔毛。复叶 3 小叶，多皱缩，小叶展开后呈卵形、卵状椭圆形或椭圆状披针形，长 1.5 ~ 6cm，宽 1 ~ 3cm，先端急尖、圆钝或微凹，有小尖，基部楔形，上面绿色至棕绿色，下面灰绿色，密生短柔毛。偶见花序，总花梗密生短柔毛，花萼钟状，花冠暗紫红色。荚果近卵形，长 8mm，有短尖及锈色短柔毛。气微清香，味淡。

马扫帚花：本品呈蝶状，花萼钟状，密生短柔毛，花瓣紫红色或白色，花梗短，有毛。质脆，易碎。气微，味微苦、涩。

马扫帚根：本品呈不规则类圆形片状。表面浅红棕色，纤维性；周边棕红色，粗糙。质坚韧。气微，味苦。

| 功能主治 | 马扫帚：苦，平。清热，利尿通淋。用于热淋，小便不利。

马扫帚花：甘，平。清热凉血。用于肺热咳嗽，便血，尿血。

马扫帚根：微辛、苦，平。清热解毒，祛风除湿，活血止痛。用于肺痈，乳痈，疖肿，腹泻，风湿痹痛，跌打损伤，骨折。

| 用法用量 | 马扫帚、马扫帚花：内服煎汤，30 ~ 60g。

马扫帚根：内服煎汤，15 ~ 30g。外用适量，鲜品捣敷。

| 附　　注 | 在 FOC 中，本种的拉丁学名被修订为 *Lespedeza thunbergii* subsp. *formosa* (Vogel) H. Ohashi。

豆科 Leguminosae 胡枝子属 *Lespedeza*

铁马鞭 *Lespedeza pilosa* (Thunb.) Sieb. et Zucc.

| 药 材 名 | 铁马鞭（药用部位：带根全草。别名：落花生、野花生、金钱藤）。

| 形态特征 | 多年生草本，全株密被长柔毛。茎平卧，细长，长 60 ~ 80（~ 100）cm，少分枝，匍匐地面。托叶钻形，长约 3mm，先端渐尖；叶柄长 6 ~ 15mm；羽状复叶具 3 小叶；小叶宽倒卵形或倒卵圆形，长 1.5 ~ 2cm，宽 1 ~ 1.5cm，先端圆形、近截形或微凹，有小刺尖，基部圆形或近截形，两面密被长毛，顶生小叶较大。总状花序腋生，比叶短；苞片钻形，长 5 ~ 8mm，上部边缘具缘毛；总花梗极短，密被长毛；小苞片 2，披针状钻形，长 1.5mm，背部中脉被长毛，边缘具缘毛；花萼密被长毛，5 深裂，上方 2 裂片基部合生，上部分离，裂片狭披针形，长约 3mm，先端长渐尖，边缘具长缘毛；花冠黄白色或白色，旗瓣椭圆形，长 7 ~ 8mm，宽 2.5 ~ 3mm，先端微

铁马鞭

凹，具瓣柄，翼瓣比旗瓣与龙骨瓣短；闭锁花常 1 ~ 3 集生茎上部叶腋，无梗或近无梗，结实。荚果广卵形，长 3 ~ 4mm，凸镜状，两面密被长毛，先端具尖喙。花期 7 ~ 9 月，果期 9 ~ 10 月。

| 生境分布 | 生于海拔 1000m 以下的荒山坡或草地。分布于重庆奉节、黔江、南川、北碚、綦江、忠县、长寿、垫江等地。

| 资源情况 | 野生资源较少。药材来源于野生，自产自销。

| 采收加工 | 夏、秋季采收，鲜用或切段晒干。

| 药材性状 | 本品茎枝细长，分枝少，被棕黄色长粗毛。三出复叶，总叶柄长 0.5 ~ 1.5cm，完整小叶广椭圆形至圆卵形，长 8 ~ 20mm，宽 5 ~ 15mm，先端圆形或截形、微凹，具短尖，基部近圆形，全缘。总状花序腋生，总花轴及小花轴极短，蝶形花冠黄白色，旗瓣有紫斑。荚果长圆状卵形，先端有长喙，直径约 3mm，表面密被白色长粗毛。气微，味微苦。

| 功能主治 | 苦、辛，平。益气安神，活血止痛，利尿消肿，解毒散结。用于气虚发热，失眠，痧症腹痛，风湿痹痛，水肿，瘰疬，痈疽肿毒。

| 用法用量 | 内服煎汤，15 ~ 30g；或炖肉。外用适量，捣敷。

| 附　　注 | 鼠李科铁马鞭 *Rhamnus aurea* Heppl. 与本种植物名相同，但重庆无鼠李科铁马鞭分布，需注意区别。

豆科 Leguminosae 胡枝子属 *Lespedeza*

绒毛胡枝子 *Lespedeza tomentosa* (Thunb.) Sieb. ex Maxim.

| 药 材 名 | 绒毛胡枝子（药用部位：根）。

| 形态特征 | 灌木，高达 1m，全株密被黄褐色绒毛。茎直立，单一或上部少分枝。托叶线形，长约 4mm；羽状复叶具 3 小叶；小叶质厚，椭圆形或卵状长圆形，长 3 ~ 6cm，宽 1.5 ~ 3cm，先端钝或微心形，边缘稍反卷，上面被短伏毛，下面密被黄褐色绒毛或柔毛，沿脉上尤多；叶柄长 2 ~ 3cm。总状花序顶生或于茎上部腋生；总花梗粗壮，长 4 ~ 8（ ~ 12）cm；苞片线状披针形，长 2mm，有毛；花具短梗，密被黄褐色绒毛；花萼密被毛长约 6mm，5 深裂，裂片狭披针形，长约 4mm，先端长渐尖；花冠黄色或黄白色，旗瓣椭圆形，长约 1cm，龙骨瓣与旗瓣近等长，翼瓣较短，长圆形；闭锁花生于茎上部叶腋，簇生成球状。荚果倒卵形，长 3 ~ 4mm，宽 2 ~ 3mm，先

绒毛胡枝子

端有短尖，表面密被毛。花期 7 ～ 8 月，果期 9 ～ 10 月。

| 生境分布 | 生于海拔 1000m 以下的山坡草地或灌丛间。分布于重庆城口、巫山、巫溪、南川等地。

| 资源情况 | 野生资源稀少。药材主要来源于野生。

| 采收加工 | 秋季采收，洗净，切片，晒干。

| 功能主治 | 清热止血，祛湿镇咳，健脾补虚。用于虚劳，虚肿，痢疾。

| 用法用量 | 内服煎汤，15 ～ 30g。

豆科 Leguminosae 银合欢属 *Leucaena*

银合欢 *Leucaena leucocephala* (Lam.) de Wit

银合欢

| 药 材 名 |

银合欢（药用部位：根皮）。

| 形态特征 |

灌木或小乔木，高 2 ~ 6m。幼枝被短柔毛，老枝无毛，具褐色皮孔，无刺。托叶三角形，小；羽片 4 ~ 8 对，长 5 ~ 9（~ 16）cm，叶轴被柔毛，在最下 1 对羽片着生处有黑色腺体 1；小叶 5 ~ 15 对，线状长圆形，长 7 ~ 13mm，宽 1.5 ~ 3mm，先端急尖，基部楔形，边缘被短柔毛，中脉偏向小叶上缘，两侧不等宽。头状花序通常 1 ~ 2 腋生，直径 2 ~ 3cm；苞片紧贴，被毛，早落；总花梗长 2 ~ 4cm；花白色；花萼长约 3mm，先端具 5 细齿，外面被柔毛；花瓣狭倒披针形，长约 5mm，背被疏柔毛；雄蕊 10，通常被疏柔毛，长约 7mm；子房具短柄，上部被柔毛，柱头凹下呈杯状。荚果带状，长 10 ~ 18cm，宽 1.4 ~ 2cm，先端凸尖，基部有柄，纵裂，被微柔毛；种子 6 ~ 25，卵形，长约 7.5mm，褐色，扁平，光亮。花期 4 ~ 7 月，果期 8 ~ 10 月。

| 生境分布 |

生于低海拔的荒地或疏林中。分布于重庆南

川、潼南、合川、北碚等地。

| 资源情况 | 野生资源稀少，栽培资源较少。药材来源于栽培，自采自用。

| 采收加工 | 秋、冬季采收，洗净，切碎，晒干。

| 功能主治 | 甘，平。解郁宁心，解毒消肿。用于心烦失眠，心悸怔忡，跌打损伤，骨折，肺痈，痈肿，疥疮。

| 用法用量 | 内服煎汤，4.5 ~ 9g。外用适量，研末调敷。

豆科 Leguminosae 百脉根属 *Lotus*

百脉根 *Lotus corniculatus* L.

| 药 材 名 | 百脉根（药用部位：根）、地羊鹊（药用部位：地上部分。别名：斑鸠窝、酸米子、小花生藤）、百脉根花（药用部位：花。别名：三月黄花）。

| 形态特征 | 多年生草本，高 15 ～ 50cm，全株散生稀疏白色柔毛或秃净。具主根。茎丛生，平卧或上升，实心，近四棱形。羽状复叶具小叶 5；叶轴长 4 ～ 8mm，疏被柔毛，先端 3 小叶，基部 2 小叶呈托叶状，纸质，斜卵形至倒披针状卵形，长 5 ～ 15mm，宽 4 ～ 8mm，中脉不清晰；小叶柄甚短，长约 1mm，密被黄色长柔毛。伞形花序；总花梗长 3 ～ 10cm；花 3 ～ 7 集生于总花梗先端，长（7 ～ ）9 ～ 15mm；花梗短，基部有苞片 3；苞片叶状，与花萼等长，宿存；花萼钟形，长 5 ～ 7mm，宽 2 ～ 3mm，无毛或稀被柔毛，萼齿近等长，狭三角

百脉根

形，渐尖，与萼筒等长；花冠黄色或金黄色，干后常变蓝色，旗瓣扁圆形，瓣片和瓣柄几等长，长 10 ~ 15mm，宽 6 ~ 8mm，翼瓣和龙骨瓣等长，均略短于旗瓣，龙骨瓣呈直角三角形弯曲，喙部狭尖；雄蕊二体，花丝分离部略短于雄蕊筒；花柱直，等长于子房，呈直角上指，柱头点状，子房线形，无毛，胚珠 35 ~ 40。荚果直，线状圆柱形，长 20 ~ 25mm，直径 2 ~ 4mm，褐色，二瓣裂，扭曲，有多数种子；种子细小，卵圆形，长约 1mm，灰褐色。花期 5 ~ 9 月，果期 7 ~ 10 月。

| 生境分布 | 生于湿润而呈弱碱性的山坡、草地、田野或河滩地。分布于重庆潼南、忠县、巫山、丰都、巫溪、云阳、武隆、奉节、城口、南川等地。

| 资源情况 | 野生资源一般。药材来源于野生，自产自销。

| 采收加工 | 百脉根：夏季采收，洗净，晒干。

地羊鹊：夏季采收地上部分，鲜用或晒干。

百脉根花：5 ~ 7 月采摘，晒干。

| 功能主治 | 百脉根：甘、苦，微寒。补虚，清热，止渴。用于虚劳，阴虚发热，口渴。

地羊鹊：甘、微苦，凉。清热解毒，止咳平喘，利湿消痞。用于风热咳嗽，咽喉肿痛，胃脘痞满疼痛，疔疮，无名肿毒，湿疹，痢疾，痔疮便血。

百脉根花：微苦、辛，平。清肝明目。用于风热目赤，视物昏花。

| 用法用量 | 百脉根：内服煎汤，9 ~ 18g；或浸酒；或入丸、散。

地羊鹊：内服煎汤，9 ~ 18g。外用适量，捣敷。

百脉根花：内服煎汤，6 ~ 10g。

豆科 Leguminosae 苜蓿属 *Medicago*

天蓝苜蓿 *Medicago lupulina* L.

| 药 材 名 | 老蜗生（药用部位：全草。别名：天蓝、小黄花草、野花生）。

| 形态特征 | 一年生、二年生或多年生草本，高 15 ~ 60cm，全株被柔毛或腺毛。主根浅，须根发达。茎平卧或上升，多分枝。叶茂盛，羽状三出复叶；托叶卵状披针形，长可达 1cm，先端渐尖，基部圆或戟状，常齿裂；下部叶柄较长，长 1 ~ 2cm，上部叶柄比小叶短；小叶倒卵形、阔倒卵形或倒心形，长 5 ~ 20mm，宽 4 ~ 16mm，纸质，先端多少截平或微凹，具细尖，基部楔形，边缘在上半部具不明显尖齿，两面均被毛，侧脉近 10 对，平行达叶边，几不分叉，上下均平坦；顶生小叶较大，小叶柄长 2 ~ 6mm，侧生小叶柄甚短。花序小，头状，具花 10 ~ 20；总花梗细，挺直，比叶长，密被贴伏柔毛；苞片刺毛状，甚小；花长 2 ~ 2.2mm；花梗短，长不到 1mm；花萼钟形，

天蓝苜蓿

长约 2mm，密被毛，萼齿线状披针形，稍不等长，比萼筒略长或等长；花冠黄色，旗瓣近圆形，先端微凹，翼瓣和龙骨瓣近等长，均比旗瓣短；子房阔卵形，被毛，花柱弯曲，胚珠 1。荚果肾形，长 3mm，宽 2mm，表面具同心弧形脉纹，被稀疏毛，熟时变黑，有种子 1；种子卵形，褐色，平滑。花期 7 ~ 9 月，果期 8 ~ 10 月。

| 生境分布 | 生于河岸、路边、田野或林缘。重庆各地均有分布。

| 资源情况 | 野生资源丰富。药材来源于野生，自产自销。

| 采收加工 | 夏季采挖，鲜用或切碎晒干。

| 药材性状 | 本品长 20 ~ 60cm，被疏毛。三出复叶互生，具长柄；完整小叶宽倒卵形或菱形，先端钝圆、微凹，基部宽楔形，边缘上部具锯齿，两面均具白色柔毛，小叶柄短；托叶斜卵形，有柔毛。花 10 ~ 15 密集成头状花序；花萼钟状，花冠蝶形，黄棕色。荚果先端内曲，稍呈肾形，黑色，具网纹，有疏柔毛。种子 1，黄褐色。气微，味淡。

| 功能主治 | 甘、苦、微涩，凉；有小毒。清热利湿，舒筋活络，止咳平喘，凉血解毒。用于湿热黄疸，热淋，石淋，风湿痹痛，咳喘，痔疮出血，指头疔，毒蛇咬伤。

| 用法用量 | 内服煎汤，9 ~ 30g。外用适量，捣敷。

豆科 Leguminosae 苜蓿属 *Medicago*

小苜蓿 *Medicago minima* (L.) Grufb.

| 药 材 名 | 小苜蓿（药用部位：根）。

| 形态特征 | 一年生草本，高 5 ~ 30cm，全株被伸展柔毛，偶杂有腺毛。主根粗壮，深入土中。茎铺散，平卧并上升，基部多分枝。羽状三出复叶；托叶卵形，先端锐尖，基部圆形，全缘或具不明显浅齿；叶柄细柔，长 5 ~ 10（~ 20）mm；小叶倒卵形，几等大，长 5 ~ 8（~ 12）mm，宽 3 ~ 7mm，纸质，先端圆或凹缺，具细尖，基部楔形，边缘 1/3 以上具锯齿，两面均被毛。花序头状，具花 3 ~ 6（~ 8），疏松；总花梗细，挺直，腋生，通常比叶长，有时甚短；苞片细小，刺毛状；花长 3 ~ 4mm；花梗甚短或无梗；花萼钟形，密被柔毛，萼齿披针形，不等长，与萼筒等长或稍长；花冠淡黄色，旗瓣阔卵形，显著比翼瓣和龙骨瓣长。荚果球形，旋转 3 ~ 5 圈，直径 2.5 ~

小苜蓿

4.5mm，边缝具 3 棱，被长棘刺，通常长等于半径，水平伸展，尖端钩状，每圈有种子 1 ~ 2；种子长肾形，长 1.5 ~ 2mm，棕色，平滑。花期 3 ~ 4 月，果期 4 ~ 5 月。

| 生境分布 | 生于荒坡、砂地、河岸。分布于重庆綦江、巫溪等地。

| 资源情况 | 野生资源较少。药材来源于野生，自采自用。

| 采收加工 | 夏季采挖，洗净，鲜用或晒干。

| 功能主治 | 清热，利湿，止咳。用于热病烦满，咳嗽。

| 用法用量 | 内服煎汤，适量。

豆科 Leguminosae 苜蓿属 *Medicago*

南苜蓿 *Medicago polymorpha* L.

| 药 材 名 | 苜蓿（药用部位：全草。别名：木粟、怀风、光风）、苜蓿根（药用部位：根）。

| 形态特征 | 一年生、二年生草本，高 20 ~ 90cm。茎平卧、上升或直立，近四棱形，基部分枝，无毛或微被毛。羽状三出复叶；托叶大，卵状长圆形，长 4 ~ 7mm，先端渐尖，基部耳状，边缘具不整齐条裂，成丝状细条或深齿状缺刻，脉纹明显；叶柄柔软，细长，长 1 ~ 5cm，上面具浅沟；小叶倒卵形或三角状倒卵形，几等大，长 7 ~ 20mm，宽 5 ~ 15mm，纸质，先端钝，近截平或凹缺，具细尖，基部阔楔形，边缘在 1/3 以上具浅锯齿，上面无毛，下面被疏柔毛，无斑纹。花序头状伞形，具花（1 ~ ）2 ~ 10；总花梗腋生，纤细无毛，长 3 ~ 15mm，通常比叶短；花序轴先端不呈芒状尖；苞片甚小，尾

南苜蓿

尖；花长 3 ~ 4mm；花梗不到 1mm；花萼钟形，长约 2mm，萼齿披针形，与萼筒近等长，无毛或稀被毛；花冠黄色，旗瓣倒卵形，先端凹缺，基部阔楔形，比翼瓣和龙骨瓣长，翼瓣长圆形，基部具耳和稍阔的瓣柄，齿突甚发达，龙骨瓣比翼瓣稍短，基部具小耳，成钩状；子房长圆形，镰状上弯，微被毛。荚果盘形，暗绿褐色，顺时针方向紧旋 1.5 ~ 2.5（~ 6）圈，直径（不包括刺长）4 ~ 6（~ 10）mm，螺面平坦无毛，有多条辐射状脉纹，近边缘处环结，每圈具棘刺或瘤突 15，每圈有种子 1 ~ 2；种子长肾形，长约 2.5mm，宽 1.25mm，棕褐色，平滑。花期 3 ~ 5 月，果期 5 ~ 6 月。

| 生境分布 | 生于田野、山坡或路边。分布于重庆忠县、奉节、酉阳、南川、涪陵、长寿、云阳、武隆、九龙坡、沙坪坝等地。

| 资源情况 | 野生资源较少。药材主要来源于野生，自产自销。

| 采收加工 | 苜蓿：夏、秋季收割，鲜用或晒干。

苜蓿根：夏季采挖，洗净，鲜用或晒干。

| 药材性状 | 苜蓿：本品缠绕成团。茎多分枝。三出复叶，多皱缩，完整小叶宽倒卵形，长 1 ~ 1.5cm，宽 0.7 ~ 1cm，两侧小叶较小，先端钝圆或凹入，上部有锯齿，下部楔形，上面无毛，下面具疏柔毛；小叶柄长约 5mm，有柔毛；托叶大，卵形，边缘具细锯齿。总状花序腋生；花 2 ~ 6，花萼钟形，萼齿披针形，尖锐，花冠皱缩，棕黄色，略伸出萼外。荚果螺旋形，边缘具疏刺。种子 1 ~ 2，肾形，黄褐色。气微，味淡。

苜蓿根：本品细长圆柱形，直径 0.5 ~ 2cm，分枝较多；根头部较粗大，有时具地上茎残基。表面灰棕色至红棕色，皮孔少且不明显。质坚而脆，断面刺状。气微弱，略具刺激性，味微苦。

| 功能主治 | 苜蓿：苦、涩、微甘，平。清热凉血，利湿退黄，通淋排石。用于热病烦满，黄疸，肠炎，痢疾，浮肿，尿路结石，痔疮出血。

苜蓿根：苦，寒。清热利湿，通淋排石。用于热病烦满，黄疸，尿路结石。

| 用法用量 | 苜蓿：内服煎汤，15 ~ 30g；或捣汁，鲜品 90 ~ 150g；或研末，3 ~ 9g。

苜蓿根：内服煎汤，15 ~ 30g；或捣汁。

| 附　　注 | 本种同属植物紫苜蓿 *Medicago sativa* L. 亦为药材苜蓿及苜蓿根的基源植物。

豆科 Leguminosae 苜蓿属 *Medicago*

紫苜蓿 *Medicago sativa* L.

| 药 材 名 | 苜蓿（药用部位：全草。别名：木粟、怀风、光风）、苜蓿根（药用部位：根）、苜蓿子（药用部位：种子）。

| 形态特征 | 多年生草本，高 30 ~ 100cm。根粗壮，深入土层；根茎发达。茎直立、丛生以至平卧，四棱形，无毛或微被柔毛，枝叶茂盛。羽状三出复叶；托叶大，卵状披针形，先端锐尖，基部全缘或具 1 ~ 2 齿裂，脉纹清晰；叶柄比小叶短；小叶长卵形、倒长卵形至线状卵形，等大，或顶生小叶稍大，长（5 ~ ）10 ~ 25（ ~ 40）mm，宽 3 ~ 10mm，纸质，先端钝圆，具由中脉伸出的长齿尖，基部狭窄，楔形，边缘 1/3 以上具锯齿，上面无毛，深绿色，下面被贴伏柔毛；侧脉 8 ~ 10 对，与中脉成锐角，在近叶边处略有分叉；顶生小叶柄比侧生小叶柄略长。花序总状或头状，长 1 ~ 2.5cm，具花 5 ~ 30；总花梗挺

紫苜蓿

直，比叶长；苞片线状锥形，比花梗长或等长；花长 6 ~ 12mm；花梗短，长约 2mm；花萼钟形，长 3 ~ 5mm，萼齿线状锥形，比萼筒长，被贴伏柔毛；花冠各色，淡黄色、深蓝色至暗紫色，花瓣均具长瓣柄，旗瓣长圆形，先端微凹，明显较翼瓣和龙骨瓣长，翼瓣较龙骨瓣稍长；子房线形，被柔毛，花柱短阔，上端细尖，柱头点状，胚珠多数。荚果螺旋状紧卷 2 ~ 4（~ 6）圈，中央无孔或近无孔，直径 5 ~ 9mm，被柔毛或渐脱落，脉纹细，不清晰，熟时棕色。种子 10 ~ 20，卵形，长 1 ~ 2.5mm，平滑，黄色或棕色。花期 5 ~ 7 月，果期 6 ~ 8 月。

| 生境分布 | 生于田边、路旁、旷野、草原、河岸或沟谷等地。分布于重庆巫山、长寿、酉阳等地。

| 资源情况 | 野生资源稀少。药材主要来源于野生，自产自销。

| 采收加工 | 苜蓿：参见“南苜蓿”条。

苜蓿根：参见“南苜蓿”条。

苜蓿子：秋季摘取，晒干。

| 药材性状 | 苜蓿：本品茎长 30 ~ 100cm，有蔓生茎，多分枝，光滑。三出复叶，多皱缩卷曲，完整小叶倒卵形或倒披针形，长 1 ~ 2.5cm，宽约 0.5cm，仅上部叶缘有锯齿，两面均有白色长柔毛；小叶柄长约 1mm；托叶披针形，长约 5mm。总状花序腋生。花萼有柔毛，萼齿狭披针形，急尖，花冠暗紫色，长于花萼。荚果螺旋形，2 ~ 3 绕不等，黑褐色，稍有毛。种子 1 ~ 10，肾形，小，黄褐色。气微，味淡。

苜蓿根：参见“南苜蓿”条。

苜蓿子：本品呈卵形，长 2 ~ 2.5mm，宽约 1.5mm；在较大一端有斜截面，凹处有点状种脐，表面黄褐色、黄绿色，种皮薄，光滑，具光泽。无臭，有豆腥味。

| 功能主治 | 苜蓿：参见“南苜蓿”条。

苜蓿根：参见“南苜蓿”条。

苜蓿子：生血益精，润肠壮阳，止咳止痛，通经催乳。用于形瘦血亏，闭经乳少，便秘阳痿，咳嗽胸闷，关节疼痛。

| 用法用量 | 苜蓿：参见“南苜蓿”条。

苜蓿根：参见“南苜蓿”条。

苜蓿子：内服煎汤，2 ~ 3g。外用适量。

| 附　　注 | 本种的同属植物南苜蓿 *Medicago polymorpha* L. 亦为药材苜蓿及苜蓿根的基原植物。

豆科 Leguminosae 草木犀属 *Melilotus*

白花草木犀 *Melilotus albus* Desr.

| 药 材 名 | 白花辟汗草（药用部位：全株。别名：金花草、白甜车轴草、白草木犀）。

| 形态特征 | 一年生、二年生草本，高 70 ~ 200cm。茎直立，圆柱形，中空，多分枝，几无毛。羽状三出复叶；托叶尖刺状锥形，长 6 ~ 10mm，全缘；叶柄比小叶短，纤细；小叶长圆形或倒披针状长圆形，长 15 ~ 30cm，宽（4 ~ ）6 ~ 12mm，先端钝圆，基部楔形，边缘疏生浅锯齿，上面无毛，下面被细柔毛；侧脉 12 ~ 15 对，平行直达叶缘齿尖，两面均不隆起；顶生小叶稍大，具较长小叶柄，侧小叶小叶柄短。总状花序长 9 ~ 20cm，腋生，具花 40 ~ 100，排列疏松；苞片线形，长 1.5 ~ 2mm；花长 4 ~ 5mm；花梗短，长 1 ~ 1.5mm；

白花草木犀

花萼钟形，长约 2.5mm，微被柔毛，萼齿三角状披针形，短于萼筒；花冠白色，旗瓣椭圆形，稍长于翼瓣，龙骨瓣与翼瓣等长或稍短；子房卵状披针形，上部渐窄至花柱，无毛，胚珠 3 ~ 4。荚果椭圆形至长圆形，长 3 ~ 3.5mm，先端锐尖，具尖喙表面脉纹细，网状，棕褐色，老熟后变黑褐色，有种子 1 ~ 2；种子卵形，棕色，表面具细瘤点。花期 5 ~ 7 月，果期 7 ~ 9 月。

| 生境分布 | 生于田边、路旁荒地或湿润的砂地。分布于重庆巫溪、万州、忠县、丰都、涪陵、长寿、南川、合川、北碚、江津、梁平、九龙坡等地。

| 资源情况 | 野生资源一般。药材主要来源于野生。

| 采收加工 | 花期采割，洗净，切段，阴干。

| 功能主治 | 苦、辛，凉。清热解毒，化湿杀虫，截疟，止痢。用于暑热胸闷，疟疾，痢疾，淋证，皮肤疮疡。本品含有香豆雌醇，能防止妊娠，具有抗生育作用。

| 用法用量 | 内服煎汤，9 ~ 15g。外用适量，捣敷；或煎汤洗。

| 附　　注 | 本种喜湿润和半干燥气候。

豆科 Leguminosae 草木犀属 *Melilotus*

草木犀 *Melilotus officinalis* (L.) Pall.

| 药材名 | 黄香草木樨（药用部位：全草。别名：黄零陵香、辟汗草、黄花草木樨）、辟汗草根（药用部位：根）。

| 形态特征 | 二年生草本，高 40 ~ 100（~ 250）cm。茎直立，粗壮，多分枝，具纵棱，微被柔毛。羽状三出复叶；托叶镰状线形，长 3 ~ 5（~ 7）mm，中央有 1 脉纹，全缘或基部有 1 尖齿；叶柄细长；小叶倒卵形、阔卵形、倒披针形至线形，长 15 ~ 25（~ 30）mm，宽 5 ~ 15mm，先端钝圆或截形，基部阔楔形，边缘具不整齐疏浅齿，上面无毛，粗糙，下面散生短柔毛；侧脉 8 ~ 12 对，平行直达齿尖，两面均不隆起；顶生小叶稍大，具较长的小叶柄，侧小叶的小叶柄短。总状花序长 6 ~ 15（~ 20）cm，腋生，具花 30 ~ 70，初时稠密，花开后渐疏松，花序轴在花期中显著伸展；苞片刺毛状，长约

草木犀

1mm；花长 3.5 ~ 7mm；花梗与苞片等长或稍长；花萼钟形，长约 2mm，脉纹 5，甚清晰，萼齿三角状披针形，稍不等长，比萼筒短；花冠黄色，旗瓣倒卵形，与翼瓣近等长，龙骨瓣稍短或三者均近等长；雄蕊筒在花后常宿存，包于果外；子房卵状披针形，胚珠（4 ~ ）6（ ~ 8），花柱长于子房。荚果卵形，长 3 ~ 5mm，宽约 2mm，先端具宿存花柱，表面具凹凸不平的横向细网纹，棕黑色，有种子 1 ~ 2；种子卵形，长 2.5mm，黄褐色，平滑。花期 5 ~ 9 月，果期 6 ~ 10 月。

| 生境分布 | 生于山坡、河岸、路旁、砂质草地或林缘。分布于重庆奉节、万州、丰都、忠县、涪陵、南川、长寿、合川、北碚、垫江、潼南、云阳、开州、石柱、巫山、梁平、巴南等地。

| 资源情况 | 野生资源丰富。药材来源于野生，自产自销。

| 采收加工 | 黄香草木樨：花期采收，洗去泥土，阴干。
辟汗草根：夏末秋初采挖，洗净，切片，晒干。

| 药材性状 | 黄香草木樨：本品茎略呈五角形，中空，有 4 ~ 6 条纵向棱脊；表面无毛，绿色。羽状复叶，有 3 小叶，叶柄长 1 ~ 2cm；叶片多皱缩，易碎，完整者展开后呈椭圆形，边缘有锯齿。花黄色，总状花序腋生或顶生，长约 10cm；花冠蝶形，旗瓣与翼瓣近等长；花萼钟状，萼齿 5，三角形。气芳香，味甘。

| 功能主治 | 黄香草木樨：辛、苦，凉。归肝、肾、脾经。清热解毒，疏肝利胆，化瘀，利湿，杀虫。用于湿热型黄疸性肝炎，暑热胸闷，疟疾，淋巴水肿，皮肤疮疡等。
辟汗草根：微苦，平。清热散结，敛阴止汗。用于淋巴结核，虚汗。

| 用法用量 | 黄香草木樨：内服煎汤，9 ~ 15g。外用适量。
辟汗草根：内服煎汤，9 ~ 15g。

| 附　　注 | 《中华本草》中药材黄零陵香，其原植物为黄香草木犀 *Melilotus officinalis* (L.) Pall.；药材辟汗草，其原植物为草木犀 *Melilotus suaveolens* Ledeb.。以往把东亚产的鉴定作 *M. suaveolens* Ledeb.，欧洲产的鉴定作 *M. officinialis* (L.) Pall.，二者以花的长度、果实表面网纹和胚珠数目来区分，但这些特征相互交叉而且差别甚微，实难以区别，故《中国植物志》将二者予以归并。

豆科 Leguminosae 崖豆藤属 *Millettia*

香花崖豆藤 *Millettia dielsiana* Harms

| 药 材 名 | 山鸡血藤（药用部位：藤茎。别名：鸡血藤、昆明鸡血藤）、崖豆藤根（药用部位：根。别名：鸡血藤根）、崖豆藤花（药用部位：花）。

| 形态特征 | 攀缘灌木，长 2 ~ 5m。茎皮灰褐色，剥裂；枝无毛或被微毛。羽状复叶长 15 ~ 30cm；叶柄长 5 ~ 12cm，叶轴被稀疏柔毛，后秃净，上面有沟；托叶线形，长 3mm；小叶 2 对，间隔 3 ~ 5cm，纸质，披针形、长圆形至狭长圆形，长 5 ~ 15cm，宽 1.5 ~ 6cm，先端急尖至渐尖，偶钝圆，基部钝圆，偶近心形，上面有光泽，几无毛，下面被平伏柔毛或无毛；侧脉 6 ~ 9 对，近边缘环结，中脉在上面微凹，下面甚隆起，细脉网状，两面均显著；小叶柄长 2 ~ 3mm；小托叶锥刺状，长 3 ~ 5mm。圆锥花序顶生，宽大，长达 40cm，生花枝伸展，长 6 ~ 15cm，较短时近直生，较长时呈扇状开展并下垂；花序轴多少被黄褐色柔毛；花单生，近接；苞片线形，锥尖，

香花崖豆藤

略短于花梗，宿存，小苞片线形，贴萼生，早落；花长 1.2 ~ 2.4cm；花梗长约 5mm；花萼阔钟状，长 3 ~ 5mm，宽 4 ~ 6mm，与花梗同被细柔毛，萼齿短于萼筒，上方 2 齿几全合生，其余为卵形至三角状披针形，下方 1 齿最长；花冠紫红色，旗瓣阔卵形至倒阔卵形，密被锈色或银色绢毛，基部稍呈心形，具短瓣柄，无胼胝体，翼瓣甚短，约为旗瓣的 1/2，锐尖头，下侧有耳，龙骨瓣镰形；雄蕊二体，对旗瓣的 1 枚离生；花盘浅皿状；子房线形，密被绒毛，花柱长于子房，旋曲，柱头下指，胚珠 8 ~ 9。荚果线形至长圆形，长 7 ~ 12cm，宽 1.5 ~ 2cm，扁平，密被灰色绒毛，果瓣薄，近木质，瓣裂，有种子 3 ~ 5；种子长圆状凸镜形，长约 8cm，宽约 6cm，厚约 2cm。花期 5 ~ 9 月，果期 6 ~ 11 月。

| 生境分布 | 生于海拔 500 ~ 2700m 的山坡杂木林、灌丛中或阴处岩边。重庆各地均有分布。

| 资源情况 | 野生资源丰富。药材来源于野生，自产自销。

| 采收加工 | 山鸡血藤：秋、冬季割取藤茎，趁鲜切片，干燥。

崖豆藤根：夏、秋季采挖，洗净，切片，鲜用或晒干。

崖豆藤花：5 ~ 8 月花开时采收，晒干。

| 药材性状 | 山鸡血藤：本品呈椭圆形、类圆形或为不规则斜切片，长径 3 ~ 8cm，短径 1.5 ~ 3cm，厚 3 ~ 6mm。外皮粗糙，灰褐色至棕褐色，皮孔椭圆形，纵向开裂。皮部或皮部内侧有 1 圈红棕色至棕褐色的树脂状物，约占横切面半径的 1/4 ~ 1/3。木部淡黄色，有多数细孔，髓部小。质坚硬。气微，味涩、微苦。

| 功能主治 | 山鸡血藤：苦、甘，温。养血通络。用于月经不调，肢体麻木瘫痪，风湿痹痛等。

崖豆藤根：苦、微甘，温。补血活血，祛风活络。用于气血虚弱，贫血，四肢无力，痢疾，风湿痹痛，跌打损伤，外伤出血。

崖豆藤花：甘、微涩，平。收敛止血。用于鼻衄。

| 用法用量 | 山鸡血藤：内服煎汤，9 ~ 15g。

崖豆藤根：内服煎汤，9 ~ 30g；或浸酒。外用适量，捣敷。

崖豆藤花：内服煎汤，6 ~ 9g。

| 附　　注 | 在 FOC 中，本种被修订为香花鸡血藤 *Callerya dielsiana* (Harms) P. K. Loc ex Z. Wei & Pedley，属名被修订为鸡血藤属 *Callerya*。

豆科 Leguminosae 崖豆藤属 *Millettia*

亮叶崖豆藤 *Millettia nitida* Benth.

| 药材名 | 亮叶崖豆藤（药用部位：藤茎。别名：鸡血藤）。

| 形态特征 | 攀缘灌木。茎皮锈褐色，粗糙；枝初被锈色细毛，后秃净。羽状复叶长 15 ~ 20cm；叶柄长 3 ~ 6cm，叶轴疏被短毛，渐秃净，上面有狭沟；托叶线形，长约 5mm，脱落；小叶 2 对，间隔 2 ~ 3cm，硬纸质，卵状披针形或长圆形，长 5 ~ 9（~ 11）cm，宽（2 ~）3 ~ 4cm，先端钝尖，基部圆形或钝，上面光亮无毛，有时中脉被毛，下面无毛或被稀疏柔毛；侧脉 5 ~ 6 对，达叶喙向上弧曲，细脉网状，两面均隆起；小叶柄长约 3mm；小托叶锥刺状，长约 2mm。圆锥花序顶生，粗壮，长 10 ~ 20cm，密被锈褐色绒毛，生花枝通直，粗壮，长 6 ~ 10cm；花单生；苞片卵状披针形，小苞片卵形，均早落；花长 1.6 ~ 2.4cm；花梗长 4 ~ 8mm；花萼钟状，长 6 ~ 8mm，

亮叶崖豆藤

宽 5 ~ 6mm，密被绒毛，萼齿短于萼筒，上方 2 齿几全合生，其余呈三角形，下方 1 齿最长；花冠青紫色，旗瓣密被绢毛，长圆形，近基部具 2 胼胝体，翼瓣短而直，基部戟形，龙骨瓣镰形，瓣柄长占 1/3；雄蕊二体，对旗瓣的 1 枚离生；花盘皿状；子房线形，具柄，密被绒毛，花柱旋曲，柱头下指，胚珠 4 ~ 8。荚果线状长圆形，长 10 ~ 14cm，宽 1.5 ~ 2cm，密被黄褐色绒毛，先端具尖喙，基部具颈，瓣裂，有种子 4 ~ 5；种子栗褐色，光亮，斜长圆形，长约 10mm，宽约 12mm。花期 5 ~ 9 月，果期 7 ~ 11 月。

| 生境分布 | 生于海拔 800m 以下的山坡草、灌丛中或山地岩石处。分布于重庆巫溪、云阳、垫江、南川、江津、荣昌、大足、长寿、九龙坡、忠县、巴南、沙坪坝等地。

| 资源情况 | 野生资源一般。药材来源于野生，自产自销。

| 采收加工 | 夏、秋季采收茎藤，切片，晒干。

| 功能主治 | 苦，温。补血活血，舒筋活络。用于贫血，产后虚弱，头晕目眩，月经不调，风湿痹痛，四肢麻木。

| 用法用量 | 内服煎汤，15 ~ 30g。外用适量，煎汤洗。

| 附　　注 | 在 FOC 中，本种被修订为亮叶鸡血藤 *Callerya nitida* (Bentham) R. Geesink，属名被修订为鸡血藤属 *Callerya*。

豆科 Leguminosae 崖豆藤属 *Millettia*

厚果崖豆藤 *Millettia pachycarpa* Benth

| 药材名 | 苦檀子（药用部位：种子。别名：土大风子、冲天子、日头鸡）、苦檀叶（药用部位：叶）、苦檀根（药用部位：根）。

| 形态特征 | 巨大藤本，长达 15m，幼年时直立如小乔木状。嫩枝褐色，密被黄色绒毛，后渐秃净，老枝黑色，光滑，散布褐色皮孔，茎中空。羽状复叶长 30 ~ 50cm；叶柄长 7 ~ 9cm；托叶阔卵形，黑褐色，贴生鳞芽两侧，长 3 ~ 4mm，宿存；小叶 6 ~ 8 对，间隔 2 ~ 3cm，草质，长圆状椭圆形至长圆状披针形，长 10 ~ 18cm，宽 3.5 ~ 4.5cm，先端锐尖，基部楔形或圆钝，上面平坦，下面被平伏绢毛；中脉在下面隆起，密被褐色绒毛，侧脉 12 ~ 15 对，平行近叶缘弧曲；小叶柄长 4 ~ 5mm，密被毛；无小托叶。总状圆锥花序，2 ~ 6 生于新枝下部，长 15 ~ 30cm，密被褐色绒毛，生花节长 1 ~ 3mm，花 2 ~ 5

厚果崖豆藤

着生于节上；苞片小，阔卵形，小苞片甚小，线形，离萼生；花长 2.1 ～ 2.3cm；花梗长 6 ～ 8mm；花萼杯状，长约 6mm，宽约 7mm，密被绒毛，萼齿甚短，几不明显，圆头，上方 2 齿全合生；花冠淡紫色，旗瓣无毛，或先端边缘具睫毛，卵形，基部淡紫，基部具 2 短耳，无胼胝体，翼瓣长圆形，下侧具钩，龙骨瓣基部截形，具短钩；雄蕊单体，对旗瓣的 1 枚基部分离；无花盘；子房线形，密被绒毛，花柱长于子房，向上弯，胚珠 5 ～ 7。荚果深褐黄色，肿胀，长圆形，单粒种子时卵形，长 5 ～ 23cm，宽约 4cm，厚约 3cm，秃净，密布浅黄色疣状斑点，果瓣木质，甚厚，迟裂，有种子 1 ～ 5；种子黑褐色，肾形，或挤压成棋子形。花期 4 ～ 6 月，果期 6 ～ 11 月。

| 生境分布 | 生于海拔 2000m 以下的山坡常绿阔叶林内。分布于重庆长寿、南岸、潼南、彭水、奉节、合川、丰都、垫江、忠县、武隆、江津、开州、云阳、铜梁、梁平、巴南、涪陵、南川、九龙坡、沙坪坝等地。

| 资源情况 | 野生资源丰富。药材来源于野生，自产自销。

| 采收加工 | 苦檀子：果实成熟后采收，除去果皮，将种子晒干。
苦檀叶：夏季采收，洗净，鲜用。
苦檀根：夏、秋季采挖，洗净，鲜用或切片晒干。

| 药材性状 | 苦檀子：本品扁圆而略呈肾形，着生在荚果两端者，一面圆形，另一面平截；居于荚果中间者两面均平截；长约 4cm，厚约 3cm。表面红棕色至黑褐色，有光泽，或带灰白色薄膜，脐点位于中腰陷凹处。子叶 2，肥厚，角质样，易纵裂；近脐点周围有不规则突起，使子叶纵裂而不平。气微，味淡而后带窜透性麻感。

| 功能主治 | 苦檀子：苦、辛，热；有大毒。攻毒止痛，消积杀虫。用于疥癣疮癞，痧气腹痛，小儿疳积。
苦檀叶：辛、苦，温；有毒。祛风杀虫，活血消肿。用于皮肤麻木，疥癣，脓肿。
苦檀根：辛、苦，温；有大毒。散瘀消肿。用于跌打损伤，骨折。

| 用法用量 | 苦檀子：内服研末或煅存性研末，0.9 ～ 1.5g；或磨汁。外用适量，研末调敷。内服宜慎。过量服用可引起中毒，病人出现呕吐、腹痛、眩晕、黏膜干燥、呼吸迫促、神志不清等症状。对神经先兴奋后麻痹。
苦檀叶：外用适量，煎汤洗或捣敷。
苦檀根：外用适量，捣敷。不宜内服。

豆科 Leguminosae 崖豆藤属 *Millettia*

网络崖豆藤 *Millettia reticulata* Benth.

| 药 材 名 | 网络鸡血藤（药用部位：藤茎。别名：黄藤、硬壳藤、血藤）、网络鸡血藤根（药用部位：根）。

| 形态特征 | 藤本。小枝圆形，具细棱，初被黄褐色细柔毛，旋秃净，老枝褐色。羽状复叶长 10 ~ 20cm；叶柄长 2 ~ 5cm，叶柄无毛，上面有狭沟；托叶锥刺形，长 3 ~ 5（~ 7）mm，基部向下凸起成 1 对短而硬的距；叶腋有多数钻形的芽苞叶，宿存；小叶 3 ~ 4 对，间隔 1.5 ~ 3cm，硬纸质，卵状长椭圆形或长圆形，长（3 ~）5 ~ 6（~ 8）cm，宽 1.5 ~ 4cm，先端钝，渐尖，或微凹缺，基部圆形，两面均无毛，或被稀疏柔毛；侧脉 6 ~ 7 对，二次环结，细脉网状，两面均隆起，甚明显；小叶柄长 1 ~ 2mm，被毛；小托叶针刺状，长 1 ~ 3mm，宿存。圆锥花序顶生或着生于枝梢叶腋，长 10 ~ 20cm，常下垂，

网络崖豆藤

基部分枝，花序轴被黄褐色柔毛；花密集，单生分枝上；苞片与托叶同形，早落，小苞片卵形，贴萼生；花长 1.3 ～ 1.7cm；花梗长 3 ～ 5mm，被毛；花萼阔钟状至杯状，长 3 ～ 4mm，宽约 5mm，几无毛，萼齿短而钝圆，边缘被黄色绢毛；花冠红紫色，旗瓣无毛，卵状长圆形，基部截形，无胼胝体，瓣柄短，翼瓣和龙骨瓣均直，略长于旗瓣；雄蕊二体，对旗瓣的 1 枚离生；花盘筒状；子房线形，无毛，花柱很短，上弯，胚珠多数。荚果线形，狭长，长约 15cm，宽 1 ～ 1.5cm，扁平，瓣裂，果瓣薄而硬，近木质，有种子 3 ～ 6；种子长圆形。花期 5 ～ 11 月。

| 生境分布 | 生于海拔 1000m 以下的山地灌丛或沟谷。分布于重庆秀山、九龙坡、长寿、武隆、垫江、城口、巫山、奉节、南川、沙坪坝等地。

| 资源情况 | 野生资源较少。药材来源于野生，自产自销。

| 采收加工 | 网络鸡血藤：8 ～ 9 月割取藤茎，除去枝叶，切小段，晒干。

网络鸡血藤根：秋季采挖，洗净，切小段，晒干。

| 药材性状 | 网络鸡血藤：本品茎圆柱形，直径约 3cm。表面灰黄色，粗糙，具横向环纹，皮孔椭圆形至长椭圆形，长 1 ～ 5mm，横向开裂。质坚，难折断，折断面呈不规则裂片状，皮部约占横切面半径的 1/7，分泌物深褐色，木部黄白色，导管孔不明显，髓小、居中。气微，味微涩。

| 功能主治 | 网络鸡血藤：苦、微甘，温；有小毒。养血补虚，活血通经。用于气血虚弱，遗精，阳痿，月经不调，痛经，闭经，赤白带下，腰膝酸痛，肢体麻木瘫痪，风湿痹痛。

网络鸡血藤根：苦；有毒。镇静安神。用于狂躁型精神分裂症。

| 用法用量 | 网络鸡血藤：内服煎汤，9 ～ 30g，鲜品 30 ～ 60g；或浸酒。

网络鸡血藤根：内服煎汤，9 ～ 15g，应久煎减毒。

| 附　　注 | 在 FOC 中，本种被修订为网络鸡血藤 *Callerya reticulata* (Bentham.) Schot，属名被修订为鸡血藤属 *Callerya*。

豆科 Leguminosae 含羞草属 *Mimosa*

含羞草 *Mimosa pudica* L.

｜药 材 名｜ 含羞草（药用部位：地上部分。别名：知羞草、怕羞草、喝呼草）、含羞草根（药用部位：根）。

｜形态特征｜ 披散、亚灌木状草本，高可达 1m。茎圆柱形，具分枝，有散生、下弯的钩刺及倒生刺毛。托叶披针形，长 5 ~ 10mm，被刚毛；羽片和小叶触之即闭合而下垂；羽片通常 2 对，指状排列于总叶柄之先端，长 3 ~ 8cm；小叶 10 ~ 20 对，线状长圆形，长 8 ~ 13mm，宽 1.5 ~ 2.5mm，先端急尖，边缘被刚毛。头状花序圆球形，直径约 1cm，具长总花梗，单生或 2 ~ 3 生于叶腋；花小，淡红色，多数；苞片线形；花萼极小；花冠钟状，裂片 4，外面被短柔毛；雄蕊 4，伸出于花冠之外；子房有短柄，无毛；胚珠 3 ~ 4，花柱丝状，柱头小。荚果长圆形，长 1 ~ 2cm，宽约 5mm，扁平，稍弯曲，荚缘波状，

含羞草

被刺毛，成熟时荚节脱落，荚缘宿存；种子卵形，长 3.5mm。花期 3 ~ 10 月，果期 5 ~ 11 月。

| 生境分布 | 生于旷野荒地、灌丛中。分布于重庆南川、巴南、南岸、永川、荣昌等地。

| 资源情况 | 野生资源一般，栽培资源较少。药材来源于栽培，自产自销。

| 采收加工 | 含羞草：夏、秋季采收，干燥。

含羞草根：夏季采收，洗净，鲜用或晒干。

| 药材性状 | 含羞草：本品呈段状，长 1 ~ 1.5cm。茎直径 1 ~ 3mm，棕色，有散生利刺及无数倒生刺毛。可见羽状复叶，灰棕色；小叶多数，完整者矩圆形，长 8 ~ 13mm，先端短尖，有散生刺毛，无柄。气微，味淡。

| 功能主治 | 含羞草：甘、涩、苦，微寒；有小毒。归心、肝经。清热利尿，化痰止咳，安神止痛。用于感冒发热，目赤肿痛，痰多，泄泻，淋证，跌打损伤，疮痈肿毒。

含羞草根：涩、微苦，温；有毒。止咳化痰，利湿通络，和胃消积，明目镇静。用于慢性气管炎，风湿疼痛，慢性胃炎，小儿消化不良，闭经，头痛失眠，眼花。

| 用法用量 | 含羞草：内服煎汤，15 ~ 24g。外用适量，捣敷患处。孕妇忌服。

含羞草根：内服煎汤，9 ~ 15g，鲜品 30 ~ 60g；或浸酒。外用适量，捣敷。忌酸冷。

| 附　　注 | 本种喜温暖、湿润而向阳的环境，在丘陵或平坝的一般土壤中都可生长。主要通过种子繁殖。

豆科 Leguminosae 黧豆属 *Mucuna*

常春油麻藤 *Mucuna sempervirens* Hemsl.

|药材名| 常春油麻藤（药用部位：藤茎。别名：牛马藤、过山龙、油麻血藤）。

|形态特征| 常绿木质藤本，长可达 25m。老茎直径超过 30cm，树皮有皱纹，幼茎有纵棱和皮孔。羽状复叶具 3 小叶，叶长 21 ~ 39cm；托叶脱落；叶柄长 7 ~ 16.5cm；小叶纸质或革质，顶生小叶椭圆形、长圆形或卵状椭圆形，长 8 ~ 15cm，宽 3.5 ~ 6cm，先端渐尖头可达 15cm，基部稍楔形，侧生小叶极偏斜，长 7 ~ 14cm，无毛；侧脉 4 ~ 5 对，在两面明显，下面凸起；小叶柄长 4 ~ 8mm，膨大。总状花序生于老茎上，长 10 ~ 36cm，每节上有 3 花，无香气或有臭味；苞片和小苞片不久脱落，苞片狭倒卵形，长、宽均 15mm；花梗长 1 ~ 2.5cm，被短硬毛；小苞片卵形或倒卵形；花萼密被暗褐色伏贴短毛，外面被稀疏的金黄色或红褐色脱落的长硬毛，萼筒宽杯形，长 8 ~ 12mm，

常春油麻藤

宽 18 ~ 25mm；花冠深紫色，干后黑色，长约 6.5cm，旗瓣长 3.2 ~ 4cm，圆形，先端凹达 4mm，基部耳长 1 ~ 2mm，翼瓣长 4.8 ~ 6cm，宽 1.8 ~ 2cm，龙骨瓣长 6 ~ 7cm，基部瓣柄长约 7mm，耳长约 4mm；雄蕊管长约 4cm；花柱下部和子房被毛。果实木质，带形，长 30 ~ 60cm，宽 3 ~ 3.5cm，厚 1 ~ 1.3cm，种子间缢缩，近念珠状，边缘多数加厚，凸起为 1 圆形脊，中央无沟槽，无翅，被伏贴红褐色短毛和长的脱落红褐色刚毛；种子 4 ~ 12，内部隔膜木质，带红色，褐色或黑色，扁长圆形，长 2.2 ~ 3cm，宽 2 ~ 2.2cm，厚 1cm，种脐黑色，包围着种子的 3/4。花期 4 ~ 5 月，果期 8 ~ 10 月。

｜生境分布｜ 生于海拔 200 ~ 1200m 的山地林边，常缠绕于其他树上或附生于岩石上，或栽培于庭园、路旁。分布于重庆万州、南川、合川、沙坪坝、渝北、北碚、潼南、长寿、丰都、铜梁、武隆、开州、垫江、巫溪、九龙坡等地。

｜资源情况｜ 野生资源一般，栽培资源较丰富。药材来源于野生和栽培。

｜采收加工｜ 9 ~ 10 月采收，除去枝叶，切斜片，晒干。

｜药材性状｜ 本品多为斜切片。表面灰褐色，粗糙，栓皮脱落处显棕黑色。切面皮部薄，韧皮部有树脂状分泌物，棕褐色，木部灰黄色，有多数导管孔。韧皮部与木部相间排列成 4 ~ 6 个同心环。中心有小型髓。质坚，体轻。气微，味微涩。

｜功能主治｜ 甘，温。归肝、胃经。行血补血，通经活络。用于风湿疼痛，四肢麻木，贫血，月经不调。

｜用法用量｜ 内服煎汤，15 ~ 30g，或浸酒。

豆科 Leguminosae 红豆属 *Ormosia*

红豆树 *Ormosia hosiei* Hemsl. et Wils.

红豆树

| 药材名 |

红豆（药用部位：种子）。

| 形态特征 |

常绿或落叶乔木，高 20 ~ 30m，胸径可达 1m。树皮灰绿色，平滑；小枝绿色，幼时被黄褐色细毛，后变光滑；冬芽被褐黄色细毛。奇数羽状复叶，长 12.5 ~ 23cm；叶柄长 2 ~ 4cm，叶轴长 3.5 ~ 7.7cm，叶轴在最上部 1 对小叶处延长 0.2 ~ 2cm 生顶小叶；小叶（1 ~ ）2（ ~ 4）对，薄革质，卵形或卵状椭圆形，稀近圆形，长 3 ~ 10.5cm，宽 1.5 ~ 5cm，先端急尖或渐尖，基部圆形或阔楔形，上面深绿色，下面淡绿色，幼叶疏被细毛，老则脱落无毛或仅下面中脉被疏毛；侧脉 8 ~ 10 对，和中脉成 60° 角，干后侧脉和细脉均明显凸起成网格；小叶柄长 2 ~ 6mm，圆形，无凹槽，小叶柄及叶轴疏被毛或无毛。圆锥花序顶生或腋生，长 15 ~ 20cm，下垂；花疏，有香气；花梗长 1.5 ~ 2cm；花萼钟形，浅裂，萼齿三角形，紫绿色，密被褐色短柔毛；花冠白色或淡紫色，旗瓣倒卵形，长 1.8 ~ 2cm，翼瓣与龙骨瓣均为长椭圆形；雄蕊 10，花药黄色；子房光滑无毛，内有胚珠 5 ~ 6，花柱紫色，线状，弯曲，柱头斜生。荚果近圆形，扁平，长 3.3 ~ 4.8cm，宽 2.3 ~ 3.5cm，先端有短喙，果颈长 5 ~ 8mm，果瓣近革质，厚 2 ~ 3mm，干后褐色，无毛，内壁无隔膜，有种子 1 ~ 2；种子近圆形或椭圆形，长 1.5 ~ 1.8cm，宽 1.2 ~ 1.5cm，厚约 5mm，种皮红色，种脐长 9 ~ 10mm，位于长轴一侧。花期 4 ~ 5 月，果期 10 ~ 11 月。

| 生境分布 | 生于海拔 200 ~ 1350m 的河旁、山坡、山谷林内，亦见于庭园栽培。分布于重庆黔江、丰都、潼南、长寿、武隆、城口、巫溪、巫山、奉节、开州、梁平、石柱、涪陵、南川、江津、北碚、沙坪坝等地。

| 资源情况 | 野生资源较少，亦有零星栽培。药材主要来源于栽培，自采自用。

| 采收加工 | 栽培 15 ~ 20 年后开花结果，在 10 ~ 11 月种子成熟时，打下果实，晒至果荚开裂后，筛出种子，再晒干。

| 药材性状 | 本品呈椭圆形或近圆形，长 1.3 ~ 1.8cm。表面鲜红色或暗红色，有光泽，侧面有条状种脐，长约 8mm。种皮坚脆；子叶发达，2，富油性。气微。

| 功能主治 | 苦，平；有小毒。理气活血，清热解毒。用于心胃气痛，疝气疼痛，血滞经闭，无名肿毒，疔疮。

| 用法用量 | 内服煎汤，6 ~ 15g。

| 附　　注 | 本种喜温暖向阳环境，对土壤要求不严，适宜于排水良好而较深厚的夹砂土中栽培。主要通过种子繁殖。

豆科 Leguminosae 豆薯属 *Pachyrhizus*

豆薯 *Pachyrhizus erosus* (L.) Urb.

| 药 材 名 | 凉薯（药用部位：块根。别名：地瓜、土瓜、凉瓜）、凉薯子（药用部位：种子。别名：地瓜子、地萝卜子）、凉薯花（药用部位：花）。

| 形态特征 | 粗壮缠绕草质藤本，稍被毛，有时基部稍木质。根块状，纺锤形或扁球形，一般直径为 20 ~ 30cm，肉质。羽状复叶具 3 小叶；托叶线状披针形，长 5 ~ 11mm；小托叶锥状，长约 4mm；小叶菱形或卵形，长 4 ~ 18cm，宽 4 ~ 20cm，中部以上不规则浅裂，裂片小，急尖，侧生小叶的两侧极不等，仅下面微被毛。总状花序长 15 ~ 30cm，每节有花 3 ~ 5；小苞片刚毛状，早落；花萼长 9 ~ 11mm，被紧贴的长硬毛；花冠浅紫色或淡红色，旗瓣近圆形，长 15 ~ 20mm，中央近基部处有一黄绿色斑块及 2 胼胝状附属物，瓣柄以上有 2 半圆形、直立的耳，翼瓣镰刀形，基部具线形、向下

豆薯

的长耳，龙骨瓣近镰刀形，长 1.5 ~ 2cm；雄蕊二体，对旗瓣的 1 枚离生；子房被浅黄色长硬毛，花柱弯曲，柱头位于先端以下的腹面。荚果带形，长 7.5 ~ 13cm，宽 12 ~ 15mm，扁平，被细长糙伏毛；种子每荚 8 ~ 10，近方形，长、宽均 5 ~ 10mm，扁平。花期 8 月，果期 11 月。

| 生境分布 | 栽培于菜园或山地。重庆各地均有分布。

| 资源情况 | 野生资源稀少。药材来源于栽培，自产自销。

| 采收加工 | 凉薯：秋季采挖，鲜用或晒干。

凉薯子：10 ~ 11 月果实成熟后采收，打下种子，晒干。

凉薯花：7 ~ 9 月采收，晒干。

| 药材性状 | 凉薯：本品呈纺锤形或扁球形，有的凹陷成瓣状，长 5 ~ 20cm，直径可达 20cm。表面黄白色或棕褐色，肥厚、肉质，鲜时外皮易撕去，内面白色，水分较多，干后粉白色，粉性足。气微，味甘。

凉薯子：本品近方形而扁，直径约 6mm。表面棕色至深棕色，有光泽。

凉薯花：本品呈扁长圆形或短镰状，长约 2cm，宽约 5mm。萼片灰绿色或灰黄色，花瓣淡黄色，间有浅蓝色，展平后旗瓣近长圆形，长 12 ~ 15mm，宽 6 ~ 9mm；翼瓣长椭圆形，长 11 ~ 14mm，宽约 4mm，基部弦侧附属体呈弯钩状突起，另侧无；龙骨瓣长 11 ~ 15mm，宽约 4mm，基部弦侧无附属体。花药长 1 ~ 1.6mm，宽 0.8 ~ 0.9mm。气微，味淡。

| 功能主治 | 凉薯：甘，凉。清肺生津，利尿通乳，解酒毒。用于肺热咳嗽，肺痈，中暑烦渴，消渴，乳少，小便不利。

凉薯子：涩、微辛，凉；有大毒。杀虫止痒。用于疥癣，皮肤瘙痒，痈肿。

凉薯花：甘，凉。解毒，止血。用于酒毒烦渴，肠风下血。

| 用法用量 | 凉薯：内服生食，120 ~ 250g；或煮食；或绞汁。

凉薯子：外用适量，捣烂，醋浸涂。禁内服。

凉薯花：内服煎汤，9 ~ 15g。

| 附　　注 | 本种喜温喜光，较耐干旱和瘠薄，适宜于土层深厚、疏松、排水良好的壤土或砂壤土中栽培。

豆科 Leguminosae 菜豆属 *Phaseolus*

菜豆 *Phaseolus vulgaris* L.

| 药 材 名 | 菜豆（药用部位：荚果。别名：四季豆、白饭豆、唐豇）。

| 形态特征 | 一年生缠绕或近直立草本。茎被短柔毛或老时无毛。羽状复叶具 3 小叶；托叶披针形，长约 4mm，基着；小叶宽卵形或卵状菱形，侧生的偏斜，长 4 ~ 16cm，宽 2.5 ~ 11cm，先端长渐尖，有细尖，基部圆形或宽楔形，全缘，被短柔毛。总状花序比叶短，有数朵生于花序顶部的花；花梗长 5 ~ 8mm；小苞片卵形，有数条隆起的脉，约与花萼等长或稍较其为长，宿存；花萼杯状，长 3 ~ 4mm，上方的 2 裂片联合成 1 微凹的裂片；花冠白色、黄色、紫堇色或红色，旗瓣近方形，宽 9 ~ 12mm，翼瓣倒卵形，龙骨瓣长约 1cm，先端旋卷；子房被短柔毛，花柱压扁。荚果带形，稍弯曲，长 10 ~ 15cm，宽 1 ~ 1.5cm，略肿胀，通常无毛，先端有喙；种子 4 ~ 6，长椭圆形

菜豆

或肾形，长 0.9 ~ 2cm，宽 0.3 ~ 1.2cm，白色、褐色、蓝色或有花斑，种脐通常白色。花期春、夏季。

| 生境分布 | 栽培于菜园或山地。重庆各地均有分布。

| 资源情况 | 野生资源稀少。药材来源于栽培，自产自销。

| 采收加工 | 夏、秋季采摘，鲜用。

| 功能主治 | 甘、淡，平。滋养解毒，利尿消肿。用于暑热烦渴，水肿，脚气。

| 用法用量 | 内服煎汤，60 ~ 120g。

| 附　　注 | 有文献记载本种的入药部位为种子，其功效为滋补机体，利尿通经，催乳填精，用于机体虚弱，尿少浮肿，月经不调，乳少面暗，皮肤粗糙及阴茎弱小。本种的种子的功效与荚果大同小异。

豆科 Leguminosae 豌豆属 *Pisum*

豌豆 *Pisum sativum* L.

| 药 材 名 | 豌豆（药用部位：种子。别名：蜱豆、荜豆、寒豆）、豌豆荚（药用部位：荚果）、豌豆花（药用部位：花）、豌豆苗（药用部位：嫩茎叶）。

| 形态特征 | 一年生攀缘草本，高 0.5 ~ 2m，全株绿色，光滑无毛，被粉霜。叶具小叶 4 ~ 6；托叶比小叶大，叶状，心形，下缘具细牙齿；小叶卵圆形，长 2 ~ 5cm，宽 1 ~ 2.5cm。花于叶腋单生或数朵排列为总状花序；花萼钟状，深 5 裂，裂片披针形；花冠颜色多样，随品种而异，但多为白色和紫色；雄蕊两体（9+1）；子房无毛，花柱扁，内面被髯毛。荚果肿胀，长椭圆形，长 2.5 ~ 10cm，宽 0.7 ~ 14cm，先端斜急尖，背部近于伸直，内侧有坚硬纸质的内皮；种子 2 ~ 10，圆形，青绿色，有皱纹或无，干后变为黄色。花期 6 ~ 7 月，果期 7 ~ 9 月。

豌豆

| 生境分布 | 栽培于菜园。重庆各地均有分布。

| 资源情况 | 野生资源稀少。药材来源于栽培，自产自销。

| 采收加工 | 豌豆：夏、秋季果实成熟时采摘荚果，晒干，打出种子。

豌豆荚：7 ~ 9 月采摘荚果，晒干。

豌豆花：6 ~ 7 月花开时采摘，鲜用或晒干。

豌豆苗：春季采收，鲜用。

| 药材性状 | 豌豆：本品呈圆球形，直径约 5mm。表面青绿色至黄绿色、淡黄白色，有皱纹，可见点状种脐。种皮薄而韧，除去种皮有 2 枚黄白色肥厚的子叶。气微，味淡。

豌豆花：本品多皱缩，扁卵圆形，长 1 ~ 1.5cm。花萼钟状，长 0.5 ~ 1.3cm，绿色，先端 5 齿裂，不等长，裂片披针形；花冠淡黄白色、浅紫红色至深紫红色；花瓣 5，雄蕊 10，其中 9 个基部联合，花丝细长。子房条形，花柱弯曲。气微，味甘、淡。

| 功能主治 | 豌豆：甘，平。归脾、胃经。和中下气，通乳利水，解毒。用于消渴，吐逆，泻痢腹胀，霍乱转筋，乳少，脚气水肿，疮痈。

豌豆荚：甘，平。解毒敛疮。用于耳后糜烂。

豌豆花：甘，平。清热，凉血。用于咯血，鼻衄，月经过多。

豌豆苗：甘，平。清热解毒，凉血平肝。用于暑热，消渴，高血压，疔毒，疥疮。

| 用法用量 | 豌豆：内服煎汤，60 ~ 125g；或煮食。外用适量，煎汤洗；或研末调涂。

豌豆荚：外用适量，烧灰存性，茶油调涂。

豌豆花：内服煎汤，9 ~ 15g。

豌豆苗：内服煎汤，9 ~ 15g；或鲜苗捣、绞汁；或作蔬食。外用适量，鲜叶捣敷。

豆科 Leguminosae 猴耳环属 *Pithecellobium*

亮叶猴耳环 *Pithecellobium lucidum* Benth.

| 药 材 名 | 尿桶弓（药用部位：枝叶。别名：金耳环、落地金钱、雷公柴）。

| 形态特征 | 乔木，高 2 ~ 10m。小枝无刺，嫩枝、叶柄和花序均被褐色短茸毛。羽片 1 ~ 2 对；总叶柄近基部，每对羽片下和小叶片下的叶轴上均有圆形而凹陷的腺体，下部羽片通常具 2 ~ 3 对小叶，上部羽片具 4 ~ 5 对小叶；小叶斜卵形或长圆形，长 5 ~ 9（~ 11）cm，宽 2 ~ 4.5cm，顶生的一对最大，对生，余互生且较小，先端渐尖而具钝小尖头，基部略偏斜，两面无毛或仅在叶脉上被微毛，上面光亮，深绿色。头状花序球形，有花 10 ~ 20；总花梗长不超过 1.5cm，排成腋生或顶生的圆锥花序；花萼长不及 2mm，与花冠同被褐色短茸毛；花瓣白色，长 4 ~ 5mm，中部以下合生；子房具短柄，无毛。荚果旋卷成环状，宽 2 ~ 3cm，边缘在种子间缢缩；种子黑色，长

亮叶猴耳环

约 1.5cm，宽约 1cm。花期 4 ~ 6 月，果期 7 ~ 12 月。

| 生境分布 | 生于疏林、密林中或林缘灌丛中。分布于重庆合川、九龙坡、武隆、璧山、南岸、彭水、南川、北碚等地。

| 资源情况 | 野生资源较少。药材来源于野生，自产自销。

| 采收加工 | 全年均可采收，洗净，鲜用或晒干。

| 药材性状 | 本品小枝近圆形，具不甚明显的纵棱；表面密被锈色柔毛；折断面木部占大部分。二回羽状复叶，羽片 2 ~ 4，叶柄下部和叶轴上每对羽片间有凸起的腺点，小叶皱缩，6 ~ 10，展平后呈近不等四边形或斜卵形，长 1.7 ~ 10.5cm，宽 1.2 ~ 4cm，先端急尖，基部楔形，全缘。质脆，易碎。气微，味微苦。

| 功能主治 | 微苦、辛，凉；有小毒。祛风消肿，凉血解毒，收敛生肌。用于风湿骨痛，跌打损伤，烫火伤，溃疡。

| 用法用量 | 外用适量，研末油调敷；或鲜品捣敷；或煎汤洗。

| 附　　注 | 在 FOC 中，本种的拉丁学名被修订为 *Archidendron lucidum* (Benth) I. C. Nielsen，属的拉丁学名被修订为 *Archidendron*。

豆科 Leguminosae 长柄山蚂蝗属 *Podocarpium*

长柄山蚂蝗 *Podocarpium podocarpum* (DC.) Yang et Huang

| 药 材 名 | 菱叶山蚂蝗（药用部位：根、叶。别名：小粘子草）。

| 形态特征 | 直立草本，高 50 ~ 100cm。根茎稍木质。茎具条纹，疏被伸展短柔毛。叶为羽状三出复叶，小叶 3；托叶钻形，长约 7mm，基部宽 0.5 ~ 1mm，外面与边缘被毛；叶柄长 2 ~ 12cm，着生于茎上部的叶柄较短，茎下部的叶柄较长，疏被伸展短柔毛；小叶纸质，顶生小叶宽倒卵形，长 4 ~ 7cm，宽 3.5 ~ 6cm，先端凸尖，基部楔形或宽楔形，全缘，两面疏被短柔毛或几无毛，侧脉每边约 4，直达叶缘，侧生小叶斜卵形，较小，偏斜；小托叶丝状，长 1 ~ 4mm；小叶柄长 1 ~ 2cm，被伸展短柔毛。总状花序或圆锥花序，顶生，或顶生和腋生，长 20 ~ 30cm，结果时延长至 40cm；总花梗被柔毛和钩状毛；通常每节生 2 花，花梗长 2 ~ 4mm，结果时增长至 5 ~ 6mm；苞片早落，

长柄山蚂蝗

窄卵形，长3 ~ 5mm，宽约1mm，被柔毛；花萼钟形，长约2mm，裂片极短，较萼筒短，被小钩状毛；花冠紫红色，长约4mm，旗瓣宽倒卵形，翼瓣窄椭圆形，龙骨瓣与翼瓣相似，均无瓣柄；雄蕊单体；雌蕊长约3mm，子房具子房柄。荚果长约1.6cm，通常有荚节2，背缝线弯曲，节间深凹入达腹缝线；荚节略呈宽半倒卵形，长5 ~ 10mm，宽3 ~ 4mm，先端截形，基部楔形，被钩状毛和小直毛，稍有网纹；果梗长约6mm；果颈长3 ~ 5mm。花果期8 ~ 9月。

| 生境分布 | 生于海拔400 ~ 1650m的山坡路旁、草坡、次生阔叶林下。分布于重庆城口、巫溪、奉节、南川、北碚、璧山等地。

| 资源情况 | 野生资源稀少。药材来源于野生，自产自销。

| 采收加工 | 夏、秋季采收，洗净，鲜用或晒干。

| 药材性状 | 本品小叶多脱落，皱缩，完整者为三出复叶。先端小叶大，圆状菱形，先端急尖或钝，基部阔楔形，全缘，长4 ~ 7cm，宽3.5 ~ 6cm，表面枯绿色，几无毛。两侧小叶较小，斜卵形。质脆，易碎。气微。

| 功能主治 | 苦，温。散寒解表，止咳，止血。用于风寒感冒，咳嗽，刀伤出血。

| 用法用量 | 内服煎汤，9 ~ 15g。外用适量，捣敷。

| 附　　注 | 在FOC中，本种的拉丁学名被修订为*Hylodesmum podocarpum* (Candolle) H. Ohashi & R. R. Mill，属的拉丁学名被修订为*Hylodesmum*。

豆科 Leguminosae 长柄山蚂蝗属 *Podocarpium*

尖叶长柄山蚂蝗 *Podocarpium podocarpum* (DC.) Yang et Huang var. *oxyphyllum* (DC.) Yang et Huang

| 药 材 名 | 山马蝗（药用部位：全株。别名：逢人打、扁草子、狗粪粘）。

| 形态特征 | 本变种与原变种长柄山蚂蝗的区别在于顶生小叶菱形，长 4 ~ 8cm，宽 2 ~ 3cm，先端渐尖，尖头钝，基部楔形。

| 生境分布 | 生于海拔 400 ~ 1500m 的山坡路旁、沟旁、林缘或阔叶林中。分布于重庆城口、奉节、酉阳、南川、北碚、綦江等地。

| 资源情况 | 野生资源较少。药材来源于野生，自产自销。

| 采收加工 | 栽种 2 ~ 3 年后，秋季采挖，抖去泥土，鲜用或晒干。

| 药材性状 | 本品茎枝圆柱形，直径 0.5 ~ 1cm；表面灰绿色，有棱角。可见三

尖叶长柄山蚂蝗

出复叶，先端小叶稍大，菱形，先端渐尖较钝，基部楔形，长 4 ~ 8cm，宽 2 ~ 3.5cm；侧生小叶较小，表面枯绿色。质脆，易碎。气微。

| 功能主治 | 微苦，平。祛风除湿，活血解毒。用于风湿痹痛，崩中，带下，咽喉炎，乳痈，跌打损伤，毒蛇咬伤。

| 用法用量 | 内服煎汤，9 ~ 15g；或浸酒。外用适量，捣汁搽；或捣敷。

| 附　　注 | 在 FOC 中，本种的拉丁学名被修订为 *Hylodesmum podocarpum* subsp. *oxyphyllum* (Candolle) H. Ohashi & R. R. Mill，属的拉丁学名被修订为 *Hylodesmum*。

豆科 Leguminosae 长柄山蚂蝗属 *Podocarpium*

四川长柄山蚂蝗 *Podocarpium podocarpum* (DC.) Yang et Huang var. *szechuenense* (Craib) Yang et Huang

| 药 材 名 | 红土子（药用部位：全株。别名：红土子草、红清酒缸、过路青）、红土子皮（药用部位：根皮）。

| 形态特征 | 本变种与原变种长柄山蚂蝗的区别在于顶生小叶狭披针形，长 4.2 ~ 6.8cm，宽 1 ~ 1.3cm，较窄。

| 生境分布 | 生于海拔 300 ~ 2000m 的山沟路旁、灌丛及疏林中。分布于重庆黔江、忠县、酉阳、南川、武隆、开州、垫江、奉节、丰都等地。

| 资源情况 | 野生资源一般。药材来源于野生，自产自销。

| 采收加工 | 红土子：夏、秋季采收，鲜用或切段晒干。

红土子皮：6 ~ 7 月采挖根，剥取根皮，切段，鲜用或晒干。

四川长柄山蚂蝗

| 药材性状 | 红土子：本品茎枝圆柱形，直径 1 ~ 1.5cm，具纵棱；表面被柔毛或无柔毛。可见三出复叶，小叶片狭披针形，顶生小叶较大，长 4.5 ~ 7cm，宽 1 ~ 1.5cm，先端渐尖，基部圆楔形，边缘微带波状，表面枯绿色，下表面有疏毛茸。有时可见花序或荚果，荚果长约 1.4cm，宽约 5mm，背部弯曲，有节 2，节深凹达腹缝线，表面具带钩的小毛。气微，具豆腥气。

| 功能主治 | 红土子：苦，平。清热截疟。用于潮热，疟疾。

红土子皮：苦，凉。清热，解毒，利咽。用于发热，喉痛，肺热咳嗽，黄水疮。

| 用法用量 | 红土子：内服煎汤，9 ~ 15g；或打烂和面蒸饼。

红土子皮：内服煎汤，6 ~ 12g。

| 附　　注 | 在 FOC 中，本种的拉丁学名被修订为 *Hylodesmum podocarpum* subsp. *szechuenense* (Craib) H. Ohashi & R. R. Mill，属的拉丁学名被修订为 *Hylodesmum*。

豆科 Leguminosae 老虎刺属 *Pterolobium*

老虎刺 *Pterolobium punctatum* Hemsl.

老虎刺

药材名

老虎刺（药用部位：根、叶。别名：牛阳子、牛尾筋、老鹰刺）。

形态特征

木质藤本或攀缘性灌木，高 3 ~ 10m。小枝具棱，幼嫩时银白色，被短柔毛及浅黄色毛，老后脱落，具散生的短钩刺、或于叶柄基部具成对的黑色、下弯的短钩刺。叶轴长 12 ~ 20cm；叶柄长 3 ~ 5cm，亦有成对黑色托叶刺；羽片 9 ~ 14 对，狭长；羽轴长 5 ~ 8cm，上面具槽，小叶片 19 ~ 30 对，对生，狭长圆形，中部的长 9 ~ 10mm，宽 2 ~ 2.5mm，先端圆钝，具凸尖或微凹，基部微偏斜，两面被黄色毛，下面毛更密，具明显或不明显的黑点；叶脉不明显；小叶柄短，具关节。总状花序被短柔毛，长 8 ~ 13cm，宽 1.5 ~ 2.5cm，腋上生或于枝顶排列成圆锥状；苞片刺毛状，长 3 ~ 5mm，极早落；花梗纤细，长 2 ~ 4mm，相距 1 ~ 2mm；花蕾倒卵形，长 4.5mm，被茸毛；萼片 5，最下面 1 较长，舟形，长约 4mm，被睫毛，其余的长椭圆形，长约 3mm；花瓣相等，稍长于花萼，倒卵形，先端稍呈啮蚀状；雄蕊 10，等长，伸出，花丝长 5 ~ 6cm，中部以下被柔毛，花药宽卵形，长约 1mm；子房扁平，一侧被纤毛，花柱光滑，柱头漏斗形，无纤毛，胚珠 2。荚果长 4 ~ 6cm，发育部分菱形，长 1.6 ~ 2cm，宽 1 ~ 1.3cm，翅一边直，另一边弯曲，长约 4cm，宽 1.3 ~ 1.5cm，光亮，颈部具宿存的花柱；种子单一，椭圆形，扁，长约 8mm。花期 6 ~ 8 月，果期 9 月至翌年 1 月。

| 生境分布 | 生于海拔 750 ~ 2000m 的山坡疏林向阳处、路旁石山干旱地方或石灰岩山上。分布于重庆石柱、奉节、南川、江津等地。

| 资源情况 | 野生资源较少。药材来源于野生，自采自用。

| 采收加工 | 夏、秋季采收，洗净，鲜用或晒干。

| 药材性状 | 本品多为小叶，完整者为二回羽状复叶，羽片 20 ~ 28，每羽片有小叶 20 ~ 30，皱缩，湿润展平后小叶片椭圆形，微偏斜，长约 1cm，宽 3 ~ 4mm，先端钝圆而微凹，基部斜圆形，全缘，主脉明显，绿色或枯绿色。质脆。气微。

| 功能主治 | 苦、涩，凉。清热解毒，祛风除湿，消肿止痛。用于肺热咳嗽，咽喉肿痛，风湿痹痛，牙痛，风疹瘙痒，疮疖，跌打损伤。

| 用法用量 | 内服煎汤，9 ~ 30g。外用适量，煎汤洗。忌辛辣、烟、酒。

豆科 Leguminosae 葛属 *Pueraria*

葛 *Pueraria lobata* (Willd.) Ohwi

葛

| 药 材 名 |

葛根（药用部位：全株。别名：鸡齐根、黄葛根、葛麻茹）、葛粉（药材来源：块根经水磨而澄取的淀粉）、葛花（药用部位：花。别名：葛条花、野葛花、葛藤花）、葛叶（药用部位：叶）、葛蔓（药用部位：藤茎。别名：葛藤、葛藤蔓）、葛谷（药用部位：种子）。

| 形态特征 |

粗壮藤本，长可达 8m，全体被黄色长硬毛。有粗厚的块状根。茎基部木质。羽状复叶具 3 小叶；托叶背着，卵状长圆形，具线条；小托叶线状披针形，与小叶柄等长或较长；小叶 3 裂，偶尔全缘，顶生小叶宽卵形或斜卵形，长 7 ~ 15（~ 19）cm，宽 5 ~ 12（~ 18）cm，先端长渐尖，侧生小叶斜卵形，稍小，上面被淡黄色、平伏的疏柔毛，下面较密；小叶柄被黄褐色绒毛。总状花序长 15 ~ 30cm，中部以上有颇密集的花；苞片线状披针形至线形，远比小苞片长，早落；小苞片卵形，长不及 2mm；花 2 ~ 3 聚生花序轴的节上；花萼钟形，长 8 ~ 10mm，被黄褐色柔毛，裂片披针形，渐尖，比萼管略长；花冠长 10 ~ 12mm，紫色，旗瓣倒卵形，基部有 2 耳及一黄色硬痂状附属体，具短瓣柄，

翼瓣镰状，较龙骨瓣为狭，基部有线形、向下的耳，龙骨瓣镰状长圆形，基部有极小、急尖的耳；对旗瓣的1枚雄蕊仅上部离生；子房线形，被毛。荚果长椭圆形，长5～9cm，宽8～11mm，扁平，被褐色长硬毛。花期9～10月，果期11～12月。

| 生境分布 | 生于山地疏林或密林中，亦有栽培。重庆各地均有分布。

| 资源情况 | 野生资源丰富，亦有零星栽培。药材主要来源于野生，自产自销。

| 采收加工 | 葛根：秋、冬季采挖，趁鲜切厚片或小块，干燥。

葛粉：采收葛的块根，经水磨后澄取淀粉。

葛花：秋季花未完全开放时采摘，阴干。

葛叶、葛蔓：全年均可采收，鲜用或晒干。

葛谷：秋季果实成熟时采收果实，打下种子，晒干。

| 药材性状 | 葛根：本品为纵切的长方形厚片或小方块，长5～35cm，厚0.5～1cm。外皮淡棕色，有纵皱纹，粗糙。切面黄白色，纹理不明显。质韧，纤维性强。气微，味微甘。

葛花：本品呈不规则扁长形或扁肾形，长5～15mm，宽2～6mm。花萼钟状，灰绿色，萼齿5，其中2齿合生，被白色或黄色绒毛。花瓣5，淡棕色、紫红色

或蓝紫色，旗瓣近圆形或椭圆形，翼瓣和龙骨瓣近镰刀状。雄蕊10，其中9枚联合，雌蕊细长，微弯曲。气微，味淡。

| 功能主治 | 葛根：甘、辛，凉。归脾、胃经。解肌退热，生津止渴，透疹，升阳止泻，通经活络，解酒毒。用于外感发热头痛，项背强痛，口渴，消渴，麻疹不透，热痢，泄泻，眩晕头痛，中风偏瘫，胸痹心痛，酒毒伤中。

葛粉：甘，寒。归胃经。解热除烦，生津止渴。用于烦热，口渴，醉酒，喉痹，疮疖。

葛花：甘，平。归脾、胃经。解酒毒，清湿热。用于酒毒烦渴，湿热便血。

葛叶：甘、微涩，凉。止血。用于外伤出血。

葛蔓：甘，寒。清热解毒，消肿。用于喉痹，疮痈疖肿。

葛谷：甘，平。归大肠、胃经。健脾止泻，解酒。用于泄泻，痢疾，饮酒过度。

| 用法用量 | 葛根：内服煎汤，10 ~ 15g。

葛粉：内服用开水或蜂蜜、米粥调服，10 ~ 30g。外用适量，撒敷或调敷。

葛花： 内服煎汤，3 ~ 5g。

葛叶：外用适量，捣敷。

葛蔓：内服煎汤，5 ~ 10g，鲜品 30 ~ 60g；或烧存性研末。外用适量，烧存性，研末调敷。

葛谷：内服煎汤，10 ~ 15g；或入丸、散。

| 附　　注 | 在 FOC 中，本种的拉丁学名被修订为 *Pueraria montana* (Loureiro) Merrill。

豆科 Leguminosae 葛属 *Pueraria*

苦葛 *Pueraria peduncularis* (Grah. ex Benth.) Benth.

| 药 材 名 | 葛藤花（药用部位：花。别名：葛条花）。

| 形态特征 | 缠绕草本，各部被疏或密的粗硬毛。羽状复叶具 3 小叶；托叶基着，披针形，早落；小托叶小，刚毛状；小叶卵形或斜卵形，长 5 ~ 12cm，宽 3 ~ 8cm，全缘，先端渐尖，基部急尖至截平，两面均被粗硬毛，稀可上面无毛；叶柄长 4 ~ 12cm。总状花序长 20 ~ 40cm，纤细，苞片和小苞片早落；花白色，3 ~ 5 簇生花序轴的节上；花梗纤细，长 2 ~ 6mm；花萼钟状，长 5mm，被长柔毛，上方的裂片极宽，下方的稍急尖，较萼筒为短；花冠长约 1.4cm，旗瓣倒卵形，基部渐狭，具 2 狭耳，无痂状体，翼瓣稍比龙骨瓣长，龙骨瓣先端内弯扩大，无喙，颜色较深；对旗瓣的 1 枚雄蕊稍宽，和其他的雄蕊紧贴但不联合。荚果线形，长 5 ~ 8cm，宽 6 ~ 8mm，直，光亮，果瓣近纸质，

苦葛

近无毛或疏被柔毛。花期 8 月，果期 10 月。

| 生境分布 | 生于荒地、杂木林中。分布于重庆长寿、南川、武隆、沙坪坝、石柱、开州、万州、忠县、涪陵、合川、北碚等地。

| 资源情况 | 野生资源一般。药材来源于野生，自产自销。

| 采收加工 | 秋季采收，除去杂质，晒干或低温干燥。

| 药材性状 | 本品不规则扁长形或扁肾形，长 0.5 ~ 1.5cm，宽 0.2 ~ 1.6cm。花萼筒状，5 齿，其中 2 齿合生，表面密被黄色短柔毛。花瓣 5，其中旗瓣较宽，近圆形或椭圆形，紫色或黄色，中央有细长花丝 10，其中 9 枚联合成筒状；雌蕊花柱细长，微弯曲，伸在雄蕊之上。气微香，味淡。

| 功能主治 | 甘，平。归胃、肝经。解酒保肝。用于酒毒烦渴，肠风下血。

| 用法用量 | 内服煎汤，4.5 ~ 9g。

| 附　　注 | 本种根有毒，不可作葛根使用。

豆科 Leguminosae 鹿藿属 *Rhynchosia*

菱叶鹿藿 *Rhynchosia dielsii* Harms

| 药 材 名 | 山黄豆藤（药用部位：茎叶、根。别名：螃蟹眼睛、古眼风、三叶豆）。

| 形态特征 | 缠绕草本。茎纤细，通常密被黄褐色长柔毛或有时混生短柔毛。叶具羽状 3 小叶；托叶小，披针形，长 3 ~ 7mm；叶柄长 3.5 ~ 8cm，被短柔毛；顶生小叶卵形、卵状披针形、宽椭圆形或菱状卵形，长 5 ~ 9cm，宽 2.5 ~ 5cm，先端渐尖或尾状渐尖，基部圆形，两面密被短柔毛，下面有松脂状腺点，基出脉 3，侧生小叶稍小，斜卵形；小托叶刚毛状，长约 2mm；小叶柄长 1 ~ 2mm，均被短柔毛。总状花序腋生，长 7 ~ 13cm，被短柔毛；苞片披针形，长 5 ~ 10mm，脱落；花疏生，黄色，长 8 ~ 10mm；花梗长 4 ~ 6mm；花萼 5 裂，裂片三角形，下面一裂片较长，密被短柔毛；花冠各瓣均具瓣柄，

菱叶鹿藿

旗瓣倒卵状圆形，基部两侧具内弯的耳，翼瓣狭长椭圆形，具耳，其中一耳较长而弯，另一耳短小，龙骨瓣具长喙，基部一侧具钝耳。荚果长圆形或倒卵形，长 1.2 ～ 2.2cm，宽 0.8 ～ 1cm，扁平，成熟时红紫色，被短柔毛；种子 2，近圆形，长、宽均约 4mm。花期 6 ～ 7 月，果期 8 ～ 11 月。

| 生境分布 | 生于海拔 200 ～ 1300m 的山坡、路旁灌丛中。分布于重庆长寿、垫江、南岸、潼南、彭水、酉阳、城口、万州、巫溪、云阳、铜梁、涪陵、南川、武隆、璧山、北碚、大足、九龙坡等地。

| 资源情况 | 野生资源丰富。药材来源于野生，自产自销。

| 采收加工 | 全年均可采收，洗净，晒干。

| 功能主治 | 苦、涩，凉。祛风清热，定惊解毒。用于风热感冒，咳嗽，小儿高热惊风，心悸，乳痈。

| 用法用量 | 内服煎汤，3 ～ 9g。

豆科 Leguminosae 鹿藿属 *Rhynchosia*

鹿藿 *Rhynchosia volubilis* Lour.

鹿藿

|药材名|

鹿藿（药用部位：茎叶。别名：鹿豆、野绿豆、野黄豆）、鹿藿根（药用部位：根）。

|形态特征|

缠绕草质藤本，全株各部多少被灰色至淡黄色柔毛。茎略具棱。叶为羽状复叶或有时近指状3小叶；托叶小，披针形，长3～5mm，被短柔毛；叶柄长2～5.5cm；小叶纸质，顶生小叶菱形或倒卵状菱形，长3～8cm，宽3～5.5cm，先端钝，或为急尖，常有小凸尖，基部圆形或阔楔形，两面均被灰色或淡黄色柔毛，下面尤密，并被黄褐色腺点；基出脉3；小叶柄长2～4mm，侧生小叶较小，常偏斜。总状花序长1.5～4cm，1～3腋生；花长约1cm，排列稍密集；花梗长约2mm；花萼钟状，长约5mm，裂片披针形，外面被短柔毛及腺点；花冠黄色，旗瓣近圆形，有宽而内弯的耳，翼瓣倒卵状长圆形，基部一侧具长耳，龙骨瓣具喙；雄蕊二体；子房被毛及密集的小腺点，胚珠2。荚果长圆形，红紫色，长1～1.5cm，宽约8mm，极扁平，在种子间略收缩，稍被毛或近无毛，先端有小喙；种子通常2，椭圆形或近肾形，黑色，光亮。花期5～8月，果期9～12月。

| 生境分布 | 生于海拔 200 ~ 1000m 的山坡路旁草丛中。分布于重庆万州、大足、彭水、奉节、云阳、丰都、綦江、黔江、秀山、酉阳、南川、巫溪、涪陵、武隆、北碚、忠县、荣昌、巴南等地。

| 资源情况 | 野生资源丰富。药材来源于野生。

| 采收加工 | 鹿藿：5 ~ 6 月采收，鲜用或晒干。

鹿藿根：秋季采挖，除去泥土，洗净，鲜用或晒干。

| 功能主治 | 鹿藿：苦、酸，平。归脾、胃、肝经。祛风除湿，活血，解毒。用于风湿痹痛，头痛，牙痛，腰脊疼痛，瘀血腹痛，产褥热，瘰疬，痈肿疮毒，跌打损伤，烫火伤。

鹿藿根：苦，平。活血止痛，解毒，消积。用于妇女痛经，瘰疬，疖肿，小儿疳积。

| 用法用量 | 鹿藿：内服煎汤，9 ~ 30g。外用适量，捣敷。

鹿藿根：内服煎汤，9 ~ 15g。外用适量，捣敷。

豆科 Leguminosae 刺槐属 *Robinia*

刺槐 *Robinia pseudoacacia* L.

刺槐

| 药 材 名 |

刺槐花（药用部位：花。别名：洋槐花）、刺槐根（药用部位：根）。

| 形态特征 |

落叶乔木，高 10 ~ 25m。树皮灰褐色至黑褐色，浅裂至深纵裂，稀光滑；小枝灰褐色，幼时有棱脊，微被毛，后无毛，具托叶刺，长达 2cm；冬芽小，被毛。羽状复叶长 10 ~ 25（~ 40）cm；叶轴上面具沟槽；小叶 2 ~ 12 对，常对生，椭圆形、长椭圆形或卵形，长 2 ~ 5cm，宽 1.5 ~ 2.2cm，先端圆，微凹，具小尖头，基部圆至阔楔形，全缘，上面绿色，下面灰绿色，幼时被短柔毛，后变无毛；小叶柄长 1 ~ 3mm；小托叶针芒状。总状花序腋生，长 10 ~ 20cm，下垂，花多数，芳香；苞片早落；花梗长 7 ~ 8mm；花萼斜钟状，长 7 ~ 9mm，萼齿 5，三角形至卵状三角形，密被柔毛；花冠白色，各瓣均具瓣柄，旗瓣近圆形，长 16mm，宽约 19mm，先端凹缺，基部圆，反折，内有黄斑，翼瓣斜倒卵形，与旗瓣几等长，长约 16mm，基部一侧具圆耳，龙骨瓣镰状，三角形，与翼瓣等长或稍短，前缘合生，先端钝尖；雄蕊二体，对旗瓣的 1 枚分离；子房线形，长约 1.2cm，无毛，柄长 2 ～ 3mm，花柱钻形，长约 8mm，上弯，先端具毛，柱头顶生。荚果褐色，或具红褐色斑纹，线状长圆形，长 5 ～ 12cm，宽 1 ～ 1.3（～ 1.7）cm，扁平，先端上弯，具尖头，果颈短，沿腹缝线具狭翅，花萼宿存，有种子 2 ～ 15；种子褐色至黑褐色，微具光泽，有时具斑纹，近肾形，长 5 ～ 6mm，宽约 3mm，种脐圆形，偏于一端。花期 4 ～ 6 月，果期 8 ～ 9 月。

| 生境分布 | 生于公路旁或村落附近。重庆各地均有分布。

| 资源情况 | 栽培资源丰富。药材来源于栽培，自产自销。

| 采收加工 | 刺槐花：6 ～ 7 月花盛开时采收，晾干。

刺槐根：秋季采挖，洗净，切片，晒干。

| 药材性状 | 刺槐花：本品略呈飞鸟状或未开放者呈钩镰状，长 1.3 ～ 1.6cm。下部为钟状花萼，棕色，被亮白色短柔毛，先端 5 齿裂，基部有花柄，近上端有 1 关节，节上略粗，节下狭细。上部为花冠，花瓣 5，皱缩，有时残破或脱落，其中旗瓣 1，宽大，常反折，翼瓣 2，两侧生，较狭，龙骨瓣 2，上部合生，钩镰状，雄蕊 10，9 枚合生，1 枚花丝下部参与联合。子房线形，棕色，花柱弯生，先端有短柔毛。质软，体轻。气微，味微甘。

| 功能主治 | 刺槐花：甘，平。止血。用于大肠下血，咯血，吐血，血崩。

刺槐根：苦，微寒。凉血止血，舒筋活络。用于便血，咯血，吐血，崩漏，劳伤乏力，风湿骨痛，跌打损伤。

| 用法用量 | 刺槐花：内服煎汤，9 ～ 15g；或泡茶饮。

刺槐根：内服煎汤，9 ～ 30g。

| 附　　注 | 本种喜温暖向阳的环境，土壤以深厚、疏松、肥沃、排水良好的砂壤土最好。本种耐干旱、抗盐、耐碱，一般通过种子繁殖。

豆科 Leguminosae 槐属 *Sophora*

白刺花 *Sophora davidii* (Franch.) Skeels

| 药 材 名 | 白刺花（药用部位：带枝的花）、白刺花籽（药用部位：种子）、白刺花根（药用部位：根）、白刺花果（药用部位：果实）、白刺花叶（药用部位：叶。别名：苦刺枝叶）。

| 形态特征 | 灌木或小乔木，高 1 ~ 2m，有时 3 ~ 4m。枝多开展，小枝初被毛，旋即脱净，不育枝末端明显变成刺，有时分叉。羽状复叶；托叶钻状，部分变成刺，疏被短柔毛，宿存；小叶 5 ~ 9 对，形态多变，一般为椭圆状卵形或倒卵状长圆形，长 10 ~ 15mm，先端圆或微缺，常具芒尖，基部钝圆形，上面几无毛，下面中脉隆起，疏被长柔毛或近无毛。总状花序着生于小枝先端；花小，长约 15mm，较少；花萼钟状，稍歪斜，蓝紫色，萼齿 5，不等大，圆三角形，无毛；

白刺花

花冠白色或淡黄色，有时旗瓣稍带红紫色，旗瓣倒卵状长圆形，长 14mm，宽 6mm，先端圆形，基部具细长柄，柄与瓣片近等长，反折，翼瓣与旗瓣等长，单侧生，倒卵状长圆形，宽约 3mm，具 1 锐尖耳，明显具海绵状皱褶，龙骨瓣比翼瓣稍短，镰状倒卵形，具锐三角形耳；雄蕊 10，等长，基部联合不到 1/3；子房比花丝长，密被黄褐色柔毛，花柱变曲，无毛，胚珠多数。荚果非典型串珠状，稍压扁，长 6 ~ 8cm，宽 6 ~ 7mm，开裂方式与砂生槐同，表面散生毛或近无毛，有种子 3 ~ 5；种子卵球形，长约 4mm，直径约 3mm，深褐色。花期 3 ~ 8 月，果期 6 ~ 10 月。

| 生境分布 | 生于海拔 2000m 以下的河谷或山坡路边的灌丛中。分布于重庆巫山、奉节、南川、忠县、武隆等地。

| 资源情况 | 野生资源较少。药材来源于野生，自产自销。

| 采收加工 | 白刺花：春季采集，晾干或晒干。

白刺花籽：秋季采集，拣净杂质，干燥。

白刺花根：夏、秋季采挖，洗净，切片，晒干。

白刺花果：6 ~ 10 月果实成熟时采收，晒干。

白刺花叶：夏、秋季采收，鲜用或晒干。

| 药材性状 | 白刺花：本品为带枝总状花序，皱缩成团。展平后，花萼钟状，长 0.3 ~ 0.4cm，密生短柔毛，萼齿三角形；花冠类白色，长约 1.5cm，旗瓣倒卵形或匙形，龙骨瓣基部有钝耳；花丝下部合生；子房被毛。体轻。气微，味苦。

白刺花籽：本品呈椭圆形，两端钝圆，长 3 ~ 4mm，直径 1.5 ~ 2mm。表面黄色、棕黄色，光滑，微有光泽，一侧具点状种脊。种皮薄而韧，子叶 2，黄色。气微，味微甘而苦。

白刺花根：本品呈类圆柱形。外皮灰棕色至棕褐色，粗糙。质坚硬，断面皮部灰棕色，木部外侧黄色，内侧棕色至棕褐色。气微，味苦、涩。

| 功能主治 | 白刺花：苦，平。归脾、胃经。清热凉血，解毒杀虫。用于暑热烦渴，衄血，便血，疔疮肿毒，疥癣，烫火伤，滴虫性阴道炎。

白刺花籽：甘、苦，微温。归脾、胃经。健脾，理气，消积化食。用于消化不良，腹痛腹胀。

白刺花根：苦，凉。清热利咽，凉血消肿。用于咽喉肿痛，肺热咳嗽，肝炎，痢疾，淋证，水肿，衄血，尿血，便血。

白刺花果：苦，凉。清热化湿，消积止痛。用于食积，胃痛，腹痛。

白刺花叶：苦，凉。凉血，解毒，杀虫。用于衄血，便血，疔疮肿毒，疥癣，烫火伤，滴虫性阴道炎。

| 用法用量 | 白刺花：内服煎汤，9 ~ 15g；泡茶饮，1 ~ 3g。外用适量，捣敷。

白刺花籽：内服煎汤，3 ~ 6g；研末吞服，1 ~ 2g。

白刺花根：内服煎汤，9 ~ 15g。外用适量，捣敷。

白刺花果：内服煎汤，3 ~ 6g；或研末。

白刺花叶：内服煎汤，9 ~ 15g。外用适量，捣敷。

豆科 Leguminosae 槐属 *Sophora*

苦参 *Sophora flavescens* Alt.

苦参

药材名

苦参（药用部位：根。别名：苦骨、川参、凤凰爪）、苦参子（药用部位：种子。别名：苦参实、苦豆）、苦参草（药用部位：全草）。

形态特征

草本或亚灌木，稀呈灌木状，通常高1m左右，稀达2m。茎具纹棱，幼时疏被柔毛，后无毛。羽状复叶长达25cm；托叶披针状线形，渐尖，长约6～8mm；小叶6～12对，互生或近对生，纸质，形状多变，椭圆形、卵形、披针形至披针状线形，长3～4（～6）cm，宽（0.5～）1.2～2cm，先端钝或急尖，基部宽楔形或浅心形，上面无毛，下面疏被灰白色短柔毛或近无毛；中脉下面隆起。总状花序顶生，长15～25cm；花多数，疏或稍密；花梗纤细，长约7mm；苞片线形，长约2.5mm；花萼钟状，明显歪斜，具不明显波状齿，完全发育后近截平，长约5mm，宽约6mm，疏被短柔毛；花冠比花萼长1倍，白色或淡黄白色，旗瓣倒卵状匙形，长14～15mm，宽6～7mm，先端圆形或微缺，基部渐狭成柄，柄宽3mm，翼瓣单侧生，强烈皱褶几达瓣片的顶部，柄与瓣片近等长，长约13mm，龙骨瓣与翼瓣相似，稍宽，宽约4mm；雄蕊

10，分离或近基部稍联合；子房近无柄，被淡黄白色柔毛，花柱稍弯曲，胚珠多数。荚果长 5 ~ 10cm，种子间稍缢缩，呈不明显串珠状，稍四棱形，疏被短柔毛或近无毛，成熟后开裂成 4 瓣，有种子 1 ~ 5；种子长卵形，稍压扁，深红褐色或紫褐色。花期 6 ~ 8 月，果期 7 ~ 10 月。

| 生境分布 | 生于海拔 1500m 以下的山坡、沙地草坡灌木林中或田野附近。分布于重庆綦江、大足、潼南、奉节、彭水、酉阳、万州、丰都、黔江、云阳、南川、涪陵、长寿、忠县、江津、武隆、北碚、开州、石柱、巫山、巴南、荣昌等地。

| 资源情况 | 野生和栽培资源均较丰富。药材来源于野生和栽培。

| 采收加工 | 苦参：春、秋季采挖，除去根头和小支根，洗净，干燥或趁鲜切片干燥。

苦参子：9 ~ 10 月种子成熟时采收，除去杂质，晒干。

苦参草：秋季采挖，干燥。

| 药材性状 | 苦参：本品呈长圆柱形，下部常有分枝，长 10 ~ 30cm，直径 1 ~ 6.5cm。表面灰棕色或棕黄色，具纵皱纹和横长皮孔样突起，外皮薄，多破裂反卷，易剥落，剥落处显黄色，光滑。质硬，不易折断，断面纤维性。切片厚 3 ~ 6mm，切面黄白色，具放射状纹理和裂隙，有的异型维管束呈同心性环列或不规则散在。气微，味极苦。

苦参子：本品类圆形，长 4mm，直径 3mm。表面棕褐色，有光泽，腹面具短鹰嘴状突起、凹窝及暗色条纹，背面浑圆。断面淡黄色。质坚脆。气微，味苦，有豆腥气。

苦参草：本品根呈圆柱形，外皮黄色。茎枝具不规则纵沟纹，灰绿色。叶为单数羽状复叶，互生，下具线形托叶，叶片长 20 ~ 25cm，叶轴上被细毛；小叶 5 ~ 21，有短柄，卵状椭圆形至长椭圆状披针形，先端圆形或钝尖，基部圆形或广楔形，全缘。总状花序顶生。味苦。

| 功能主治 | 苦参：苦，寒。归心、肺、肾、大肠经。清热燥湿，杀虫，利尿。用于热痢，便血，黄疸尿闭，赤白带下，阴肿阴痒，湿疹，湿疮，皮肤瘙痒，疥癣麻风。外用于滴虫性阴道炎。

苦参子：苦，寒。清热解毒，燥湿止痛。用于热性痢疾，肠炎，腹痛。

苦参草：苦，寒。归心、肝、肾、大肠经。清热利湿，杀虫。用于赤白带下，阴肿阴痒，湿疮，皮肤瘙痒，滴虫性阴道炎。

| 用法用量 | 苦参：内服煎汤，4.5 ~ 9g；外用适量，煎汤洗患处。不宜与藜芦同用。

苦参子：内服煎汤，15 ~ 20g。

苦参草：内服煎汤，3 ~ 10g。外用适量。

豆科 Leguminosae 槐属 *Sophora*

槐 *Sophora japonica* L.

槐

|药 材 名|

槐花（药用部位：花、花蕾。别名：槐蕊）、槐角（药用部位：果实。别名：槐实、槐子、槐荚）、槐叶（药用部位：叶）、槐枝（药用部位：枝条。别名：嫩槐蘖）、槐白皮（药用部位：树皮、根皮的韧皮部。别名：槐皮）、槐胶（药材来源：树脂）、槐根（药用部位：根。别名：槐花根）。

|形态特征|

乔木，高达25m。树皮灰褐色，具纵裂纹；当年生枝绿色，无毛。羽状复叶长达25cm；叶轴初被疏柔毛，旋即脱净；叶柄基部膨大，包裹着芽；托叶形状多变，有时呈卵形，叶状，有时线形或钻状，早落；小叶4 ~ 7对，对生或近互生，纸质，卵状披针形或卵状长圆形，长2.5 ~ 6cm，宽1.5 ~ 3cm，先端渐尖，具小尖头，基部宽楔形或近圆形，稍偏斜，下面灰白色，初被疏短柔毛，旋变无毛；小托叶2，钻状。圆锥花序顶生，常呈金字塔形，长达30cm；花梗比花萼短；小苞片2，形似小托叶；花萼浅钟状，长约4mm，萼齿5，近等大，圆形或钝三角形，被灰白色短柔毛，萼管近无毛；花冠白色或淡黄色，旗瓣近圆形，长和宽约11mm，具

短柄，有紫色脉纹，先端微缺，基部浅心形，翼瓣卵状长圆形，长 10mm，宽 4mm，先端浑圆，基部斜戟形，无皱褶，龙骨瓣阔卵状长圆形，与翼瓣等长，宽达 6mm；雄蕊近分离，宿存；子房近无毛。荚果串珠状，长 2.5 ~ 5cm 或稍长，直径约 10mm，种子间缢缩不明显，种子排列较紧密，具肉质果皮，成熟后不开裂，具种子 1 ~ 6；种子卵球形，淡黄绿色，干后黑褐色。花期 7 ~ 8 月，果期 8 ~ 10 月。

| 生境分布 | 栽培于路旁、庭院或山地。重庆各地均有分布。

| 资源情况 | 野生资源稀少。药材来源于栽培，自产自销。

| 采收加工 | 槐花：夏季花开放或花蕾形成时采收，及时干燥，除去枝、梗及杂质。前者习称“槐花”，后者习称“槐米”。

槐角：冬季采收，除去杂质，干燥。

槐叶：春、夏季采收，晒干或鲜用。

槐枝：春季采收，晒干或鲜用。

槐白皮：全年均可采剥树皮，除去栓皮。秋、冬季采挖根，剥取根皮，除去外层栓皮，洗净，切段，晒干或鲜用。

槐胶：夏、秋季采收。

槐根：全年均可采挖，洗净，晒干。

| 药材性状 | 槐花：本品皱缩而卷曲，花瓣多散落，完整者花萼钟状，黄绿色，先端 5 浅裂；花瓣 5，黄色或黄白色，1 片较大，近圆形，先端微凹，其余 4 片长圆形；雄蕊 10，其中 9 个基部联合，花丝细长；雌蕊圆柱形，弯曲；体轻；气微，味微苦。槐米呈卵形或椭圆形，长 2 ~ 6mm，直径约 2mm；花萼下部有数条纵纹，萼的上方为黄白色未开放的花瓣；花梗细小；体轻，手捻即碎；气微，味微苦、涩。

槐角：本品呈连珠状，长 1 ~ 6cm，直径 0.6 ~ 1cm。表面黄绿色或黄褐色，皱缩而粗糙，背缝线一侧呈黄色。质柔润，干燥皱缩，易在收缩处折断，断面黄绿色，有黏性。种子 1 ~ 6，长约 8mm，表面光滑，棕黑色，一侧有灰白色圆形种脐；质坚硬，子叶 2，黄绿色。果肉气微，味苦，种子嚼之有豆腥气。

槐枝：本品呈圆柱形，直径 0.2 ~ 1.5cm。外表面灰棕色或暗绿色，切断面浅黄色或黄白色。质坚硬。气微，味微苦。

槐根：本品呈圆柱形，长短、粗细不一，有的略弯曲。表面黄色或黄褐色。质坚硬，折断面黄白色，纤维性，木部占大部分。气微，味微苦、涩。

| 功能主治 | 槐花：苦，微寒。归肝、大肠经。凉血止血，清肝泻火。用于便血，痔血，血痢，崩漏，吐血，衄血，肝热目赤，头痛眩晕。

槐角：苦，寒。归肝、大肠经。清热泻火，凉血止血。用于肠热便血，痔肿出血，肝热头痛，眩晕目赤。

槐叶：苦，平。归肝、胃经。清肝泻火，凉血解毒，燥湿杀虫。用于小儿惊痫，壮热，肠风，尿血，痔疮，湿疹，疥癣，痈疮疔肿。

槐枝：苦，平。归心、肝、脾、大肠经。散瘀止血，清热燥湿，祛风杀虫。用于崩漏，赤白带下，心痛，目赤，痔疮，疥癣。

槐白皮：苦，平。祛风除湿，敛疮生肌，消肿解毒。用于风邪外中，身体强直，肌肤不仁，热病口疮，牙疳，肠风下血，痔疮，痈疽疮疡，阴部湿疮，烫火伤。

槐胶：苦，寒。归肝经。平肝，息风，化痰。用于中风口噤，筋脉抽掣拘急或四肢不收，破伤风，顽痹，风热耳聋，耳闭。

槐根：苦，平。散瘀消肿，杀虫。用于痔疮，喉痹，蛔虫病。

| 用法用量 | 槐花：内服煎汤，5 ~ 10g。

槐角：内服煎汤，6 ~ 9g。

槐叶：内服煎汤，10 ~ 15g；或研末。外用适量，煎汤熏洗；或捣汁涂、捣敷。

槐枝：内服煎汤，10 ~ 20g，鲜品加倍；浸酒或研末。外用适量，煎汤熏洗。

槐白皮：内服煎汤，6 ~ 15g。外用适量，煎汤含漱或熏洗；或研末撒。

槐胶：内服，入丸、散，0.3 ~ 1.5g。血虚气滞者禁用。

槐根：内服煎汤，30 ~ 60g。外用适量，煎汤洗或含漱。

| 附　　注 | 本种对气候适应性较强，在土层较深厚的地方均可栽培，以湿润、深厚、肥沃、排水良好的砂壤土栽培为佳，但在石灰性及轻度盐碱地中也能正常生长。

豆科 Leguminosae 车轴草属 *Trifolium*

红车轴草 *Trifolium pratense* L.

| 药 材 名 | 红车轴草（药用部位：地上部分。别名：红三叶、红菽草、红荷兰翘摇）。

| 形态特征 | 短期多年生草本，生长期 2 ~ 5（~ 9）年。主根深入土层达 1m。茎粗壮，具纵棱，直立或平卧上升，疏生柔毛或秃净。掌状三出复叶；托叶近卵形，膜质，每侧具脉纹 8 ~ 9，基部抱茎，先端离生部分渐尖，具锥刺状尖头；叶柄较长，茎上部的叶柄短，被伸展毛或秃净；小叶卵状椭圆形至倒卵形，长 1.5 ~ 3.5（~ 5）cm，宽 1 ~ 2cm，先端钝，有时微凹，基部阔楔形，两面疏生褐色长柔毛，叶面上常有"V"字形白斑；侧脉约 15 对，作 20° 角展开在叶边处分叉隆起，伸出形成不明显的钝齿；小叶柄短，长约 1.5mm。花序球形或卵形，顶生；无总花梗或具甚短总花梗，包于顶生叶的托叶内，托叶扩展成焰苞状，具花 30 ~ 70，密集；花长 12 ~ 14（~ 18）mm；几无花梗；花萼

红车轴草

钟形，被长柔毛，具脉纹10，萼齿丝状，锥尖，比萼筒长，最下方1齿比其余萼齿长1倍，萼喉开张，具一多毛的加厚环；花冠紫红色至淡红色，旗瓣匙形，先端圆形，微凹缺，基部狭楔形，明显比翼瓣和龙骨瓣长，龙骨瓣稍比翼瓣短；子房椭圆形，花柱丝状细长，胚珠1～2。荚果卵形，通常有1扁圆形种子。花果期5～9月。

|生境分布| 生于林缘、路边、草地等湿润处，或栽培于庭园、绿化带。重庆各地均有分布。

|资源情况| 野生和栽培资源均丰富。药材主要来源于野生和栽培。

|采收加工| 5～9月花开时采割，除去杂质，烘干或晒干。

|药材性状| 本品茎呈扁圆柱形或类方柱形，具纵棱；表面绿褐色至棕褐色，节明显；质韧，难折断，断面白色，中空。叶柄长5～20cm；基部托叶长圆形，先端尖细，与叶柄基部相连；叶互生，具3小叶，有疏毛，多卷缩或破碎，表面棕褐色。花序球状或卵状，顶生，总花梗甚短；花萼钟形，被长柔毛，具脉纹10，萼齿丝状，锥尖，比萼筒长，其中1齿比其余萼齿长1倍；花冠淡棕色或棕褐色。种子扁圆形或肾形，黄褐色或黄绿色。气微，味淡。

|功能主治| 辛、酸，平。镇痉，止汗，止咳，平喘。用于围绝经期综合征，百日咳，支气管炎。

|用法用量| 内服煎汤，15～45g。

豆科 Leguminosae 车轴草属 *Trifolium*

白车轴草 *Trifolium repens* L.

| 药 材 名 | 三消草（药用部位：全草。别名：螃蟹花、金花草、菽草翘摇）。

| 形态特征 | 短期多年生草本，生长期达 5 年，高 10 ~ 30cm。主根短，侧根和须根发达。茎匍匐蔓生，上部稍上升，节上生根，全株无毛。掌状三出复叶；托叶卵状披针形，膜质，基部抱茎成鞘状，离生部分锐尖；叶柄较长，长 10 ~ 30cm；小叶倒卵形至近圆形，长 8 ~ 20（~ 30）mm，宽 8 ~ 16（~ 25）mm，先端凹头至钝圆，基部楔形渐窄至小叶柄；中脉在下面隆起，侧脉约 13 对，与中脉作 50° 角展开，两面均隆起，近叶边分叉并伸达锯齿齿尖；小叶柄长 1.5mm，微被柔毛。花序球形，顶生，直径 15 ~ 40mm；总花梗甚长，比叶柄长近 1 倍；具花 20 ~ 50（~ 80），密集；无总苞；苞片披针形，膜质，锥尖；花长 7 ~ 12mm；花梗比花萼稍长或等长，开花立即下垂；

白车轴草

花萼钟形，具脉纹 10，萼齿 5，披针形，稍不等长，短于萼筒，萼喉开张，无毛；花冠白色、乳黄色或淡红色，具香气，旗瓣椭圆形，比翼瓣和龙骨瓣长近 1 倍，龙骨瓣比翼瓣稍短；子房线状长圆形，花柱比子房略长，胚珠 3 ~ 4。荚果长圆形；种子通常 3，阔卵形。花果期 5 ~ 10 月。

| 生境分布 | 生于湿润草地、河岸、路边，或栽培于庭园、绿化带。重庆各地均有分布。

| 资源情况 | 野生和栽培资源均丰富。药材来源于野生和栽培。

| 采收加工 | 夏、秋季花盛期采收，晒干。

| 药材性状 | 本品皱缩卷曲。茎圆柱形，多扭曲，直径 5 ~ 8mm，表面有细皱纹，节间长 7 ~ 9cm，节上有膜质托叶鞘。三出复叶，叶柄长达 10cm；托叶椭圆形，抱茎；小叶 3，多卷折或脱落，完整者展平后呈倒卵形或倒心形，长 1.5 ~ 2cm，宽 1 ~ 1.5cm，边缘具细齿，近无柄。花序头状，直径 1.5 ~ 2cm，类白色，有总花梗，长可达 20cm。气微，味淡。

| 功能主治 | 微甘，平。清热，凉血，宁心。用于癫痫，痔疮出血，硬结肿块。

| 用法用量 | 内服煎汤，15 ~ 30g。外用适量，捣敷。

| 附　　注 | 本种抗寒耐热，在酸性或碱性土壤中均能生长。

豆科 Leguminosae 野豌豆属 *Vicia*

窄叶野豌豆 *Vicia angustifolia* L. ex Reich.

| 药 材 名 | 窄叶野豌豆（药用部位：全草。别名：大巢菜、野绿豆）。

| 形态特征 | 一年生或二年生草本，高 20 ~ 50（~ 80）cm。茎斜升、蔓生或攀缘，多分枝，被疏柔毛。偶数羽状复叶长 2 ~ 6cm，叶轴先端卷须发达；托叶半箭头形或披针形，长约 0.15cm，有 2 ~ 5 齿，被微柔毛；小叶 4 ~ 6 对，线形或线状长圆形，长 1 ~ 2.5cm，宽 0.2 ~ 0.5cm，先端平截或微凹，具短尖头，基部近楔形；叶脉不甚明显，两面被浅黄色疏柔毛。花 1 ~ 2（3 ~ 4）腋生，有小苞叶；花萼钟形，萼齿 5，三角形，外面被黄色疏柔毛；花冠红色或紫红色，旗瓣倒卵形，先端圆、微凹，有瓣柄，翼瓣与旗瓣近等长，龙骨瓣短于翼瓣；子房纺锤形，被毛，胚珠 5 ~ 8，子房柄短，花柱先端具一束髯毛。荚果长线形，微弯，长 2.5 ~ 5cm，宽约 0.5cm；种皮黑褐色，革质，

窄叶野豌豆

种脐线形，长相当于种子圆周的 1/6。花期 3 ~ 6 月，果期 5 ~ 9 月。

| 生境分布 | 生于海拔 300 ~ 1600m 的河滩、山沟、谷地、田边草丛。分布于重庆大足、合川、南川等地。

| 资源情况 | 野生资源较少。药材来源于野生，自采自用。

| 采收加工 | 夏季采收全草，鲜用或晒干。

| 功能主治 | 清热利尿，凉血止血。用于乳蛾，咽喉痛。

| 用法用量 | 内服煎汤，适量。外用适量，捣敷。

| 附　　注 | 在 FOC 中，本种的拉丁学名被修订为 *Vicia sativa* subsp. *nigra* Ehrhart。

豆科 Leguminosae 野豌豆属 *Vicia*

广布野豌豆 *Vicia cracca* L.

| 药 材 名 | 落豆秧（药用部位：全草。别名：兰花草、透骨草、山豌豆）。

| 形态特征 | 多年生草本，高 40 ~ 150cm。根细长，多分枝。茎攀缘或蔓生，有棱，被柔毛。偶数羽状复叶，叶轴先端卷须有 2 ~ 3 分枝；托叶半箭头形或戟形，上部 2 深裂；小叶 5 ~ 12 对互生，线形、长圆形或披针状线形，长 1.1 ~ 3cm，宽 0.2 ~ 0.4cm，先端锐尖或圆形，具短尖头，基部近圆或近楔形，全缘；叶脉稀疏，呈三出脉状，不甚清晰。总状花序与叶轴近等长，花多数，10 ~ 40 密集一面向着生于总花序轴上部；花萼钟状，萼齿 5，近三角状披针形；花冠紫色、蓝紫色或紫红色，长 0.8 ~ 1.5cm，旗瓣长圆形，中部缢缩成提琴形，先端微缺，瓣柄与瓣片近等长，翼瓣与旗瓣近等长，明显长于龙骨瓣，先端钝；子房有柄，胚珠 4 ~ 7，花柱弯与子房联接处呈大于 90°

广布野豌豆

夹角，上部四周被毛。荚果长圆形或长圆状菱形，长 2 ~ 2.5cm，宽约 0.5cm，先端有喙，果梗长约 0.3cm；种子 3 ~ 6，扁圆球形，直径约 0.2cm，种皮黑褐色，种脐长相当于种子周长的 1/3。花果期 5 ~ 9 月。

| 生境分布 | 生于草甸、林缘、山坡、河滩草地或灌丛。重庆各地均有分布。

| 资源情况 | 野生资源丰富。药材来源于野生，自采自用。

| 采收加工 | 7 ~ 9 月采割，晒干。

| 功能主治 | 辛、苦，温。祛风除湿，活血消肿，解毒止痛。用于风湿疼痛，筋骨拘挛。外用于湿疹，肿毒。

| 用法用量 | 内服煎汤，15 ~ 25g。外用适量，煎汤熏洗。

豆科 Leguminosae 野豌豆属 *Vicia*

蚕豆 *Vicia faba* L.

| 药 材 名 | 蚕豆（药用部位：种子。别名：佛豆、胡豆、夏豆）、蚕豆壳（药用部位：种皮。别名：蚕豆皮）、蚕豆花（药用部位：花）、蚕豆叶（药用部位：叶、嫩苗）。

| 形态特征 | 一年生草本，高 30 ~ 100（~ 120）cm。主根短粗，多须根，根瘤粉红色，密集。茎粗壮，直立，直径 0.7 ~ 1cm，具四棱，中空，无毛。偶数羽状复叶，叶轴先端卷须短缩为短尖头；托叶戟头形或近三角状卵形，长 1 ~ 2.5cm，宽约 0.5cm，略有锯齿，具深紫色密腺点；小叶通常 1 ~ 3 对，互生，上部小叶可 4 ~ 5 对，基部较少，小叶椭圆形、长圆形或倒卵形，稀圆形，长 4 ~ 6（~ 10）cm，宽 1.5 ~ 4cm，先端圆钝，具短尖头，基部楔形，全缘，两面均无毛。总状花序腋生，花梗近无；花萼钟形，萼齿披针形，下萼齿较长；具花 2 ~ 4（~ 6），

蚕豆

呈丛状着生于叶腋；花冠白色，具紫色脉纹及黑色斑晕，长 2 ~ 3.5cm，旗瓣中部缢缩，基部渐狭，翼瓣短于旗瓣，长于龙骨瓣；雄蕊二体；子房线形无柄，胚珠 2 ~ 4（~ 6），花柱密被白柔毛，先端远轴面被一束髯毛。荚果肥厚，长 5 ~ 10cm，宽 2 ~ 3cm，表皮绿色，被绒毛，内有白色海绵状横隔膜，成熟后表皮变为黑色；种子 2 ~ 4（~ 6），长方状圆形，近长方形，中间内凹，种皮革质，青绿色、灰绿色至棕褐色，稀紫色或黑色，种脐线形，黑色，位于种子一端。花期 4 ~ 5 月，果期 5 ~ 6 月。

| 生境分布 | 栽培于菜园。重庆各地均有分布。

| 资源情况 | 野生资源稀少。药材来源于栽培，自产自销。

| 采收加工 | 蚕豆：夏季果实成熟、呈黑褐色时拔取全株，晒干，打下种子，扬净后再晒干；或鲜用。

蚕豆壳：取蚕豆放水中浸泡，剥下豆壳，晒干；或剥取嫩蚕豆种皮用。

蚕豆花：4 月花开时采收，除去杂质，晒干。

蚕豆叶、蚕豆茎：夏季采收，晒干。

| 药材性状 | 蚕豆：本品呈扁矩圆形，长 1.2 ~ 1.5cm，直径约 1cm，厚 7mm。种皮表面浅棕褐色，光滑，微有光泽，两面凹陷；种脐位于较大端，褐色或黑褐色。质坚硬，内有子叶 2，肥厚，黄色。气微，味淡，嚼之有豆腥气。

蚕豆壳：本品略呈扁肾形或为不规则形的碎片，较完整者长约2cm，直径1.2 ~ 1.5mm。外表面黄棕色，微有光泽，略凹凸不平，或具皱纹，一端有槽形黑色种脐，长约10mm，内表面色较淡。质坚而脆。气微，味淡。

蚕豆花：本品皱缩，长1.7 ~ 2.2cm，黑褐色，常1至数朵着生在极短的总花梗上。花萼钟形，膜质，萼齿5，披针形，不等长；花冠蝶形；花柱先端背部有1丛髯毛。气微香，味淡。

蚕豆叶：本品为羽状复叶，有小叶2 ~ 6；叶轴先端有狭线形卷须；叶柄基部两侧有大而明显的半箭头状托叶。小叶多皱缩卷曲，完整者展平后呈椭圆形或广椭圆形，长4 ~ 8cm，宽2.5 ~ 4cm，先端圆钝，具细尖，基部楔形。质脆，易碎。气微，味淡。

| 功能主治 | 蚕豆：甘、微辛，平。归脾、胃经。健脾利水，解毒消肿。用于膈食，水肿，疮毒。清热，凉血，宁心。用于癫痫，痔疮出血，硬结肿块。

蚕豆壳：甘、淡，平。利水渗湿，止血，解毒。用于水肿，脚气，小便不利，吐血，胎漏，下血，天疱疮，黄水疮，瘰疬。

蚕豆花：甘、微辛，平。止血，降血压。用于呕血，咯血，衄血，高血压。

蚕豆叶：苦、微甘，温。止血，解毒。用于咯血，吐血，外伤出血，臁疮。

| 用法用量 | 蚕豆：内服煎汤，30 ~ 60g；或研末；或做食品。外用适量，捣敷；或烧灰敷。内服不宜过量，过量易致食积腹胀。对本品过敏者禁服。

蚕豆壳：内服煎汤，9 ~ 15g。外用适量，煅存性研末调敷。

蚕豆花：内服煎汤，4.5 ~ 9g。

蚕豆叶：内服捣汁，30 ~ 60g。外用适量，捣敷；或研末撒。

豆科 Leguminosae 野豌豆属 *Vicia*

歪头菜 *Vicia unijuga* A. Br.

|药材名| 歪头菜（药用部位：全草。别名：山苦瓜、三铃子、野豌豆）。

|形态特征| 多年生草本，高（15 ~ ）40 ~ 100（ ~ 180）cm。根茎粗壮，近木质；主根长8 ~ 9cm，直径2.5cm，须根发达，表皮黑褐色。通常数茎丛生，具棱，疏被柔毛，老时渐脱落，茎基部表皮红褐色或紫褐红色。叶轴末端为细刺尖头，偶见卷须；托叶戟形或近披针形，长0.8 ~ 2cm，宽3 ~ 5mm，边缘有不规则啮蚀状；小叶1对，卵状披针形或近菱形，长（1.5 ~ ）3 ~ 7（ ~ 11）cm，宽1.5 ~ 4（ ~ 5）cm，先端渐尖，边缘具小齿状，基部楔形，两面均疏被微柔毛。总状花序单一，稀有分枝呈圆锥状复总状花序，明显长于叶，长4.5 ~ 7cm；花8 ~ 20一面向密集于花序轴上部；花萼紫色，斜钟状或钟状，长约0.4cm，直径0.2 ~ 0.3cm，无毛或近无毛，萼齿明显短于萼筒；花冠蓝紫色、

歪头菜

紫红色或淡蓝色，长 1 ~ 1.6cm，旗瓣倒提琴形，中部缢缩，先端圆，有凹，长 1.1 ~ 1.5cm，宽 0.8 ~ 1cm，翼瓣先端钝圆，长 1.3 ~ 1.4cm，宽 0.4cm，龙骨瓣短于翼瓣；子房线形，无毛，胚珠 2 ~ 8，具子房柄，花柱上部四周被毛。荚果扁，长圆形，长 2 ~ 3.5cm，宽 0.5 ~ 0.7cm，无毛，表皮棕黄色，近革质，两端渐尖，先端具喙，成熟时腹背开裂，果瓣扭曲；种子 3 ~ 7，扁圆球形，直径 0.2 ~ 0.3cm，种皮黑褐色，革质，种脐长相当于种子周长的 1/4。花期 6 ~ 7 月，果期 8 ~ 9 月。

| 生境分布 | 生于 200 ~ 850m 的向阳山坡、灌丛、草地或林缘。分布于重庆武隆、城口、巫山、南川等地。

| 资源情况 | 野生资源稀少。药材主要来源于野生。

| 采收加工 | 夏、秋季采挖，洗净，切段，晒干。

| 功能主治 | 甘，平。补虚，调肝，利尿，解毒。用于虚劳，头晕，胃痛，浮肿，疔疮。

| 用法用量 | 内服煎汤，9 ~ 30g。外用适量，捣敷。

豆科 Leguminosae 野豌豆属 *Vicia*

小巢菜 *Vicia hirsuta* (L.) S. F. Gray

小巢菜

药材名

小巢菜(药用部位：全草。别名：柱尖、摇车、翘摇车)、漂摇豆(药用部位：种子。别名：瓢摇豆)。

形态特征

一年生草本，高 15 ~ 90 (~ 120) cm，攀缘或蔓生。茎细柔，有棱，近无毛。偶数羽状复叶末端卷须分枝；托叶线形，基部有 2 ~ 3 裂齿；小叶 4 ~ 8 对，线形或狭长圆形，长 0.5 ~ 1.5cm，宽 0.1 ~ 0.3cm，先端平截，具短尖头，基部渐狭，无毛。总状花序明显短于叶；花萼钟形，萼齿披针形，长约 0.2cm；花 2 ~ 4(~ 7) 密集于花序轴先端，花甚小，仅长 0.3 ~ 0.5cm；花冠白色、淡蓝青色或紫白色，稀粉红色，旗瓣椭圆形，长约 0.3cm，先端平截，有凹，翼瓣近勺形，与旗瓣近等长，龙骨瓣较短；子房无柄，密被褐色长硬毛，胚珠 2，花柱上部四周被毛。荚果长圆菱形，长 0.5 ~ 1cm，宽 0.2 ~ 0.5cm，表皮密被棕褐色长硬毛；种子 2，扁圆形，直径 0.15 ~ 0.25cm，两面凸出，种脐长相当于种子圆周的 1/3。花果期 2 ~ 7 月。

| 生境分布 | 生于海拔 200 ~ 1900m 的山沟、河滩、田边或路旁草丛。分布于重庆黔江、南岸、九龙坡、石柱、南川、合川等地。

| 资源情况 | 野生资源一般。药材主要来源于野生。

| 采收加工 | 小巢菜：春、夏季采收，鲜用或晒干。

漂摇豆：夏季果实成熟时摘取荚果，打下种子，晒干。

| 功能主治 | 小巢菜：辛、甘，平。清热利湿，调经止血。用于黄疸，疟疾，月经不调，带下，鼻衄。

漂摇豆：凉。活血，明目。用于目赤肿痛。

| 用法用量 | 小巢菜：内服煎汤，18 ~ 60g。外用适量，捣敷。

漂摇豆：内服研末，3 ~ 6g。

豆科 Leguminosae 野豌豆属 *Vicia*

救荒野豌豆 *Vicia sativa* L.

| 药 材 名 | 大巢菜（药用部位：全草或种子。别名：野豌豆、野麻豌、马豆草）。

| 形态特征 | 一年生或二年生草本，高 15 ~ 90（~ 105）cm。茎斜升或攀缘，单一或多分枝，具棱，被微柔毛。偶数羽状复叶长 2 ~ 10cm，叶轴先端卷须有 2 ~ 3 分枝；托叶戟形，通常 2 ~ 4 裂齿，长 0.3 ~ 0.4cm，宽 0.15 ~ 0.35cm；小叶 2 ~ 7 对，长椭圆形或近心形，长 0.9 ~ 2.5cm，宽 0.3 ~ 1cm，先端圆或平截有凹，具短尖头，基部楔形，侧脉不甚明显，两面被贴伏黄色柔毛。花 1 ~ 2（~ 4）腋生，近无梗；花萼钟形，外面被柔毛，萼齿披针形或锥形；花冠紫红色或红色，旗瓣长倒卵圆形，先端圆，微凹，中部缢缩，翼瓣短于旗瓣，长于龙骨瓣；子房线形，微被柔毛，胚珠 4 ~ 8，子房具柄短，花柱上部被淡黄白色髯毛。荚果线状长圆形，长 4 ~ 6cm，宽 0.5 ~ 0.8cm，

救荒野豌豆

表皮土黄色，种间缢缩，被毛，成熟时背腹开裂，果瓣扭曲；种子 4 ~ 8，圆球形，棕色或黑褐色，种脐长相当于种子圆周的 1/5。花期 4 ~ 7 月，果期 7 ~ 9 月。

| 生境分布 | 生于荒山、田边草丛或林中。重庆各地均有分布。

| 资源情况 | 野生资源丰富。药材来源于野生，自产自销。

| 采收加工 | 4 ~ 5 月采割，晒干或鲜用。

| 药材性状 | 本品种子呈略扁圆球形，直径 3 ~ 4mm。表面黑棕色或黑色，种脐白色。质坚硬，破开后可见子叶 2，大型，黄色。气微，味淡，具豆腥气。

| 功能主治 | 甘、辛，寒。益肾，利水，止血，止咳。用于肾虚腰痛，遗精，黄疸，水肿，疟疾，鼻衄，心悸，咳嗽痰多，月经不调，疮疡肿毒。

| 用法用量 | 内服煎汤，15 ~ 30g。外用适量，捣敷；或煎汤洗。

豆科 Leguminosae 野豌豆属 *Vicia*

四籽野豌豆 *Vicia tetrasperma* (L.) Schreber

| 药 材 名 | 四子野豌豆（药用部位：全草。别名：丝翘翘、野豌豆、乌喙豆）。

| 形态特征 | 一年生缠绕草本，高 20 ~ 60cm。茎纤细柔软，有棱，多分枝，被微柔毛。偶数羽状复叶，长 2 ~ 4cm；先端为卷须，托叶箭头形或半三角形，长 0.2 ~ 0.3cm；小叶 2 ~ 6 对，长圆形或线形，长 0.6 ~ 0.7cm，宽约 0.3cm，先端圆，具短尖头，基部楔形。总状花序长约 3cm，花 1 ~ 2 着生于花序轴先端，花甚小，仅长约 0.3cm；花萼斜钟状，长约 0.3cm，萼齿圆三角形；花冠淡蓝色或带蓝色、紫白色，旗瓣长圆状倒卵形，长约 0.6cm，宽 0.3cm，翼瓣与龙骨瓣近等长；子房长圆形，长 0.3 ~ 0.4cm，宽约 0.15cm，有柄，胚珠 4，花柱上部四周被毛。荚果长圆形，长 0.8 ~ 1.2cm，宽 0.2 ~ 0.4cm，表皮棕黄色，近革质，具网纹；种子 4，扁圆形，直径约 0.2cm，种

四籽野豌豆

皮褐色，种脐白色，长相当于种子周长的 1/4。花期 3 ~ 6 月，果期 6 ~ 8 月。

| 生境分布 | 生于海拔 160 ~ 1950m 的山谷、草地阳坡。分布于重庆大足、丰都、南川、武隆、开州、九龙坡等地。

| 资源情况 | 野生资源较少。药材来源于野生，自采自用。

| 采收加工 | 夏季采收，拣净杂质，鲜用或晒干。

| 功能主治 | 甘、辛，平。解毒疗疮，活血调经，明目定眩。用于疔疮，痈疽，发背，痔疮，月经不调，眼目昏花，眩晕，耳鸣。

| 用法用量 | 内服煎汤，15 ~ 60g。外用适量，捣敷。

豆科 Leguminosae 豇豆属 *Vigna*

赤豆 *Vigna angularis* (Willd.) Ohwi et Ohashi

| 药 材 名 | 赤小豆（药用部位：种子。别名：小豆、红豆、猪肝赤）、赤小豆花（药用部位：花。别名：腐婢）、赤小豆叶（药用部位：叶。别名：赤小豆藿、小豆藿、小豆叶）、赤小豆芽（药材来源：芽）。

| 形态特征 | 一年生直立或缠绕草本，高 30 ~ 90cm，植株被疏长毛。羽状复叶具 3 小叶；托叶盾状着生，箭头形，长 0.9 ~ 1.7cm；小叶卵形至菱状卵形，长 5 ~ 10cm，宽 5 ~ 8cm，先端宽三角形或近圆形，侧生的偏斜，全缘或浅三裂，两面均稍被疏长毛。花黄色，5 或 6 生于短的总花梗先端；花梗极短；小苞片披针形，长 6 ~ 8mm；花萼钟状，长 3 ~ 4mm；花冠长约 9mm，旗瓣扁圆形或近肾形，常稍歪斜，先端凹，翼瓣比龙骨瓣宽，具短瓣柄及耳，龙骨瓣先端弯曲近半圈，其中一片的中下部有一角状突起，基部有瓣柄；子房线形，花柱弯曲，

赤豆

近先端被毛。荚果圆柱形，长 5 ~ 8cm，宽 5 ~ 6mm，平展或下弯，无毛；种子通常暗红色或其他颜色，长圆形，长 5 ~ 6mm，宽 4 ~ 5mm，两头截平或近浑圆，种脐不凹陷。花期夏季，果期 9 ~ 10 月。

| 生境分布 | 栽培于菜园或大田。重庆各地均有分布。

| 资源情况 | 野生资源稀少。药材来源于栽培，自产自销。

| 采收加工 | 赤小豆：秋季果实成熟而未开裂时拔取全株，晒干，打下种子，除去杂质，再晒干。

赤小豆花：夏季采收，阴干或鲜用。

赤小豆叶：夏季采收，鲜用或晒干。

赤小豆芽：成熟种子发芽后，晒干。

| 药材性状 | 赤小豆：本品呈短圆柱形，两端较平截或钝圆，直径 4 ~ 6mm。表面暗棕红色，有光泽，种脐不凸起。

| 功能主治 | 赤小豆：甘、酸，平。归心、小肠、脾经。利水消肿，解毒排脓。用于水肿胀满，脚气浮肿，黄疸尿赤，风湿热痹，痈肿疮毒，肠痈腹痛。

赤小豆花：辛，微凉。解毒消肿，行气利水，明目。用于痔疮丹毒，饮酒过度，腹胀食少，水肿，肝热目赤昏花。

赤小豆叶：甘、酸、涩，平。固肾缩尿，明目，止渴。用于小便频数，肝热目糊，心烦口渴。

赤小豆芽：甘，微凉。清热解毒，止血，安胎。用于肠风便血，肠痈，赤白痢疾，妊娠胎漏。

| 用法用量 | 赤小豆：内服煎汤，9 ~ 30g。外用适量，研末调敷。

赤小豆花：内服煎汤，9 ~ 15g；或入散剂。外用适量，研末撒；或鲜品捣敷。

赤小豆叶：内服煎汤，30 ~ 100g；或捣汁。

赤小豆芽：内服煎汤，9 ~ 15g；或入散剂；或鲜品炒熟食用。

| 附　　注 | 本种同属植物赤小豆 *Vigna umbellata* (Thunb.) Ohwi et Ohashi 亦可入药。

豆科 Leguminosae 豇豆属 *Vigna*

绿豆 *Vigna radiata* (L.) Wilczek

| 药 材 名 | 绿豆（药用部位：种子。别名：青小豆）、绿豆衣（药用部位：种皮。别名：绿豆壳）、绿豆叶（药用部位：叶）、绿豆花（药用部位：花）。

| 形态特征 | 一年生直立草本，高 20 ~ 60cm。茎被褐色长硬毛。羽状复叶具 3 小叶；托叶盾状着生，卵形，长 0.8 ~ 1.2cm，具缘毛；小托叶显著，披针形；小叶卵形，长 5 ~ 16cm，宽 3 ~ 12cm，侧生的多少偏斜，全缘，先端渐尖，基部阔楔形或浑圆，两面多少被疏长毛，基部三脉明显；叶柄长 5 ~ 21cm；叶轴长 1.5 ~ 4cm；小叶柄长 3 ~ 6mm。总状花序腋生，有花 4 至数朵，最多可达 25；总花梗长 2.5 ~ 9.5cm；花梗长 2 ~ 3mm；小苞片线状披针形或长圆形，长 4 ~ 7mm，有线条，近宿存；萼管无毛，长 3 ~ 4mm，裂片狭三角形，长 1.5 ~ 4mm，具缘毛，上方的一对合生成一先端 2 裂的裂片；旗瓣近方形，长 1.2cm，

绿豆

宽 1.6cm，外面黄绿色，里面有时粉红色，先端微凹，内弯，无毛，翼瓣卵形，黄色，龙骨瓣镰刀状，绿色而染粉红色，右侧有显著的囊。荚果线状圆柱形，平展，长 4 ~ 9cm，宽 5 ~ 6mm，被淡褐色、散生的长硬毛，种子间多少收缩；种子 8 ~ 14，淡绿色或黄褐色，短圆柱形，长 2.5 ~ 4mm，宽 2.5 ~ 3mm，种脐白色而不凹陷。花期初夏，果期 6 ~ 8 月。

| 生境分布 | 生于开阔的荒地、路边、灌木丛边缘。重庆各地均有分布。

| 资源情况 | 野生资源稀少。药材来源于栽培，自产自销。

| 采收加工 | 绿豆：立秋后种子成熟时采收，拔取全株，晒干，打下种子，簸净杂质。

绿豆衣：绿豆用水浸泡，揉取种皮，干燥。

绿豆叶：夏、秋季采收，随采随用。

绿豆花：6 ~ 7 月采摘，晒干。

| 药材性状 | 绿豆：本品呈矩圆形，长 4 ~ 6mm。表面绿黄色或暗绿色，有光泽。种脐位于一侧上端，长约为种子的 1/3，呈白色纵向线形。种皮薄而韧，种仁黄绿色或黄白色，子叶 2，肥厚。气微，嚼之有豆腥味。

绿豆衣：本品形状极不规则，均自裂口处向内侧反卷。外表面暗棕色，具致密的纹理。种脐呈长圆形槽状，常有残留的黄白色珠柄；内表面光滑，淡棕色。质硬而脆。气微，味淡。

| 功能主治 | 绿豆：甘，凉。归心、肝、胃经。清热，消暑，利水，解毒。用于暑热烦渴，感冒发热，霍乱吐泻，痰热哮喘，头痛目赤，口舌生疮，水肿尿少，疮疡痈肿，风疹丹毒，药物及食物中毒。

绿豆衣：甘，寒。归心、胃经。利尿解毒，清暑止渴，退目翳。用于暑热烦渴，痈肿，泄泻，痢疾，斑疹，丹毒，目翳。

绿豆叶：苦，寒。和胃，解毒。用于霍乱吐泻，斑疹，疔疮，疥癣，药毒，火毒。

绿豆花：甘，寒。解酒毒。用于急、慢性酒精中毒。

| 用法用量 | 绿豆：内服煎汤，15 ~ 30g。外用研末调敷。药用不可去皮。脾胃虚寒滑泄者慎服。

绿豆衣：内服煎汤，9 ~ 30g。外用适量，研末调敷或煎汤洗。

绿豆叶：内服捣汁，15 ~ 30g。外用适量，捣烂布包擦。

绿豆花：内服煎汤，30 ~ 60g。

豆科 Leguminosae 豇豆属 *Vigna*

赤小豆 *Vigna umbellata* (Thunb.) Ohwi et Ohashi

| 药 材 名 | 参见“赤豆”条。

| 形态特征 | 一年生草本。茎纤细，长达 1m 或过之，幼时被黄色长柔毛，老时无毛。羽状复叶具 3 小叶；托叶盾状着生，披针形或卵状披针形，长 10 ~ 15mm，两端渐尖；小托叶钻形，小叶纸质，卵形或披针形，长 10 ~ 13cm，宽（2 ~ ）5 ~ 7.5cm，先端急尖，基部宽楔形或钝，全缘或微 3 裂，沿两面脉上薄被疏毛，有基出脉 3。总状花序腋生，短，有花 2 ~ 3；苞片披针形；花梗短，着生处有腺体；花黄色，长约 1.8cm，宽约 1.2cm；龙骨瓣右侧具长角状附属体。荚果线状圆柱形，下垂，长 6 ~ 10cm，宽约 5mm，无毛；种子 6 ~ 10，长椭圆形，通常暗红色，有时为褐色、黑色或草黄色，直径 3 ~ 3.5mm，种脐凹陷。花期 5 ~ 8 月。

赤小豆

| **生境分布** | 栽培于菜园。重庆各地均有分布。

| **资源情况** | 野生资源稀少，栽培资源丰富。药材来源于栽培，自产自销。

| **采收加工** | 参见“赤豆”条。

| **药材性状** | 赤小豆：本品呈长圆形而稍扁，长 5 ~ 8mm，直径 3 ~ 3.5mm。表面紫红色，无光泽或微有光泽；一侧有线形凸起的种脐，偏向一端，白色，约为全长的 2/3，中间凹陷成纵沟；另一侧有 1 条不明显的棱脊。质硬，不易破碎。子叶 2，乳白色。气微，味微甘。

| **功能主治** | 参见“赤豆”条。

| **用法用量** | 参见“赤豆”条。

| **附　　注** | 本种的同属植物赤豆 *Vigna angularis* (Willd.) Ohwi et Ohashi 亦可入药。

豆科 Leguminosae 豇豆属 *Vigna*

豇豆 *Vigna unguiculata* (L.) Walp.

豇豆

|药 材 名|

豇豆（药用部位：种子。别名：羊角、豆角、角豆）、豇豆壳（药用部位：荚壳）、豇豆叶（药用部位：叶）、豇豆根（药用部位：根）。

|形态特征|

一年生缠绕草质藤本或近直立草本，有时先端缠绕状。茎近无毛。羽状复叶具 3 小叶；托叶披针形，长约 1cm，着生处下延成一短距，有线纹；小叶卵状菱形，长 5 ~ 15cm，宽 4 ~ 6cm，先端急尖，全缘或近全缘，有时淡紫色，无毛。总状花序腋生，具长梗；花 2 ~ 6 聚生花序的先端，花梗间常有肉质密腺；花萼浅绿色，钟状，长 6 ~ 10mm，裂齿披针形；花冠黄白色而略带青紫色，长约 2cm，各瓣均具瓣柄，旗瓣扁圆形，宽约 2cm，先端微凹，基部稍有耳，翼瓣略呈三角形，龙骨瓣稍弯；子房线形，被毛。荚果下垂，直立或斜展，线形，长 7.5 ~ 70（~ 90）cm，宽 6 ~ 10mm，稍肉质而膨胀或坚实，有种子多颗；种子长椭圆形或圆柱形或稍肾形，长 6 ~ 12mm，黄白色、暗红色或其他颜色。花期 5 ~ 8 月。

| 生境分布 | 栽培于菜园或大田。重庆各地均有分布。

| 资源情况 | 野生资源稀少，栽培资源丰富。药材主要来源于栽培。

| 采收加工 | 豇豆：秋季果实成熟后采收，晒干，打下种子。

豇豆壳：秋季采收果实，除去种子，晒干。

豇豆叶：夏、秋季采收，鲜用或晒干。

豇豆根：秋季采挖，除去泥土，洗净，鲜用或晒干。

| 功能主治 | 豇豆：甘、咸，平。归脾、肾经。健脾利湿，补肾涩精。用于脾胃虚弱，泄泻，痢疾，吐逆，肾虚腰痛，遗精，消渴，带下，白浊，小便频数。

豇豆壳：甘，平。补肾健脾，利水消肿，镇痛，解毒。用于腰痛，肾炎，胆囊炎，带状疱疹，乳痈。

豇豆叶：甘、淡，平。利小便，解毒。用于淋证，小便不利，蛇咬伤。

豇豆根：甘，平。健脾益气，消积，解毒。用于脾胃虚弱，食积，带下，淋浊，痔血，疔疮。

| 用法用量 | 豇豆：内服煎汤，30 ~ 60g；或煮食；或研末，6 ~ 9g。外用适量，捣敷。气滞便结者禁用。

豇豆壳：内服煎汤，30 ~ 60g，鲜者 90 ~ 150g。外用适量，烧灰研末调敷。

豇豆叶：内服煎汤，鲜叶 60 ~ 90g。外用适量，捣敷。

豇豆根：内服煎汤，鲜根 60 ~ 90g。外用适量，捣敷；或烧灰存性，研末调敷。

豆科 Leguminosae 豇豆属 *Vigna*

野豇豆 *Vigna vexillata* (L.) Rich.

| 药 材 名 | 山土瓜（药用部位：根。别名：土高丽参、土白参、绿豆参）。

| 形态特征 | 多年生攀缘或蔓生草本。根纺锤形，木质。茎被开展的棕色刚毛，老时渐变为无毛。羽状复叶具 3 小叶；托叶卵形至卵状披针形，基着，长 3 ~ 5mm，基部心形或耳状，被缘毛；小叶膜质，形状变化较大，卵形至披针形，长 4 ~ 9（~ 15）cm，宽 2 ~ 2.5cm，先端急尖或渐尖，基部圆形或楔形，通常全缘，少数微具 3 裂片，两面被棕色或灰色柔毛；叶柄长 1 ~ 11cm；叶轴长 0.4 ~ 3cm；小叶柄长 2 ~ 4mm。花序腋生，有 2 ~ 4 生于花序轴顶部的花，使花序近伞形；总花梗长 5 ~ 20cm；小苞片钻状，长约 3mm，早落；花萼被棕色或白色刚毛，稀变无毛，萼管长 5 ~ 7mm，裂片线形或线状披针形，长 2 ~ 5mm，上方的 2 枚基部合生；旗瓣黄色、粉红色或紫色，有时在基部内面

野豇豆

具黄色或紫红色斑点，长 2 ~ 3.5cm，宽 2 ~ 4cm，先端凹缺，无毛，翼瓣紫色，基部稍淡，龙骨瓣白色或淡紫色，镰状，喙部呈 180° 弯曲，左侧具明显的袋状附属物。荚果直立，线状圆柱形，长 4 ~ 14cm，宽 2.5 ~ 4mm，被刚毛；种子 10 ~ 18，浅黄色至黑色，无斑点或棕色至深红色而有黑色之溅点，长圆形或长圆状肾形，长 2 ~ 4.5mm。花期 7 ~ 9 月。

| 生境分布 | 生于海拔 300 ~ 1600m 的山坡、林缘、路旁或草丛中。分布于重庆丰都、忠县、酉阳、黔江、南川等地。

| 资源情况 | 野生资源较少。药材来源于野生，自采自用。

| 采收加工 | 秋季采挖，除去茎基、须根和泥土，晒干。

| 功能主治 | 甘、苦，平。益气，生津，利咽，解毒。用于头昏乏力，失眠，阴挺，脱肛，乳少，暑热烦渴，风火牙痛，咽喉肿痛，瘰疬，疮疖，毒蛇咬伤。

| 用法用量 | 内服煎汤，9 ~ 60g。外用适量，捣敷。

豆科 Leguminosae 紫藤属 *Wisteria*

紫藤 *Wisteria sinensis* (Sims) Sweet

紫藤

|药材名|

紫藤（药用部位：茎、茎皮。别名：招豆藤、朱藤、藤花菜）、紫藤根（药用部位：根）、紫藤子（药用部位：种子）。

|形态特征|

落叶藤本。茎左旋，枝较粗壮，嫩枝被白色柔毛，后秃净；冬芽卵形。奇数羽状复叶长15 ~ 25cm；托叶线形，早落；小叶3 ~ 6对，纸质，卵状椭圆形至卵状披针形，上部小叶较大，基部1对最小，长5 ~ 8cm，宽2 ~ 4cm，先端渐尖至尾尖，基部钝圆或楔形，或歪斜，嫩叶两面被平伏毛，后秃净；小叶柄长3 ~ 4mm，被柔毛；小托叶刺毛状，长4 ~ 5mm，宿存。总状花序发自去年生短枝的腋芽或顶芽，长15 ~ 30cm，直径8 ~ 10cm，花序轴被白色柔毛；苞片披针形，早落；花长2 ~ 2.5cm，芳香；花梗细，长2 ~ 3cm；花萼杯状，长5 ~ 6mm，宽7 ~ 8mm，花冠密被细绢毛，上方2齿甚钝，下方3齿卵状三角形；花冠被细绢毛，上方2齿甚钝，下方3齿卵状三角形；花冠紫色，旗瓣圆形，先端略凹陷，花开后反折，基部有2胼胝体，翼瓣长圆形，基部圆，龙骨瓣较翼瓣短，阔镰形；子房线形，密被绒毛，花柱无毛，上弯，胚珠 6 ~ 8。荚果倒披针形，长 10 ~ 15cm，宽 1.5 ~ 2cm，密被绒毛，悬垂枝上不脱落，有种子 1 ~ 3；种子褐色，具光泽，圆形，宽 1.5cm，扁平。花期 4 月中旬至 5 月上旬，果期 5 ~ 8 月。

| 生境分布 | 生于山坡、疏林缘、溪谷两旁、空旷草地，也栽培在庭园内。重庆各地均有分布。

| 资源情况 | 野生和栽培资源均一般。药材主要来源于栽培。

| 采收加工 | 紫藤：夏季采收茎或茎皮，晒干。

紫藤根：全年均可采挖，除去泥土，洗净，切片，晒干。

紫藤子：冬季果实成熟时采收果实，除去果壳，晒干。

| 药材性状 | 紫藤子：本品呈扁圆形或略呈肾圆形，一面平坦，另一面稍隆起，直径 1.2 ~ 2.3cm，厚 2 ~ 3mm。表面淡棕色至黑棕色，平滑，具光泽，散有黑色斑纹，一端有细小合点，自合点分出数条略凹下的弧形脉纹，另一端侧边凹陷处有黄白色椭圆形种脐，并有种柄残迹。质坚硬，种皮薄，剥去后可见黄白色坚硬的子叶 2。嚼之有豆腥气，微有麻舌感。

| 功能主治 | 紫藤：甘、苦，微温；有小毒。利水，除痹，杀虫。用于水癃病，浮肿，关节疼痛，肠寄生虫病。

紫藤根：甘，温。祛风除湿，舒筋活络。用于痛风，痹证。

紫藤子：甘，微温；有小毒。活血，通络，解毒，驱虫。用于筋骨疼痛，腹痛吐泻，小儿蛲虫病。

| 用法用量 | 紫藤：内服煎汤，9 ~ 15g。

紫藤根：内服煎汤，9 ~ 15g。

紫藤子：内服煎汤（炒熟），15 ~ 30g；或浸酒。

| 附　　注 | 本种喜湿润、避风向阳的环境，耐寒、耐旱。宜选择肥沃、排水良好的砂壤土栽培。

酢浆草科 Oxalidaceae 科酢浆草属 *Oxalis*

山酢浆草 *Oxalis griffithii* Edgeworth et J. D. Hooker

| 药 材 名 | 山酢浆草（药用部位：全草）。

| 形态特征 | 多年生草本，高 8 ~ 10cm。根纤细；根茎横生，节间具长 1 ~ 2mm 的褐色或白色小鳞片和细弱的不定根。茎短缩不明显，基部围以残存覆瓦状排列的鳞片状叶柄基。叶基生；托叶阔卵形，被柔毛或无毛，与叶柄茎部合生；叶柄长 3 ~ 15cm，近基部具关节；小叶 3，倒三角形或宽倒三角形，长 5 ~ 20mm，宽 8 ~ 30mm，先端凹陷，两侧角钝圆，基部楔形，两面被毛或背面无毛，有时两面均无毛。总花梗基生，单花，与叶柄近等长或更长；花梗长 2 ~ 3cm，被柔毛；苞片 2，对生，卵形，长约 3mm，被柔毛；萼片 5，卵状披针形，长 3 ~ 5mm，宽 1 ~ 2mm，先端具短尖，宿存；花瓣 5，白色或稀粉红色，倒心形，长为萼片的 1 ~ 2 倍，先端凹陷，基部狭楔形，

山酢浆草

具白色或带紫红色脉纹；雄蕊 10，长、短互间，花丝纤细，基部合生；子房 5 室，花柱 5，细长，柱头头状。蒴果椭圆形或近球形，长 3 ~ 4mm；种子卵形，褐色或红棕色，具纵肋。花期 7 ~ 8 月，果期 8 ~ 9 月。本种与白花酢浆草的主要区别在于小叶倒三角形或宽倒三角形；蒴果椭圆形或近球形。

｜生境分布｜ 生于海拔 1250 ~ 2600m 的密林、灌丛或沟谷等阴湿处。分布于重庆城口、巫溪、云阳、武隆、江津、黔江、奉节、石柱、忠县、酉阳、南川、涪陵、丰都、九龙坡等地。

｜资源情况｜ 野生资源一般。药材主要来源于野生。

｜采收加工｜ 夏、秋季采收，鲜用或晒干。

｜功能主治｜ 酸、微辛，平。归心、肝、膀胱经。活血化瘀，清热解毒，利尿通淋。用于劳伤疼痛，跌打损伤，麻疯，无名肿毒，疥癣，小儿口疮，烫火伤，淋浊带下，尿闭。

｜用法用量｜ 内服煎汤，3 ~ 10g。外用适量，煎汤洗；捣敷；或研末，菜油调搽。

｜附　　注｜ 本种原为白花酢浆草 *Oxalis acetosella* L. 的亚种，现 FOC 将其独立出来。白花酢浆草及其亚种三角酢浆草 *Oxalis acetosella* L. subsp. *japonica* Hara 亦作三叶酢浆草药材使用。

酢浆草科 Oxalidaceae 酢浆草属 *Oxalis*

酢浆草 *Oxalis corniculata* L.

| 药 材 名 | 酢浆草（药用部位：全草。别名：酸箕、三叶酸草、酸母草）。

| 形态特征 | 草本，高 10 ~ 35cm，全株被柔毛。根茎稍肥厚。茎细弱，多分枝，直立或匍匐，匍匐茎节上生根。叶基生或茎上互生；托叶小，长圆形或卵形，边缘被密长柔毛，基部与叶柄合生，或同一植株下部托叶明显而上部托叶不明显；叶柄长 1 ~ 13cm，基部具关节；小叶 3，无柄，倒心形，长 4 ~ 16mm，宽 4 ~ 22mm，先端凹入，基部宽楔形，两面被柔毛或表面无毛，沿脉被毛较密，边缘具贴伏缘毛。花单生或数朵集为伞形花序状，腋生，总花梗淡红色，与叶近等长；花梗长 4 ~ 15mm，果后延伸；小苞片 2，披针形，长 2.5 ~ 4mm，膜质；萼片 5，披针形或长圆状披针形，长 3 ~ 5mm，背面和边缘被柔毛，宿存；花瓣 5，黄色，长圆状倒卵形，长 6 ~ 8mm，宽 4 ~ 5mm；

酢浆草

雄蕊 10，花丝白色，半透明，有时被疏短柔毛，基部合生，长、短互间，长者花药较大且早熟；子房长圆形，5 室，被短伏毛，花柱 5，柱头头状。蒴果长圆柱形，长 1 ~ 2.5cm，具 5 棱；种子长卵形，长 1 ~ 1.5mm，褐色或红棕色，具横向肋状网纹。花果期 2 ~ 9 月。

| 生境分布 | 生于山坡草池、河谷沿岸、路边、田边、荒地或林下阴湿处等。重庆各地均有分布。

| 资源情况 | 野生资源丰富。药材来源于野生。

| 采收加工 | 全年均可采集，以夏、秋季采者为佳，洗净，鲜用或晒干。

| 药材性状 | 本品全体被疏毛。茎草质，多分枝，节上生根。小叶 3，互生，叶片多皱缩，棕绿色；叶柄长 2.5 ~ 5cm；完整小叶展开后倒心形，无柄，全缘。花单生或伞形花序腋生，花小，黄色，多已干缩。蒴果近圆柱形，有 5 棱，被短柔毛。质脆，易折断。味酸、涩、微咸。

| 功能主治 | 酸，寒。归肝、肺、膀胱经。清热利湿，凉血散瘀，消肿解毒。用于咽喉炎，扁桃体炎，口疮，泄泻，痢疾，黄疸，淋证，赤白带下，麻疹，吐血，衄血，疔疮，疥癣，跌打损伤等。

| 用法用量 | 内服煎汤，9 ~ 15g，鲜品 30 ~ 60g。外用适量，煎汤洗、捣敷；或煎汤漱口。

| 附　　注 | 本种喜温暖湿润气候，喜湿润地生长。以疏松肥沃、富含腐殖质的砂壤土栽培为宜。

酢浆草科 Oxalidaceae 酢浆草属 *Oxalis*

红花酢浆草 *Oxalis corymbosa* DC.

| 药 材 名 | 铜锤草（药用部位：全草。别名：大酸味草、大老鸦酸、地麦子）、铜锤草根（药用部位：根。别名：大老鸦酸根）。

| 形态特征 | 多年生直立草本。无地上茎，地下部分有球状鳞茎，外层鳞片膜质，褐色，背具 3 肋状纵脉，被长缘毛，内层鳞片呈三角形，无毛。叶基生；叶柄长 5 ～ 30cm 或更长，被毛；小叶 3，扁圆状倒心形，长 1 ～ 4cm，宽 1.5 ～ 6cm，先端凹入，两侧角圆形，基部宽楔形，表面绿色，被毛或近无毛，背面浅绿色，通常两面或有时仅边缘有干后呈棕黑色的小腺体，背面尤甚并被疏毛；托叶长圆形，顶部狭尖，与叶柄基部合生。总花梗基生，二歧聚伞花序，通常排列成伞形花序式，总花梗长 10 ～ 40cm 或更长，被毛；花梗、苞片、萼片均被毛；花梗长 5 ～ 25mm，每花梗有披针形干膜质苞片 2；萼片 5，披针形，

红花酢浆草

长约 4 ~ 7mm，先端有暗红色长圆形的小腺体 2，顶部腹面被疏柔毛；花瓣 5，倒心形，长 1.5 ~ 2cm，为花萼长的 2 ~ 4 倍，淡紫色至紫红色，基部颜色较深；雄蕊 10，长的 5 枚超出花柱，另 5 枚长至子房中部，花丝被长柔毛；子房 5 室，花柱 5，被锈色长柔毛，柱头浅 2 裂。花果期 3 ~ 12 月。

| 生境分布 | 栽培于庭园、绿化带。重庆各地均有分布。

| 资源情况 | 野生资源稀少，栽培资源丰富。药材主要来源于栽培。

| 采收加工 | 铜锤草：3 ~ 6 月采集，洗净，鲜用或晒干。
铜锤草根：秋季采挖，洗净泥土，鲜用或晒干。

| 功能主治 | 铜锤草：酸，寒。归肝、小肠经。散瘀消肿，清热利湿，解毒。用于跌打损伤，月经不调，咽喉肿痛，水泻，痢疾，水肿，带下，淋浊，痔疮，痈肿疮疖，烫火伤。
铜锤草根：酸，寒。清热，平肝，定惊。用于小儿肝热，惊风。

| 用法用量 | 铜锤草：内服煎汤，15 ~ 30g；或浸酒、炖肉。外用适量，捣敷。
铜锤草根：内服煎汤，9 ~ 15g。

牻牛儿苗科 Geraniaceae 老鹳草属 *Geranium*

金佛山老鹳草 *Geranium bockii* R. Knuth

| 药 材 名 | 金佛山老鹳草（药用部位：全草）。

| 形态特征 | 多年生草本，高 30 ~ 40cm。根茎粗壮，斜生或直生，具多数纤维状根，有时有膨大的块根，上部被鳞片状托叶。茎通常丛生，具棱角，下部近无毛，上部被开展的糙毛，中部以上 1 回假二叉状分枝或不分枝。叶基生和茎上对生；托叶三角状卵形，长 5 ~ 7mm，宽 3 ~ 4mm，无毛；基生叶具长柄，叶柄长为叶片的 4 ~ 5 倍，常早枯，茎生叶柄与叶片近等长，被开展的长柔毛和倒向短柔毛，上部叶近无柄；叶片五角状肾圆形，基部宽心形，长 2 ~ 3cm，宽 3 ~ 4cm，掌状 5 深裂近茎部，裂片宽菱形，下部全缘，上部羽状深裂，小裂片卵状披针形，具 1 ~ 2 牙齿，先端急尖，具不明显钝尖头，两面被短伏毛。花序顶生和腋生，长于叶，被开展长糙毛和倒向短柔毛，

金佛山老鹳草

总花梗具 2 花；花梗与总花梗相似，与花近等长；苞片钻状披针形，长 4 ~ 5mm，宽约 1mm，外被疏柔毛；萼片椭圆形或椭圆状卵形，长 6 ~ 7mm，宽 3 ~ 4mm，先端污紫红色，具细尖头，外被长糙毛；花瓣紫红色，倒长卵形，长为萼片的 2 倍或更长，先端圆形，基部楔形，下部边缘和内面被短糙毛；雄蕊和萼片近等长，花丝下部扩展，中部以下被短糙毛，花药棕色；雌蕊密被短糙毛，花柱分枝深棕色。蒴果长约 2cm，被短糙毛。花期 6 ~ 7 月，果期 7 ~ 8 月。

| 生境分布 | 生于海拔 2200m 左右的山地草甸、林缘或杂草山坡。分布于重庆南川等地。

| 资源情况 | 野生资源稀少。药材主要来源于野生。

| 采收加工 | 果实将成熟时割取地上部分或拔起全株，去净泥土杂质，洗净，鲜用或晒干。

| 功能主治 | 祛风除湿，活血通络。用于风湿痹痛，四肢麻木，筋骨酸痛。

| 用法用量 | 内服煎汤，适量。

| 附　　注 | 在 FOC 中，本种被修订为湖北老鹳草 *Geranium rosthornii* R. Knuth。

牻牛儿苗科 Geraniaceae 老鹳草属 *Geranium*

野老鹳草 *Geranium carolinianum* L.

| 药 材 名 | 老鹳草（药用部位：全草。别名：老官草、五瓣花、短嘴老鹳草）。

| 形态特征 | 一年生草本，高 20 ~ 60cm。根纤细，单一或分枝，茎直立或仰卧，单一或多数，具棱角，密被倒向短柔毛。基生叶早枯，茎生叶互生或最上部对生；托叶披针形或三角状披针形，长 5 ~ 7mm，宽 1.5 ~ 2.5mm，外被短柔毛；茎下部叶具长柄，叶柄长为叶片的 2 ~ 3 倍，被倒向短柔毛，上部叶柄渐短；叶片圆肾形，长 2 ~ 3cm，宽 4 ~ 6cm，基部心形，掌状 5 ~ 7 裂近基部，裂片楔状倒卵形或菱形，下部楔形，全缘，上部羽状深裂，小裂片条状矩圆形，先端急尖，表面被短伏毛，背面主要沿脉被短伏毛。花序腋生和顶生，长于叶，被倒生短柔毛和开展的长腺毛，每总花梗具 2 花，顶生总花梗常数个集生，花序呈伞形状；花梗与总花梗相似，等于或稍短于

野老鹳草

花；苞片钻状，长 3 ~ 4mm，被短柔毛；萼片长卵形或近椭圆形，长 5 ~ 7mm，宽 3 ~ 4mm，先端急尖，具长约 1mm 尖头，外被短柔毛或沿脉被开展的糙柔毛和腺毛；花瓣淡紫红色，倒卵形，稍长于花萼，先端圆形，基部宽楔形，雄蕊稍短于萼片，中部以下被长糙柔毛；雌蕊稍长于雄蕊，密被糙柔毛。蒴果长约 2cm，被短糙毛，果瓣由喙上部先裂向下卷曲。花期 4 ~ 7 月，果期 5 ~ 9 月。

| 生境分布 | 生于平原或低山荒坡杂草丛中。分布于重庆永川、酉阳、南川、长寿、忠县、开州、江津、南岸、北碚、城口等地。

| 资源情况 | 野生资源一般。药材来源于野生。

| 采收加工 | 夏、秋季果实将成熟时将全株拔起，除去泥土和杂质，晒干。

| 药材性状 | 本品茎长 20 ~ 40cm，直径 0.2 ~ 0.4cm，多分枝，节膨大；表面灰绿色或带紫色，有纵沟纹及稀疏绒毛；质脆，断面黄白色，有的中空。叶对生，具细长叶柄；叶片卷曲皱缩，质脆，易碎，掌状 5 ~ 7 深裂，裂片条形，每裂片又 3 ~ 5 深裂。果实长圆形，长 0.3 ~ 0.5cm。宿存花柱长 1 ~ 1.5cm，有的 5 裂并向上螺旋形卷曲成伞形。无臭，味淡。

| 功能主治 | 辛、苦，平。归肝、大肠经。祛风湿，通经络，止泻痢。用于风湿痹痛，麻木拘挛，筋骨酸痛，泄泻，痢疾。

| 用法用量 | 内服煎汤，鲜品 9 ~ 15g；或浸酒；或熬膏。外用适量，捣烂加酒炒热外敷或制成软膏涂敷。

| 附　　注 | （1）《中国药典》中同属植物老鹳草 *Geranium wilfordii* Maxim.、牻牛儿苗属牻牛儿苗 *Erodium stephanianum* Willd. 亦同作为老鹳草药材入药。

（2）本种喜温暖湿润、阳光充足的环境，耐寒、耐湿。以疏松肥沃、湿润的壤土栽培为宜。

牻牛儿苗科 Geraniaceae 老鹳草属 *Geranium*

尼泊尔老鹳草 *Geranium nepalense* Sweet

| 药 材 名 | 老鹳草（药用部位：全草。别名：五叶草、老关草、五瓣花）。

| 形态特征 | 多年生草本，高 30 ～ 50cm。根为直根，多分枝，纤维状。茎多数，细弱，多分枝，仰卧，被倒生柔毛。叶对生或偶为互生；托叶披针形，棕褐色，干膜质，长 5 ～ 8mm，外被柔毛；基生叶和茎下部叶具长柄，叶柄长为叶片的 2 ～ 3 倍，被开展的倒向柔毛；叶片五角状肾形，基部心形，掌状 5 深裂，裂片菱形或菱状卵形，长 2 ～ 4cm，宽 3 ～ 5cm，先端锐尖或钝圆，基部楔形，中部以上边缘齿状浅裂或缺刻状，表面被疏伏毛，背面被疏柔毛，沿脉被毛较密；上部叶具短柄，叶片较小，通常 3 裂。总花梗腋生，长于叶，被倒向柔毛，每梗 2 花，少有 1 花；苞片披针状钻形，棕褐色，干膜质；萼片卵状披针形或卵状椭圆形，长 4 ～ 5mm，被疏柔毛，先端锐尖，具短

尼泊尔老鹳草

尖头，边缘膜质；花瓣紫红色或淡紫红色，倒卵形，等于或稍长于萼片，先端截平或圆形，基部楔形；雄蕊下部扩大成披针形，具缘毛；花柱不明显，柱头分枝长约 1mm。蒴果长 15 ~ 17mm，果瓣被长柔毛，喙被短柔毛。花期 4 ~ 9 月，果期 5 ~ 10 月。

| 生境分布 | 生于海拔 100 ~ 2790m 的山地阔叶林林缘、灌丛、荒山草坡。重庆各地均有分布。

| 资源情况 | 野生资源丰富。药材来源于野生。

| 采收加工 | 夏、秋季果实将成熟时将全株拔起，除去泥土和杂质，晒干。

| 药材性状 | 本品茎直径 1 ~ 3mm；表面灰绿色或紫红色，有纵沟及稀疏毛。叶肾状五角形，掌状 5 深裂，边缘有缺刻，被毛。蒴果长约 1.7cm，宿存花柱成熟时 5 裂，向上反卷。

| 功能主治 | 苦、微辛，平。归肝、大肠经。祛风通络，活血，清热利湿。用于风湿痹痛，肌肤麻木，筋骨酸楚，跌打损伤，泄泻，痢疾，疮毒。

| 用法用量 | 内服煎汤，9 ~ 15g；或浸酒；或熬膏。外用适量，捣烂加酒炒热外敷或制成软膏涂敷。

| 附　　注 | （1）本种同属植物老鹳草 *Geranium wilfordii* Maxim.、牻牛儿苗属牻牛儿苗 *Erodium stephanianum* Willd.、鼠掌老鹳草 *Geranium sibiricum* L.、粗根老鹳草 *Geranium dahuricum* DC. 等亦同作为老鹳草药材入药。

（2）《常用中药材品种整理与质量研究》中曾对老鹳草做过专题研究，结果表明，老鹳草 *Geranium wilfordii* Maxim. 在市场上使用很少，而尼泊尔老鹳草 *Geranium nepalense* Sweet 南北均有，使用量较大。通过药理实验表明，尼泊尔老鹳草疗效确切，毒性不大，可以代替老鹳草作为正品老鹳草药材使用。

牻牛儿苗科 Geraniaceae 老鹳草属 *Geranium*

汉荭鱼腥草 *Geranium robertianum* L.

| 药 材 名 | 猫脚印（药用部位：全草。别名：汉荭鱼腥草、水药、狗脚血竭）。

| 形态特征 | 一年生草本，高 20 ~ 50cm。根纤细，数条成纤维状。茎直立或基部仰卧，具棱槽，假二叉状分枝，被绢状毛和腺毛。叶基生和茎上对生；托叶卵状三角形，长 2 ~ 4mm，先端钝，外被疏柔毛；基生叶和茎下部叶具长柄，叶柄长为叶片的 2 ~ 3 倍，被疏柔毛和腺毛；叶片五角状，长 2 ~ 5cm，宽 3 ~ 7cm，通常二至三回三出羽状，第 1 回裂片卵状，明显具柄，2 回裂片具短柄或柄不明显，3 回为羽状深裂，其下部小裂片具数齿，上部小裂片全缘或缺刻状，先端急尖，两面被疏柔毛。花序腋生和顶生，长于叶，总花梗被短柔毛和腺毛，每梗具 2 花；苞片钻状披针形，长 1 ~ 2mm；花梗与总花梗相似，直生，等于或稍长于花；萼片长卵形，长 5 ~ 7mm，先端具

汉荭鱼腥草

长 1 ~ 1.5mm 的尖头，外被疏柔毛和腺毛；花瓣粉红色或紫红色，倒卵形，稍长于萼片或为其 1.5 倍，先端圆形，基部楔形；雄蕊与萼片近等长，花药黄色，花丝白色，下部扩展；雌蕊与雄蕊近等长，被短糙毛，花柱分枝暗紫红色。蒴果长约 2cm，被短柔毛。花期 4 ~ 6 月，果期 5 ~ 8 月。

| 生境分布 | 生于 900 ~ 2100m 的山地林下、岩壁、沟坡或路旁等。分布于重庆巫山、奉节、彭水、南川、綦江、武隆、合川、梁平等地。

| 资源情况 | 野生资源较少。药材来源于野生，自采自用。

| 采收加工 | 5 ~ 10 月采收，鲜用或晒干。

| 功能主治 | 苦、微辛，平。祛风除湿，解毒消肿。用于风湿痹痛，扭挫损伤，疮疖痈肿，麻疹，子宫脱垂。

| 用法用量 | 内服煎汤，鲜品 9 ~ 15g；或浸酒。外用适量，鲜品捣敷。

牻牛儿苗科 Geraniaceae 老鹳草属 *Geranium*

湖北老鹳草 *Geranium rosthornii* R. Knuth

湖北老鹳草

| 药 材 名 |

血见愁老鹳草（药用部位：全草）。

| 形态特征 |

多年生草本，高 30 ~ 60cm。根茎粗壮，具多数纤维状根和纺锤形块根，上部围以残存基生托叶。茎直立或仰卧，具明显棱槽，假二叉状分枝，被疏散倒向短柔毛。基生叶早枯，茎生叶对生，具长柄，叶柄长为叶片的 5 ~ 6 倍，被短柔毛；托叶三角形，长 8 ~ 12mm，宽 5 ~ 6mm，被星散柔毛；叶片五角状圆形，掌状 5 深裂近茎部，裂片菱形，基部浅心形，下部全缘，上部羽状深裂，小裂片条形，先端急尖，下部小裂片常具 2 ~ 3 齿，表面被短伏毛，背面仅沿脉被短柔毛。花序腋生和顶生，明显长于叶，被短柔毛，总花梗具 2 花；苞片狭披针形，长 5 ~ 6mm，宽约 1mm；花梗与总花梗相似，不等长，长者长为花的 1.5 ~ 2 倍；萼片卵形或椭圆状卵形，长 6 ~ 7mm，宽 3 ~ 4mm，外被短柔毛，先端具长 1 ~ 2mm 的尖头；花瓣倒卵形，紫红色，长为萼片的 1.5 ~ 2 倍，先端圆形，基部楔形，下部边缘被长糙毛；雄蕊稍长于萼片，花丝和花药棕色；雌蕊密被短柔毛，花柱分枝长 2 ~ 3mm，深紫色。

蒴果长约 2cm，被短柔毛。花期 6 ~ 7 月，果期 8 ~ 9 月。

| 生境分布 | 生于海拔 1600 ~ 2400m 的山地林下或山坡草丛。分布于重庆奉节、城口、酉阳、彭水、云阳、南川、武隆等地。

| 资源情况 | 野生资源一般。药材主要来源于野生。

| 采收加工 | 果实将成熟时拔起全株，除去泥土、杂质，洗净，鲜用或晒干。

| 功能主治 | 微辛、苦，平。祛风湿，清热解毒，活血止血。用于咽喉肿痛，风湿痹痛，疮疖痈肿，四肢麻木，筋骨酸痛，外伤出血。

| 用法用量 | 内服煎汤，鲜品 9 ~ 15g。外用适量，鲜品捣敷。

牻牛儿苗科 Geraniaceae 老鹳草属 *Geranium*

鼠掌老鹳草 *Geranium sibiricum* L.

| 药 材 名 | 老鹳草（药用部位：全草。别名：老官草、五瓣花、短嘴老鹳草）。

| 形态特征 | 一年生或多年生草本，高 30 ~ 70cm。根为直根，有时具不多的分枝。茎纤细，仰卧或近直立，多分枝，具棱槽，被倒向疏柔毛。叶对生；托叶披针形，棕褐色，长 8 ~ 12cm，先端渐尖，基部抱茎，外被倒向长柔毛；基生叶和茎下部叶具长柄，叶柄长为叶片的 2 ~ 3 倍；下部叶片肾状五角形，基部宽心形，长 3 ~ 6cm，宽 4 ~ 8cm，掌状 5 深裂，裂片倒卵形、菱形或长椭圆形，中部以上齿状羽裂或齿状深缺刻，下部楔形，两面被疏伏毛，背面沿脉被毛较密；上部叶片具短柄，3 ~ 5 裂。总花梗丝状，单生叶腋，长于叶，被倒向柔毛或伏毛，具 1 花或偶具 2 花；苞片对生，棕褐色，钻伏，膜质，生于花梗中部或基部；萼片卵状椭圆形或卵状披针形，长约 5mm，

鼠掌老鹳草

先端急尖，具短尖头，背面沿脉被疏柔毛；花瓣倒卵形，淡紫色或白色，等于或稍长于萼片，先端微凹或缺刻状，基部具短爪；花丝扩大成披针形，具缘毛；花柱不明显，分枝长约 1mm。蒴果长 15 ~ 18mm，被疏柔毛，果梗下垂；种子肾状椭圆形，黑色，长约 2mm，宽约 1mm。花期 6 ~ 7 月，果期 8 ~ 9 月。

| 生境分布 | 生于林缘、疏灌丛、河谷草甸。分布于重庆城口、巫溪、奉节、万州、石柱、忠县、南川、江北、酉阳等地。

| 资源情况 | 野生资源一般。药材主要来源于野生。

| 采收加工 | 夏、秋季果实将成熟时将全株拔起，除去泥土和杂质，晒干。

| 药材性状 | 本品茎多分枝，略有倒生毛。叶肾状五角形，掌状 5 深裂，裂片卵状披针形，中部以上羽状深裂或齿状深缺刻，有毛。蒴果长 1.5 ~ 1.8cm，宿存花柱成熟时 5 裂，向上卷曲成伞形。

| 功能主治 | 辛、苦，平。归肝、大肠经。祛风湿，通经络，止泻痢。用于风湿痹痛，麻木拘挛，筋骨酸痛，泄泻，痢疾。

| 用法用量 | 内服煎汤，鲜品 9 ~ 15g；或浸酒；或熬膏。外用适量，捣烂加酒炒热外敷或制成软膏涂敷。

| 附　　注 | （1）本种的同属植物老鹳草 *Geranium wilfordii* Maxim.、牻牛儿苗属牻牛儿苗 *Erodium stephanianum* Willd.、尼泊尔老鹳草 *Geranium nepalense* Sweet、粗根老鹳草 *Geranium dahuricum* DC. 等亦同作为老鹳草药材入药。

（2）本种喜温暖湿润、阳光充足的环境，耐寒，耐湿。以疏松肥沃、湿润的壤土栽培为宜。

牻牛儿苗科 Geraniaceae 老鹳草属 *Geranium*

老鹳草 *Geranium wilfordii* Maxim.

老鹳草

| 药 材 名 |

参见“野老鹳草”条。

| 形态特征 |

多年生草本，高 30 ~ 50cm。根茎直生，粗壮，具簇生纤维状细长须根，上部围以残存基生托叶。茎直立，单生，具棱槽，假二叉状分枝，被倒向短柔毛，有时上部混生开展腺毛。叶基生，茎生叶对生；托叶卵状三角形或上部为狭披针形，长 5 ~ 8mm，宽 1 ~ 3mm；基生叶和茎下部叶具长柄，叶柄长为叶片的 2 ~ 3 倍，被倒向短柔毛，茎上部叶柄渐短或近无柄；基生叶叶片圆肾形，长 3 ~ 5cm，宽 4 ~ 9cm，5 深裂达 2/3 处，裂片倒卵状楔形，下部全缘，上部不规则状齿裂，茎生叶 3 裂至 3/5 处，裂片长卵形或宽楔形，上部齿状浅裂，先端长渐尖，表面被短伏毛，背面沿脉被短糙毛。花序腋生和顶生，稍长于叶，总花梗被倒向短柔毛，有时混生腺毛，每梗具 2 花；苞片钻形，长 3 ~ 4mm；花梗与总花梗相似，长为花的 2 ~ 4 倍，花果期通常直立；萼片长卵形或卵状椭圆形，长 5 ~ 6mm，宽 2 ~ 3mm，先端具细尖头，背面沿脉和边缘被短柔毛，有时混生开展的腺毛；花瓣白色或淡红色，倒卵形，与萼片近等长，内面基部被疏柔毛；雄蕊稍短于萼片，花丝淡棕色，下部扩展，被缘毛；雌蕊被短糙状毛，花柱分枝紫红色。蒴果长约 2cm，被短柔毛和长糙毛。花期 6 ~ 8 月，果期 8 ~ 9 月。

| 生境分布 | 生于海拔 1800m 以下的低山林下、草甸。分布于重庆北碚、黔江、万州、巫山、秀山、城口、云阳、酉阳、垫江、巫溪、璧山、南川、武隆、忠县、奉节、永川、梁平等地。

| 资源情况 | 野生资源较丰富。药材主要来源于野生。

| 采收加工 | 参见“野老鹳草”条。

| 药材性状 | 参见“野老鹳草”条。

| 功能主治 | 参见“野老鹳草”条。

| 用法用量 | 参见“野老鹳草”条。

牻牛儿苗科 Geraniaceae 天竺葵属 *Pelargonium*

香叶天竺葵 *Pelargonium graveolens* L'Hér.

香叶天竺葵

药材名

香叶（药用部位：茎叶。别名：香艾）。

形态特征

多年生草本或灌木状，高可达 1m。茎直立，基部木质化，上部肉质，密被具光泽的柔毛，有香味。叶互生；托叶宽三角形或宽卵形，长 6 ~ 9mm，先端急尖；叶柄与叶片近等长，被柔毛；叶片近圆形，基部心形，直径 2 ~ 10cm，掌状 5 ~ 7 裂达中部或近基部，裂片矩圆形或披针形，小裂片边缘为不规则的齿裂或锯齿，两面被长糙毛。伞形花序与叶对生，长于叶，具花 5 ~ 12；苞片卵形，被短柔毛，边缘具绿毛；花梗长 3 ~ 8mm 或几无梗；萼片长卵形，绿色，长 6 ~ 9mm，宽 2 ~ 3mm，先端急尖，距长 4 ~ 9mm；花瓣玫瑰色或粉红色，长为萼片的 2 倍，先端钝圆，上面 2 较大；雄蕊与萼片近等长，下部扩展；心皮被茸毛。蒴果长约 2cm，被柔毛。花期 5 ~ 7 月，果期 8 ~ 9 月。

生境分布

栽培于庭院。重庆各地均有分布。

| 资源情况 | 野生资源稀少。药材主要来源于栽培。

| 采收加工 | 4 月中下旬开始，每隔 3 周采收 1 次，一般上半年采收 3 ~ 4 次，下半年 2 ~ 3 次。采收长枝、老枝、匍匐枝，留短枝、嫩枝、直立枝。可连续采收 2 ~ 3 年，有些地区可采收 2 ~ 4 年。

| 功能主治 | 辛，温。祛风除湿，行气止痛，杀虫。用于风湿痹痛，疝气，阴囊湿疹，疥癣。

| 用法用量 | 内服煎汤，9 ~ 15g，鲜品 30 ~ 45g；或泡酒。外用适量，煎汤洗；或捣敷。

| 附　　注 | 本种喜温暖湿润气候，不耐寒，最适生长温度 22 ~ 30℃，在 40℃左右的温度下则生长缓慢，在高于 −3℃ 的温度下能安全越冬。较耐旱，喜阳光，年日照时数在 1100 ~ 1300h 较为适宜。以疏松肥沃的壤土栽培为好，耐弱碱土壤、酸性土壤、黏质土壤和低洼地不宜栽培。忌连作。

牻牛儿苗科 Geraniaceae 天竺葵属 *Pelargonium*

天竺葵 *Pelargonium hortorum* Bailey

天竺葵

| 药 材 名 |

石蜡红（药用部位：花。别名：月月红）。

| 形态特征 |

多年生草本，高 30 ~ 60cm。茎直立，基部木质化，上部肉质，多分枝或不分枝，具明显的节，密被短柔毛，具浓裂鱼腥味。叶互生；托叶宽三角形或卵形，长 7 ~ 15mm，被柔毛和腺毛；叶柄长 3 ~ 10cm，被细柔毛和腺毛；叶片圆形或肾形，基部心形，直径 3 ~ 7cm，边缘波状浅裂，具圆形齿，两面被透明短柔毛，表面叶缘以内有暗红色马蹄形环纹。伞形花序腋生，具多花，总花梗长于叶，被短柔毛；总苞片数枚，宽卵形；花梗 3 ~ 4cm，被柔毛和腺毛，芽期下垂，花期直立；萼片狭披针形，长 8 ~ 10mm，外面密腺毛和长柔毛；花瓣红色、橙红色、粉红色或白色，宽倒卵形，长 12 ~ 15mm，宽 6 ~ 8mm，先端圆形，基部具短爪，下面 3 通常较大；子房密被短柔毛。蒴果长约 3cm，被柔毛。花期 5 ~ 7 月，果期 6 ~ 9 月。

| 生境分布 |

栽培于庭院或植物园。重庆各地均有分布。

|资源情况| 野生资源稀少。药材来源于栽培。

|采收加工| 春、夏季采摘，鲜用。

|功能主治| 苦、涩，凉。清热解毒。用于中耳炎。

|用法用量| 外用适量，榨汁滴耳。

|附　　注| 本种喜阳光充足、温暖湿润的环境，不耐寒，在北方，冬季室内越冬，温度以 8 ~ 10℃为宜。以疏松肥沃、富含腐殖质、排水良好的壤土栽培为宜。

旱金莲科 Tropaeolaceae 旱金莲属 *Tropaeolum*

旱金莲 *Tropaeolum majus* L.

| 药 材 名 | 旱莲花（药用部位：全草。别名：金莲花、大红鸟、吐血丹）。

| 形态特征 | 一年生肉质草本，蔓生，无毛或被疏毛。叶互生；叶柄长 6 ~ 31cm，向上扭曲，盾状，着生于叶片的近中心处；叶片圆形，直径 3 ~ 10cm，有主脉 9，由叶柄着生处向四面放射，边缘为波浪形的浅缺刻，背面通常被疏毛或有乳凸点。单花腋生，花柄长 6 ~ 13cm；花黄色、紫色、橘红色或杂色，直径 2.5 ~ 6cm；花托杯状；萼片 5，长椭圆状披针形，长 1.5 ~ 2cm，宽 5 ~ 7mm，基部合生，边缘膜质，其中一延长成一长距，距长 2.5 ~ 3.5cm，渐尖；花瓣 5，通常圆形，边缘有缺刻，上部 2 通常全缘，长 2.5 ~ 5cm，宽 1 ~ 1.8cm，着生于距的开口处，下部 3 基部狭窄成爪，近爪处边缘具睫毛；雄蕊 8，长短互间，分离；子房 3 室，花柱 1，柱头 3 裂，线形。果实扁球形，

旱金莲

成熟时分裂成 3 具 1 种子的瘦果。花期 6 ~ 10 月，果期 7 ~ 11 月。

| **生境分布** | 栽培于庭院或温室。重庆各地均有分布。

| **资源情况** | 野生资源丰富。药材来源于野生和栽培。

| **采收加工** | 生长盛期割取，鲜用或晒干。

| **功能主治** | 辛、酸，凉。清热解毒，凉血止血。用于目赤肿痛，疮疖，吐血，咯血。

| **用法用量** | 内服煎汤，鲜品 15 ~ 30g。外用适量，捣敷；或煎汤洗。

| **附　　注** | 本种喜温暖湿润、阳光充足的环境，不耐寒。南方多年生栽培；北方作一年生植物栽培。以疏松肥沃、富含腐殖质的壤土栽培为宜。

蒺藜科 Zygophyllaceae 蒺藜属 *Tribulus*

蒺藜 *Tribulus terrestris* Linnaeus

| 药材名 | 蒺藜（药用部位：果实。别名：刺蒺藜、蒺藜子、白蒺藜子）、蒺藜花（药用部位：花）、蒺藜苗（药用部位：茎叶）、蒺藜根（药用部位：根）。

| 形态特征 | 一年生草本。茎平卧，无毛，被长柔毛或长硬毛，枝长 20 ~ 60cm。偶数羽状复叶，长 1.5 ~ 5cm；小叶对生，3 ~ 8 对，矩圆形或斜短圆形，长 5 ~ 10mm，宽 2 ~ 5mm，先端锐尖或钝，基部稍偏斜，被柔毛，全缘。花腋生，花梗短于叶，花黄色；萼片 5，宿存；花瓣 5；雄蕊 10，生于花盘基部，基部有鳞片状腺体；子房 5 棱，柱头 5 裂，每室 3 ~ 4 胚珠。果实有分果瓣 5，硬，长 4 ~ 6mm，无毛或被毛，中部边缘有锐刺 2，下部常有小锐刺 2，其余部位常有小瘤体。花期 5 ~ 8 月，果期 6 ~ 9 月。

蒺藜

| 生境分布 | 栽培于山坡。分布于重庆南川等地。

| 资源情况 | 栽培资源稀少，无野生资源。药材来源于栽培。

| 采收加工 | 蒺藜：秋季果实成熟时采割植株，晒干，打下果实，除去杂质。

蒺藜花：5 ~ 8 月采收，阴干或烘干。

蒺藜苗：夏季采收，鲜用或晒干。

蒺藜根：秋季采挖根，洗净泥土，晒干。

| 药材性状 | 蒺藜：本品由 5 个分果瓣组成，呈放射状排列，直径 7 ~ 12mm，常裂为单一的分果瓣。分果瓣呈斧状，长 3 ~ 6mm；背部黄绿色，隆起，有纵棱和多数小刺，并有对称的长刺和短刺各 1 对，两侧面粗糙，有网纹，灰白色。质坚硬。气微，味苦、辛。

| 功能主治 | 蒺藜：辛、苦，微温；有小毒。归肝经。平肝解郁，活血祛风，明目，止痒。用于头痛眩晕，胸胁胀痛，乳闭乳痈，目赤翳障，风疹瘙痒。

蒺藜花：祛风和血。用于白癜风。

蒺藜苗：辛，平。归脾、肺、肝经。祛风，除湿，止痒，消痈。用于暑湿伤中，呕吐泄泻，鼻塞流涕，皮肤风痒，疥癣，痈肿。

蒺藜根：行气破血。用于牙齿外伤动摇。

| 用法用量 | 蒺藜：内服煎汤，6 ~ 10g。

蒺藜花：内服研末，3 ~ 5g。

蒺藜苗：内服煎汤，5 ~ 10g；或入丸、散；或捣汁服。外用适量，煎汤洗；捣敷或熬膏搽。

蒺藜根：外用适量，研末搽。

| 附　　注 | 本种喜温暖湿润气候，耐干旱，怕涝。疏松肥沃、排水良好的砂壤土适宜栽培，多雨地区及黏土、洼地均不宜栽种。

亚麻科 Linaceae 亚麻属 *Linum*

亚麻 *Linum usitatissimum* L.

| 药 材 名 | 亚麻（药用部位：根、叶。别名：鸦麻、胡麻饭、山西胡麻）、亚麻子（药用部位：种子）。

| 形态特征 | 一年生草本。茎直立，高 30 ~ 120cm，多在上部分枝，有时自茎基部即有分枝，但密植则不分枝，基部木质化，无毛，韧皮部纤维强韧弹性，构造如棉。叶互生；叶片线形，线状披针形或披针形，长 2 ~ 4cm，宽 1 ~ 5mm，先端锐尖，基部渐狭，无柄，内卷，有 3（~ 5）出脉。花单生于枝顶或枝的上部叶腋，组成疏散的聚伞花序；花直径 15 ~ 20mm；花梗长 1 ~ 3cm，直立；萼片 5，卵形或卵状披针形，长 5 ~ 8mm，先端凸尖或长尖，有 3（~ 5）脉，中央一脉明显凸起，边缘膜质，无腺点，全缘，有时上部有锯齿，宿存；花瓣 5，倒卵形，长 8 ~ 12mm，蓝色或紫蓝色，稀白色或红色，先端啮蚀状；雄蕊 5，

亚麻

花丝基部合生；退化雄蕊 5，钻状；子房 5 室，花柱 5，分离，柱头比花柱微粗，细线状或棒状，长于或几等于雄蕊。蒴果球形，干后棕黄色，直径 6 ~ 9mm，先端微尖，室间开裂成 5 瓣；种子 10，长圆形，扁平，长 3.5 ~ 4mm，棕褐色。花期 6 ~ 8 月，果期 7 ~ 10 月。

| 生境分布 | 栽培于大田或山地。分布于重庆南川、北碚等地。

| 资源情况 | 栽培资源稀少。药材主要来源于栽培。

| 采收加工 | 亚麻：秋季采挖根，洗净，切片，晒干。夏季采收叶，鲜用或晒干。

亚麻子：8 ~ 10 月果实成熟时割取全草，捆成小把，晒干，打下种子，除去杂质，再晒干。

| 药材性状 | 亚麻子：本品卵圆形，扁平，长 3.5 ~ 4mm，宽 2 ~ 3mm。表面棕色或棕红色，平滑，有光泽，一端尖而略偏斜，种脐位于下方的凹陷处，另一端圆钝，种脊位于一侧边缘。种皮薄，胚乳棕色，菲薄，子叶 2，黄白色，富油性。气微，嚼之有豆腥味。种子用水浸泡后，外有透明黏液膜包围。

| 功能主治 | 亚麻：辛、甘，平。平肝，活血。用于肝风头痛，跌打损伤，痈肿疔疮。

亚麻子：甘，平。归肝、肺、大肠经。养血祛风，润燥通便。用于麻风，皮肤干燥，瘙痒，脱发，疮疡湿疹，肠燥便秘。

| 用法用量 | 亚麻：内服煎汤，15 ~ 30g。外用适量，捣敷；或研末调敷。

亚麻子：内服煎汤，5 ~ 10g；或入丸、散。外用适量，榨油涂。大便滑泄者禁服，孕妇慎服。

亚麻科 Linaceae 石海椒属 *Reinwardtia*

石海椒 *Reinwardtia indica* Dum.

| 药 材 名 | 过山青（药用部位：嫩枝叶。别名：小王不留行、白骨树、迎春柳）。

| 形态特征 | 小灌木，高达 1m。树皮灰色，无毛，枝干后有纵沟纹。叶纸质，椭圆形或倒卵状椭圆形，长 2 ~ 8.8cm，宽 0.7 ~ 3.5cm，先端急尖或近圆形，有短尖，基部楔形，全缘或有圆齿状锯齿，表面深绿色，背面浅绿色，干后表面灰褐色，背面灰绿色，背面中脉稍凸；叶柄长 8 ~ 25mm；托叶小，早落。花序顶生或腋生，或单花腋生；花有大有小，直径 1.4 ~ 3cm；萼片 5，分离，披针形，长 9 ~ 12mm，宽约 3mm，宿存；同一植株上的花的花瓣有 4 ~ 5，黄色，分离，旋转排列，长 1.7 ~ 3cm，宽 1.3cm，早萎；雄蕊 5，长约 13mm，花丝下部两侧扩大成翅状或瓣状，基部合生成环，花药长约 2mm；退化雄蕊 5，锥尖状，与雄蕊互生；腺体 5，与雄蕊环合生；子房 3 室，

石海椒

每室有 2 小室，每小室有胚珠 1；花柱 3，长 7 ~ 18mm，下部合生，柱头头状。蒴果球形，3 裂，每裂瓣有种子 2；种子具膜质翅，翅长稍短于蒴果。花果期 4 ~ 12 月，直至翌年 1 月。

| 生境分布 | 生于海拔 400 ~ 2000m 的林下、山坡灌丛、路旁或沟坡潮湿处，常喜生于石灰岩土壤中。分布于重庆长寿、潼南、涪陵、垫江、綦江、武隆、铜梁、九龙坡、沙坪坝、石柱、彭水、黔江、南川、合川、北碚、璧山等地。

| 资源情况 | 野生资源较丰富。药材来源于野生和栽培。

| 采收加工 | 春、夏季采摘，鲜用或晒干。

| 功能主治 | 甘，寒。清热利尿。用于小便不利，肾炎，黄疸性肝炎。

| 用法用量 | 内服泡茶饮，9 ~ 12g。

大戟科 Euphorbiaceae 铁苋菜属 *Acalypha*

铁苋菜 *Acalypha australis* L.

|药材名| 铁苋菜（药用部位：全草。别名：六合草、海蚌含珠、痢疾草）。

|形态特征| 一年生草本，高 0.2 ~ 0.5m。小枝细长，被贴毛柔毛，毛逐渐稀疏。叶膜质，长卵形、近菱状卵形或阔披针形，长 3 ~ 9cm，宽 1 ~ 5cm，先端短渐尖，基部楔形，稀圆钝，边缘具圆锯，上面无毛，下面沿中脉被柔毛；基出脉 3，侧脉 3 对；叶柄长 2 ~ 6cm，被短柔毛；托叶披针形，长 1.5 ~ 2mm，被短柔毛。雌雄花同序，花序腋生，稀顶生，长 1.5 ~ 5cm；花序梗长 0.5 ~ 3cm，花序轴被短毛；雌花苞片 1 ~ 2(~ 4)，卵状心形，花后增大，长 1.4 ~ 2.5cm，宽 1 ~ 2cm，边缘具三角形齿，外面沿掌状脉被疏柔毛，苞腋具雌花 1 ~ 3，花梗无；雄花生于花序上部，排列成穗状或头状，雄花苞片卵形，长约 0.5mm，苞腋具雄花 5 ~ 7，簇生，花梗长 0.5mm。雄花花蕾时近球

铁苋菜

形，无毛，花萼裂片 4，卵形，长约 0.5mm；雄蕊 7 ~ 8。雌花萼片 3，长卵形，长 0.5 ~ 1mm，具疏毛；子房具疏毛，花柱 3，长约 2mm，撕裂 5 ~ 7。蒴果直径 4mm，具 3 分果爿，果皮被疏生毛和毛基变厚的小瘤体；种子近卵状，长 1.5 ~ 2mm，种皮平滑，假种阜细长。花果期 4 ~ 12 月。

| 生境分布 | 生于海拔 1700m 以下的平原、山坡较湿润耕地或空旷草地，以及石灰岩山疏林下。重庆各地均有分布。

| 资源情况 | 野生资源丰富，亦有栽培。药材主要来源于野生。

| 采收加工 | 夏、秋季采收，除去杂质，晒干。

| 药材性状 | 本品长 20 ~ 40cm，被灰白色细柔毛，粗茎近无毛。根多分枝，淡黄棕色。茎类圆柱形，有分枝；表面黄棕色或黄绿色，有纵条纹；质硬，易折断，断面黄白色，有髓或中空。叶片多皱缩破碎，完整者展平后呈卵形、卵状菱形，长 2.5 ~ 5.5cm，宽 1.2 ~ 3cm，黄绿色，边缘有钝齿，两面略粗糙。花序腋生，苞片三角状肾形，合时如蚌。蒴果小，三角状扁圆形。气微，味淡。

| 功能主治 | 苦、涩，凉。归心、肺经。清热利湿，凉血解毒，消积。用于痢疾，泄泻，吐血，衄血，尿血，便血，崩漏，小儿疳积，痈疖疮疡，皮肤湿疹。

| 用法用量 | 内服煎汤，10 ~ 15g；鲜品 30 ~ 60g。外用适量，煎汤洗或捣敷。老弱气虚者慎服，孕妇禁服。

大戟科 Euphorbiaceae 铁苋菜属 *Acalypha*

裂苞铁苋菜 *Acalypha brachystachya* Hornem.

| 药 材 名 | 裂苞铁苋菜（药用部位：全草。别名：六合草、短序铁苋菜）。

| 形态特征 | 一年生草本，高 20 ~ 80cm，全株被短柔毛和散生的毛。叶膜质，卵形、阔卵形或菱状卵形，长 2 ~ 5.5cm，宽 1.5 ~ 3.5cm，先端急尖或短渐尖，基部浅心形，有时楔形，上半部边缘具圆锯齿；基出脉 3 ~ 5；叶柄细长，长 2.5 ~ 6cm，被短柔毛；托叶披针形，长约 5mm。雌雄花同序，花序 1 ~ 3 腋生，长 5 ~ 9mm；花序梗几无；雌花苞片 3 ~ 5，长约 5mm，掌状深裂，裂片长圆形，宽 1 ~ 2mm，最外侧的裂片通常长不及 1mm，苞腋具 1 雌花；雄花密生花序上部，呈头状或短穗状，苞片卵形，长 0.2mm，有时花序轴先端具 1 异形雌花；雄花花萼花蕾时球形，长 0.3mm，疏生短柔毛，雄蕊 7 ~ 8，花梗长 0.5mm；雌花萼片 3，近长圆形，长 0.4mm，具缘毛，子房

裂苞铁苋菜

疏生长毛和柔毛，花柱 3，长约 1.5mm，撕裂 3 ~ 5，花梗短；异形雌花萼片 4，长约 0.5mm，子房陀螺状，1 室，长约 1mm，被柔毛，顶部具一环齿裂，膜质，花柱 1，位于子房基部，撕裂。蒴果直径 2mm，具 3 分果爿，果皮被疏生柔毛和毛基变厚的小瘤体；种子卵状，长约 1.2mm，种皮稍粗糙，假种阜细小。花期 5 ~ 12 月。

| 生境分布 | 生于海拔 100 ~ 1900m 的山坡、路旁湿润草地或溪畔、林间小道旁草地。分布于重庆城口、奉节、北碚等地。

| 资源情况 | 野生资源稀少。药材主要来源于野生。

| 采收加工 | 5 ~ 7 月采收，除去泥土，晒干或鲜用。

| 功能主治 | 苦、涩，凉。归心、肺、大肠、小肠经。清热利湿，凉血解毒，消积。用于痢疾，泄泻，吐血，衄血，尿血，便血，崩漏，小儿疳积，痈疖疮疡，皮肤湿疹。

| 用法用量 | 内服煎汤，10 ~ 15g；鲜品 30 ~ 60g。外用适量，煎汤洗或捣敷。老弱气虚者慎服，孕妇禁服。

| 附　　注 | 在 FOC 中，本种的拉丁学名被修订为 *Acalypha supera* Forsskal。

大戟科 Euphorbiaceae 山麻杆属 *Alchornea*

山麻杆 *Alchornea davidii* Franch.

山麻杆

| 药 材 名 |

山麻杆（药用部位：茎皮、叶。别名：野火麻）。

| 形态特征 |

落叶灌木，高 1 ~ 4（~ 5）m。嫩枝被灰白色短绒毛，一年生小枝被微柔毛。叶薄纸质，阔卵形或近圆形，长 8 ~ 15cm，宽 7 ~ 14cm，先端渐尖，基部心形、浅心形或近截平，边缘具粗锯齿或具细齿，齿端具腺体，上面沿叶脉被短柔毛，下面被短柔毛，基部具斑状腺体 2 或 4；基出脉 3；小托叶线状，长 3 ~ 4mm，被短毛；叶柄长 2 ~ 10cm，被短柔毛；托叶披针形，长 6 ~ 8mm，基部宽 1 ~ 1.5mm，被短毛，早落。雌雄异株；雄花序穗状，1 ~ 3 生于一年生枝已落叶腋部，长 1.5 ~ 2.5（~ 3.5）cm；花序梗几无，呈葇荑花序状；苞片卵形，长约 2mm，先端近急尖，被柔毛，未开花时覆瓦状密生；雄花 5 ~ 6 簇生苞腋，花梗长约 2mm，无毛，基部具关节；小苞片长约 2mm；雌花序总状，顶生，长 4 ~ 8cm，具花 4 ~ 7，各部均被短柔毛，苞片三角形，长 3.5mm，小苞片披针形，长 3.5mm；花梗短，长约 0.5mm。雄花花萼花蕾时球形，无毛，直径约 2mm，萼片 3（～4）；雄蕊 6～8。雌花萼片 5，长三角形，长 2.5～3mm，被短柔毛；子房球形，被绒毛，花柱 3，线状，长 10～12mm，合生部分长 1.5～2mm。蒴果近球形，具 3 圆棱，直径 1～1.2cm，密生柔毛；种子卵状三角形，长约 6mm，种皮淡褐色或灰色，具小瘤体。花期 3～5 月，果期 6～7 月。

| 生境分布 | 生于海拔 200～1260m 的沟谷或溪畔、河边的坡地灌丛中。分布于重庆万州、黔江、綦江、大足、彭水、酉阳、奉节、石柱、城口、巫溪、忠县、武隆、开州、梁平等地。

| 资源情况 | 野生资源较丰富，亦有少量栽培。药材来源于野生和栽培。

| 采收加工 | 春、夏季采收，洗净，鲜用或晒干。

| 功能主治 | 淡，平。归肝、肾、大肠经。驱虫，解毒，定痛。用于蛔虫病，狂犬、毒蛇咬伤，腰痛。

| 用法用量 | 内服煎汤，3～6g。外用适量，鲜品捣敷。

大戟科 Euphorbiaceae 山麻杆属 *Alchornea*

红背山麻杆 *Alchornea trewioides* (Benth.) Muell. Arg.

| 药 材 名 | 红背叶（药用部位：叶、根。别名：红背娘、红帽顶、红罗裙）。

| 形态特征 | 灌木，高 1 ~ 2m。小枝被灰色微柔毛，后变无毛。叶薄纸质，阔卵形，长 8 ~ 15cm，宽 7 ~ 13cm，先端急尖或渐尖，基部浅心形或近截平，边缘疏生具腺小齿，上面无毛，下面浅红色，仅沿脉被微柔毛，基部具斑状腺体 4；基出脉 3；小托叶披针形，长 2 ~ 3.5mm；叶柄长 7 ~ 12cm；托叶钻状，长 3 ~ 5mm，被毛，凋落。雌雄异株；雄花序穗状，腋生或生于一年生小枝已落叶腋部，长 7 ~ 15cm，被微柔毛，苞片三角形，长约 1mm，雄花（3 ~ ）5 ~ 11（ ~ 15）簇生苞腋，花梗长约 2mm，无毛，中部具关节；雌花序总状，顶生，长 5 ~ 6cm，具花 5 ~ 12，各部均被微柔毛，苞片狭三角形，长约 4mm，基部具腺体 2，小苞片披针形，长约 3mm，花梗长 1mm。雄花花萼花蕾时

红背山麻杆

球形，无毛，直径 1.5mm，萼片 4，长圆形；雄蕊（7 ~ ）8。雌花萼片 5（ ~ 6），披针形，长 3 ~ 4mm，被短柔毛，其中 1 的基部具 1 腺体；子房球形，被短绒毛，花柱 3，线状，长 12 ~ 15mm，合生部分长不及 1mm。蒴果球形，具 3 圆棱，直径 8 ~ 10mm，果皮平坦，被微柔毛；种子扁卵状，长 6mm，种皮浅褐色，具瘤体。花期 3 ~ 5 月，果期 6 ~ 8 月。

| 生境分布 | 生于海拔 300 ~ 1000m 的山地矮灌丛中、疏林下或石灰岩山灌丛中。分布于重庆酉阳、黔江、长寿、忠县、九龙坡、南川、石柱、武隆、江津等地。

| 资源情况 | 野生资源较少。药材来源于野生，自产自销。

| 采收加工 | 春、夏季采叶，洗净，鲜用或晒干。全年均可采根，洗净，晒干。

| 功能主治 | 甘，凉。归肺、肝、肾经。清热利湿，凉血解毒，杀虫止痒。用于痢疾，热淋，石淋，血尿，崩漏，带下，风疹，湿疹，疥癣，龋齿痛，褥疮。

| 用法用量 | 内服煎汤，15 ~ 30g。外用适量，鲜叶捣敷或煎汤洗。服药期间，忌食辛辣。

大戟科 Euphorbiaceae 秋枫属 *Bischofia*

秋枫 *Bischofia javanica* Bl.

| 药 材 名 | 秋枫木（药用部位：根、树皮。别名：重阳木、秋风子、水梁木）、秋枫木叶（药用部位：叶）。

| 形态特征 | 常绿或半常绿大乔木，高达 40m，胸径可达 2.3m。树干圆满通直，但分枝低，主干较短；树皮灰褐色至棕褐色，厚约 1cm，近平滑，老树皮粗糙，内皮纤维质，稍脆；砍伤树皮后流出汁液红色，干凝后变瘀血状；木材鲜时有酸味，干后无味，表面槽棱凸起；小枝无毛。三出复叶，稀 5 小叶，总叶柄长 8 ~ 20cm；小叶片纸质，卵形、椭圆形、倒卵形或椭圆状卵形，长 7 ~ 15cm，宽 4 ~ 8cm，先端急尖或短尾状渐尖，基部宽楔形至钝，边缘有浅锯齿，每 1cm 长有 2 ~ 3，幼时仅叶脉上被疏短柔毛，老渐无毛；顶生小叶柄长 2 ~ 5cm，侧生小叶柄长 5 ~ 20mm；托叶膜质，披针形，长约 8mm，早落。花

秋枫

小，雌雄异株，多朵组成腋生的圆锥花序；雄花序长 8 ~ 13cm，被微柔毛至无毛；雌花序长 15 ~ 27cm，下垂；雄花直径达 2.5mm；雄花萼片膜质，半圆形，内面凹成勺状，外面被疏微柔毛，花丝短，退化雌蕊小，盾状，被短柔毛；雌花萼片长圆状卵形，内面凹成勺状，外面被疏微柔毛，边缘膜质，子房光滑无毛，3 ~ 4 室，花柱 3 ~ 4，线形，先端不分裂。果实浆果状，圆球形或近圆球形，直径 6 ~ 13mm，淡褐色；种子长圆形，长约 5mm。花期 4 ~ 5 月，果期 8 ~ 10 月。

| 生境分布 | 生于海拔 800m 以下的山地潮湿沟谷林中或平原栽培。分布于重庆秀山、南川、巴南、南岸、万州、涪陵、梁平、垫江、江津、永川、璧山、北碚、荣昌等地。

| 资源情况 | 栽培资源较丰富。药材主要来源于栽培。

| 采收加工 | 秋枫木：夏、秋季采收，鲜用、浸酒或晒干。
秋枫木叶：全年均可采收，洗净，鲜用。

| 药材性状 | 秋枫木叶：本品为三出复叶，互生。顶生小叶柄长 2 ~ 5cm，侧生小叶柄长 0.5 ~ 2cm。叶片近革质，棕绿色，卵形、矩圆形或椭圆状卵形，长 7 ~ 15cm，宽 4 ~ 8cm，先端渐尖，基部宽楔形，边缘有波状齿。气微，味微辛、涩。

| 功能主治 | 秋枫木：辛、涩，凉。祛风除湿，化瘀消积。用于风湿骨痛，噎膈，反胃，痢疾。
秋枫木叶：苦、涩，凉。解毒散结。用于噎膈，反胃，病毒性肝炎，小儿疳积，咽痛，疮疡。

| 用法用量 | 秋枫木：内服煎汤，9 ~ 15g；或浸酒。外用适量，捣敷。
秋枫木叶：内服煎汤，鲜品 60 ~ 90g；或捣汁。外用适量，鲜品捣敷。

| 附　　注 | 本种喜阳，稍耐阴，喜温而略耐寒，根系发达，生长寿命长，在湿润、肥沃的砂壤土中能快速生长。

大戟科 Euphorbiaceae 秋枫属 *Bischofia*

重阳木 *Bischofia polycarpa* (Lévl.) Airy Shaw

重阳木

|药材名|

重阳木（药用部位：根、树皮）、重阳木叶（药用部位：叶）。

|形态特征|

落叶乔木，高达 15m，胸径 50cm，有时达 1m。树皮褐色，厚 6mm，纵裂；木材表面槽棱不显；树冠伞形状，大枝斜展，小枝无毛，当年生枝绿色，皮孔明显，灰白色，老枝变褐色，皮孔变锈褐色；芽小，先端稍尖或钝，具有少数芽鳞；全株均无毛。三出复叶；叶柄长 9 ~ 13.5cm；顶生小叶通常较两侧的大，小叶片纸质，卵形或椭圆状卵形，有时长圆状卵形，长 5 ~ 9（~ 14）cm，宽 3 ~ 6（~ 9）cm，先端凸尖或短渐尖，基部圆或浅心形，边缘具钝细锯齿，每 1cm 长 4 ~ 5；顶生小叶柄长 1.5 ~ 4（~ 6）cm，侧生小叶柄长 3 ~ 14mm；托叶小，早落。花雌雄异株，春季与叶同时开放，组成总状花序；花序通常着生于新枝的下部，花序轴纤细而下垂；雄花序长 8 ~ 13cm；雌花序 3 ~ 12cm；雄花萼片半圆形，膜质，向外张开，花丝短，有明显的退化雌蕊；雌花萼片与雄花的相同，有白色膜质的边缘，子房 3 ~ 4 室，每室 2 胚珠，花柱 2 ~ 3，先端不分裂。果实浆果状，圆球形，直径 5 ~ 7mm，成熟时褐红色。花期 4 ~ 5 月，果期 10 ~ 11 月。

| 生境分布 | 生于海拔 1000m 以下的山地林中或平原栽培。分布于重庆垫江、潼南、忠县、武隆、北碚、九龙坡、巫山、巫溪、奉节、秀山、云阳等地。

| 资源情况 | 野生资源一般。药材主要来源于栽培。

| 采收加工 | 重阳木：全年均可采收，浸酒或晒干。

重阳木叶：春、夏季采摘，洗净，鲜用。

| 功能主治 | 重阳木：辛、涩，凉。理气活血，解毒消肿。用于风湿痹痛，痢疾。

重阳木叶：宽中消积，清热解毒。用于噎膈，反胃，病毒性肝炎，小儿疳积，肺热咳嗽，咽痛，疮疡。

| 用法用量 | 重阳木：内服煎汤，9 ~ 15g；或浸酒。外用适量，捣敷；或浸酒擦。

重阳木叶：内服煎汤，鲜品 60 ~ 90g；或捣汁。外用适量，鲜品捣敷。

大戟科 Euphorbiaceae 黑面神属 *Breynia*

黑面神 *Breynia fruticosa* (L.) Hook. f.

| 药材名 | 黑面叶（药用部位：嫩枝叶。别名：田中逵、四眼叶、夜兰茶）、黑面神根（药用部位：根。别名：黑面叶根、青凡木根）。

| 形态特征 | 灌木，高 1 ~ 3m。茎皮灰褐色；枝条上部常呈扁压状，紫红色，小枝绿色；全株均无毛。叶片革质，卵形、阔卵形或菱状卵形，长 3 ~ 7cm，宽 1.8 ~ 3.5cm，两端钝或急尖，上面深绿色，下面粉绿色，干后变黑色，具有小斑点；侧脉每边 3 ~ 5；叶柄长 3 ~ 4mm；托叶三角状披针形，长约 2mm。花小，单生或 2 ~ 4 簇生叶腋内，雌花位于小枝上部，雄花则位于小枝的下部，有时生于不同的小枝上；雄花花梗长 2 ~ 3mm，花萼陀螺状，长约 2mm，厚，先端 6 齿裂，雄蕊 3，合生成柱状；雌花花梗长约 2mm，花萼钟状，6 浅裂，直径约 4mm，萼片近相等，先端近截形，中间有凸尖，结果时约增大 1 倍，

黑面神

上部辐射张开呈盘状，子房卵状，花柱 3，先端 2 裂，裂片外弯。蒴果圆球形，直径 6 ~ 7mm，有宿存的花萼。花期 4 ~ 9 月，果期 5 ~ 12 月。

| 生境分布 | 生于山坡、平地旷野灌丛中或林缘，或栽培于平地。分布于重庆南川、万州、北碚、南岸、涪陵等地。

| 资源情况 | 野生和栽培资源均稀少。药材来源于野生和栽培。

| 采收加工 | 黑面叶：全年均可采收，晒干或鲜用。

黑面神根：全年均可采收，洗净，切片，晒干。

| 药材性状 | 黑面叶：本品枝常呈紫红色，小枝灰绿色，无毛。叶互生，单叶，具短柄；叶片革质，卵形或宽卵形，长 3 ~ 6cm，宽 2 ~ 3.5cm，先端钝或急尖，全缘，上面有虫蚀斑纹，下面灰白色，具细点；托叶三角状披针形。枝及叶干后变为黑色。气微，味淡、微涩。

黑面神根：本品呈圆柱状，稍弯曲，有支根，长 15 ~ 20cm，直径 0.5 ~ 1.5cm。灰褐色，有纵纹及横长皮孔样突起。质硬，不易折断，断面皮薄，棕褐色，木部淡黄色。气无，味淡、微涩。

| 功能主治 | 黑面叶：微苦，凉；有毒。归心、肝、肺经。清热祛湿，活血解毒。用于腹痛吐泻，湿疹，缠腰火丹，皮炎，漆疮，风湿痹痛，产后乳汁不通，阴痒。

黑面神根：苦，寒；有毒。祛风，解毒，散瘀，消肿。用于乳蛾，咽痛，热泻，漆疮，鹤膝风，杨梅疮，产后腹痛，崩漏。

| 用法用量 | 黑面叶：内服煎汤，15 ~ 30g；或捣汁。外用适量，捣敷；或煎汤洗；或研末撒。孕妇忌服。

黑面神根：内服煎汤，4.5 ~ 9g；或浸酒。外用煎汤洗；或捣敷。内服不宜过量、久服。孕妇禁服。

大戟科 Euphorbiaceae 变叶木属 *Codiaeum*

变叶木 *Codiaeum variegatum* (L.) A. Juss.

| 药 材 名 | 洒金榕（药用部位：叶、根）。

| 形态特征 | 灌木或小乔木，高可达 2m。枝条无毛，有明显叶痕。叶薄革质，形状大小变异很大，线形、线状披针形、长圆形、椭圆形、披针形、卵形、匙形、提琴形至倒卵形，有时由长的中脉把叶片间断成上下 2 片，长 5 ~ 30cm，宽（0.3 ~ ）0.5 ~ 8cm，先端短尖、渐尖至圆钝，基部楔形、短尖至钝，全缘、浅裂至深裂，两面无毛，绿色、淡绿色、紫红色、紫红色与黄色相间、黄色与绿色相间或有时在绿色叶片上散生黄色或金黄色斑点或斑纹；叶柄长 0.2 ~ 2.5cm。总状花序腋生，雌雄同株异序，长 8 ~ 30cm；雄花白色，萼片 5，花瓣 5，远较萼片小，腺体 5，雄蕊 20 ~ 30，花梗纤细；雌花淡黄色，萼片卵状三角形，无花瓣，花盘环状，子房 3 室，花往外弯，不分裂，花梗稍粗。蒴

变叶木

果近球形，稍扁，无毛，直径约 9mm；种子长约 6mm。花期 9 ~ 10 月。

| 生境分布 | 栽培于庭院或公园。分布于重庆涪陵、南川、万州、南岸等地。

| 资源情况 | 野生资源稀少。药材主要来源于栽培。

| 采收加工 | 全年均可采收，鲜用或晒干。

| 药材性状 | 本品叶形多变化，倒披针形、条状倒披针形、条形、椭圆形或匙形，长 8 ~ 30cm，宽 0.5 ~ 4cm，不分裂或在叶片中段将叶片分成上下 2 片，质厚。干后枯绿色或杂以白色、黄色或红色斑纹。叶柄长 0.5 ~ 2.5cm。气微，味苦、涩。

| 功能主治 | 苦，寒；有毒。归肝、肺经。散瘀消肿，清热理肺。用于跌打肿痛，肺热咳嗽。

| 用法用量 | 内服煎汤，3 ~ 6g。外用适量，捣敷。

大戟科 Euphorbiaceae 大戟属 *Euphorbia*

乳浆大戟 *Euphorbia esula* L.

乳浆大戟

药材名

乳浆大戟（药用部位：全草。别名：猫眼草、咪咪草、乳浆草）。

形态特征

多年生草本。根圆柱形，长 20cm 以上，直径 3 ~ 5（~ 6）mm，不分枝或分枝，常曲折，褐色或黑褐色。茎单生或丛生，单生时自基部多分枝，高 30 ~ 60cm，直径 3 ~ 5mm；不育枝常发自基部，较矮，有时发自叶腋。叶线形至卵形，变化极不稳定，长 2 ~ 7cm，宽 4 ~ 7mm，先端尖或钝尖，基部楔形至平截，无叶柄；不育枝叶常为松针状，长 2 ~ 3cm，直径约 1mm，无柄。总苞叶 3 ~ 5，与茎生叶同形；伞幅 3 ~ 5，长 2 ~ 4（~ 5）cm；苞叶 2，常为肾形，少为卵形或三角状卵形，长 4 ~ 12mm，宽 4 ~ 10mm，先端渐尖或近圆，基部近平截。花序单生二歧分枝的先端，基部无柄；总苞钟状，高约 3mm，直径 2.5 ~ 3mm，边缘 5 裂，裂片半圆形至三角形，边缘及内侧被毛；腺体 4，新月形，两端具角，角长而尖或短而钝，变异幅度较大，褐色。雄花多枚，苞片宽线形，无毛。雌花 1，子房柄明显伸出总苞之外；子房光滑无毛；花柱 3，分离，柱头 2 裂。

蒴果三棱状球形，长与直径均 5 ~ 6mm，具 3 纵沟，花柱宿存，成熟时分裂为 3 分果爿；种子卵球形，长 2.5 ~ 3mm，直径 2 ~ 2.5mm，成熟时黄褐色，种阜盾状，无柄。花果期 4 ~ 10 月。

| **生境分布** | 生于路旁、杂草丛、山坡、林下、河沟边、荒山、沙丘或草地。分布于重庆奉节、南川等地。

| **资源情况** | 野生资源稀少。药材主要来源于野生。

| **采收加工** | 春、夏季采收，鲜用或晒干。

| **功能主治** | 微苦，平；有毒。归大肠、膀胱经。利尿消肿，散结，杀虫。用于水肿，臌胀，皮肤瘙痒。

| **用法用量** | 内服煎汤，0.9 ~ 2.4g。外用适量，捣敷。

大戟科 Euphorbiaceae 大戟属 *Euphorbia*

泽漆 *Euphorbia helioscopia* L.

| 药 材 名 | 泽漆（药用部位：全草。别名：五朵云、漆茎、猫风眼睛草）。

| 形态特征 | 一年生草本。根纤细，长 7 ~ 10cm，直径 3 ~ 5mm，下部分枝。茎直立，单一或自基部多分枝，分枝斜展向上，高 10 ~ 30（~ 50）cm，直径 3 ~ 5（~ 7）mm，光滑无毛。叶互生，倒卵形或匙形，长 1 ~ 3.5cm，宽 5 ~ 15mm，先端具牙齿，中部以下渐狭或呈楔形。总苞叶 5，倒卵状长圆形，长 3 ~ 4cm，宽 8 ~ 14mm，先端具牙齿，基部略渐狭，无柄；总伞幅 5，长 2 ~ 4cm；苞叶 2，卵圆形，先端具牙齿，基部呈圆形。花序单生，有柄或近无柄；总苞钟状，高约 2.5mm，直径约 2mm，光滑无毛，边缘 5 裂，裂片半圆形，边缘和内侧被柔毛；腺体 4，盘状，中部内凹，基部具短柄，淡褐色；雄花数枚，明显伸出总苞外；雌花 1，子房柄略伸出总苞边缘。蒴果三棱状阔圆形，

泽漆

光滑，无毛，具明显的三纵沟，长 2.5 ~ 3mm，直径 3 ~ 4.5mm，成熟时分裂为 3 分果爿；种子卵形，长约 2mm，直径约 1.5mm，暗褐色，具明显的脊网，种阜扁平状，无柄。花果期 4 ~ 10 月。

| 生境分布 | 生于山沟、路旁、荒野或山坡。分布于重庆大足、石柱、潼南、长寿、巫山、永川、铜梁、涪陵、云阳、北碚、巫溪、梁平、合川、九龙坡、荣昌、城口、奉节、万州、南川等地。

| 资源情况 | 野生资源丰富。药材主要来源于野生。

| 采收加工 | 4 ~ 5 月花开时采收，除去根及泥沙，晒干。

| 药材性状 | 本品茎光滑无毛，多分枝；表面黄绿色，基部紫红色，具纵纹；质脆。叶互生，无柄，倒卵形或匙形，长 1 ~ 3.5cm，宽 0.5 ~ 1.5cm，先端钝圆或微凹，基部广楔形或突然狭窄，边缘在中部以上具锯齿；茎顶部具 5 轮生叶状苞，与下部叶相似。多歧聚伞花序顶生，有伞梗；杯状花序钟形，黄绿色。蒴果无毛。种子卵形，表面有凸起网纹。气酸而特异，味淡。

| 功能主治 | 辛、苦，微寒；有毒。归肺、大肠、小肠经。行水消肿，化痰止咳，解毒杀虫。用于水气肿满，痰饮喘咳，疟疾，菌痢，瘰疬，结核性瘘管，骨髓炎。

| 用法用量 | 内服煎汤，3 ~ 9g；或熬膏，入丸、散用。外用适量，煎汤洗；熬膏涂或研末调敷。气血虚弱或脾胃虚者慎用。

大戟科 Euphorbiaceae 大戟属 *Euphorbia*

飞扬草 *Euphorbia hirta* L.

飞扬草

|药 材 名|

飞扬草（药用部位：全草。别名：大飞羊、神仙对座草、节节花）。

|形态特征|

一年生草本。根纤细，长 5 ~ 11cm，直径 3 ~ 5mm，常不分枝，偶 3 ~ 5 分枝。茎单一，自中部向上分枝或不分枝，高 30 ~ 60（~ 70）cm，直径约 3mm，被褐色或黄褐色的多细胞粗硬毛。叶对生，披针状长圆形、长椭圆状卵形或卵状披针形，长 1 ~ 5cm，宽 5 ~ 13mm，先端极尖或钝，基部略偏斜；边缘于中部以上有细锯齿，中部以下较少或全缘；叶面绿色，叶背灰绿色，有时具紫色斑，两面均被柔毛，叶背面脉上的毛较密；叶柄极短，长 1 ~ 2mm。花序多数，于叶腋处密集成头状，基部无梗或仅具极短的柄，变化较大，且被柔毛；总苞钟状，高与直径均约 1mm，被柔毛，边缘 5 裂，裂片三角状卵形；腺体 4，近于杯状，边缘具白色附属物；雄花数枚，微达总苞边缘；雌花 1，具短梗，伸出总苞之外，子房三棱状，被少许柔毛，花柱 3，分离，柱头 2 浅裂。蒴果三棱状，长与直径均 1 ~ 1.5mm，被短柔毛，成熟时分裂为 3 分果爿；种子近圆形，具四棱，每个棱面有数个纵槽，无种阜。花果期 6 ～ 12 月。

| 生境分布 | 生于路旁、草丛、灌丛或山坡。分布于重庆南川、黔江、彭水、城口、云阳、南川、江津等地。

| 资源情况 | 野生资源稀少。药材主要来源于野生。

| 采收加工 | 夏、秋季采收，晒干。

| 药材性状 | 本品茎呈近圆柱形，长 15 ～ 50cm，直径 1 ～ 3mm；表面黄褐色或浅棕红色；质脆，易折断，断面中空；地上部分被长粗毛。叶对生，皱缩，展平后椭圆状卵形或略近菱形，长 1 ～ 5cm，宽 0.5 ～ 1.3cm，绿褐色，先端急尖或钝，基部偏斜，边缘有细锯齿，有 3 条较明显的叶脉。聚伞花序密集成头状，腋生。蒴果卵状三棱形。气微，味淡、微涩。

| 功能主治 | 辛、酸，凉；有小毒。归肺、膀胱、大肠经。清热解毒，利湿止痒，通乳。用于肺痈，乳痈，疔疮肿毒，牙疳，痢疾，泄泻，热淋，血尿，湿疹，脚癣，皮肤瘙痒，产后少乳。

| 用法用量 | 内服煎汤，6 ～ 9g。外用适量，煎汤洗。

大戟科 Euphorbiaceae 大戟属 *Euphorbia*

地锦 *Euphorbia humifusa* Willd.

| 药 材 名 | 地锦草（药用部位：全草。别名：红斑鸠窝、地马桑、铺地锦）。

| 形态特征 | 一年生草本。根纤细，长 10 ~ 18cm，直径 2 ~ 3mm，常不分枝。茎匍匐，自基部以上多分枝，偶尔先端斜向上伸展，基部常红色或淡红色，长 20（~ 30）cm，直径 1 ~ 3mm，被柔毛或疏柔毛。叶对生，矩圆形或椭圆形，长 5 ~ 10mm，宽 3 ~ 6mm，先端钝圆，基部偏斜，略渐狭，边缘常于中部以上具细锯齿；叶面绿色，叶背淡绿色，有时淡红色，两面被疏柔毛；叶柄极短，长 1 ~ 2mm。花序单生叶腋，基部具 1 ~ 3mm 的短柄；总苞陀螺状，高与直径均约 1mm，边缘 4 裂，裂片三角形；腺体 4，矩圆形，边缘具白色或淡红色附属物；雄花数枚，近与总苞边缘等长；雌花 1，子房柄伸出至总苞边缘，子房三棱状卵形，光滑无毛，花柱 3，分离，柱头 2 裂。蒴果三棱

地锦

状卵球形，长约 2mm，直径约 2.2mm，成熟时分裂为 3 分果爿，花柱宿存；种子三棱状卵球形，长约 1.3mm，直径约 0.9mm，灰色，每个棱面无横沟，无种阜。花果期 5 ~ 10 月。

| 生境分布 | 生于 250 ~ 800m 的原野荒地、路旁、田间、沙丘、海滩、山坡等地。分布于重庆丰都、忠县、涪陵、永川、綦江、云阳、武隆、奉节、璧山、北碚、荣昌、江津、石柱、城口、巫溪、巫山、南川等地。

| 资源情况 | 野生资源丰富。药材主要来源于野生。

| 采收加工 | 10 月采收，洗净，晒干。

| 药材性状 | 本品常皱缩卷曲。茎细，呈叉状分枝；表面带紫红色，光滑无毛或疏生白色细柔毛；质脆，易折断，断面黄白色，中空。叶对生，具淡红色短柄或几无柄；叶片多皱缩或已脱落，展平后呈长椭圆形，长 5 ~ 10mm，宽 4 ~ 6mm，绿色或带紫红色，通常无毛或疏生细柔毛，先端钝圆，基部偏斜，边缘具小锯齿或呈微波状。杯状聚伞花序腋生，细小。蒴果三棱状球形，表面光滑。种子细小，卵形，褐色。无臭，味微涩。

| 功能主治 | 辛，平。归肝、大肠经。清热解毒，利湿退黄，活血止血。用于痢疾，泄泻，黄疸，咯血，吐血，尿血，便血，崩漏，乳汁不下，跌打肿痛，热毒疮疡。

| 用法用量 | 内服煎汤，10 ~ 15g，鲜者可用 15 ~ 30g；或入散剂。外用适量，鲜品捣敷；或干品研末外敷。血虚无瘀或脾胃虚弱者慎服。

大戟科 Euphorbiaceae 大戟属 *Euphorbia*

湖北大戟 *Euphorbia hylonoma* Hand.-Mazz.

湖北大戟

|药材名|

九牛造（药用部位：根。别名：震天雷、九牛七、翻天印）、九牛造茎叶（药用部位：茎叶）。

|形态特征|

多年生草本，全株光滑无毛。根粗线形，长达 10cm，直径 3 ~ 5mm。茎直立，上部多分枝，高 50 ~ 100cm，直径 3 ~ 7mm。叶互生，长圆形至椭圆形，变异较大，长 4 ~ 10cm，宽 1 ~ 2cm，先端圆，基部渐狭，叶面绿色，叶背有时淡紫色或紫色；侧脉 6 ~ 10 对；叶柄长 3 ~ 6mm。总苞叶 3 ~ 5，同茎生叶；伞幅 3 ~ 5，长 2 ~ 4cm；苞叶 2 ~ 3，常为卵形，长 2 ~ 2.5cm，宽 1 ~ 1.5cm。无柄花序单生二歧分枝先端，无柄；总苞钟状，高约 2.5mm，直径 2.5 ~ 3.5mm，边缘 4 裂，裂片三角状卵形，全缘，被毛；腺体 4，圆肾形，淡黑褐色；雄花多枚，明显伸出总苞外；雌花 1，子房柄长 3 ~ 5mm，子房光滑，花柱 3，分离，柱头 2 裂。蒴果球形，长 3.5 ~ 4mm，直径约 4mm，成熟时分裂为 3 分果爿；种子卵圆形，灰色或淡褐色，长约 2.5mm，直径约 2mm，光滑，腹面具沟纹，种阜具极短的柄。花期 4 ~ 7 月，果期 6 ~ 9 月。

| **生境分布** | 生于海拔 200 ~ 2300m 的山沟、山坡、灌丛、草地、疏林。分布于重庆南川、石柱、丰都、开州等地。

| **资源情况** | 野生资源稀少。药材主要来源于野生。

| **采收加工** | 九牛造：秋季采挖，洗净，晒干。

九牛造茎叶：春、夏季采收，鲜用或晒干。

| **药材性状** | 九牛造：本品呈圆锥形，中段以下略有分枝，直径 1.5 ~ 2cm。表面黄褐色。断面黄色。气微，味苦。

| **功能主治** | 九牛造：甘、苦，凉；有毒。归肝、大肠、膀胱经。消积除胀，泻下逐水，破瘀定痛。用于食积，臌胀，二便不通，跌打损伤。

九牛造茎叶：甘、微苦，凉；有毒。止血，定痛，生肌。用于外伤出血，无名肿毒。

| **用法用量** | 九牛造：内服煎汤，1.5 ~ 3g。外用适量，捣敷。反乌头、甘草。孕妇及体弱者禁服。

九牛造茎叶：外用适量，研末撒敷；或鲜品捣敷。

大戟科 Euphorbiaceae 大戟属 *Euphorbia*

通奶草 *Euphorbia hypericifolia* L.

| 药 材 名 | 大地锦（药用部位：全草。别名：通奶草、大地戟、光叶小飞扬）。

| 形态特征 | 一年生草本。根纤细，长 10 ~ 15cm，直径 2 ~ 3.5mm，常不分枝，少数由末端分枝。茎直立，自基部分枝或不分枝，高 15 ~ 30cm，直径 1 ~ 3mm，无毛或被少许短柔毛。叶对生，狭长圆形或倒卵形，长 1 ~ 2.5cm，宽 4 ~ 8mm，先端钝或圆，基部圆形，通常偏斜，不对称，全缘或基部以上具细锯齿，上面深绿色，下面淡绿色，有时略带紫红色，两面被稀疏的柔毛，或上面的毛早脱落；叶柄极短，长 1 ~ 2mm；托叶三角形，分离或合生。苞叶 2，与茎生叶同形。花序数个簇生叶腋或枝顶，每个花序基部具纤细的柄，柄长 3 ~ 5mm；总苞陀螺状，高与直径各约 1mm 或稍大；边缘 5 裂，裂片卵状三角形；腺体 4，边缘具白色或淡粉色附属物；雄花数枚，

通奶草

微伸出总苞外；雌花 1，子房柄长于总苞，子房三棱状，无毛，花柱 3，分离，柱头 2 浅裂。蒴果三棱状，长约 1.5mm，直径约 2mm，无毛，成熟时分裂为 3 分果爿；种子卵棱状，长约 1.2mm，直径约 0.8mm，每个棱面具数个皱纹，无种阜。花果期 8 ~ 12 月。

| 生境分布 | 生于旷野荒地、路旁、灌丛或田间。分布于重庆北碚、九龙坡等地。

| 资源情况 | 野生资源稀少。药材主要来源于野生。

| 采收加工 | 春、夏季采收，鲜用或晒干。

| 功能主治 | 辛、微苦，平。通乳，利尿，清热解毒。用于妇人乳汁不通，水肿，泄泻，痢疾，皮炎，湿疹，烫火伤。

| 用法用量 | 内服煎汤，15 ~ 30g。外用适量，捣敷。

大戟科 Euphorbiaceae 大戟属 *Euphorbia*

续随子 *Euphorbia lathyris* Linnaeus

| 药 材 名 | 千金子（药用部位：种子。别名：千两金、菩萨豆、务寮）、千金子霜（药材来源：种子的炮制加工品）、续随子茎中白汁（药材来源：茎中的白色乳汁）、续随子叶（药用部位：叶）。

| 形态特征 | 二年生草本，全株无毛。根柱状，长 20cm 以上，直径 3 ~ 7mm，侧根多而细。茎直立，基部单一，略带紫红色，顶部二歧分枝，灰绿色，高可达 1m。叶交互对生，于茎下部密集，于茎上部稀疏，线状披针形，长 6 ~ 10cm，宽 4 ~ 7mm，先端渐尖或尖，基部半抱茎，全缘；侧脉不明显；无叶柄；总苞叶和茎叶均为 2，卵状长三角形，长 3 ~ 8cm，宽 2 ~ 4cm，先端渐尖或急尖，基部近平截或半抱茎，全缘，无柄。花序单生，近钟状，高约 4mm，直径 3 ~ 5mm，边缘 5 裂，裂片三角状长圆形，边缘浅波状；腺体 4，新月形，两端具短

续随子

角，暗褐色。雄花多数，伸出总苞边缘。雌花 1，子房柄几与总苞近等长；子房光滑无毛，直径 3 ~ 6mm；花柱细长，3，分离；柱头 2 裂。蒴果三棱状球形，长与直径均约 1cm，光滑无毛，花柱早落，成熟时不开裂；种子柱状至卵球形，长 6 ~ 8mm，直径 4.5 ~ 6mm，褐色或灰褐色，无皱纹，具黑褐色斑点，种阜无柄，极易脱落。花期 4 ~ 7 月，果期 6 ~ 9 月。

| 生境分布 | 生于山谷、旱田中，或栽培于房前屋后。分布于重庆黔江、云阳等地。

| 资源情况 | 野生和栽培资源均稀少。药材来源于野生和栽培。

| 采收加工 | 千金子：7 月中下旬、果实变黑褐色时采收，晒干，脱粒，扬净，再晒至全干。

千金子霜：取净千金子，搓去种皮，碾如泥状，用布包严，置笼屉内蒸热，压榨去油，如此反复操作，至药物不再黏结成饼，碾细。

续随子茎中白汁：夏、秋季折断茎部，取液汁，随采随用。

续随子叶：随用随采。

| 药材性状 | 千金子：本品呈椭圆形或倒卵形，长约 5mm，直径约 4mm。表面灰棕色或灰褐色，具不规则网状皱纹，网孔凹陷处灰黑色，形成细斑点。一侧有纵沟状种脊，先端为凸起的合点，下端为线形种脐，基部有类白色凸起的种阜或具脱落后的疤痕。种皮薄脆，种仁白色或黄白色，富油质。气微，味辛。

千金子霜：本品为均匀、疏松的淡黄色粉末，微显油性。味辛、辣。

续随子叶：本品平展，有短柄，披针形或卵状披针形，由下而上渐大，长 5 ~ 10cm，宽 0.4 ~ 0.7cm，先端锐尖，基部心形而多少抱茎，全缘。

| 功能主治 | 千金子：辛，温；有毒。归肝、肾、大肠经。泻下逐水，破血消癥，疗癣蚀疣。用于二便不通，水肿，痰饮，积滞胀满，血瘀经闭。外用于顽癣，赘疣。

千金子霜：同千金子。

续随子茎中白汁：祛斑解毒，敛疮。用于白癜风，蛇咬伤。

续随子叶：祛斑解毒。用于白癜风，蝎蜇。

| 用法用量 | 千金子：1 ~ 2g，去壳、去油用，多入丸、散。外用适量，捣敷患处。孕妇禁用。

千金子霜：0.5 ~ 1g，多入丸、散。外用适量。

续随子茎中白汁：外用适量，涂搽。

续随子叶：外用适量，捣敷。

大戟科 Euphorbiaceae 大戟属 *Euphorbia*

斑地锦 *Euphorbia maculata* L.

| 药 材 名 | 地锦草（药用部位：全草。别名：斑叶地锦）。

| 形态特征 | 一年生草本。根纤细，长 4 ～ 7cm，直径约 2mm。茎匍匐，长 10 ～ 17cm，直径约 1mm，被白色疏柔毛。叶对生，长椭圆形至肾状长圆形，长 6 ～ 12mm，宽 2 ～ 4mm，先端钝，基部偏斜，不对称，略呈渐圆形，边缘中部以下全缘，中部以上常具细小疏锯齿；叶面绿色，中部常具有一个长圆形的紫色斑点，叶背淡绿色或灰绿色，新鲜时可见紫色斑，干时不清楚，两面无毛；叶柄极短，长约 1mm；托叶钻状，不分裂，边缘被睫毛。花序单生叶腋，基部具短柄，柄长 1 ～ 2mm；总苞狭杯状，高 0.7 ～ 1mm，直径约 0.5mm，外部被白色疏柔毛，边缘 5 裂，裂片三角状圆形；腺体 4，黄绿色，横椭圆形，边缘具白色附属物。雄花 4 ～ 5，微伸出总苞外。雌花 1，

斑地锦

子房柄伸出总苞外，且被柔毛；子房被疏柔毛；花柱短，近基部合生；柱头 2 裂。蒴果三角状卵形，长约 2mm，直径约 2mm，被稀疏柔毛，成熟时易分裂为 3 分果爿；种子卵状四棱形，长约 1mm，直径约 0.7mm，灰色或灰棕色，每个棱面具 5 横沟，无种阜。花果期 4 ~ 9 月。

| 生境分布 | 生于平原或低山坡的路旁。分布于重庆大足、永川、长寿、九龙坡、忠县、北碚等地。

| 资源情况 | 野生资源一般。药材主要来源于野生。

| 采收加工 | 夏、秋季采收，除去杂质，晒干。

| 药材性状 | 本品皱缩卷曲。根细小。茎细，呈叉状分枝；表面带紫红色，光滑无毛或疏生白色细柔毛；质脆，易折断，断面黄白色，中空。单叶对生，具淡红色短柄或几无柄；叶片多皱缩或已脱落，展平后呈长椭圆形，长 5 ~ 10mm，宽 2 ~ 4mm，上表面具红斑，通常无毛或疏生细柔毛；先端钝圆，基部偏斜，边缘具小锯齿或呈微波状。杯状聚伞花序腋生，细小。蒴果三棱状球形，被稀疏白色短柔毛。种子细小，卵形，褐色。气微，味微涩。

| 功能主治 | 辛，平。归肝、大肠经。清热解毒，凉血止血，利湿退黄。用于痢疾，泄泻，咯血，尿血，便血，崩漏，疮疖痈肿，湿热黄疸。

| 用法用量 | 内服煎汤，9 ~ 20g。外用适量。

大戟科 Euphorbiaceae 大戟属 *Euphorbia*

大戟 *Euphorbia pekinensis* Rupr.

大戟

| 药材名 |

京大戟（药用部位：根。别名：邛钜、经草大戟、紫大戟）。

| 形态特征 |

多年生草本。根圆柱形，长 20 ~ 30cm，直径 6 ~ 14mm，分枝或不分枝。茎单生或自基部多分枝，每个分枝上部又 4 ~ 5 分枝，高 40 ~ 80（~ 90）cm，直径 3 ~ 6（~ 7）cm，被柔毛或被少许柔毛或无毛。叶互生，常为椭圆形，少为披针形或披针状椭圆形，变异较大，先端尖或渐尖，基部渐狭或呈楔形或近圆形或近平截，全缘；主脉明显，侧脉羽状，不明显；叶两面无毛或有时叶背被少许柔毛或被较密的柔毛，变化较大且不稳定。总苞叶 4 ~ 7，长椭圆形，先端尖，基部近平截；伞幅 4 ~ 7，长 2 ~ 5cm；苞叶 2，近圆形，先端具短尖头，基部平截或近平截。花序单生二歧分枝先端，无柄；总苞杯状，高约 3.5mm，直径 3.5 ~ 4mm，边缘 4 裂，裂片半圆形，边缘具不明显的缘毛；腺体 4，半圆形或肾状圆形，淡褐色。雄花多数，伸出总苞之外。雌花 1，具较长的子房柄，柄长 3 ~ 5（~ 6）mm；子房幼时被较密的瘤状突起；花柱 3，分离；柱头 2 裂。

蒴果球形，长约 4.5mm，直径 4 ~ 4.5mm，被稀疏的瘤状突起，成熟时分裂为 3 分果爿，花柱宿存且易脱落；种子长球形，长约 2.5mm，直径 1.5 ~ 2mm，暗褐色或微光亮，腹面具浅色条纹，种阜近盾状，无柄。花期 5 ~ 8 月，果期 6 ~ 9 月。

| 生境分布 | 生于山坡、灌丛、路旁、荒地、草丛、林缘或疏林内。重庆各地均有分布。

| 资源情况 | 野生资源丰富。药材主要来源于野生。

| 采收加工 | 秋季地上部分枯萎后至早春萌芽前采挖，除去残茎及须根，洗净泥土，切段或片，晒干或烘干。

| 药材性状 | 本品呈不整齐的长圆锥形，略弯曲，常有分枝，长 10 ~ 20cm，直径 0.6 ~ 1.4cm。表面灰棕色或棕褐色，粗糙，有纵皱纹、横向皮孔样突起及支根痕。先端略膨大，有多数茎基及芽痕。质坚硬，不易折断，断面类白色或淡黄色，纤维性。气微，味微苦。

| 功能主治 | 苦，寒；有毒。归肺、脾、肾经。泻水逐饮，消肿散结。用于水肿胀满，胸腹积水，痰饮积聚，气逆咳喘，二便不利，痈肿疮毒，瘰疬痰核。

| 用法用量 | 内服煎汤，1.5 ~ 3g；或入丸、散，每次 1g；内服醋制用。外用适量，生用。孕妇禁用；不宜与甘草同用。

大戟科 Euphorbiaceae 大戟属 *Euphorbia*

一品红 *Euphorbia pulcherrima* Willd. ex Klotzsch

| 药 材 名 | 一品红（药用部位：地上部分。别名：圣诞树、状元红、猩猩木）。

| 形态特征 | 灌木。根圆柱形，极多分枝。茎直立，高 1 ~ 3（~ 4）m，直径 1 ~ 4（~ 5）cm，无毛。叶互生，卵状椭圆形、长椭圆形或披针形，长 6 ~ 25cm，宽 4 ~ 10cm，先端渐尖或急尖，基部楔形或渐狭，绿色，全缘或浅裂或波状浅裂，叶面被短柔毛或无毛，叶背被柔毛；叶柄长 2 ~ 5cm，无毛；无托叶。苞叶 5 ~ 7，狭椭圆形，长 3 ~ 7cm，宽 1 ~ 2cm，通常全缘，极少边缘浅波状分裂，朱红色；叶柄长 2 ~ 6cm。花序数个聚伞排列于枝顶；花序柄长 3 ~ 4mm；总苞坛状，淡绿色，高 7 ~ 9mm，直径 6 ~ 8mm，边缘齿状 5 裂，裂片三角形，无毛；腺体常 1，极少 2，黄色，常压扁，呈两唇状，长 4 ~ 5mm，宽约 3mm。雄花多数，常伸出总苞之外；苞片丝状，被柔毛。雌花 1，

一品红

子房柄明显伸出总苞之外，无毛；子房光滑；花柱 3，中部以下合生；柱头 2 深裂。蒴果，三棱状圆形，长 1.5 ~ 2cm，直径约 1.5cm，平滑无毛；种子卵形，长约 1cm，直径 8 ~ 9mm，灰色或淡灰色，近平滑，无种阜。花果期 10 月至翌年 4 月。

| 生境分布 | 栽培于庭院、公园、植物园或温室。分布于重庆万州、涪陵、南川等地。

| 资源情况 | 野生资源稀少。药材主要来源于栽培。

| 采收加工 | 夏、秋季割取地上部分，鲜用或晒干。

| 功能主治 | 苦、涩，凉；有毒。调经止血，活血定痛。用于月经过多，跌打肿痛，骨折，外伤出血。

| 用法用量 | 内服煎汤，3 ~ 9g。外用适量，鲜品捣敷。

大戟科 Euphorbiaceae 大戟属 *Euphorbia*

霸王鞭 *Euphorbia royleana* Boiss.

霸王鞭

药材名

霸王鞭（药用部位：全株。别名：刺金刚、金刚杵、金刚纂）。

形态特征

肉质灌木，具丰富的乳汁。茎高 5 ~ 7m，直径 4 ~ 7cm，上部具数个分枝，幼枝绿色；茎与分枝具 5 ~ 7 棱，每棱均有微隆起的棱脊，脊上具波状齿。叶互生，密集于分枝先端，倒披针形至匙形，长 5 ~ 15cm，宽 1 ~ 4cm，先端钝或近平截，基部渐窄，全缘；侧脉不明显，肉质；托叶刺状，长 3 ~ 5mm，成对着生于叶迹两侧，宿存。花序二歧聚伞状着生于节间凹陷处，且常生于枝的顶部；花序基部具柄，长约 5mm；总苞杯状，高与直径均约 2.5mm，黄色；腺体 5，横圆形，暗黄色。蒴果三棱状，直径 1.5cm，长 1 ~ 1.2cm，平滑无毛，灰褐色；种子圆柱形，长 3 ~ 3.5mm，直径 2.5 ~ 3mm，褐色，腹面具沟纹，无种阜。花果期 5 ~ 7 月。

生境分布

生于岩石、斜坡上。分布于重庆涪陵、南川、北碚等地。

| **资源情况** | 野生资源稀少。药材主要来源于栽培。

| **采收加工** | 随用随采。

| **功能主治** | 苦、涩，平；有毒。祛风解毒，杀虫止痒。用于疮疡肿毒，牛皮癣。

| **用法用量** | 外用适量，鲜品取浆汁搽涂。

| **附　　注** | 本种喜高温干燥气候，喜半阴，耐干燥，不耐寒，忌涝，环境温度不宜低于 8℃。

大戟科 Euphorbiaceae 大戟属 *Euphorbia*

钩腺大戟 *Euphorbia sieboldiana* Morr. et Decne.

| 药 材 名 | 钩腺大戟（药用部位：根。别名：土大戟、长圆大戟、椎腺大戟）。

| 形态特征 | 多年生草本。根茎较粗壮，基部具不定根，长 10 ~ 20cm，直径 4 ~ 15mm。茎单一或自基部多分枝，每个分枝向上再分枝，高 40 ~ 70cm，直径 4 ~ 7mm。叶互生，椭圆形、倒卵状披针形、长椭圆形，变异较大，长 2 ~ 5（~ 6）cm，宽 5 ~ 15mm，先端钝或尖或渐尖，基部渐狭或呈狭楔形，全缘；侧脉羽状；叶柄极短或无。总苞叶 3 ~ 5，椭圆形或卵状椭圆形，长 1.5 ~ 2.5cm，宽 4 ~ 8mm，先端钝尖，基部近平截；伞幅 3 ~ 5，长 2 ~ 4cm；苞叶 2，常呈肾状圆形，少为卵状三角形或半圆形，变异较大，长 8 ~ 14mm，宽 8 ~ 16mm，先端圆或略呈凸尖，基部近平截或微凹或近圆形。花序单生二歧分枝的先端，基部无柄；总苞杯状，高 3 ~ 4mm，直径

钩腺大戟

3 ~ 5mm，边缘4裂，裂片三角形或卵状三角形，内侧被短柔毛或被极少的短柔毛，腺体4，新月形，两端具角，角尖钝或长刺芒状，变化极不稳定，以黄褐色为主，少有褐色或淡黄色或黄绿色。雄花多数，伸出总苞之外。雌花1，子房柄伸出总苞边缘；子房光滑无毛；花柱3，分离；柱头2裂。蒴果三棱状球形，长3.5 ~ 4mm，直径4 ~ 5mm，光滑，成熟时分裂为3分果爿，花柱宿存，且易脱落；种子近长球形，长约2.5mm，直径约1.5mm，灰褐色，具不明显的纹饰，种阜无柄。花果期4 ~ 9月。

| 生境分布 | 生于田间、林缘、灌丛、林下、山坡、草地。分布于重庆巫山、奉节、南川、北碚、秀山、武隆等地。

| 资源情况 | 野生资源稀少。药材主要来源于野生。

| 药材性状 | 本品块根略呈圆锥状，先端根茎残基明显，直径0.4 ~ 1.5cm。表面黑褐色，具不规则浅沟状皱纹及侧根痕。断面粉质，皮部黄白色，木部淡黄色，具稀疏的放射状纹理。质坚硬。气微，味微辛。嚼之有砂粒感。

| 功能主治 | 利尿，泻下。用于疱疮、疥疮等。

| 用法用量 | 外用煎汤洗。有毒，宜慎用。

大戟科 Euphorbiaceae 大戟属 *Euphorbia*

黄苞大戟 *Euphorbia sikkimensis* Boiss.

| 药 材 名 | 五虎下西川（药用部位：根、根皮、叶。别名：括金板、水黄花、小狠毒）。

| 形态特征 | 多年生草本。根圆柱形，长 20 ~ 40cm，直径 3 ~ 5mm。茎单一或丛生，上部分枝或极少分枝，高 20 ~ 80cm，直径 3 ~ 4mm，全株无毛。叶互生，长椭圆形，长 6 ~ 10cm，宽 1 ~ 2cm，先端钝圆，基部极狭，全缘；主脉于叶两面明显，侧脉不达边缘；叶柄极短或近无柄。总苞叶常为 5，长椭圆形至卵状椭圆形，长 4 ~ 7cm，宽 8 ~ 12mm，先端钝圆，基部近圆形或三角状圆形，黄色；次级总苞叶常 3，卵形，长 1 ~ 2cm，宽 6 ~ 10mm，先端圆，基部近平截，黄色；苞叶 2，卵形，长 1 ~ 1.3cm，宽 1 ~ 1.2cm，先端圆，基部圆，黄色。花序单生分枝先端，基部具短柄，柄长 2 ~ 3mm；总苞钟状，高与直径

黄苞大戟

均约 3.5mm，边缘 4 裂，裂片半圆形，内侧被白色柔毛；腺体 4，半圆形，褐色。雄花多数，微伸出总苞外。雌花 1，子房柄明显伸出总苞外；子房光滑无毛；花柱 3，分离；柱头 2 裂。蒴果球形，长与直径均约 5mm，花柱早落；种子卵球形，长约 3mm，直径约 2mm，灰色或深灰色，腹面具白色纹饰，种阜盾状，黄色或淡黄色，无柄。花期 4 ~ 7 月，果期 6 ~ 9 月。

| 生境分布 | 生于海拔 600 ~ 2200m 的山坡、疏林下或灌丛。分布于重庆南川、永川、城口、涪陵等地。

| 资源情况 | 野生资源一般。药材主要来源于野生。

| 采收加工 | 秋季采挖根，鲜用；或剥取根皮，晒干。春、夏季采摘叶，鲜用或晒干。

| 功能主治 | 利尿逐水，清热解毒。用于水肿，水臌，疥疮，小儿黄水疮。

| 用法用量 | 内服煎汤，3 ~ 9g；或入丸、散。外用适量，捣敷或研末调敷。本品有毒，且逐水之力甚猛，体虚者禁服。

大戟科 Euphorbiaceae 大戟属 *Euphorbia*

绿玉树 *Euphorbia tirucalli* L.

绿玉树

| 药材名 |

绿玉树（药用部位：全株。别名：绿珊瑚、宜呼端、铁树）。

| 形态特征 |

小乔木，高 2 ~ 6m，直径 10 ~ 25cm。茎老时呈灰色或淡灰色，幼时绿色，上部平展或分枝；小枝肉质，具丰富乳汁。叶互生，长圆状线形，长 7 ~ 15mm，宽 0.7 ~ 1.5mm，先端钝，基部渐狭，全缘，无柄或近无柄，常生于当年生嫩枝上，稀疏且很快脱落，由茎行使光合功能，故常呈无叶状态；总苞叶干膜质，早落。花序密集于枝顶，基部具柄；总苞陀螺状，高约 2mm，直径约 1.5mm，内侧被短柔毛；腺体 5，盾状卵形或近圆形。雄花数枚，伸出总苞之外。雌花 1，子房柄伸出总苞边缘；子房光滑无毛；花柱 3，中部以下合生；柱头 2 裂。蒴果棱状三角形，长与直径均约 8mm，平滑，略被毛或无毛；种子卵球形，长与直径均约 4mm，平滑，具微小的种阜。花果期 7 ~ 10 月。

| 生境分布 |

栽培于路旁或温室。分布于重庆南川、万州、涪陵、北碚等地。

| 资源情况 | 野生资源稀少，栽培资源较少。药材主要来源于栽培。

| 采收加工 | 全年均可采收，鲜用或晒干。

| 功能主治 | 辛、微酸，凉；有毒。催乳，杀虫，解毒。用于产后乳汁不足，癣疮，关节肿痛。

| 用法用量 | 内服煎汤，6 ~ 9g。外用适量，捣敷。

大戟科 Euphorbiaceae 海漆属 *Excoecaria*

云南土沉香 *Excoecaria acerifolia* Didr.

|药材名| 刮筋板（药用部位：嫩幼全株。别名：刮金械、走马胎、刮金板）。

|形态特征| 灌木至小乔木，高1 ~ 3m，各部均无毛。枝具纵棱，疏生皮孔。叶互生，纸质，叶片卵形或卵状披针形，稀椭圆形，长6 ~ 13cm，宽2 ~ 5.5cm，先端渐尖，基部渐狭或短尖，有时钝，边缘有尖的腺状密锯齿，齿间距1 ~ 2mm；中脉两面均凸起，背面尤著，侧脉6 ~ 10对，弧形上升，离缘2 ~ 3mm弯拱网结，网脉明显；叶柄长2 ~ 5mm，无腺体；托叶小，腺体状，长约0.5mm。花单性，雌雄同株同序，花序顶生和腋生，长2.5 ~ 6cm，雌花生于花序轴下部，雄花生于花序轴上部。雄花花梗极短；苞片阔卵形或三角形，长约1.3mm，宽约1.5mm，先端凸尖，基部两侧各具一近圆形、直径约1mm的腺体，每一苞片内有花2 ~ 3；萼片3，披针形，长约1.2mm，宽

云南土沉香

0.6 ~ 0.8mm；雄蕊 3，花药球形，比花丝长。雌花花梗极短或不明显；苞片卵形，长约 2.5mm，宽近 1.5mm，先端芒尖，尖头长达 1.5mm，基部两侧各具一正圆形、直径约 1.5mm 的腺体；小苞片 2，长圆形，长约 1.5mm，先端具不规则的 3 齿；萼片 3，基部稍联合，卵形，长约 1.5mm，宽约 1.2mm，先端尖，边缘有不明显的小齿；子房球形，直径约 1.5mm。蒴果近球形，具 3 棱，直径约 1cm；种子卵球形，干时灰黑色，平滑，直径约 4mm。花期 6 ~ 8 月。

| 生境分布 | 生于山坡、溪边或灌丛中。分布于重庆丰都、垫江、九龙坡、沙坪坝等地。

| 资源情况 | 野生资源稀少。药材主要来源于野生。

| 采收加工 | 9 ~ 10 月采收，切碎，晒干。

| 药材性状 | 本品单叶互生，具柄，叶片半革质，倒卵形、长椭圆形或椭圆状披针形，长 4 ~ 7cm，宽 1.5 ~ 3.5cm，先端渐尖，基部楔形，边缘有细微锯齿，中脉、侧脉及叶柄均呈紫红色。气微，味苦、辛。

| 功能主治 | 苦、辛，微温。归肝、脾经。行气，破血，消积，抗疟。用于癥瘕，食积，臌胀，黄疸，疟疾。

| 用法用量 | 内服煎汤，9 ~ 15g。孕妇慎服。

大戟科 Euphorbiaceae 海漆属 *Excoecaria*

狭叶土沉香 *Excoecaria acerifolia* Didr. var. *cuspidata* (Muell, Arg.) Muell. Arg.

| 药材名 | 狭叶土沉香（药用部位：全株）。

| 形态特征 | 本种与原变种云南土沉香的区别在于叶很狭，披针形，长 5 ~ 9cm，宽 0.8 ~ 2cm，先端长渐尖至尾状渐尖。果期 6 ~ 9 月。

| 生境分布 | 生于河边或灌丛中。分布于重庆石柱、巴南、永川等地。

| 资源情况 | 野生资源稀少。药材主要来源于野生。

| 采收加工 | 9 ~ 10 月采收，切碎，晒干。

| 功能主治 | 祛风散寒，健脾利湿，解毒。用于风寒咳嗽，疟疾，黄疸，消化不良，小儿疳积，风湿骨痛。

狭叶土沉香

| **用法用量** | 内服煎汤，9 ~ 15g。孕妇慎服。

大戟科 Euphorbiaceae 海漆属 *Excoecaria*

红背桂花 *Excoecaria cochinchinensis* Lour.

| 药 材 名 | 红背桂（药用部位：全株。别名：金锁玉、箭毒木、叶背红）。

| 形态特征 | 常绿灌木，高超过 1m。枝无毛，具多数皮孔。叶对生，稀兼有互生或近 3 片轮生，纸质，叶片狭椭圆形或长圆形，长 6 ~ 14cm，宽 1.2 ~ 4cm，先端长渐尖，基部渐狭，边缘有疏细齿，齿间距 3 ~ 10mm，两面均无毛，腹面绿色，背面紫红色或血红色；中脉于两面均凸起，侧脉 8 ~ 12 对，弧曲上升，离缘弯拱连接，网脉不明显；叶柄长 3 ~ 10mm，无腺体；托叶卵形，先端尖，长约 1mm。花单性，雌雄异株，聚集成腋生或稀兼有顶生的总状花序，雄花序长 1 ~ 2cm，雌花序由 3 ~ 5 花组成，略短于雄花序。雄花花梗长约 1.5mm；苞片阔卵形，长和宽近相等，约 1.7mm，先端凸尖而具细齿，基部于腹面两侧各具 1 腺体，每一苞片仅有 1 花；小苞片 2，线形，长约

红背桂花

1.5mm，先端尖，上部具撕裂状细齿，基部两侧亦各具 1 腺体；萼片 3，披针形，长约 1.2mm，先端有细齿；雄蕊长伸出于萼片之外，花药圆形，略短于花丝。雌花花梗粗壮，长 1.5 ~ 2mm，苞片和小苞片与雄花的相同；萼片 3，基部稍联合，卵形，长 1.8mm，宽近 1.2mm；子房球形，无毛，花柱 3，分离或基部多少合生，长约 2.2mm。蒴果球形，直径约 8mm，基部截平，先端凹陷；种子近球形，直径约 2.5mm。花期几乎全年。

| 生境分布 | 生于 1500m 以下的常绿林或落叶林、次生林、灌木林中。分布于重庆南川、九龙坡、南岸、永川、彭水等地。

| 资源情况 | 野生资源稀少。药材主要来源于栽培。

| 采收加工 | 全年均可采收，洗净，晒干或鲜用。

| 药材性状 | 本品根较粗大，圆锥形，棕褐色，木栓层易脱落，可见棕褐色皮层；质脆，易折断。茎圆柱形，多分枝，直径 0.5 ~ 2cm；表面暗褐色，有密集短纵纹；质坚硬，易折断。叶对生，多皱缩，完整者展平后狭椭圆形或长圆形，长 6 ~ 14cm，宽 1.2 ~ 1.4cm，先端渐尖，基部楔形，有时两侧边缘可见 2 ~ 3 腺体，边缘有不明显细钝齿，两面无毛，上表面暗棕色，下表面暗红色；叶柄长 3 ~ 10mm。气微，味淡。

| 功能主治 | 辛、微苦，平；有毒。祛风湿，通经络，活血止痛。用于风湿痹痛，腰肌劳损，跌打损伤。

| 用法用量 | 内服煎汤，3 ~ 6g。外用适量，鲜品捣敷。

| 附　　注 | 本种喜温暖湿润气候，耐半阴，宜栽植于砂壤土中。

大戟科 Euphorbiaceae 白饭树属 *Flueggea*

一叶萩 *Flueggea suffruticosa* (Pall.) Baill.

|药 材 名| 一叶萩（药用部位：嫩枝、叶、根。别名：叶底珠、叶下珠、小粒蒿）。

|形态特征| 灌木，高 1 ~ 3m，多分枝。小枝浅绿色，近圆柱形，有棱槽，有不明显的皮孔，全株无毛。叶片纸质，椭圆形或长椭圆形，稀倒卵形，长 1.5 ~ 8cm，宽 1 ~ 3cm，先端急尖至钝，基部钝至楔形，全缘或间有不整齐的波状齿或细锯齿，下面浅绿色；侧脉每边 5 ~ 8，两面凸起，网脉略明显；叶柄长 2 ~ 8mm；托叶卵状披针形，长 1mm，宿存。花小，雌雄异株，簇生叶腋。雄花 3 ~ 18 簇生；花梗长 2.5 ~ 5.5mm；萼片通常 5，椭圆形、卵形，长 1 ~ 1.5mm，宽 0.5 ~ 1.5mm，全缘或具不明显的细齿；雄蕊 5，花丝长 1 ~ 2.2mm，花药卵圆形，长 0.5 ~ 1mm；花盘腺体 5；退化雌蕊圆柱形，高 0.6 ~ 1mm，先端 2 ~ 3 裂。雌花花梗长 2 ~ 15mm；萼片 5，椭圆

一叶萩

形至卵形，长 1 ~ 1.5mm，近全缘，背部呈龙骨状突起；花盘盘状，全缘或近全缘；子房卵圆形，（2 ~ ）3 室，花柱 3，长 1 ~ 1.8mm，分离或基部合生，直立或外弯。蒴果三棱状扁球形，直径约 5mm，成熟时淡红褐色，有网纹，3 爿裂；果梗长 2 ~ 15mm，基部常有宿存的萼片；种子卵形而一侧扁压状，长约 3mm，褐色而有小疣状突起。花期 3 ~ 8 月，果期 6 ~ 11 月。

｜生境分布｜ 生于海拔 800 ~ 2500m 的山坡灌丛中或山沟、路边。分布于重庆酉阳、南川、巫溪、武隆等地。

｜资源情况｜ 野生资源一般，亦有栽培。药材主要来源于野生。

｜采收加工｜ 春末至秋末采收嫩枝、叶，割取连叶的绿色嫩枝，扎成小把，阴干。全年均可采挖根，除去泥沙，洗净，切片，晒干。

｜药材性状｜ 本品嫩枝呈圆柱形，略具棱角，长 25 ~ 40cm，粗端直径约 2mm；表面暗绿黄色，具纵向细纹理。叶多皱缩破碎，有时尚有黄色花或灰黑色果实。质脆，断面中央白色，四周纤维状。气微，味微辛而苦。根不规则分枝，圆柱形；表面红棕色，有细纵皱纹，疏生凸起的小点或横向皮孔；质脆，断面不整齐，木部淡黄白色。气微，味淡转涩。

｜功能主治｜ 辛、苦，微温；有小毒。祛风活血，益肾强筋。用于风湿腰痛，四肢麻木，阳痿，小儿疳积，面神经麻痹，小儿麻痹后遗症。

｜用法用量｜ 内服煎汤，6 ~ 9g。本品有毒，宜慎服。

｜附　　注｜ 本种宜选择向阳平地或山坡种植。对土壤要求不严，但以肥沃、疏松土壤为好。

大戟科 Euphorbiaceae 算盘子属 *Glochidion*

算盘子 *Glochidion puberum* (L.) Hutch.

| 药 材 名 | 算盘子（药用部位：果实。别名：黎击子、野南瓜、柿子椒）、算盘子根（药用部位：根。别名：野南瓜根）、算盘子叶（药用部位：叶。别名：野南瓜叶）。

| 形态特征 | 直立灌木，高 1 ~ 5m，多分枝。小枝灰褐色，小枝、叶片下面、萼片外面、子房和果实均密被短柔毛。叶片纸质或近革质，长圆形、长卵形或倒卵状长圆形，稀披针形，长 3 ~ 8cm，宽 1 ~ 2.5cm，先端钝、急尖、短渐尖或圆，基部楔形至钝，上面灰绿色，仅中脉被疏短柔毛或几无毛，下面粉绿色；侧脉每边 5 ~ 7，下面凸起，网脉明显；叶柄长 1 ~ 3mm；托叶三角形，长约 1mm。花小，雌雄同株或异株，2 ~ 5 簇生叶腋内，雄花束常着生于小枝下部，雌花束则在上部，或有时雌花和雄花同生于一叶腋内。雄花花梗长

算盘子

4 ~ 15mm；萼片 6，狭长圆形或长圆状倒卵形，长 2.5 ~ 3.5mm；雄蕊 3，合生成圆柱状。雌花花梗长约 1mm；萼片 6，与雄花相似，但较短而厚；子房圆球形，5 ~ 10 室，每室有 2 胚珠，花柱合生成环状，长宽与子房几相等，与子房接连处缢缩。蒴果扁球形，直径 8 ~ 15mm，边缘有 8 ~ 10 纵沟，成熟时带红色，先端具有环状而稍伸长的宿存花柱；种子近肾形，具 3 棱，长约 4mm，朱红色。花期 4 ~ 8 月，果期 7 ~ 11 月。

| 生境分布 | 生于海拔 300 ~ 2200m 的山坡、溪旁灌丛中或林缘。重庆各地均有分布。

| 资源情况 | 野生资源丰富。药材主要来源于野生。

| 采收加工 | 算盘子：秋季采摘，拣净杂质，晒干。

算盘子根：全年均可采挖，洗净，鲜用或晒干。

算盘子叶：夏、秋季采收，鲜用或晒干。

| 药材性状 | 算盘子：本品呈扁球形，形如算盘珠，常具 8 ~ 10 纵沟。红色或红棕色，被短绒毛，先端具环状稍伸长的宿存花柱。内有数颗种子，种子近肾形，具纵棱，表面红褐色。气微，味苦、涩。

算盘子根：本品呈圆柱形。表面棕褐色，栓皮粗糙，极易剥落，有细纵纹和横裂。质坚硬，不易折断，断面浅棕色。气微，味苦。

算盘子叶：本品具短柄，长圆形、长圆状卵形或披针形，长 3 ~ 8cm，宽 1 ~ 2.5cm，先端尖或钝，基部宽楔形，全缘，上面仅脉上被疏短柔毛或几无毛，下面粉绿色，密被短柔毛。叶片较厚，纸质或革质。气微，味苦、涩。

| 功能主治 | 算盘子：苦，凉；有小毒。清热除湿，解毒利咽，行气活血。用于痢疾，泄泻，黄疸，疟疾，淋浊，带下，咽喉肿痛，牙痛，疝痛，产后腹痛。

算盘子根：苦，凉；有小毒。归大肠、肝、肺经。清热，利湿，行气，活血，解毒消肿。用于感冒发热，咽喉肿痛，咳嗽，牙痛，湿热泻痢，黄疸，淋浊，带下，风湿痹痛，腰痛，疝气，痛经，闭经，跌打损伤，痈肿，瘰疬，蛇虫咬伤。

算盘子叶：苦、涩，凉；有小毒。归大肠、肝、肺经。清热利湿，解毒消肿。用于湿热泻痢，黄疸，淋浊，带下，咽喉肿痛，痈疮疖肿，漆疮，湿疹，虫蛇咬伤。

| 用法用量 | 算盘子：内服煎汤，9 ~ 15g。

算盘子根：内服煎汤，3 ~ 6g。外用适量，煎汤熏洗。孕妇禁服。

算盘子叶：内服煎汤，6 ~ 9g，鲜品 30 ~ 60g；或焙干研末；或绞汁。外用适量，煎汤熏洗；或捣敷。孕妇禁服。

大戟科 Euphorbiaceae 算盘子属 *Glochidion*

湖北算盘子 *Glochidion wilsonii* Hutch.

| 药材名 | 馒头果（药用部位：叶。别名：白背算盘子）。

| 形态特征 | 灌木，高 1 ~ 4m。枝条具棱，灰褐色；小枝直而开展；除叶柄外，全株均无毛。叶片纸质，披针形或斜披针形，长 3 ~ 10cm，宽 1.5 ~ 4cm，先端短渐尖或急尖，基部钝或宽楔形，上面绿色，下面带灰白色；中脉两面凸起，侧脉每边 5 ~ 6，下面凸起；叶柄长 3 ~ 5mm，被极细柔毛或几无毛；托叶卵状披针形，长 2 ~ 2.5mm。花绿色，雌雄同株，簇生叶腋内，雌花生于小枝上部，雄花生于小枝下部。雄花花梗长约 8mm；萼片 6，长圆形或倒卵形，长 2.5 ~ 3mm，宽约 1mm，先端钝，边缘薄膜质；雄蕊 3，合生。雌花花梗短；萼片与雄花的相同；子房圆球形，6 ~ 8 室，花柱合生成圆柱状，先端多裂。蒴果扁球形，直径约 1.5cm，边缘有 6 ~ 8 纵沟，基部

湖北算盘子

常有宿存的萼片；种子近三棱形，红色，有光泽。花期 4 ~ 7 月，果期 6 ~ 9 月。

| 生境分布 | 生于海拔 600 ~ 1600m 的山地灌丛中。分布于重庆黔江、江津、彭水、长寿、忠县、奉节、云阳、涪陵、酉阳、南川、綦江、丰都、武隆、垫江、巴南、九龙坡、沙坪坝等地。

| 资源情况 | 野生资源丰富。药材主要来源于野生。

| 采收加工 | 夏、秋季采摘，除去柄，拣净，鲜用或晒干。

| 药材性状 | 本品披针形，长 3 ~ 10cm，宽 1.5 ~ 4cm，先端锐尖或短渐尖，基部钝或宽楔形，无毛，下面带灰白色；侧脉 5 ~ 6 对；叶柄长 3 ~ 4mm，被极细柔毛或几无毛；质稍厚，纸质。气微，味苦、涩。

| 功能主治 | 微苦。清热利湿，消滞散瘀，解毒消肿。用于湿热泻痢，咽喉肿痛，疮疖肿痛，蛇虫咬伤，跌打损伤。

| 用法用量 | 内服煎汤，15 ~ 30g。外用适量，鲜品捣敷。

大戟科 Euphorbiaceae 麻疯树属 *Jatropha*

麻疯树 *Jatropha curcas* L.

| 药 材 名 | 麻疯树（药用部位：树皮、叶。别名：小桐子、油节子、野巴豆）、小桐子（药用部位：果实）。

| 形态特征 | 灌木或小乔木，高 2 ~ 5m，具水状液汁。树皮平滑；枝条苍灰色，无毛，疏生凸起皮孔，髓部大。叶纸质，近圆形至卵圆形，长 7 ~ 18cm，宽 6 ~ 16cm，先端短尖，基部心形，全缘或 3 ~ 5 浅裂，上面亮绿色，无毛，下面灰绿色，初沿脉被微柔毛，后变无毛；掌状脉 5 ~ 7；叶柄长 6 ~ 18cm；托叶小。花序腋生，长 6 ~ 10cm，苞片披针形，长 4 ~ 8mm。雄花萼片 5，长约 4mm，基部合生；花瓣长圆形，黄绿色，长约 6mm，合生至中部，内面被毛；腺体 5，近圆柱形；雄蕊 10，外轮 5 离生，内轮花丝下部合生。雌花，花梗花后伸长；萼片离生，花后长约 6mm；花瓣和腺体与雄花同；子房 3 室，无毛，

麻疯树

花柱先端 2 裂。蒴果椭圆形或球形，长 2.5 ~ 3cm，黄色；种子椭圆形，长 1.5 ~ 2cm，黑色。花期 9 ~ 10 月。

| 生境分布 | 栽培于平地或路旁。分布于重庆南川等地。

| 资源情况 | 野生资源稀少。药材主要来源于栽培。

| 采收加工 | 麻疯树：全年均可采收，洗净，鲜用或晒干。

小桐子：秋季果实成熟时采摘，除去果柄及杂质，晒干或榨油。

| 功能主治 | 麻疯树：苦、涩，凉；有毒。散瘀消肿，止血止痛，杀虫止痒。用于跌打瘀肿，骨折疼痛，关节挫伤，创伤出血，麻风，疥癣，湿疹，癞头疮，下肢溃疡，脚癣，滴虫性阴道炎。

小桐子：苦、辛，温；有大毒。杀虫止痒，泻下攻积。用于头癣，慢性溃疡，麻风溃疡，滴虫性阴道炎，便秘，食积。

| 用法用量 | 麻疯树：内服煎汤，6 ~ 15g。外用适量，捣敷；或鲜叶绞汁搽。本品有毒，内服宜慎。

小桐子：内服煎汤，1 ~ 3 粒。外用适量，果油搽。内服宜慎，量不可大。

| 附　　注 | （1）在 FOC 中，本种的中文名被修订为麻风树。

（2）研究发现，本种的叶、茎、皮中含有多种生物有效成分，可加工成药品。本种由于具有耐盐性好、对土壤要求不高、可以综合利用、产值高等优势，在未来发展中将占有一席之地。

大戟科 Euphorbiaceae 麻疯树属 *Jatropha*

佛肚树 *Jatropha podagrica* Hook.

佛肚树

|药 材 名|

佛肚树（药用部位：全株或根。别名：红花金花果、麻烘娘、菩肚）。

|形态特征|

直立灌木，不分枝或少分枝，高 0.3 ~ 1.5m。茎基部或下部通常膨大成瓶状；枝条粗短，肉质，具散生凸起皮孔，叶痕大且明显。叶盾状着生，近圆形至阔椭圆形，长 8 ~ 18cm，宽 6 ~ 16cm，先端圆钝，基部截形或钝圆，全缘或 2 ~ 6 浅裂，上面亮绿色，下面灰绿色，两面无毛；掌状脉 6 ~ 8，其中上部 3 条直达叶缘；叶柄长 8 ~ 16cm，无毛；托叶分裂成刺状，宿存。花序顶生，具长总梗，分枝短，红色；花萼长约 2mm，裂片近圆形，长约 1mm；花瓣倒卵状长圆形，长约 6mm，红色；雄花雄蕊 6 ~ 8，基部合生，花药与花丝近等长；雌花子房无毛，花柱 3，基部合生，先端 2 裂。蒴果椭圆形，长 13 ~ 18mm，直径约 15mm，具 3 纵沟；种子长约 1.1cm，平滑。花期几全年。

|生境分布|

栽培于庭院、公园或植物园。分布于重庆南川等地。

| **资源情况** | 栽培资源较少。药材主要来源于栽培。

| **采收加工** | 全年均可采收，洗净，鲜用或切片晒干。

| **功能主治** | 甘、苦，寒。清热解毒。用于毒蛇咬伤，尿急，尿痛，尿血。

| **用法用量** | 内服煎汤，5 ~ 15g；或绞汁。外用适量，捣敷。

大戟科 Euphorbiaceae 雀舌木属 *Leptopus*

雀儿舌头 *Leptopus chinensis* (Bunge.) Pojark

|药 材 名| 雀儿舌头（药用部位：嫩苗、叶）。

|形态特征| 直立灌木，高达 3m。茎上部和小枝条具棱；除枝条、叶片、叶柄和萼片均在幼时被疏短柔毛外，其余无毛。叶片膜质至薄纸质，卵形、近圆形、椭圆形或披针形，长 1 ~ 5cm，宽 0.4 ~ 2.5cm，先端钝或急尖，基部圆或宽楔形，叶面深绿色，叶背浅绿色；侧脉每边 4 ~ 6，在叶面扁平，在叶背微凸起；叶柄长 2 ~ 8mm；托叶小，卵状三角形，边缘被睫毛。花小，雌雄同株，单生或 2 ~ 4 簇生叶腋；萼片、花瓣和雄蕊均为 5。雄花花梗丝状，长 6 ~ 10mm；萼片卵形或宽卵形，长 2 ~ 4mm，宽 1 ~ 3mm，浅绿色，膜质，具有脉纹；花瓣白色，匙形，长 1 ~ 1.5mm，膜质；花盘腺体 5，分离，先端 2 深裂；雄蕊离生，花丝丝状，花药卵圆形。雌花花梗长 1.5 ~ 2.5cm；花瓣

雀儿舌头

倒卵形，长 1.5mm，宽 0.7mm；萼片与雄花的相同；花盘环状，10 裂至中部，裂片长圆形；子房近球形，3 室，每室有胚珠 2，花柱 3，2 深裂。蒴果圆球形或扁球形，直径 6 ~ 8mm，基部有宿存的萼片；果梗长 2 ~ 3cm。花期 2 ~ 8 月，果期 6 ~ 10 月。

| 生境分布 | 生于海拔 500 ~ 1500m 的山地灌丛、林缘、路旁、岩崖或石缝中。分布于重庆涪陵、彭水、丰都、巫溪、云阳、城口、巫山、奉节、酉阳、秀山、武隆、南川等地。

| 资源情况 | 野生资源一般。药材主要来源于野生。

| 采收加工 | 春季采收嫩苗，夏、秋季采摘叶，洗净鲜用或晒干备用。

| 功能主治 | 理气止痛。用于腹痛，虫积。

| 用法用量 | 内服煎汤，适量。

大戟科 Euphorbiaceae 野桐属 *Mallotus*

白背叶 *Mallotus apelta* (Lour.) Muell. Arg.

白背叶

| 药材名 |

白背叶（药用部位：叶。别名：野桐、白鹤叶、白面戟）、白背叶根（药用部位：根茎、根）。

| 形态特征 |

灌木或小乔木，高 1 ~ 3（~ 4）m。小枝、叶柄和花序均密被淡黄色星状柔毛和散生橙黄色颗粒状腺体。叶互生，卵形或阔卵形，稀心形，长和宽均 6 ~ 16（~ 25）cm，先端急尖或渐尖，基部截平或稍心形，边缘具疏齿，上面干后黄绿色或暗绿色，无毛或被疏毛，下面被灰白色星状绒毛，散生橙黄色颗粒状腺体；基出脉 5，最下一对常不明显，侧脉 6 ~ 7 对；基部近叶柄处有褐色斑状腺体 2；叶柄长 5 ~ 15cm。花雌雄异株，雄花序为开展的圆锥花序或穗状，长 15 ~ 30cm，苞片卵形，长约 1.5mm，雄花多朵簇生苞腋。雄花花梗长 1 ~ 2.5mm；花蕾卵形或球形，长约 2.5mm，花萼裂片 4，卵形或卵状三角形，长约 3mm，外面密生淡黄色星状毛，内面散生颗粒状腺体；雄蕊 50 ~ 75，长约 3mm。雌花序穗状，长 15 ~ 30cm，稀有分枝，花序梗长 5 ~ 15cm，苞片近三角形，长约 2mm。雌花花梗极短；花萼裂片 3 ~ 5，卵形或近三角形，长 2.5 ~ 3mm，外面密生灰白色星状毛和颗粒状腺体；花柱 3 ~ 4，长约 3mm，基部合生，柱头密生羽毛状突起。蒴果近球形，密生被灰白色星状毛的软刺，软刺线形，黄褐色或浅黄色，长 5 ~ 10mm；种子近球形，直径约 3.5mm，褐色或黑色，具皱纹。花期 6 ~ 9 月，果期 8 ~ 11 月。

| 生境分布 | 生于海拔 200 ~ 1300m 的山坡或山谷灌丛中。分布于重庆奉节、酉阳、黔江、南川、丰都、忠县、石柱、秀山、云阳、巫溪、涪陵、武隆、城口、开州、巫山等地。

| 资源情况 | 野生资源较丰富。药材主要来源于野生。

| 采收加工 | 白背叶：全年均可采收，除去杂质，晒干。

白背叶根：全年均可采收，除去杂质，晒干。

| 药材性状 | 白背叶：本品皱缩，边缘多内卷，完整者展平后呈阔卵形，长 7 ~ 17cm，宽 5 ~ 14cm，上表面绿色或黄绿色，下表面灰白色或白色。先端渐尖，基部近截平或略呈心形，全缘或顶部微 3 裂，有钝齿，上表面近无毛，下表面被星状毛，基出脉 5，叶脉于下表面隆起。叶柄长 4 ~ 15cm，质脆。气微香，味微苦、辛。

白背叶根：本品根茎稍粗大，直径 1 ~ 6cm；表面黑褐色或棕褐色，具细纵裂纹，刮去栓皮呈棕红色。根呈长圆锥形，弯曲，有小分枝，木部细密，花纹不明显；皮部纤维性。无臭，味苦、微涩。

| 功能主治 | 白背叶：苦，寒。归肝、脾经。清热解毒，消肿止痛，祛湿止血。用于痈疖疮疡，鹅口疮，皮肤湿痒，跌打损伤，外伤出血。

白背叶根：微苦、涩，平。归肝经。清热，祛湿，收敛，消瘀。用于癥瘕痞块，带下淋浊，子宫下垂，产后风瘫，肠风泄泻，脱肛，疝气，赤眼，喉蛾，耳内流脓。

| 用法用量 | 白背叶：内服煎汤，1.5 ~ 9g。外用适量，研末撒或煎汤洗患处。

白背叶根：内服煎汤，15 ~ 30g。外用适量。

大戟科 Euphorbiaceae 野桐属 *Mallotus*

毛桐 *Mallotus barbatus* (Wall.) Muell. Arg.

| 药 材 名 | 大毛桐子根（药用部位：根。别名：姜桐子树根、圆鞋、粗糠根）、红帽顶（药用部位：叶。别名：毛叶子）。

| 形态特征 | 小乔木，高 3 ~ 4m。嫩枝、叶柄和花序均被黄棕色星状长绒毛。叶互生、纸质，卵状三角形或卵状菱形，长 13 ~ 35cm，宽 12 ~ 28cm，先端渐尖，基部圆形或截形，边缘具锯齿或波状，上部有时具 2 裂片或粗齿，上面除叶脉外无毛，下面密被黄棕色星状长绒毛，散生黄色颗粒状腺体；掌状脉 5 ~ 7，侧脉 4 ~ 6 对，近叶柄着生处有时具黑色斑状腺体数个；叶柄于离叶基部 0.5 ~ 5cm 处盾状着生，长 5 ~ 22cm。花雌雄异株，总状花序顶生。雄花序长 11 ~ 36cm，下部常多分枝；苞片线形，长 5 ~ 7mm，苞腋具雄花 4 ~ 6。雄花花蕾球形或卵形；花梗长约 4mm；花萼裂片 4 ~ 5，卵形，长

毛桐

2 ~ 3.5mm，外面密被星状毛；雄蕊 75 ~ 85。雌花序长 10 ~ 25cm；苞片线形，长 4 ~ 5mm，苞腋有雌花 1（~ 2）。雌花花梗长约 2.5mm，果时长达 6mm；花萼裂片 3 ~ 5，卵形，长 4 ~ 5mm，先端急尖；花柱 3 ~ 5，基部稍合生，柱头长约 3mm，密生羽毛状突起。蒴果排列较稀疏，球形，直径 1.3 ~ 2cm，密被淡黄色星状毛和紫红色、长约 6mm 的软刺，形成连续厚 6 ~ 7mm 的厚毛层；种子卵形，长约 5mm，直径约 4mm，黑色，光滑。花期 4 ~ 5 月，果期 9 ~ 10 月。

| 生境分布 | 生于海拔 200 ~ 1300m 的林缘或灌丛中。分布于重庆北碚、黔江、綦江、璧山、南岸、大足、潼南、江津、秀山、石柱、合川、永川、彭水、巫山、云阳、梁平、丰都、酉阳、铜梁、万州、南川、涪陵、九龙坡、长寿、武隆、忠县、开州、巫溪、巴南、荣昌、沙坪坝等地。

| 资源情况 | 野生和栽培资源均丰富。药材来源于野生和栽培。

| 采收加工 | 大毛桐子根：全年均可采挖，洗净，切片，晒干。

红帽顶：夏、秋季采收，洗净，晒干。

| 药材性状 | 红帽顶：本品互生，卵形，基部圆形，盾状着生，先端渐尖，长 13 ~ 30cm，宽 12 ~ 26cm，不分裂或 3 浅裂，边缘具疏细齿，下面密被星状绵毛及棕黄色腺点，叶脉放射状，9 ~ 11。叶柄长 5 ~ 22cm，密被星状绵毛。气微，味苦、涩。

| 功能主治 | 大毛桐子根：微苦，平。归肺、大肠、膀胱经。清热，利湿。用于肺热吐血，湿热泄泻，小便淋痛，带下。

红帽顶：苦，寒。清热解毒，燥湿止痒，凉血止血。用于褥疮，下肢溃疡，湿疹，背癣，漆疮，外伤出血。

| 用法用量 | 大毛桐子根：内服煎汤，15 ~ 30g。

红帽顶：外用适量，捣敷；或煎汤洗；或研末撒。

大戟科 Euphorbiaceae 野桐属 *Mallotus*

野桐

Mallotus japonicus (Thunb.) Muell. Arg. var. *floccosus* (Muell. Arg.) S. M. Hwang

| 药 材 名 | 山桐子（药用部位：根、树皮）。

| 形态特征 | 小乔木或灌木，高 2 ~ 4m。树皮褐色；嫩枝具纵棱，枝、叶柄和花序轴均密被褐色星状毛。叶互生，稀小枝上部有时近对生，纸质，形状多变，卵形、卵圆形、卵状三角形、肾形或横长圆形，长 5 ~ 17cm，宽 3 ~ 11cm，先端急尖、凸尖或急渐尖，基部圆形、楔形，稀心形，全缘，不分裂或上部每侧具 1 裂片或粗齿，上面无毛，下面疏被星状粗毛，疏散橙红色腺点；基出脉 3，侧脉 5 ~ 7 对，近叶柄具黑色圆形腺体 2；叶柄长 5 ~ 17mm。花雌雄异株，雌花序总状，不分枝；苞片钻形，长 3 ~ 4mm。雄花每苞片内 3 ~ 5；花蕾球形，先端急尖；花梗长 3 ~ 5mm；花萼裂片 3 ~ 4，卵形，长约 3mm，外面密被星状毛和腺点；雄蕊 25 ~ 75，药隔稍宽。雌

野桐

花序长 8 ~ 15cm，开展；苞片披针形，长约 4mm。雌花每苞片内 1；花梗长约 1mm，密被星状毛；花萼裂片 4 ~ 5，披针形，长 2.5 ~ 3mm，先端急尖，外面密被星状绒毛；子房近球形，三棱状；花柱 3 ~ 4，中部以下合生，柱头长约 4mm，具疣状突起，密被星状毛。蒴果近扁球形，钝三棱形，直径 8 ~ 10mm，密被有星状毛的软刺和红色腺点；种子近球形，直径约 5mm，褐色或暗褐色，具皱纹。花期 7 ~ 11 月，果期 7 ~ 8 月。

| 生境分布 | 生于海拔 800 ~ 1800m 的林中。分布于重庆丰都、綦江、忠县、涪陵、长寿、奉节、彭水、南川、北碚、武隆、开州、垫江、巫溪、沙坪坝等地。

| 资源情况 | 野生资源丰富。药材主要来源于野生。

| 采收加工 | 全年均可采收，洗净泥土，鲜用或晒干。

| 功能主治 | 辛，平。生新解毒。用于骨折，狂犬咬伤，骨痨。

| 用法用量 | 内服煎汤，适量。外用适量，捣敷，或研末撒。

| 附　　注 | 在 FOC 中，本种的拉丁学名被修订为 *Mallotus tenuifolius* Pax。

大戟科 Euphorbiaceae 野桐属 *Mallotus*

粗糠柴 *Mallotus philippensis* (Lam.) Muell. Arg.

| 药 材 名 | 吕宋楸毛（药用部位：果实的腺毛、毛茸。别名：吕宋楸荚粉、加麻刺、红果果毛）、粗糠柴根（药用部位：根）、粗糠柴叶（药用部位：叶）。

| 形态特征 | 小乔木或灌木，高 2 ~ 18m。小枝、嫩叶和花序均密被黄褐色短星状柔毛。叶互生或有时小枝顶部的对生，近革质，卵形、长圆形或卵状披针形，长 5 ~ 18（ ~ 22）cm，宽 3 ~ 6cm，先端渐尖，基部圆形或楔形，近全缘，上面无毛，下面被灰黄色星状短绒毛，叶脉上被长柔毛，散生红色颗粒状腺体；基出脉 3，侧脉 4 ~ 6 对，近基部有褐色斑状腺体 2 ~ 4；叶柄长 2 ~ 5（ ~ 9）cm，两端稍增粗，被星状毛。花雌雄异株，花序总状，顶生或腋生，单生或数个簇生。雄花序长 5 ~ 10cm，苞片卵形，长约 1mm，雄花 1 ~ 5 簇生苞腋，花梗长 1 ~ 2mm。雄花花萼裂片 3 ~ 4，长圆形，长约 2mm，密被

粗糠柴

星状毛，具红色颗粒状腺体；雄蕊 15 ~ 30，药隔稍宽。雌花序长 3 ~ 8cm，果序长达 16cm，苞片卵形，长约 1mm。雌花花梗长 1 ~ 2mm；花萼裂片 3 ~ 5，卵状披针形，外面密被星状毛，长约 3mm；子房被毛，花柱 2 ~ 3，长 3 ~ 4mm，柱头密生羽毛状突起。蒴果扁球形，直径 6 ~ 8mm，具 2（~ 3）分果爿，密被红色颗粒状腺体和粉末状毛；种子卵形或球形，黑色，具光泽。花期 4 ~ 5 月，果期 5 ~ 8 月。

| 生境分布 | 生于海拔 300 ~ 1600m 的山地林中或林缘。分布于重庆巫溪、丰都、南川、北碚、潼南等地。

| 资源情况 | 野生资源稀少。药材主要来源于野生。

| 采收加工 | 吕宋楸毛：果实充分成熟时采摘，放入布袋中，摩擦、搓揉、抖振，擦落毛茸，拣去果实，收集毛茸，干燥。

粗糠柴根：全年均可采收，洗净，切片，晒干。

粗糠柴叶：全年均可采收，鲜用或晒干。

| 药材性状 | 吕宋楸毛：本品为细粒状暗红色浮动性粉末，无臭，无味。投水面上浮，微使水色变红。投乙醇、醚、氯仿及氢氧化钾试液中，能使溶液呈深红色。徐徐振荡之，其灰色部分（非腺毛）聚集于表面。

粗糠柴根：本品呈圆柱状或圆锥状，长短不一，直径 1 ~ 4cm 或更粗。表面灰棕色或灰褐色，粗糙，有细纵纹，皮孔类圆形或纵长圆形，明显凸起，外皮剥落处显暗褐色或棕褐色。质硬，断面皮部棕褐色，木部淡褐色，具放射状纹理，可见同心性环纹和密集小孔。气微，味微涩。

| 功能主治 | 吕宋楸毛：淡，平；有小毒。驱虫缓泻。用于绦虫病，蛔虫病，蛲虫病。

粗糠柴根：微苦、微涩，凉；有毒。清热祛湿，解毒消肿。用于湿热痢疾，咽喉肿痛。

粗糠柴叶：微苦、微涩，凉。清热祛湿，止血，生肌。用于湿热吐泻，风湿痹痛，外伤出血，疮疡，烫火伤。

| 用法用量 | 吕宋楸毛：内服研末，1 ~ 3g；或装胶囊；或煎汤。外用适量，煎汤洗或涂敷。本品有毒，内服不宜过量。

粗糠柴根：内服煎汤，15 ~ 30g。本品有一定毒性，内服不宜过量。

粗糠柴叶：内服煎汤，3 ~ 6g。外用适量，鲜品捣敷；或研末撒，或煎汤洗。本品有一定毒性，内服不宜过量。

大戟科 Euphorbiaceae 野桐属 *Mallotus*

石岩枫 *Mallotus repandus* (Willd.) Muell. Arg.

| **药材名** | 杠香藤（药用部位：根、茎、叶。别名：野桐子、倒挂金钩、犁头枫）。

| **形态特征** | 攀缘状灌木。嫩枝、叶柄、花序和花梗均密生黄色星状柔毛；老枝无毛，常有皮孔。叶互生，纸质或膜质，卵形或椭圆状卵形，长 3.5 ~ 8cm，宽 2.5 ~ 5cm，先端急尖或渐尖，基部楔形或圆形，全缘或波状，嫩叶两面均被星状柔毛，成长叶仅下面叶脉腋部被毛和散生黄色颗粒状腺体；基出脉 3，有时稍离基，侧脉 4 ~ 5 对；叶柄长 2 ~ 6cm。花雌雄异株，总状花序或下部有分枝；雄花序顶生，稀腋生，长 5 ~ 15cm；苞片钻状，长约 2mm，密生星状毛，苞腋有花 2 ~ 5；花梗长约 4mm。雄花花萼裂片 3 ~ 4，卵状长圆形，长约 3mm，外面被绒毛；雄蕊 40 ~ 75，花丝长约 2mm，花药长圆形，药隔狭。雌花序顶生，长 5 ~ 8cm，苞片长三角形。雌花花梗

石岩枫

长约 3mm；花萼裂片 5，卵状披针形，长约 3.5mm，外面被绒毛，具颗粒状腺体；花柱 2（～3），柱头长约 3mm，被星状毛，密生羽毛状突起。蒴果具 2（～3）分果爿，直径约 1cm，密生黄色粉末状毛，具颗粒状腺体；种子卵形，直径约 5mm，黑色，有光泽。花期 3～5 月，果期 8～9 月。

| 生境分布 | 生于山地疏林中或林缘。分布于重庆黔江、垫江、秀山、彭水、长寿、丰都、綦江、酉阳、涪陵、南川、云阳、武隆、石柱、巫溪、璧山、北碚、合川、九龙坡等地。

| 资源情况 | 野生资源丰富。药材主要来源于野生。

| 采收加工 | 全年均可采收根、茎，洗净，切片，晒干。夏、秋季采收叶，鲜用或晒干。

| 药材性状 | 本品叶互生；叶柄长 2.5～4cm；叶片三角状卵形或卵形，长 9～12cm，宽 2～5cm，先端渐尖，基部圆形、截平或稍呈心形，全缘，两面被毛，多少有变异。气微，味辛。

| 功能主治 | 苦、辛，温。祛风除湿，活血通络，解毒消肿，驱虫止痒。用于风湿痹证，腰腿疼痛，口眼㖞斜，跌打损伤，痈肿疮疡，绦虫病，湿疹，顽癣，蛇犬咬伤。

| 用法用量 | 内服煎汤，9～30g。外用适量，干叶研末，调敷；或鲜叶捣敷。

大戟科 Euphorbiaceae 红雀珊瑚属 *Pedilanthus*

红雀珊瑚 *Pedilanthus tithymaloides* (L.) Poit.

| 药材名 | 扭曲草（药用部位：全草。别名：珊瑚枝、百足草、玉带根）。

| 形态特征 | 直立亚灌木，高 40 ~ 70cm。茎、枝粗壮，带肉质，作“之”字形扭曲，无毛或嫩时被短柔毛。叶肉质，近无柄或具短柄，叶片卵形或长卵形，长 3.5 ~ 8cm，宽 2.5 ~ 5cm，先端短尖至渐尖，基部钝圆，两面被短柔毛，毛随叶变老而逐渐脱落；中脉在背面强壮凸起，侧脉 7 ~ 9 对，远离边缘网结，网脉略明显；托叶为一圆形的腺体，直径约 1mm。聚伞花序丛生枝顶或上部叶腋内，每一聚伞花序为一鞋状的总苞所包围，内含多数雄花和 1 雌花；总苞鲜红或紫红色，仰卧，无毛，两侧对称，长约 1cm，先端近唇状 2 裂，一裂片小，长圆形，长约 6mm，先端具 3 细齿，另一裂片大，舟状，长约 1cm，先端 2 深裂。雄花每花仅具 1 雄蕊；花梗纤细，长 2.5 ~ 4mm，无毛，其

红雀珊瑚

与花丝极相似，为关节所连接；花药球形，略短于花丝。雌花着生于总苞中央而斜伸出于总苞之外；花梗远粗于雄花者，长 6 ~ 8mm，无毛；子房纺锤形，花柱大部分合生，柱头 3，2 裂。花期 12 月至翌年 6 月。

| 生境分布 | 栽培于平地。分布于重庆南川、涪陵、北碚、南岸等地。

| 资源情况 | 野生资源稀少。药材主要来源于栽培。

| 采收加工 | 全年均可采收，鲜用或晒干。

| 功能主治 | 酸、微涩，寒；有小毒。清热解毒，散瘀消肿，止血生肌。用于疮疡肿毒，疥癣，跌打肿痛，骨折，外伤出血。

| 用法用量 | 内服煎汤，3 ~ 9g。外用适量，捣敷。体质虚寒者及孕妇禁服。

大戟科 Euphorbiaceae 叶下珠属 *Phyllanthus*

余甘子 *Phyllanthus emblica* L.

| 药材名 | 余甘子（药用部位：成熟果实。别名：庵摩勒、土橄榄、油甘子）、鲜余甘子（药用部位：新鲜近成熟果实）、余甘子树皮（药用部位：树皮。别名：油柑皮）、油柑根（药用部位：根）、油柑叶（药用部位：叶）。

| 形态特征 | 乔木，高达 23m，胸径 50cm。树皮浅褐色；枝条具纵细条纹，被黄褐色短柔毛。叶片纸质至革质，2 列，线状长圆形，长 8 ~ 20mm，宽 2 ~ 6mm，先端截平或钝圆，有锐尖头或微凹，基部浅心形而稍偏斜，上面绿色，下面浅绿色，干后带红色或淡褐色，边缘略背卷；侧脉每边 4 ~ 7；叶柄长 0.3 ~ 0.7mm；托叶三角形，长 0.8 ~ 1.5mm，褐红色，边缘被睫毛。多朵雄花和 1 雌花或全为雄花组成腋生的聚伞花序；萼片 6。雄花花梗长 1 ~ 2.5mm；萼片膜质，

余甘子

黄色，长倒卵形或匙形，近相等，长 1.2 ~ 2.5mm，宽 0.5 ~ 1mm，先端钝或圆，全缘或有浅齿；雄蕊 3，花丝合生成长 0.3 ~ 0.7mm 的柱，花药直立，长圆形，长 0.5 ~ 0.9mm，先端具短尖头，药室平行，纵裂；花粉近球形，直径 17.5 ~ 19μm，具 4 ~ 6 孔沟，内孔多长椭圆形；花盘腺体 6，近三角形。雌花花梗长约 0.5mm；萼片长圆形或匙形，长 1.6 ~ 2.5mm，宽 0.7 ~ 1.3mm，先端钝或圆，较厚，边缘膜质，多少具浅齿；花盘杯状，包藏子房达一半以上，边缘撕裂；子房卵圆形，长约 1.5mm，3 室，花柱 3，长 2.5 ~ 4mm，基部合生，先端 2 裂，裂片先端再 2 裂。蒴果呈核果状，圆球形，直径 1 ~ 1.3cm，外果皮肉质，绿白色或淡黄白色，内果皮硬壳质；种子略带红色，长 5 ~ 6mm，宽 2 ~ 3mm。花期 4 ~ 6 月，果期 7 ~ 9 月。

| 生境分布 | 生于海拔 300 ~ 1200m 的山地疏林、灌丛、荒地或山沟向阳处。分布于重庆南川、綦江、南岸等地。

| 资源情况 | 野生资源稀少，亦有栽培。药材主要来源于野生。

| 采收加工 | 余甘子：冬季至翌年春季果实成熟时采收，除去杂质，干燥。

鲜余甘子：夏、秋季果实呈黄绿色时采收，洗净。

余甘子树皮：秋、冬季剥取树皮，切丝，干燥。

油柑根：全年均可采收，洗净，晒干或鲜用。

油柑叶：夏、秋季枝叶茂盛时采收，鲜用或晒干。

| 药材性状 | 余甘子：本品呈球形或扁球形，直径 1.2 ~ 1.3cm。表面棕褐色或墨绿色，有浅黄色颗粒状突起，具皱纹及不明显的 6 棱，果梗长约 1mm。外果皮厚 1 ~ 4mm，质硬而脆；内果皮黄白色，硬核样，表面略具 6 棱，背缝线的偏上部有数条筋脉纹，干后可裂成 6 瓣。种子 6，近三棱形，棕色。气微，味酸、涩，回甘。

鲜余甘子：本品呈球形或扁球形，直径 1 ~ 1.3cm。表面黄绿色，具明显的浅色微凹线 6，先端微凹；基部有果梗，长 1 ~ 1.5mm。质坚实，切面中果皮黄绿色，较宽，肉质；内果皮深绿色。果核硬，3 室，表面略具 6 棱，背缝线偏上部有数条筋脉纹，干后可裂成 6 瓣。种子 6，外种皮稍坚硬，亮褐色，近三棱形，有 3 个突起，背面弧形，腹面有 1 淡棕色种脐。气微，味微酸、涩，回甘。

余甘子树皮：本品为不规则粗丝，有的向内卷曲或呈筒状，厚 0.2 ~ 1cm。外表面灰棕色至浅褐色，粗糙，具不规则裂纹；内表面红棕色，有细密的纵向纹理。质硬，切面红棕色，颗粒状。气微，味涩。

| 功能主治 | 余甘子：甘、酸、涩、凉。归肺、胃经。清热凉血，消食健胃，生津止咳。用于血热血瘀，消化不良，腹胀，咳嗽，喉痛，口干。

鲜余甘子：甘、酸、涩，凉。归肺、胃经。清热凉血、消食健脾、生津止咳。用于脘腹胀满，肺热或肺燥咳嗽，喉痛，口干。

余甘子树皮：微涩，凉。归肺、脾经。清火解毒，化痰止咳，涩肠止泻，敛疮生肌，除风止痒。用于风火偏盛所致的咽喉肿痛、口舌生疮、咳嗽痰多，腹痛腹泻，麻疹、风疹、水痘、痱子、疥癣、湿疹出现的皮肤瘙痒，黄水疮，烫火伤。

油柑根：甘、微苦，凉。清热利湿，解毒散结。用于泄泻，痢疾，黄疸，瘰疬，皮肤湿疹，蜈蚣咬伤。

油柑叶：甘、微苦，凉。清热解毒，利湿消肿。用于口疮，疔疮，湿疹，皮炎，水肿，高血压，毒蛇咬伤，跌打损伤。

用法用量

余甘子：3 ~ 9g，多入丸、散服。

鲜余甘子：内服煎汤，6 ~ 12g。

余甘子树皮：内服煎汤，10 ~ 15g。外用适量。

油柑根：内服煎汤，15 ~ 30g。外用适量，捣敷；或煎汤洗。

油柑叶：内服煎汤，15 ~ 30g。外用适量，捣敷；或煎汤洗。

大戟科 Euphorbiaceae 叶下珠属 *Phyllanthus*

落萼叶下珠 *Phyllanthus flexuosus* (Sieb. et Zucc.) Muell. Arg

| 药 材 名 | 落萼叶下珠（药用部位：全株）。

| 形态特征 | 灌木，高达 3m。枝条弯曲，小枝长 8 ~ 15cm，褐色；全株无毛。叶片纸质，椭圆形至卵形，长 2 ~ 4.5cm，宽 1 ~ 2.5cm，先端渐尖或钝，基部钝至圆，下面稍带白绿色；侧脉每边 5 ~ 7；叶柄长 2 ~ 3mm；托叶卵状三角形，早落。雄花数朵和雌花 1 簇生叶腋。雄花花梗短；萼片 5，宽卵形或近圆形，长约 1mm，暗紫红色；花盘腺体 5；雄蕊 5，花丝分离，花药 2 室，纵裂；花粉粒球形或近球形，具 3 孔沟，沟细长，内孔圆形。雌花直径约 3mm；花梗长约 1cm；萼片 6，卵形或椭圆形，长约 1mm；花盘腺体 6；子房卵圆形，3 室，花柱 3，先端 2 深裂。蒴果浆果状，扁球形，直径约 6mm，3 室，

落萼叶下珠

每室 1 种子，基部萼片脱落；种子近三棱形，长约 3mm。花期 4 ~ 5 月，果期 6 ~ 9 月。

| 生境分布 | 生于海拔 700 ~ 1500m 的山地疏林下、沟边、路旁或灌丛中。分布于重庆城口、奉节、南川等地。

| 资源情况 | 野生资源稀少。药材主要来源于野生。

| 采收加工 | 全年均可采收，鲜用或晒干。

| 功能主治 | 苦、辛，凉。清热解毒，祛风除湿。用于过敏性皮炎，小儿夜啼，蛇咬伤，风湿病。

| 用法用量 | 内服煎汤，5 ~ 15g。外用适量，捣敷。

大戟科 Euphorbiaceae 叶下珠属 *Phyllanthus*

叶下珠 *Phyllanthus urinaria* L.

| 药材名 | 叶下珠（药用部位：全草。别名：珍珠草、珠珠草、假油柑）。

| 形态特征 | 一年生草本，高 10 ~ 60cm。茎通常直立，基部多分枝，枝倾卧而后上升；枝具翅状纵棱，上部被一纵列疏短柔毛。叶片纸质，因叶柄扭转而呈羽状排列，长圆形或倒卵形，长 4 ~ 10mm，宽 2 ~ 5mm，先端圆、钝或急尖而有小尖头，下面灰绿色，近边缘或边缘被 1 ~ 3 列短粗毛；侧脉每边 4 ~ 5，明显；叶柄极短；托叶卵状披针形，长约 1.5mm。花雌雄同株，直径约 4mm。雄花 2 ~ 4 簇生叶腋，通常仅上面 1 朵开花，下面的很小；花梗长约 0.5mm，基部有苞片 1 ~ 2；萼片 6，倒卵形，长约 0.6mm，先端钝；雄蕊 3，花丝全部合生成柱状；花粉粒长球形，通常具 5 孔沟，少数 3、4、6 孔沟，内孔横长椭圆形；花盘腺体 6，分离，与萼片互生。雌花单生小枝中下部

叶下珠

的叶腋内；花梗长约0.5mm；萼片6，近相等，卵状披针形，长约1mm，边缘膜质，黄白色；花盘圆盘状，全缘；子房卵形，有鳞片状突起，花柱分离，先端2裂，裂片弯卷。蒴果圆球形，直径1 ~ 2mm，红色，表面具1小凸刺，有宿存的花柱和萼片，开裂后轴柱宿存；种子长1.2mm，橙黄色。花期4 ~ 6月，果期7 ~ 11月。

| 生境分布 | 生于海拔750m以下的旷野平地、旱田、山地路旁或林缘。分布于重庆北碚、綦江、潼南、长寿、忠县、云阳、璧山、涪陵、九龙坡、江津、垫江、南岸、合川等地。

| 资源情况 | 野生资源较丰富，亦有零星栽培。药材主要来源于野生。

| 采收加工 | 夏、秋季采收，除去杂质，晒干。

| 药材性状 | 本品主根圆锥形，灰棕色，须根多数。茎直径2 ~ 3mm，老茎多呈灰褐色，有纵皱纹；嫩茎及分枝多呈灰绿色，有纵皱纹及3条狭翅状的脊线。叶互生，在小枝上排成2列；托叶膜质，披针形；叶柄极短；叶片长圆形，长4 ~ 10mm，先端钝或具小尖头，基部常偏斜，全缘，两面近无毛，易脱落。花细小，单性同株，几无梗，生于叶腋，萼片6，无花瓣。蒴果扁球形，直径1 ~ 2mm，黄棕色或淡棕褐色，表面散生鳞状突起，成熟时6纵裂，无梗。种子淡褐色，三角状卵形，长约1mm，表面有横纹。气微，味微苦。

| 功能主治 | 甘、苦，凉。归肝、肺经。清热，利湿解毒。用于肝胆湿热证，慢性活动性乙型肝炎。

| 用法用量 | 内服煎汤，30 ~ 45g。

| 附　　注 | 本种喜温暖向阳的环境，以深厚、排水良好的黄色夹砂土栽培为好。

大戟科 Euphorbiaceae 叶下珠属 *Phyllanthus*

蜜甘草 *Phyllanthus ussuriensis* Rupr. et Maxim.

蜜甘草

| 药 材 名 |

蜜柑草（药用部位：全草。别名：夜关门、地莲子、鱼鳞草）。

| 形态特征 |

一年生草本，高达 60cm。茎直立，常基部分枝，枝条细长；小枝具棱；全株无毛。叶片纸质，椭圆形至长圆形，长 5 ~ 15mm，宽 3 ~ 6mm，先端急尖至钝，基部近圆，下面白绿色；侧脉每边 5 ~ 6；叶柄极短或几乎无叶柄；托叶卵状披针形。花雌雄同株，单生或数朵簇生叶腋；花梗长约 2mm，丝状，基部有数枚苞片。雄花萼片 4，宽卵形；花盘腺体 4，分离，与萼片互生；雄蕊 2，花丝分离，药室纵裂。雌花萼片 6，长椭圆形，果时反折；花盘腺体 6，长圆形；子房卵圆形，3 室，花柱 3，先端 2 裂。蒴果扁球形，直径约 2.5mm，平滑，果梗短；种子长约 1.2mm，黄褐色，具有褐色疣点。花期 4 ~ 7 月，果期 7 ~ 10 月。

| 生境分布 |

生于山坡或路旁草地。分布于重庆云阳、涪陵、长寿、北碚等地。

| 资源情况 | 野生资源稀少。药材主要来源于野生。

| 采收加工 | 夏、秋季采收，鲜用或晒干。

| 药材性状 | 本品茎无毛，分枝细长。叶2列，互生，条形或披针形，长8 ~ 20mm，宽2 ~ 5mm，先端尖，基部近圆形，具短柄，托叶小。花小，单性，雌雄同株；无花瓣，腋生。蒴果圆形，具细柄，下垂，直径约2mm，表面平滑。气微，味苦、涩。

| 功能主治 | 苦，寒。清热利湿，清肝明目。用于黄疸，痢疾，泄泻，水肿，淋病，小儿疳积，目赤肿痛，痔疮，毒蛇咬伤。

| 用法用量 | 内服煎汤，15 ~ 30g。外用适量，煎汤洗；或鲜草捣敷。

大戟科 Euphorbiaceae 叶下珠属 *Phyllanthus*

黄珠子草 *Phyllanthus virgatus* Forst. f.

黄珠子草

药材名

黄珠子草（药用部位：全草。别名：珍珠草、鱼骨草、日开夜闭）。

形态特征

一年生草本，通常直立，高达 60cm。茎基部具窄棱，或有时主茎不明显；枝条通常自茎基部发出，上部扁平而具棱；全株无毛。叶片近革质，线状披针形、长圆形或狭椭圆形，长 5 ~ 25mm，宽 2 ~ 7mm，先端钝或急尖，有小尖头，基部圆而稍偏斜；几无叶柄；托叶膜质，卵状三角形，长约 1mm，褐红色。通常 2 ~ 4 雄花和 1 雌花同簇生叶腋。雄花直径约 1mm；花梗长约 2mm；萼片 6，宽卵形或近圆形，长约 0.5mm；雄花 3，花丝分离，花药近球形；花粉粒圆球形，直径为 23μm，具多合沟孔；花盘腺体 6，长圆形。雌花花梗长约 5mm；花萼 6 深裂，裂片卵状长圆形，长约 1mm，紫红色，外折，边缘稍膜质；花盘圆盘状，不分裂；子房圆球形，3 室，具鳞片状突起，花柱分离，2 深裂几达基部，反卷。蒴果扁球形，直径 2 ~ 3mm，紫红色，有鳞片状突起，果梗丝状，长 5 ~ 12mm，萼片宿存；种子小，长 0.5 mm，具细疣点。

花期 4 ~ 5 月，果期 6 ~ 11 月。

| 生境分布 | 生于平原至海拔 300 ~ 1100m 的山地草坡、沟边草丛或路旁灌丛中。分布于重庆长寿、云阳、奉节、黔江、江津等地。

| 资源情况 | 野生资源稀少。药材主要来源于野生。

| 采收加工 | 夏、秋季采收，鲜用或晒干。

| 功能主治 | 甘、苦，平。归脾、胃经。健脾消积，利尿通淋，清热解毒。用于疳积，痢疾，淋病，乳痈，牙疳，毒蛇咬伤。

| 用法用量 | 内服煎汤，9 ~ 15g。外用适量，捣敷；煎汤洗或含漱。

大戟科 Euphorbiaceae 蓖麻属 *Ricinus*

蓖麻 *Ricinus communis* L.

| 药 材 名 | 蓖麻子（药用部位：种子。别名：蓖麻仁、大麻子、红大麻子）、蓖麻油（药材来源：成熟种子经榨取并精制得到的脂肪油）、蓖麻叶（药用部位：叶）、蓖麻根（药用部位：根）。

| 形态特征 | 一年生粗壮草本或草质灌木，高达 5m。小枝、叶和花序通常被白霜，茎多液汁。叶近圆形，长和宽达 40cm 或更大，掌状 7 ~ 11 裂，裂缺几达中部，裂片卵状长圆形或披针形，先端急尖或渐尖，边缘具锯齿；掌状脉 7 ~ 11，网脉明显；叶柄粗壮，中空，长可达 40cm，先端具 2 盘状腺体，基部具盘状腺体；托叶长三角形，长 2 ~ 3cm，早落。总状花序或圆锥花序，长 15 ~ 30cm 或更长；苞片阔三角形，膜质，早落。雄花花萼裂片卵状三角形，长 7 ~ 10mm；雄蕊束众多。雌花萼片卵状披针形，长 5 ~ 8mm，凋落；子房卵形，直径约

蓖麻

5mm，密生软刺或无刺，花柱红色，长约 4mm，顶部 2 裂，密生乳头状突起。蒴果卵球形或近球形，长 1.5 ~ 2.5cm，果皮具软刺或平滑；种子椭圆形，微扁平，长 8 ~ 18mm，平滑，斑纹淡褐色或灰白色，种阜大。花期几全年或 6 ~ 9 月。

| 生境分布 | 栽培于山坡、平地、房前屋后，或逸为野生。重庆各地均有分布。

| 资源情况 | 野生资源稀少，栽培资源一般。药材主要来源于栽培。

| 采收加工 | 蓖麻子：秋季采摘成熟果实，晒干，除去果壳，收集种子。

蓖麻油：成熟种子经榨取并精制得到的脂肪油。

蓖麻叶：夏、秋季采摘，鲜用或晒干。

蓖麻根：秋、冬季采挖，除去须根，洗净，晒干。

| 药材性状 | 蓖麻子：本品呈椭圆形或卵形，稍扁，长 0.9 ~ 1.8cm，宽 0.5 ~ 1cm。表面光滑，有灰白色与黑褐色或黄棕色与红棕色相间的花斑纹。一面较平，一面隆起，较平的一面有 1 隆起的种脊；一端有灰白色或浅棕色凸起的种阜。种皮薄而脆，胚乳肥厚，白色，富油性，子叶 2，菲薄。无臭，味微苦、辛。

蓖麻油：本品为几无色或微带黄色的澄清黏稠液体。气微，味淡而后微辛。

蓖麻叶：本品多缩皱破碎，完整者展平后呈盾状圆形，掌状分裂，深达叶片的一半以上，裂片一般 7 ~ 9，先端长尖，边缘有不规则锯齿，齿端具腺体，下表面被白粉。气微，味甘、辛。

蓖麻根：本品呈圆柱形，多有分枝，上端较粗，长约 20cm，直径 0.4 ~ 3cm。表面黄色或灰褐色，可见不整齐细密纵皱纹。质硬，易折断，断面不平坦，皮部薄，木部白色。气微，味淡。

| 功能主治 | 蓖麻子：甘、辛，平；有毒。归大肠、肺经。泻下通滞，消肿拔毒。用于大便燥结，痈疽肿毒，喉痹，瘰疬。

蓖麻油：甘、辛，平；有毒。归大肠经。滑肠，润肤。用于肠内积滞，腹胀，便秘，疥癣癣疮，烫火伤。

蓖麻叶：苦、辛，平；有小毒。清热解毒，拔毒消肿，祛风除湿。用于风湿痹痛，咳嗽痰喘，子宫脱垂，脱肛，痈疮肿毒，疥癣瘙痒，脚气。

蓖麻根：辛，平；有小毒。归肝、心经。祛风止痉，活血消肿。用于破伤风，癫痫，风湿痹痛，偏瘫，疮痈肿毒，脱肛，子宫脱垂。

| 用法用量 | 蓖麻子：内服煎汤，2 ~ 5g。外用适量。

蓖麻油：内服煎汤，10 ~ 20ml。外用适量，涂敷。

蓖麻叶：5 ~ 10g；鲜品加倍。外用适量，捣敷，或煎汤洗。孕妇禁服。

蓖麻根：内服煎汤，15 ~ 30g。外用适量，捣敷。

| 附　　注 | （1）本种的根、茎、叶、种子均可入药，种子中的蓖麻毒蛋白具有显著的药理活性。

（2）本种具有抗逆、抗旱性强，耐受性高的特点，加之根系发达，可以在盐碱、贫瘠及轻中度污染的土地上栽培种植，故本种在中国现有土地资源状况下具有极高的开发价值。

大戟科 Euphorbiaceae 乌桕属 *Sapium*

白木乌桕 *Sapium japonicum* (Sieb. et Zucc.) Pax et Hoffm.

|药 材 名| 白乳木（药用部位：根皮、叶。别名：白木、银栗子）。

|形态特征| 灌木或乔木，高 1 ~ 8m，各部均无毛。枝纤细，平滑，带灰褐色。叶互生，纸质，叶卵形、卵状长方形或椭圆形，长 7 ~ 16cm，宽 4 ~ 8cm，先端短尖或凸尖，基部钝、截平或有时呈微心形，两侧常不等，全缘，背面中上部常于近边缘的脉上有散生的腺体，基部靠近中脉之两侧亦具 2 腺体；中脉在背面显著凸起，侧脉 8 ~ 10 对，斜上举，离缘 3 ~ 5mm 弯拱网结，网状脉明显，网眼小；叶柄长 1.5 ~ 3cm，两侧薄，呈狭翅状，先端无腺体；托叶膜质，线状披针形，长约 1cm。花单性，雌雄同株常同序，聚集成顶生、长 4.5 ~ 11cm 的纤细总状花序，雌花数朵生于花序轴基部，雄花数朵生于花序轴上部，有时整个花序全为雄花。雄花花梗丝状，长 1 ~ 2mm；

白木乌桕

苞片在花序下部的比花序上部的略长，卵形至卵状披针形，长 2 ~ 2.5mm，宽 1 ~ 1.2mm，先端短尖至渐尖，边缘有不规则的小齿，基部两侧各具 1 近长圆形的腺体，每一苞片内有 3 ~ 4 花；花萼杯状，3 裂，裂片有不规则的小齿；雄蕊 3，稀 2，常伸出于花萼之外，花药球形，略短于花丝。雌花花梗粗壮，长 6 ~ 10mm；苞片 3 深裂几达基部，裂片披针形，长 2 ~ 3mm，通常中间的裂片较大，两侧之裂片其边缘各具 1 腺体；萼片 3，三角形，长和宽近相等，先端短尖或有时钝；子房卵球形，平滑，3 室，花柱基部合生，柱头 3，外卷。蒴果三棱状球形，直径 10 ~ 15mm，分果爿脱落后无宿存中轴；种子扁球形，直径 6 ~ 9mm，无蜡质的假种皮，有雅致的棕褐色斑纹。花期 5 ~ 6 月。

| 生境分布 | 生于林中湿润处或溪涧边。分布于重庆城口、奉节、南川、北碚、丰都等地。

| 资源情况 | 野生资源稀少。药材主要来源于野生。

| 采收加工 | 全年均可采挖根，洗净，除去木心，切碎，晒干。春、夏季采摘叶，鲜用或晒干。

| 功能主治 | 苦、辛，微温。散瘀血，强腰膝。用于劳伤，腰膝酸痛。

| 用法用量 | 内服煎汤，15 ~ 30g。外用鲜叶适量，捣汁涂。

大戟科 Euphorbiaceae 乌桕属 *Sapium*

乌桕 *Sapium sebiferum* (L.) Roxb.

乌桕

药材名

乌桕根（药用部位：根）、乌桕（药用部位：根皮）、乌桕叶（药用部位：叶。别名：卷子叶、油子叶、虹叶）、乌桕子（药用部位：种子。别名：乌茶子、桕仔、琼仔）、乌桕油（药材来源：种子榨取的油）。

形态特征

乔木，高可达 15m，各部均无毛而具乳状汁液。树皮暗灰色，有纵裂纹；枝广展，具皮孔。叶互生，纸质，叶片菱形、菱状卵形或稀有菱状倒卵形，长 3 ~ 8cm，宽 3 ~ 9cm，先端骤然紧缩具长短不等的尖头，基部阔楔形或钝，全缘；中脉两面微凸起，侧脉 6 ~ 10 对，纤细，斜上升，离缘 2 ~ 5mm 弯拱网结，网状脉明显；叶柄纤细，长 2.5 ~ 6cm，先端具 2 腺体；托叶先端钝，长约 1mm。花单性，雌雄同株，聚集成顶生、长 6 ~ 12cm 的总状花序，雌花通常生于花序轴最下部或罕有，在雌花下部亦有少数雄花着生，雄花生于花序轴上部或有时整个花序全为雄花。雄花花梗纤细，长 1 ~ 3mm，向上渐粗；苞片阔卵形，长和宽近相等，约 2mm，先端略尖，基部两侧各具 1 近肾形的腺体，每一苞片内具 10 ~ 15 花；小苞片 3，不等大，边缘撕裂状；

花萼杯状，3 浅裂，裂片钝，具不规则的细齿；雄蕊 2，罕有 3，伸出于花萼之外，花丝分离，与球状花药近等长。雌花花梗粗壮，长 3 ~ 3.5mm；苞片深 3 裂，裂片渐尖，基部两侧的腺体与雄花的相同，每一苞片内仅 1 雌花，间有 1 雌花和数雄花同聚生苞腋内；花萼 3 深裂，裂片卵形至卵头披针形，先端短尖至渐尖；子房卵球形，平滑，3 室，花柱 3，基部合生，柱头外卷。蒴果梨状球形，成熟时黑色，直径 1 ~ 1.5cm，具 3 种子，分果爿脱落后而中轴宿存；种子扁球形，黑色，长约 8mm，宽 6 ~ 7mm，外被白色、蜡质的假种皮。花期 4 ~ 8 月。

| 生境分布 | 生于旷野、塘边或疏林中。分布于重庆黔江、北碚、丰都、垫江、南岸、大足、潼南、彭水、长寿、酉阳、合川、巫山、石柱、云阳、江津、綦江、秀山、铜梁、璧山、永川、涪陵、南川、武隆、忠县、开州、巫溪、梁平、巴南、九龙坡、荣昌等地。

| 资源情况 | 野生资源丰富，亦有栽培。药材主要来源于野生。

| 采收加工 | 乌桕根：全年均可采挖，除去杂质，洗净，切片，晒干。

乌桕：全年均可采挖根，除去泥沙，剥取根皮，晒干。

乌桕叶：全年均可采收，鲜用或晒干。

乌桕子：果实成熟时采摘，取出种子，鲜用或晒干。

乌桕油：成熟种子经榨取得到的油。

| 药材性状 | 乌桕根：本品呈不规则块片状，直径 0.5 ~ 6cm，厚 0.5 ~ 1.6cm。表面浅黄棕色，有细纵皱纹，栓皮薄，易剥落。质硬，易折断，断面皮部较厚，黄褐色，木部淡黄白色。气微，味微苦、涩。

乌桕：本品呈长槽状或筒状，长 10cm，厚约 0.1cm。外表面浅黄棕色，有细纵皱纹及圆形或横长皮孔，栓皮薄，易呈片状脱落；内表面黄白色至浅黄棕色，具细密纵直纹理。质硬而韧，不易折断，断面纤维性。气微，味微苦、涩。

| 功能主治 | 乌桕根：苦，微温；有毒。归肺、肾、胃、大肠经。泻下逐水，消肿散结，解蛇虫毒。用于水肿，臌胀，便秘，癥瘕积聚，疔毒痈肿，湿疹，疥癣，毒蛇咬伤。

乌桕：苦，微温。泻下逐水，利尿消肿。用于水肿，二便不通，晚期血吸虫病。

乌桕叶：苦，微温；有毒。归肺、肾、胃、大肠经。泻下逐水，消肿散瘀，解毒杀虫。用于水肿，大、小便不利，腹水，湿疹，疥癣，痈疮肿毒，跌打损伤，毒蛇咬伤。

乌桕子：甘，凉；有毒。拔毒消肿，杀虫止痒。用于湿疹，癣疮，皮肤皲裂，水肿，便秘。

乌桕油：甘，凉；有毒。杀虫，拔毒，利尿，通便。用于疥疮，脓疱疮，水肿，便秘。

|用法用量| 乌桕根：内服煎汤，9 ~ 12g；或入丸、散。外用适量，煎汤洗或研末调敷。体虚、孕妇及溃疡病患者禁服。

乌桕：内服煎汤，9 ~ 12g。溃疡病患者忌服。

乌桕叶：内服煎汤，6 ~ 12g。外用适量，鲜品捣敷；或煎汤洗。体虚、孕妇及溃疡病患者禁服。

乌桕子：内服煎汤，3 ~ 6g。外用适量，煎汤洗；或捣敷。有毒，大剂量内服宜慎。

乌桕油：外用适量，涂敷。

|附　　注| （1）在 FOC 中，本种的拉丁学名被修订为 *Neoshirakia japonica* (Siebold et Zuccarini) Esser，属名被修订为白木乌桕属 *Neoshirakia*。

（2）本种喜温暖湿润气候，喜阳光；耐干旱、耐瘠薄、耐盐碱，耐短期渍水。不耐严寒、不耐久阴；抗风、抗病虫害能力较强。在黄河以南年平均气温 15℃以上、年降水量 700mm 的地区均可生长。以土层深厚、疏松肥沃的砂壤土或壤土栽培为宜。

大戟科 Euphorbiaceae 守宫木属 *Sauropus*

守宫木 *Sauropus androgynus* (L.) Merr.

守宫木

|药材名|

守宫木（药用部位：全草）。

|形态特征|

灌木，高 1 ~ 3m。小枝绿色，长而细，幼时上部具棱，老渐圆柱形；全株均无毛。叶片近膜质或薄纸质，卵状披针形、长圆状披针形或披针形，长 3 ~ 10cm，宽 1.5 ~ 3.5cm，先端渐尖，基部楔形、圆或截形；侧脉每边 5 ~ 7，上面扁平，下面凸起，网脉不明显；叶柄长 2 ~ 4mm；托叶 2，着生于叶柄基部两侧，长三角形或线状披针形，长 1.5 ~ 3mm。雄花 1 ~ 2 腋生，或几朵与雌花簇生叶腋，直径 2 ~ 10mm；花梗纤细，长 5 ~ 7.5mm；花盘浅盘状，直径 5 ~ 12mm，6 浅裂，裂片倒卵形，覆瓦状排列，无退化雌蕊；雄花 3，花丝合生成短柱状，花药外向，2 室，纵裂；花盘腺体 6，与萼片对生，上部向内弯而将花药包围。雌花通常单生叶腋；花梗长 6 ~ 8mm；花萼 6 深裂，裂片红色，倒卵形或倒卵状三角形，长 5 ~ 6mm，宽 3 ~ 5.5mm，先端钝或圆，基部渐狭而成短爪，覆瓦状排列；无花盘；雌蕊扁球形，直径约 1.5mm，高约 0.7mm，子房 3 室，每室 2 胚珠，花柱 3，先端 2 裂。蒴果扁球形或圆球形，直径约 1.7cm，

高 1.2cm，乳白色，宿存花萼红色；果梗长 5 ~ 10mm；种子三棱状，长约 7mm，宽约 5mm，黑色。花期 4 ~ 7 月，果期 7 ~ 12 月。

| 生境分布 | 生于海拔 900 ~ 1300m 的林中、林缘。分布于重庆南川、奉节、丰都等地。

| 资源情况 | 野生和栽培资源均稀少。药材主要来源于栽培。

| 采收加工 | 全年均可采收，洗净，鲜用或晒干。

| 功能主治 | 消肿，拔毒，止痛。用于头痛，扭伤。

| 用法用量 | 内服煎汤，适量。外用适量，捣敷。

大戟科 Euphorbiaceae 守宫木属 *Sauropus*

龙脷叶 *Sauropus spatulifolius* Beille

| 药 材 名 | 龙利叶（药用部位：叶。别名：龙舌叶、龙味叶、龙脷叶牛耳叶）、龙利叶花（药用部位：花）。

| 形态特征 | 常绿小灌木，高 10 ~ 40cm。茎粗糙；枝条圆柱形，直径 2 ~ 5mm，蜿蜒状弯曲，多皱纹；幼时被腺状短柔毛，老渐无毛，节间短，长 2 ~ 20mm。叶通常聚生小枝上部，常向下弯垂，叶片鲜时近肉质，干后近革质或厚纸质，匙形、倒卵状长圆形或卵形，有时长圆形，长 4.5 ~ 16.5cm，宽 2.5 ~ 6.3cm，先端浑圆或钝，有小凸尖，稀凹缺，基部楔形或钝，稀圆形，上面鲜时深绿色，叶脉处呈灰白色，干时黄白色，通常无毛，有时下面基部有腺状短柔毛，后变无毛；中脉和侧脉在鲜叶时扁平，干后中脉两面均凸起，侧脉每边 6 ~ 9，下面稍凸起；叶柄长 2 ~ 5mm，初时被腺状短柔毛，老渐无毛；托

龙脷叶

叶三角状耳形，着生于叶柄基部两侧，长 4 ~ 8mm，基部宽 3 ~ 4mm，宿存。花红色或紫红色，雌雄同枝，2 ~ 5 簇生落叶的枝条中部或下部，或茎花，有时组成短聚伞花序，花序长达 15mm；花序梗短而粗壮，着生有许多披针形的苞片；苞片长约 2mm。雄花花梗丝状，长 3 ~ 5mm；萼片 6，2 轮，近等大，倒卵形，长 2 ~ 3mm，宽约 1.5mm；花盘腺体 6，与萼片对生；雄蕊 3，花丝合生成短柱状。雌花花梗长 2 ~ 3mm；萼片与雄花的相同；无花盘；子房近圆球形，直径约 1mm，3 室，花柱 3，先端 2 裂。花期 2 ~ 10 月。

| 生境分布 | 栽培于药圃、公园、村边及屋旁。分布于重庆南川等地。

| 资源情况 | 野生和栽培资源均稀少。药材来源于栽培。

| 采收加工 | 龙利叶：5 ~ 6 月开始，摘取青绿色老叶，晒干。通常每株每次可采叶 4 ~ 5 片，每隔 15 天左右采 1 次。

龙利叶花：花盛开时采收，鲜用或晒干。

| 药材性状 | 龙利叶：本品呈卵状或倒卵状披针形，似舌状，先端钝或浑圆而有小尖，基部近圆形，全缘，枯黄色或黑绿色，叶背中脉凸出，侧脉羽状，网脉于近边缘处合拢。纸质，较厚。气微，味淡。以片大、完整者为佳。

| 功能主治 | 龙利叶：甘，平。清热润肺，化痰止咳。用于肺热咳喘痰多，口干，便秘。

龙利叶花：甘、淡，平。止血。用于咯血。

| 用法用量 | 龙利叶：内服煎汤，6 ~ 15g。

龙利叶花：内服煎汤，9 ~ 15g，或开水冲。

| 附　　注 | 本种喜温暖湿润的气候。以排水良好的砂壤土或黏壤土栽培为佳。

大戟科 Euphorbiaceae 地构叶属 *Speranskia*

广东地构叶 *Speranskia cantonensis* (Hance) Pax et Hoffm.

广东地构叶

药材名

蛋不老（药用部位：全草。别名：黄鸡胆、矮五甲、地构叶）。

形态特征

草本，高 50 ~ 70cm。茎少分枝，上部稍被伏贴柔毛。叶纸质，卵形或卵状椭圆形至卵状披针形，长 2.5 ~ 9cm，宽 1 ~ 4cm，先端急尖，基部圆形或阔楔形，边缘具圆齿或钝锯齿，齿端有黄色腺体，两面均被短柔毛；侧脉 4 ~ 5 对；叶柄长 1 ~ 3.5cm，被疏长柔毛，先端常有黄色腺体。总状花序长 4 ~ 8cm，果时长约 15cm，通常上部有雄花 5 ~ 15，下部有雌花 4 ~ 10，位于花序中部的雌花两侧有时有雄花 1 ~ 2；苞片卵形或卵状披针形，长 1 ~ 2mm，被疏毛。雄花 1 ~ 2 生于苞腋；花梗长 1 ~ 2mm；花萼裂片卵形，长约 1.5mm，先端渐尖，外面被疏柔毛；花瓣倒心形或倒卵形，长不及 1mm，无毛，膜质；雄蕊 10 ~ 12，花丝无毛；花盘有离生腺体 5。雌花花梗长约 1.5mm，花后长达 6mm；花萼裂片卵状披针形，长 1 ~ 1.5mm，先端急渐尖，外面疏被柔毛，无花瓣；子房球形，直径约 2mm，具疣状突起和疏柔毛；花柱 3，各 2 深裂，裂片呈羽状撕裂。

蒴果扁球形，直径约 7mm，具瘤状突起；种子球形，直径约 2mm，稍具小突起，灰褐色或暗褐色。花期 2 ～ 5 月，果期 10 ～ 12 月。

| 生境分布 | 生于海拔 700 ～ 2600m 的草地或灌丛中。分布于重庆奉节、南川、北碚、潼南、涪陵、武隆、巫溪、巫山、沙坪坝等地。

| 资源情况 | 野生资源一般。药材主要来源于野生。

| 采收加工 | 全年均可采收，洗净，鲜用或晒干。

| 功能主治 | 苦，平。祛风湿，通经络，破瘀止痛。用于风湿痹痛，癥瘕积聚，瘰疬，疔疮肿毒，跌打损伤。

| 用法用量 | 内服煎汤，15 ～ 30g。外用适量，捣敷；或煎汤洗。

大戟科 Euphorbiaceae 油桐属 *Vernicia*

油桐 *Vernicia fordii* (Hemsl.) Airy Shaw.

| 药 材 名 | 油桐子（药用部位：种子。别名：桐子、桐油树子、高桐子）、桐油（药材来源：种子榨出的油。别名：桐子油）、气桐子（药用部位：未成熟的果实。别名：气死桐子、光桐）、油桐花（药用部位：花）、油桐叶（药用部位：叶。别名：桐子树叶）、油桐根（药用部位：根。别名：桐子树根、高桐子根）。

| 形态特征 | 落叶乔木，高达 10m。树皮灰色，近光滑；枝条粗壮，无毛，具明显皮孔。叶卵圆形，长 8 ~ 18cm，宽 6 ~ 15cm，先端短尖，基部截平至浅心形，全缘，稀 1 ~ 3 浅裂，嫩叶上面被很快脱落微柔毛，下面被渐脱落棕褐色微柔毛，成长叶上面深绿色，无毛，下面灰绿色，被贴伏微柔毛；掌状脉 5（~ 7）；叶柄与叶片近等长，几无毛，先端有 2 扁平无柄腺体。花雌雄同株，先叶或与叶同时开放；花萼长

油桐

约 1cm，2（~ 3）裂，外面密被棕褐色微柔毛；花瓣白色，有淡红色脉纹，倒卵形，长 2 ~ 3cm，宽 1 ~ 1.5cm，先端圆形，基部爪状。雄花雄蕊 8 ~ 12，2 轮；外轮离生，内轮花丝中部以下合生。雌花子房密被柔毛，3 ~ 5（~ 8）室，每室有 1 胚珠，花柱与子房室同数，2 裂。核果近球形，直径 4 ~ 6（~ 8）cm，果皮光滑；种子 3 ~ 4（~ 8），种皮木质。花期 3 ~ 4 月，果期 8 ~ 9 月。

| 生境分布 | 生于海拔 1000m 以下丘陵山地。重庆各地均有分布。

| 资源情况 | 野生资源稀少，栽培资源丰富。药材主要来源于栽培。

| 采收加工 | 油桐子：秋季果实成熟时采收，将其堆积于潮湿处，泼水，覆以干草，经 10 天左右，外壳腐烂，除去外皮，收集种子，晒干。

桐油：种子经榨所得的油。

气桐子：收集未成熟而早落的果实，除净杂质，鲜用或晒干。

油桐花：4 ~ 5 月收集凋落的花，晒干。

油桐叶：秋季采集，鲜用或晒干。

油桐根：全年均可采挖，洗净，鲜用或晒干。

| 药材性状 | 油桐花：本品白色略带红色，聚伞花序；花单性，雌雄同株。萼不规则 2 ~ 3 裂，裂片镊合状；花瓣 5；雄花有雄蕊 8 ~ 12，花丝基部合生，上端分离，且在花芽中弯曲；雌花子房 3 ~ 5 室，每室具 1 胚珠，花柱 2。气微香，味涩。

油桐叶：本品单叶互生，具长柄，初被毛，后渐脱落；叶片卵形至心形，长 8 ~ 18cm，宽 6 ~ 15cm，先端尖，基部心形或楔形，不裂或有时 3 浅裂，全缘，上面深绿色，有光泽，初时疏生微毛，沿脉较密，后渐脱落，下面有紧贴密生的细毛。气微，味苦、涩。

| 功能主治 | 油桐子：甘、微辛，寒；有大毒。吐风痰，消肿毒，利二便。用于风痰喉痹，痰火瘰疬，食积腹胀，大小便不通，丹毒，疥癣，烫火伤，急性软组织炎，寻常疣。

桐油：甘、辛，寒；有毒。涌吐痰涎，清热解毒，收湿杀虫，润肤生肌。用于喉痹，痈疡，疥癣，臁疮，烫火伤，冻疮，皲裂。

气桐子：行气消食，清热解毒。用于疝气，食积，月经不调，疔疮疖肿。

油桐花：苦、微辛，寒；有毒。清热解毒，生肌。用于新生儿湿疹，秃疮，热毒疮，天疱疮，烫火伤。

油桐叶：甘、微辛，寒；有毒。清热消肿，解毒杀虫。用于肠炎，痢疾，痈肿，臁疮，疥癣，漆疮，烫火伤。

油桐根：甘、微辛，寒；有毒。下气消积，利水化痰，驱虫。用于食积痞满，水肿，哮喘，瘰疬，蛔虫病。

|用法用量| 油桐子：内服煎汤，1 ~ 2 枚；或磨水；或捣烂冲。外用适量，研末敷；或捣敷；或磨水涂。孕妇禁服。

桐油：外用适量，涂擦；调敷或探吐。

气桐子：内服煎汤，1 ~ 3 个。外用适量，捣敷或取汁搽。

油桐花：外用适量，煎汤洗；或浸植物油内，涂搽。

油桐叶：内服煎汤，15 ~ 30g。外用适量，捣敷；或烧灰研末撒。

油桐根：内服煎汤，12 ~ 18g（鲜者 30 ~ 60g）；或研末、炖肉、浸酒。外用适量，捣敷。孕妇慎服。

|附　　注| 本种喜温暖湿润气候，怕严寒。栽培区域范围在北纬 22°15′ ~ 34°30′，东经 99°41′ ~ 122°07′。生长于年平均气温 16 ~ 18℃，10℃以上的活动积温在 4500 ~ 5000℃，全年无霜期 240 ~ 270 天，年平均降水量 900 ~ 1300mm 的地区。能耐冬季低温（−8 ~ −10℃），长期处于 −10℃以下的温度中则引起冻害。遇春季晚霜及花期低温则受害极大。以阳光充足、土层深厚、疏松肥沃、富含腐殖质、排水良好的微酸性砂壤土栽培为宜。

虎皮楠科 Daphniphyllaceae 虎皮楠属 *Daphniphyllum*

交让木 *Daphniphyllum macropodum* Miq.

| 药材名 | 交让木（药用部位：叶、种子。别名：山黄树、豆腐头、枸邑子）。

| 形态特征 | 灌木或小乔木，高 3 ~ 10m。小枝粗壮，暗褐色，具圆形大叶痕。叶革质，长圆形至倒披针形，长 14 ~ 25cm，宽 3 ~ 6.5cm，先端渐尖，先端具细尖头，基部楔形至阔楔形，叶面具光泽，干后叶面绿色，叶背淡绿色，无乳突体，有时略被白粉；侧脉纤细而密，12 ~ 18 对，两面清晰；叶柄紫红色，粗壮，长 3 ~ 6cm。雄花序长 5 ~ 7cm，雄花花梗长约 0.5cm；花萼不育；雄蕊 8 ~ 10，花药长为宽的 2 倍，约 2mm，花丝短，长约 1mm，背部压扁，具短尖头。雌花序长 4.5 ~ 8cm；花梗长 3 ~ 5mm；花萼不育；子房基部具大小不等的不育雄蕊 10；子房卵形，长约 2mm，多少被白粉，花柱极短，柱头 2，

交让木

外弯，扩展。果实椭圆形，长约 10mm，直径 5 ~ 6mm，先端具宿存柱头，基部圆形，暗褐色，有时被白粉，具疣状皱褶，果梗长 10 ~ 15cm，纤细。花期 3 ~ 5 月，果期 8 ~ 10 月。

| 生境分布 | 生于海拔 600 ~ 1900m 的阔叶林中。分布于重庆城口、巫溪、巫山、奉节、云阳、万州、石柱、黔江、酉阳、南川、北碚等地。

| 资源情况 | 野生资源稀少。药材主要来源于野生。

| 采收加工 | 秋季采收，晒干或鲜用。

| 功能主治 | 苦，凉。清热解毒。用于疮疖肿毒。

| 用法用量 | 外用适量，捣敷。

| 附　　注 | 在 FOC 中，本种的拉丁学名被修订为 *Daphniphyllum oldhamii* (Hemsl.) Rosenthal。

虎皮楠科 Daphniphyllaceae 虎皮楠属 *Daphniphyllum*

虎皮楠 *Daphniphyllum oldhami* (Hemsl.) Rosenth.

| 药 材 名 | 虎皮楠（药用部位：根、叶）。

| 形态特征 | 乔木或小乔木，高 5 ~ 10m，也有灌木。小枝纤细，暗褐色。叶纸质，披针形、倒卵状披针形、长圆形或长圆状披针形，长 9 ~ 14cm，宽 2.5 ~ 4cm，最宽处常在叶的上部，先端急尖或渐尖或短尾尖，基部楔形或钝，边缘反卷，干后叶面暗绿色，具光泽，叶背通常显著被白粉，具细小乳突体；侧脉纤细，8 ~ 15 对，两面凸起，网脉在叶面明显凸起；叶柄长 2 ~ 3.5cm，纤细，上面具槽。雄花序长 2 ~ 4cm，较短；花梗长约 5mm，纤细；花萼小，不整齐 4 ~ 6 裂，三角状卵形，长 0.5 ~ 1mm，具细齿；雄蕊 7 ~ 10，花药卵形，长约 2mm，花丝极短，长约 0.5mm。雌花序长 4 ~ 6cm，花序轴及总梗纤细；花梗长 4 ~ 7mm，纤细；萼片 4 ~ 6，披针形，具齿；子房长卵形，长约

虎皮楠

1.5mm，被白粉，柱头 2，叉开，外弯或拳卷。果实椭圆形或倒卵圆形，长约 8mm，直径约 6mm，暗褐色至黑色，具不明显疣状突起，先端具宿存柱头，基部无宿存萼片或多少残存。花期 3 ~ 5 月，果期 8 ~ 11 月。

| 生境分布 | 生于海拔 400 ~ 2500m 的阔叶林中。分布于重庆城口、奉节、巫溪、巫山、酉阳、秀山、彭水、南川、黔江、丰都、云阳、涪陵等地。

| 资源情况 | 野生资源一般。药材主要来源于野生。

| 采收加工 | 秋季采收，叶鲜用；根洗净，鲜用或切片晒干。

| 功能主治 | 苦、涩，凉。清热解毒，活血散瘀。用于感冒发热，咽喉肿痛，脾脏肿大，毒蛇咬伤，骨折创伤。

| 用法用量 | 内服煎汤，15 ~ 30g。外用鲜叶适量，捣敷；或捣汁搽。

| 附　　注 | 在 FOC 中，本种的拉丁学名被修订为 *Daphniphyllum oldhamii* (Hemsl.) Rosenthal。

芸香科 Rutaceae 石椒草属 *Boenninghausenia*

臭节草 *Boenninghausenia albiflora* (Hook.) Reichb. ex Meisn.

| 药 材 名 | 岩椒草（药用部位：茎叶。别名：松风草、石胡椒、臭沙子）、臭节草根（药用部位：根）。

| 形态特征 | 常绿草本。分枝甚多，枝、叶灰绿色，稀紫红色，嫩枝的髓部大而空心，小枝多。叶薄纸质，小裂片倒卵形、菱形或椭圆形，长 1 ~ 2.5cm，宽 0.5 ~ 2cm，背面灰绿色，老叶常变褐红色。花序有花甚多，花枝纤细，基部有小叶；萼片长约 1mm；花瓣白色，有时顶部桃红色，长圆形或倒卵状长圆形，长 6 ~ 9mm，有透明油点；8 雄蕊长短相间，花丝白色，花药红褐色；子房绿色，基部有细柄。分果瓣长约 5mm，子房柄在结果时长 4 ~ 8mm，每分果瓣有种子 4，稀 3 或 5；种子肾形，长约 1mm，褐黑色，表面有细瘤状凸体。花果期 7 ~ 11 月。

臭节草

| 生境分布 | 生于海拔 400 ~ 2500m 的山地草丛中或疏林下。分布于重庆城口、奉节、巫溪、巫山、酉阳、秀山、彭水、南川、黔江、丰都、云阳、涪陵等地。

| 资源情况 | 野生资源一般。药材主要来源于野生。

| 采收加工 | 岩椒草：夏季采收，鲜用或切碎晒干。

臭节草根：夏季采挖，除去泥沙，鲜用。

| 功能主治 | 岩椒草：辛、苦，凉。归肺、胃、肝经。解表，截疟，活血，解毒。用于感冒发热，支气管炎，疟疾，胃肠炎，跌打损伤，痈疽疮肿，烫火伤。

臭节草根：苦，微寒。解毒消肿。用于疮疖肿毒。

| 用法用量 | 岩椒草：内服煎汤，9 ~ 15g；或研末、泡酒。外用适量，捣敷。

臭节草根：外用适量，捣汁搽。

芸香科 Rutaceae 柑橘属 *Citrus*

香圆 *Citrus wilsonii* Tanaka

香圆

| 药材名 |

香橼（药用部位：成熟果实）。

| 形态特征 |

常绿小乔木，高 9 ～ 11m，全株无毛，有短刺。叶互生；叶柄有倒心形宽翅，长为叶片的 1/4 ～ 1/3；叶片革质，椭圆形或长圆形，长 5 ～ 12cm，宽 2 ～ 5cm，先端短而钝或锐尖，微凹头，基部钝圆，全缘或有波状锯齿，两面无毛，有半透明油腺点。花单生或簇生，也有呈总状花序，花白色；雄蕊 25 ～ 36；子房 10 ～ 11 室。柑果长圆形、圆形或扁圆形，横径 5 ～ 9cm，先端有乳头状突起，果皮通常粗糙而有皱纹或平滑，成熟时橙黄色，有香气，种子多数。花期 4 ～ 5 月，果期 10 ～ 11 月。

| 生境分布 |

栽培于屋旁或山地。分布于重庆万州、南川、合川、江津、永川等地。

| 资源情况 |

野生资源稀少，栽培资源较少。药材主要来源于栽培。

| 采收加工 | 秋季果实成熟时采收，趁鲜切片，晒干或低温干燥；亦可整个或对剖 2 瓣后，晒干或低温干燥。

| 药材性状 | 本品呈类球形、半球形或为圆片，直径 4 ~ 7cm。表面黑绿色或黄棕色，密被凹陷的小油点及网状隆起的粗皱纹，先端有花柱残痕及隆起的环圈，基部有果梗残基。质坚硬。剖面或横切薄片边缘油点明显；中果皮厚约 0.5cm，瓤囊 9 ~ 11 室，棕色或淡红棕色，间或有黄白色种子。气香，味酸而苦。

| 功能主治 | 辛、苦、酸，温。归肝、脾、肺经。舒肝理气，宽中，化痰。用于肝胃气滞，胸胁胀痛，脘腹痞满，呕吐噫气，痰多咳嗽。

| 用法用量 | 内服煎汤，3 ~ 10g。

| 附　　注 | （1）在 FOC 中，本种的拉丁学名被修订为 *Citrus grandis* × *junos*。

（2）本种喜温暖湿润气候，怕严霜，不耐严寒。以土层深厚、疏松肥沃、富含腐殖质、排水良好的砂壤土栽培为宜。

芸香科 Rutaceae 柑橘属 *Citrus*

宜昌橙 *Citrus ichangensis* Swingle

| 药 材 名 | 宜昌橙（药用部位：果实、根）。

| 形态特征 | 小乔木或灌木，高 2 ~ 4m。枝干多劲直锐刺，长 1 ~ 2.5cm。叶卵状披针形，长 2 ~ 8cm，宽 0.7 ~ 4.5cm，顶部渐狭尖，全缘或有甚细小的钝裂齿。花单生叶腋；花蕾阔椭圆形；花萼 5 浅裂；花瓣淡紫红色或白色，长 1 ~ 1.8cm，宽 5 ~ 8mm；雄蕊 20 ~ 30，花丝合生成多束；花柱比花瓣短，早落，柱头约与子房等宽。果实扁圆形、圆球形或梨形，顶部短乳头状突起或圆浑，通常纵径 3 ~ 5cm，横径 4 ~ 6cm，淡黄色，粗糙，油胞大，明显突起，果皮厚 3 ~ 6mm，果心实，瓢囊 7 ~ 10 瓣，果肉淡黄白色，甚酸，兼有苦及麻舌味；种子超过 30，近圆形而稍长，或不规则的四面体，长、宽均达 15mm，厚约 12mm，种皮乳黄白色，合点大，深茶褐色，子叶乳白色，

宜昌橙

单或多胚。花期 5 ~ 6 月，果期 10 ~ 11 月。

| 生境分布 | 生于海拔 400 ~ 1700m 的路边、山坡、山地林下。分布于重庆城口、巫山、奉节、石柱、忠县、南川、江津、綦江、渝北、合川、北碚等地。

| 资源情况 | 野生和栽培资源均一般。药材主要来源于野生。

| 采收加工 | 果实成熟时采收果实，鲜用或风干用。夏、秋季采挖根，洗净，切片，晒干。

| 功能主治 | 果实，酸、甘，平。化痰止咳，生津健胃。用于咳嗽，顿咳，食欲不振，中暑烦渴。根，苦、辛，温。行气，止痛，止咳平喘。用于胃痛，疝气痛，咳嗽。

| 用法用量 | 果实，内服生食，适量，或煎汤，或蜜制。根，内服煎汤，适量。

| 附　　注 | （1）在 FOC 中，本种的拉丁学名被修订为 *Citrus cavaleriei* H. Lév. ex Cavalier。

（2）本种很耐寒，于 −11.5℃仍能正常生长而不受冻害。耐土壤瘦瘠，耐阴，抗病力强。

芸香科 Rutaceae 柑橘属 *Citrus*

柠檬 *Citrus limon* (L.) Burm. f.

| 药 材 名 | 柠檬（药用部位：果实。别名：黎檬子、黎朦子、益母果）、柠檬皮（药用部位：外果皮）、柠檬叶（药用部位：叶）、柠檬根（药用部位：根）。

| 形态特征 | 小乔木。枝少刺或近于无刺。嫩叶及花芽暗紫红色，翼叶宽或狭，或仅具痕迹，叶片厚纸质，卵形或椭圆形，长 8 ~ 14cm，宽 4 ~ 6cm，顶部通常短尖，边缘有明显钝裂齿。单花腋生或少花簇生；花萼杯状，4 ~ 5 浅齿裂；花瓣长 1.5 ~ 2cm，外面淡紫红色，内面白色；常有单性花，即雄蕊发育，雌蕊退化；雄蕊 20 ~ 25 或更多；子房近筒状或桶状，顶部略狭，柱头头状。果实椭圆形或卵形，两端狭，顶部通常较狭长并有乳头状凸尖，果皮厚，通常粗糙，柠檬黄色，难剥离，富含柠檬香气的油点，瓢囊 8 ~ 11，汁胞淡黄色，果汁酸至甚酸；种子小，卵形，先端尖，种皮平滑，子叶乳白色，通常单

柠檬

或兼有多胚。花期 4 ~ 5 月，果期 9 ~ 11 月。

| 生境分布 | 栽培于屋旁、平地或山地。重庆各地均有分布。

| 资源情况 | 野生资源稀少，栽培资源一般。药材主要来源于栽培。

| 采收加工 | 柠檬：全年开花，春、夏、秋季均能结果，以春果为主。春花果 11 月成熟；夏花果 12 月至翌年 1 月成熟；秋花果翌年 5 ~ 6 月成熟。待果实呈黄绿色时，分批采摘，再用乙烯进行催熟处理，使果皮变黄色，鲜用或切片晒干。

柠檬皮：果实成熟时采摘，剥取外果皮，晒干。

柠檬叶：全年均可采收，晒干。

柠檬根：夏、秋季采挖，洗净，切片，晒干。

| 药材性状 | 柠檬：本品长椭圆形，长 4 ~ 6.5cm，直径 3 ~ 5cm，一端有短果柄，长约 3cm，另一端有乳头状突起；外表面黄褐色，密布凹下油点。纵剖为 2 瓣者，直径 3 ~ 5cm，瓤囊强烈收缩。横剖者，果皮外翻显白色，瓤囊 8 ~ 10 室 。种子长卵形，具棱，黄白色。质硬。味酸、微苦。

柠檬皮：本品呈螺旋状，长 2 ~ 3cm，有时呈带状及不规则片状，厚 1.5 ~ 2.5mm。外表面黄色至棕黄色，有多数凹入的油点；内表面淡黄色至类白色，常有线形脉络。易折断，断面颗粒性。气香，味微苦。

| 功能主治 | 柠檬：酸、甘，平。归胃、肝、肺经。生津健胃，化痰止咳。用于中暑烦渴，胃热伤津，食欲不振，咳嗽痰多，妊娠呕吐。

柠檬皮：酸、辛、微苦，温。行气，和胃，止痛。用于脾胃气滞，脘腹胀痛，食欲不振。

柠檬叶：辛、甘、微苦，微温。化痰止咳，理气和胃，止泻。用于咳喘痰多，气滞腹胀，泄泻。

柠檬根：辛、苦，微温。行气活血，止痛，止咳。用于胃痛，疝气痛，跌打损伤，咳嗽。

| 用法用量 | 柠檬：内服适量，绞汁饮或生食。

柠檬皮：内服煎汤，9 ~ 15g。

柠檬叶：内服煎汤，9 ~ 15g。

柠檬根：内服煎汤，15 ~ 30g。

| 附　　注 | 在 FOC 中，本种的拉丁学名被修订为 *Citrus* × *limon* (Linnaeus) Osbeck。

芸香科 Rutaceae 柑橘属 *Citrus*

柚 *Citrus grandis* (L.) Osb.

|药 材 名| 化橘红（药用部位：未成熟或近成熟果实的外果皮。别名：化皮、柚皮橘红、光七爪）、柚果（药用部位：未成熟果实。别名：雷柚、柚子、胡柑）、柚核（药用部位：种子）、柚花（药用部位：花。别名：橘花）、柚叶（药用部位：叶。别名：气柑叶）、柚根（药用部位：根。别名：气柑根、橙子树根）。

|形态特征| 乔木。嫩枝、叶背、花梗、花萼及子房均被柔毛，嫩叶通常暗紫红色，嫩枝扁且有棱。叶质颇厚，浓绿色，阔卵形或椭圆形，连翼叶长 9 ~ 16cm，宽 4 ~ 8cm，或更大，先端钝或圆，有时短尖，基部圆，翼叶长 2 ~ 4cm，宽 0.5 ~ 3cm，个别品种的翼叶甚狭窄。总状花序，有时兼有腋生单花；花蕾淡紫红色，稀乳白色；花萼不规则 3 ~ 5 浅裂；花瓣长 1.5 ~ 2cm；雄蕊 25 ~ 35，有时部分雄蕊不

柚

育；花柱粗长，柱头略较子房大。果实圆球形、扁圆形、梨形或阔圆锥形，横径通常 10cm 以上，淡黄色或黄绿色，杂交种有朱红色的，果皮甚厚或薄，海绵质，油胞大，凸起，果心实但松软，瓢囊 10 ~ 15 或多至 19，汁胞白色、粉红色或鲜红色，少有带乳黄色；种子超过 200，亦有无子的，形状不规则，通常近似长方形，上部质薄且常截平，下部饱满，多兼有发育不全的，有明显纵肋棱，子叶乳白色，单胚。花期 4 ~ 5 月，果期 9 ~ 12 月。

| 生境分布 | 生于丘陵或低山地带。分布于重庆丰都、涪陵、梁平、巴南、北碚、綦江、江津、垫江、潼南、长寿、秀山、云阳、武隆、大足、荣昌等地。

| 资源情况 | 野生资源稀少，栽培资源较丰富。药材主要来源于栽培。

| 采收加工 | 化橘红：夏季果实未成熟时采收，置沸水中略烫，将果皮割成 5 或 7 瓣，除去果瓤和部分中果皮，压制成形，干燥。

柚果：3 ~ 4 月果实直径为 3 ~ 7cm 时采收，洗净，切 2 瓣或片，晒干或低温干燥。

柚核：秋、冬季采收，将成熟果实剥开，取出种子，洗净，晒干。

柚花：4 ~ 5 月采花，晾干或烘干。

柚叶：夏、秋季采叶，鲜用晒干。

柚根：全年均可采挖，洗净，切片，晒干。

｜药材性状｜ 化橘红：本品呈对折的七角或展平的五角星状，单片呈柳叶形。完整者展平后直径 15 ~ 28cm，厚 0.2 ~ 0.5cm。外表面黄绿色至黄棕色，无毛，有皱纹及小油室；内表面黄白色或淡黄棕色，有脉络纹。质脆，易折断，断面不整齐，外缘有 1 列不整齐下凹的油室，内侧稍柔而有弹性。气芳香，味苦、微辛。

柚果：本品呈圆形、椭圆形、半圆形或不规则片状，直径 1 ~ 4cm。外表面棕黄色，切面淡黄色或棕黄色，有不规则皱纹。质韧。气芳香，味苦、微辛。

柚核：本品呈扁长条形，长 1.4 ~ 1.7cm，宽 6 ~ 10mm，厚 2 ~ 5mm。表面淡黄色或黄色，尖端较宽而薄，基部较窄而厚，具棱线数条，有的伸向尖端。质较硬，破开后内有 1 种仁，子叶乳白色，有油质。气微，味微苦。

柚花：本品多破碎，少数完整者呈倒卵状茄形，长 0.9 ~ 2.3cm，棕黄色。花萼杯状，扭曲，有凹陷的油点。花瓣多脱落，单个花瓣呈舌形，淡灰黄色，表面密布凹陷油点。雄蕊脱落。子房球形，棕黑色，花柱宿存或折断。质脆，易断。气香，味苦。

柚叶：本品多皱缩卷曲，展平后呈卵形至椭圆状卵形，长 6 ~ 15cm，先端渐尖或微凹，边缘具稀锯齿；表面黄绿色，背面浅绿色，对光透视可见无数透明小点（油室）。叶柄处有倒心形宽翅，长 2 ~ 5cm。质脆，易撕裂。气香，味微苦、微辛。

柚根：本品呈圆柱形，直径 0.4 ~ 2m。表面灰黄色或淡棕黄色，具纵向浅沟纹和细根痕，刮去粗皮显绿黄色。质硬，难折断，断面不平坦，纤维性。气微香，味苦、微辛辣，刺舌。

｜功能主治｜ 化橘红：辛、苦，温。归肺、脾经。理气宽中，燥湿化痰。用于咳嗽痰多，食积伤酒，呕恶痞闷。

柚果：辛、甘、苦，温。归肺、脾经。燥湿化痰，宽中行气，消食。用于风寒咳嗽，喉痒痰多，气郁胸闷，食积伤酒，脘腹冷痛，呕恶泄泻。

柚核：辛、苦，温。疏肝理气，宣肺止咳。用于疝气，肺寒咳嗽。

柚花：辛、苦，温。归胃、肺经。行气，化痰，止痛。用于胃脘、胸膈胀痛。

柚叶：辛、苦，温。行气止痛，消肿毒。用于头风痛，寒湿痹痛，食滞腹痛，乳痈，扁桃体炎，中耳炎。

柚根：辛、苦，温。理气止痛，散风寒。用于胃脘胀痛，疝气疼痛，风寒咳嗽。

| 用法用量 | 化橘红：内服煎汤，3 ~ 6g。

柚果：内服煎汤，3 ~ 6g。

柚核：内服煎汤，6 ~ 9g。外用适量，开水浸泡，涂擦。

柚花：内服煎汤，1.5 ~ 4.5g。

柚叶：内服煎汤，15 ~ 30g。外用适量，捣敷或煎汤洗。

柚根：内服煎汤，9 ~ 15g。

| 附　　注 | 在 FOC 中，本种的拉丁学名被修订为 *Citrus maxima* (Burm.) Merr.。

芸香科 Rutaceae 柑橘属 *Citrus*

甜橙 *Citrus sinensis* (L.) Osb.

甜橙

|药材名|

枳实（药用部位：幼果）、甜橙（药用部位：果实。别名：黄果、橙子、新会橙）、橙皮（药用部位：果皮。别名：理皮、黄果皮、理陈皮）、橙叶（药用部位：叶）。

|形态特征|

乔木。枝少刺或近于无刺。叶通常比柚叶略小，翼叶狭长，明显或仅具痕迹，叶片卵形或卵状椭圆形，很少披针形，长 6 ~ 10cm，宽 3 ~ 5cm，或有较大的。花白色，很少背面带淡紫红色，总状花序有花少数，或兼有腋生单花；花萼 3 ~ 5 浅裂，花瓣长 1.2 ~ 1.5cm；雄蕊 20 ~ 25；花柱粗壮，柱头增大。果实圆球形、扁圆形或椭圆形，橙黄色至橙红色，果皮难或稍易剥离，瓢囊 9 ~ 12，果心实或半充实，果肉淡黄色、橙红色或紫红色，味甜或稍偏酸；种子少或无，种皮略有肋纹，子叶乳白色，多胚。花期 3 ~ 5 月，果期 10 ~ 12 月，迟熟品种至翌年 2 ~ 4 月。

|生境分布|

栽培于山坡、果园。重庆各地均有分布。

| 资源情况 | 野生资源稀少，栽培资源较丰富。药材主要来源于栽培。

| 采收加工 | 枳实：参见“酸橙”条。

甜橙：11 ~ 12 月果实成熟时采摘，鲜用或晒干。

橙皮：冬季或春初收集食用甜橙时剥下的果皮，晒干或烘干。

橙叶：全年均可采收，鲜用。

| 药材性状 | 枳实：参见“酸橙”条。

橙皮：本品为尖椭圆形或带状切片，厚 2 ~ 6mm。外表面黄绿色、黄棕色或红棕色，有细皱纹，密布凹下的点状油室；内表面类白色或黄白色，附有黄白色或黄棕色筋络状维管束。质稍韧或脆。气香，味苦、辛。

| 功能主治 | 枳实：参见“酸橙”条。

甜橙：辛、甘、微苦，微温。归肝、胃经。疏肝行气，散结通乳，解酒。用于肝气郁滞所致胁肋疼痛，脘腹胀满，产妇乳汁不通，乳房结块肿痛，醉酒。

橙皮：辛、苦，温。归脾、胃、肺经。行气宽中，和胃解醒，降逆化痰。用于脾胃气滞之脘腹胀满，胁肋闷痛，咳嗽痰多，饮食不消，恶心呕吐，醉酒。

橙叶：散瘀止痛。用于疮疡肿痛。

| 用法用量 | 枳实：参见“酸橙”条。

甜橙：内服干品研细末，6g；或鲜品适量，捣汁。

橙皮：内服煎汤，3 ~ 9g。胃热而唾血者忌用。

橙叶：外用适量，捣敷。

芸香科 Rutaceae 黄皮属 *Clausena*

齿叶黄皮 *Clausena dunniana* Lévl.

| 药 材 名 | 野黄皮（药用部位：根、叶。别名：山黄皮、假黄皮）。

| 形态特征 | 冬季落叶小乔木，高 2 ~ 5m。小枝、叶轴、小叶背面中脉及花序轴均有凸起的油点。小叶 5 ~ 15，卵形至披针形，长 4 ~ 10cm，宽 2 ~ 5cm，稀更大，顶部急尖或渐尖，常钝头，或微凹，基部两侧不对称，叶边缘有圆或钝裂齿，稀波浪状，无毛，或嫩叶的脉上被疏短毛；小叶柄长 4 ~ 8mm。花序顶生兼有生于小枝的近顶部叶腋间；花蕾圆球形；花梗无毛；花萼裂片及花瓣均 4，稀兼有 5；花萼裂片宽卵形，长不超过 1mm；花瓣长圆形，长 3 ~ 4mm；雄蕊 8，稀兼有 10，花丝顶部针尖，中部曲膝状，花柱比子房短；子房近圆球形，柱头与花柱约等粗，略呈四棱形，花盘细小。果实近圆球形，直径 10 ~ 15mm，初时暗黄色，后变红色，透熟时蓝黑色，有种子

齿叶黄皮

1 ~ 2，稀更多。花期 6 ~ 7 月，果期 10 ~ 11 月。

| 生境分布 | 生于海拔 900 ~ 1100m 的山地杂木林、土山或石灰岩山地中。分布于重庆涪陵、南川等地。

| 资源情况 | 野生资源稀少。药材来源于野生。

| 采收加工 | 全年均可采收，叶鲜用；根洗净，切片，晒干。

| 功能主治 | 微辛、苦，温。疏风解表，除湿消肿，行气散瘀。用于感冒，麻疹，哮喘，水肿，胃痛，风湿痹痛，湿疹，扭挫伤。

| 用法用量 | 内服煎汤，6 ~ 12g。外用适量，煎汤洗；或叶捣敷。

芸香科 Rutaceae 黄皮属 *Clausena*

毛齿叶黄皮 *Clausena dunniana* Lévl. var. *robusta* (Tanaka) Huang

| **药材名** | 野黄皮（药用部位：叶、根。别名：山黄皮、假黄皮）。

| **形态特征** | 本种与原变种齿叶黄皮的区别在于小叶两面均被长柔毛，叶背被毛较密，但结果时的小叶有时仅在叶面中脉被毛或至少在叶缘处仍有疏毛；小叶及果通常比齿叶黄皮的稍大。

| **生境分布** | 生于海拔 300 ~ 1300m 的山地湿润处。分布于重庆秀山、开州、武隆等地。

| **资源情况** | 野生资源稀少。药材主要来源于野生。

| **采收加工** | 全年均可采收，叶鲜用；根洗净，切片，晒干。

毛齿叶黄皮

| **功能主治** | 微辛、苦，温。疏风解表，除湿消肿，行气散瘀。用于感冒，麻疹，哮喘，水肿，胃痛，风湿痹痛，湿疹，扭挫伤。

| **用法用量** | 内服煎汤，6 ~ 12g。外用适量，煎汤洗；或叶捣敷。

芸香科 Rutaceae 吴茱萸属 *Evodia*

密果吴萸 *Evodia compacta* Hand.-Mazz.

| 药 材 名 | 密果吴萸（药用部位：果实）。

| 形态特征 | 小乔木，高约3m。当年生枝暗紫红色，无毛或几无毛。小叶干后暗红褐色，常略显皱折。叶有小叶5～9，小叶纸质，全缘，卵状椭圆形或披针形，位于叶轴下部的通常卵形，长6～16cm，宽2～6cm，顶部长渐尖，基部宽楔形，位于叶轴较上部的两侧略不对称，嫩叶叶面略被疏毛，沿中脉被甚短细毛，叶背灰绿色，沿中脉被疏柔毛或无毛；侧脉每边6～12，干后在叶面微凸起，散生油点；小叶柄长1～3mm，顶部小叶的叶柄长达2cm。花序顶生，雄花序长5～7cm，宽6～10cm，雌花序长4～6cm，花较密集，5基数；萼片长不及1mm；花瓣长约3mm，腹面常被短柔毛；雄花的雄蕊5，比花瓣稍长，花丝中部以下被长柔毛，退化雌蕊圆锥状，顶部

密果吴萸

4 浅裂；雌花的退化雄蕊约为子房长的 1/3 ~ 1/2。果序通常长 8cm 以下，果实密集成簇，鲜红色或紫红色，内果皮比外果皮稍厚，干后近于木质，棕色，每分果瓣有 1 种子；种子长 4 ~ 5mm，宽 3.5 ~ 4.5mm，蓝黑色，有光泽。花期 5 ~ 6 月，果期 8 ~ 9 月。

| 生境分布 | 生于海拔 1000 ~ 1900m 的山地杂木林中。分布于重庆酉阳、南川等地。

| 资源情况 | 野生资源稀少。药材主要来源于野生。

| 采收加工 | 果实未成熟时采摘，晒干。

| 功能主治 | 温中理气，止痛。用于腹泻，肝胃气痛。

| 用法用量 | 内服煎汤，适量。

| 附　　注 | 在 FOC 中，本种被修订为吴茱萸 *Tetradium ruticarpum* (A. Jussieu) T. G. Hartley。

芸香科 Rutaceae 吴茱萸属 *Evodia*

臭辣吴萸 *Evodia fargesii* Dode

| 药 材 名 | 臭辣树（药用部位：果实。别名：野米辣、野半辣）。

| 形态特征 | 乔木，高达 17m，胸径达 40cm。树皮平滑，暗灰色；嫩枝紫褐色，散生小皮孔。叶有小叶 5 ~ 9，很少 11，小叶斜卵形至斜披针形，长 8 ~ 16cm，宽 3 ~ 7cm，生于叶轴基部的较小，小叶基部通常一侧圆，另一侧楔尖，两侧甚不对称，叶面无毛，叶背灰绿色，干后带苍灰色，沿中脉两侧有灰白色卷曲长毛，或在脉腋上有卷曲丛毛，油点不显或甚细小且稀少，叶缘波纹状或有细钝齿，叶轴及小叶柄均无毛，侧脉每边 8 ~ 14；小叶柄长很少达 1cm。花序顶生，花甚多，5 基数；萼片卵形，长不及 1mm，边缘被短毛；花瓣长约 3mm，腹面被短柔毛；雄花的雄蕊长约 5mm，花丝中部以下被长柔毛，退化雌蕊顶部 5 深裂，裂瓣被毛；雌花的退化雄蕊甚短，通常难以察见，

臭辣吴萸

子房近圆球形，无毛，花柱长约 0.5mm。成熟心皮 4 ~ 5，稀 3，紫红色，干后色较暗淡，每分果瓣有 1 种子；种子长约 3mm，宽约 2.5mm，褐黑色，有光泽。花期 6 ~ 8 月，果期 8 ~ 10 月。

| 生境分布 | 生于海拔 600 ~ 1500m 的山地山谷较湿润处。分布于重庆城口、巫溪、奉节、綦江、北碚等地。

| 资源情况 | 野生资源稀少。药材主要来源于野生。

| 采收加工 | 8 ~ 9 月采摘未成熟果实，鲜用或晒干。

| 药材性状 | 本品呈星状扁球形，多由 4 或 5 枚中部以下离生蓇葖果组成。表面棕黄色至绿褐色，略粗糙，具皱纹，油点稀疏或不甚明显，先端呈梅花状深裂，基部残留果梗，略被柔毛或无毛。种子棕黑色。质硬而脆。气微香，味苦、微辛、辣。

| 功能主治 | 苦、辛，温。止咳，散寒，止痛。用于咳嗽，腹痛。

| 用法用量 | 内服煎汤，6 ~ 9g，鲜品 15 ~ 18g。

| 附　　注 | 在 FOC 中，本种被修订为楝叶吴萸 *Tetradium glabrifolium* (Champion ex Bentham) T. G. Hartley。

芸香科 Rutaceae 吴茱萸属 *Evodia*

吴茱萸 *Evodia rutaecarpa* (Juss.) Benth.

吴茱萸

|药 材 名|

吴茱萸（药用部位：未成熟的果实。别名：食茱萸、茶辣、漆辣子）、吴茱萸根（药用部位：根、根皮。别名：茱萸根）、吴茱萸叶（药用部位：叶）。

|形态特征|

小乔木或灌木，高 3 ~ 5m。嫩枝暗紫红色，与嫩芽同被灰黄色或红锈色绒毛，或疏短毛。叶有小叶 5 ~ 11，小叶薄至厚纸质，卵形、椭圆形或披针形，长 6 ~ 18cm，宽 3 ~ 7cm，叶轴下部的较小，两侧对称或一侧的基部稍偏斜，全缘或浅波浪状，小叶两面及叶轴被长柔毛，毛密如毡状，或仅中脉两侧被短毛，油点大且多。花序顶生；雄花序的花彼此疏离，雌花序的花密集或疏离；萼片及花瓣均 5，偶有 4，镊合排列；雄花花瓣长 3 ~ 4mm，腹面被疏长毛，退化雌蕊 4 ~ 5 深裂，下部及花丝均被白色长柔毛，雄蕊伸出花瓣之上；雌花花瓣长 4 ~ 5mm，腹面被毛，退化雄蕊鳞片状或短线状或兼有细小的不育花药，子房及花柱下部被疏长毛。果序宽（3 ~ ）12cm，果实密集或疏离，暗紫红色，有大油点，每分果瓣有 1 种子；种子近圆球形，一端钝尖，腹面略平坦，长 4 ~ 5mm，褐黑色，有光泽。花期 4 ~ 6 月，果期 8 ~ 11 月。

| 生境分布 | 生于平地至海拔 1500m 的山地疏林或灌丛中，多见于向阳坡地。分布于重庆黔江、垫江、大足、巫山、潼南、石柱、万州、永川、綦江、云阳、璧山、涪陵、酉阳、丰都、南川、武隆、北碚、开州、铜梁、巫溪、梁平、合川、九龙坡等地。

| 资源情况 | 野生和栽培资源均较丰富。药材主要来源于栽培。

| 采收加工 | 吴茱萸：8 ~ 11 月果实尚未开裂时，剪下果枝，晒干或低温干燥，除去枝、叶、果梗等杂质。

吴茱萸根：夏、秋季采挖，洗净，切片，晒干。

吴茱萸叶：夏、秋季采收，鲜用或晒干。

| 药材性状 | 吴茱萸：本品呈球形或略呈五角状扁球形，直径 2 ~ 5mm。表面暗黄绿色至褐色， 粗糙，有多数点状突起或凹下的油点。先端有五角星状裂隙，基部残留被有黄色绒毛的果梗。质硬而脆，横切面可见子房 5 室，每室有淡黄色种子 1。气芳香浓郁，味辛、辣而苦。

吴茱萸叶：本品多为小叶，完整者为单数羽状复叶；叶轴略呈圆柱形，黄褐色，被黄白色柔毛。小叶常皱缩破碎，完整者展平后呈椭圆形至卵圆形，长 5 ~ 15cm，宽 2.5 ~ 6cm，先端短尖或急尖，基部楔形，全缘，黄褐色，上面在放大镜下可见透明油点，下面密被黄白色柔毛，主脉凸起，侧脉羽状。质脆，易碎。气微香，味辛、苦、辣。

| 功能主治 | 吴茱萸：辛、苦，热；有小毒。归肝、脾、胃、肾经。散寒止痛，降逆止呕，助阳止泻。用于厥阴头痛，寒疝腹痛，寒湿脚气，经行腹痛，脘腹胀痛，呕吐吞酸，五更泄泻。

吴茱萸根：辛、苦，热。温中行气，杀虫。用于脘腹冷痛，泄泻，痢疾，风寒头痛，经闭腹痛，寒湿腰痛，疝气，蛲虫病，小儿疳疮。

吴茱萸叶：辛、苦，热。散寒，止痛，敛疮。用于霍乱转筋，心腹冷痛，头痛，疮疡肿毒。

| 用法用量 | 吴茱萸：内服煎汤，2 ~ 5g。外用适量。

吴茱萸根：内服煎汤，9 ~ 15g，大量可用至 30 ~ 60g；或浸酒；或入丸、散。

吴茱萸叶：外用适量，加热敷；或煎汤洗。

| 附　　注 | 在 FOC 中，本种的拉丁学名被修订为 *Tetradium ruticarpum* (A. Jussieu) T. G. Hartley。

芸香科 Rutaceae 吴茱萸属 *Evodia*

石虎 *Evodia rutaecarpa* (Juss.) Benth. var. *officinalis* (Dode) Huang

| 药 材 名 | 吴茱萸（药用部位：未成熟的果实。别名：食茱萸、茶辣、漆辣子）。

| 形态特征 | 常绿灌木或小乔木，高 3 ~ 10m，具有特殊的刺激性气味。树皮青灰褐色，幼枝紫褐色，有细小圆形的皮孔；幼枝、叶轴及花轴均被锈色绒毛。奇数羽状复叶对生，连叶柄长 20 ~ 40cm；叶柄长 4 ~ 8cm，小叶柄长 2 ~ 5mm；小叶 3 ~ 11，叶片较狭，长圆形至狭披针形，先端渐尖或长渐尖，各小叶片相距较疏远，侧脉较明显，全缘，油腺粗大。雌雄异株；聚伞圆锥花序，顶生；花序轴常被淡黄色或无色的长柔毛，花轴基部有小叶片状的狭小对生苞片 2；萼片 5，广卵形，长 1 ~ 2mm，被短柔毛；花瓣 5，白色，长圆形，长 4 ~ 6mm；雄花具 5 雄蕊，插生在极小的花盘上，花药基着，椭圆形，花丝粗短，被毛，退化子房先端 4 ~ 5 裂；雌花的花瓣较雄花瓣大，退化雄蕊

石虎

鳞片状，子房上位，心皮 5，有粗大的腺点，花柱粗短，柱头先端 4 ~ 5 浅裂。果实扁球形，成熟时裂开成 5 果瓣，呈蓇葖果状，紫红色，表面有粗大油腺点，每分果瓣有种子 1，蓝黑色，有光泽。花期 7 ~ 8 月，果期 9 ~ 10 月。

| 生境分布 | 生于海拔 350 ~ 1500m 的向阳的疏林下或林缘旷地。分布于重庆黔江、丰都、彭水、巫山、綦江、酉阳、秀山、合川、云阳、武隆、南川等地。

| 资源情况 | 野生资源稀少，栽培资源一般。药材主要来源于栽培。

| 采收加工 | 参见“吴茱萸”条。

| 药材性状 | 参见“吴茱萸”条。

| 功能主治 | 参见“吴茱萸”条。

| 用法用量 | 参见“吴茱萸”条。

| 附　　注 | 在 FOC 中，本种被修订为吴茱萸 *Tetradium ruticarpum* (A. Jussieu) T. G. Hartley。

芸香科 Rutaceae 金橘属 *Fortunella*

金橘 *Fortunella margarita* (Lour.) Swingle

| 药 材 名 | 金橘（药用部位：果实。别名：卢橘、山橘）、金橘露（药材来源：果实的蒸馏液）、金橘核（药用部位：果核。别名：金橘子）、金橘叶（药用部位：叶）、金橘根（药用部位：根）。

| 形态特征 | 树高 3m 以内。枝有刺。叶质厚，浓绿色，卵状披针形或长椭圆形，长 5 ~ 11cm，宽 2 ~ 4cm，先端略尖或钝，基部宽楔形或近于圆形；叶柄长达 1.2cm，翼叶甚窄。单花或 2 ~ 3 花簇生；花梗长 3 ~ 5mm；花萼 4 ~ 5 裂；花瓣 5，长 6 ~ 8mm；雄蕊 20 ~ 25；子房椭圆形，花柱细长，通常为子房长的 1.5 倍，柱头稍增大。果实椭圆形或卵状椭圆形，长 2 ~ 3.5cm，橙黄色至橙红色，果皮味甜，厚约 2mm，油胞常稍凸起，瓢囊 4 或 5，果肉味酸，有种子 2 ~ 5；种子卵形，先端尖，子叶及胚均绿色，单胚或偶有多胚。花期 3 ~ 5 月，

金橘

果期 10 ~ 12 月；盆栽的多次开花，农家保留其 7 ~ 8 月的花期，至春节前夕果成熟。

|生境分布| 栽培于庭院、平地或山地。分布于重庆南川、江津、涪陵、武隆等地。

|资源情况| 野生资源和栽培资源均稀少。药材来源于栽培。

|采收加工| 金橘：分批采摘成熟果实。

金橘露：用成熟果实蒸馏出液汁。

金橘核：秋季果实成熟时采摘，除去果皮、果瓤，留取种子，晒干。

金橘叶：春、夏、秋季采收，除去叶柄，晒干。

金橘根：夏、秋季采挖，洗净，鲜用或切片晒干。

|功能主治| 金橘：辛、甘，温。归肝、脾、胃经。理气解郁，消食化痰，醒酒。用于胸闷郁结，脘腹痞胀，食滞纳呆，咳嗽痰多，伤酒口渴。

金橘露：甘、辛、微苦，温。疏肝理气，化痰和中。用于气滞胃痛，食积呕吐，咳嗽痰多。

金橘核：酸、辛，平。归肝、肺经。化痰散结，理气止痛。用于喉痹，瘰疬结核，疝气，睾丸肿痛，乳房结块，乳腺炎。

金橘叶：辛、苦，微寒。归肝、脾、肺经。舒肝解郁，理气散结。用于噎膈，瘰疬，乳房结块，乳腺炎。

金橘根：酸、苦，温。归肝、脾经。行气止痛，化痰散结。用于胃脘胀痛，疝气，产后腹痛，子宫脱垂，瘰疬初起。

|用法用量| 金橘：内服煎汤，3 ~ 9g，鲜品 15 ~ 30g；或捣汁饮，或泡茶；或嚼服。

金橘露：内服炖温，20 ~ 60ml。

金橘核：内服煎汤，6 ~ 9g。

金橘叶：内服煎汤，3 ~ 9g。气虚者慎用。不宜多服、久服。

金橘根：内服煎汤，3 ~ 9g，鲜品 15 ~ 30g。气虚火旺者慎服。

附　　注| 在 FOC 中，本种被修订为金柑 *Citrus japonica* Thunb.。

芸香科 Rutaceae 九里香属 *Murraya*

九里香 *Murraya exotica* L. Mant.

| 药 材 名 | 九里香（药用部位：茎叶。别名：满山香、千里香、五里香）、九里香根（药用部位：根）、九里香花（药用部位：花）。

| 形态特征 | 小乔木，高可达 8m。枝白灰色或淡黄灰色，但当年生枝绿色。叶有小叶 3 ~ 7，小叶倒卵形或倒卵状椭圆形，两侧常不对称，长 1 ~ 6cm，宽 0.5 ~ 3cm，先端圆或钝，有时微凹，基部短尖，一侧略偏斜，全缘，平展；小叶柄甚短。花序通常顶生，或顶生兼腋生，花多朵聚成伞状，为短缩的圆锥状聚伞花序；花白色，芳香；萼片卵形，长约 1.5mm；花瓣 5，长椭圆形，长 10 ~ 15mm，盛花时反折；雄蕊 10，长短不等，比花瓣略短，花丝白色，花药背部有细油点 2；花柱稍较子房纤细，与子房之间无明显界限，均为淡绿色，柱头黄色，粗大。果实橙黄色至朱红色，阔卵形或椭圆形，顶部短尖，略歪斜，有时圆球形，

九里香

长 8 ~ 12mm，横径 6 ~ 10mm，果肉有黏胶质液；种子被短的棉质毛。花期 4 ~ 8 月，也有秋后开花，果期 9 ~ 12 月。

| 生境分布 | 生于沙质土和向阳的缓坡、小丘的灌木丛中。分布于重庆南川、巴南、南岸、江北、北碚、武隆、长寿、江津等地。

| 资源情况 | 野生和栽培资源均稀少。药材主要来源于栽培。

| 采收加工 | 九里香：生长旺盛期结合摘心、整形修剪采叶，成林植株每年采收枝叶 1 ~ 2 次，晒干。

九里香根：秋季采挖，洗净，鲜用或切片晒干。

九里香花：4 ~ 6 月花开时采摘，晒干。

| 药材性状 | 九里香：本品嫩枝呈圆柱形，直径 1 ~ 4mm；表面深绿色；质韧，不易折断，断面不平坦。羽状复叶有小叶 3 ~ 9，小叶片多卷缩破碎，完整者展平后呈卵形、椭圆形或近菱形，长 2 ~ 6cm，宽 1 ~ 3cm，最宽处在中部以下，深绿色，先端短尖或渐尖，基部楔形或略偏斜，全缘，上表面有透明腺点，小叶柄短或近无柄；质脆。有的带有顶生或腋生的聚伞花序，花冠直径约 4cm。气香，味苦、辛，有麻舌感。

| 功能主治 | 九里香：辛、微苦，温；有小毒。归心、肝、胃经。行气活血，散瘀止痛，解毒消肿。用于胃脘疼痛，风湿痹痛，跌打肿痛，疮痈，蛇虫咬伤。亦用于麻醉止痛。

九里香根：辛、微苦，温。祛风除湿，行气止痛，散瘀通络。用于风湿痹痛，腰膝冷痛，痛风，跌打损伤，睾丸肿痛，湿疹，疥癣。

九里香花：辛、苦，温。理气止痛。用于气滞胃痛。

| 用法用量 | 九里香：内服煎汤，6 ~ 12g；或入散剂；或浸酒。外用适量，捣敷或煎汤洗。阴虚火旺者慎服。

九里香根：内服煎汤，15 ~ 30g，鲜品 30 ~ 60g；或干品研末，每次 3 ~ 6g，酒送服。外用适量，捣敷或煎汤洗。阴虚火旺者慎服。

九里香花：内服煎汤，3 ~ 9g。

| 附　　注 | 本种喜温暖湿润气候，耐旱，不耐寒。栽培地区年平均气温 15 ~ 18℃，最高月平均气温 27 ~ 29℃，最低月平均气温 1 ~ 2℃，能耐极端最低气温 -7℃，年降水量 1000 ~ 1600mm。以阳光充足、土层深厚、疏松肥沃的微碱性土壤栽培为宜。

芸香科 Rutaceae 臭常山属 *Orixa*

臭常山 *Orixa japonica* Thunb.

臭常山

| 药 材 名 |

臭山羊（药用部位：根。别名：臭苗大山羊、大骚羊、栀子黄）。

| 形态特征 |

高 1 ~ 3m 的灌木或小乔木。树皮灰色或淡褐灰色，幼嫩部分常被短柔毛，枝、叶有腥臭气味，嫩枝暗紫红色或灰绿色，髓部大，常中空。叶薄纸质，全缘或上半段有细钝裂齿，下半段全缘，大小差异较大，同一枝条上有长达 15cm、宽 6cm，也有长约 4cm、宽 2cm，倒卵形或椭圆形，中部或中部以上最宽，两端急尖或基部渐狭尖，嫩叶背面被疏或密长柔毛，叶面中脉及侧脉被短毛；中脉在叶面略凹陷，散生半透明的细油点；叶柄长 3 ~ 8mm。雄花序长 2 ~ 5cm；花序轴纤细，初时被毛；花梗基部有苞片 1，苞片阔卵形，两端急尖，内拱，膜质，有中脉，散生油点，长 2 ~ 3mm；萼片甚细小；花瓣比苞片小，狭长圆形，上部较宽，有 3（~ 5）脉；雄蕊比花瓣短，与花瓣互生，插生于明显的花盘基部四周，花盘近于正方形，花丝线状，花药广椭圆形；雌花的萼片及花瓣形状与大小均与雄花近似，4 个靠合的心皮圆球形，花柱短，粘合，柱头头状。成熟分果瓣阔椭圆形，干后暗褐色，直径 6 ~ 8mm，每分果瓣由先端起沿腹及背缝线开裂，内有近圆形的种子 1。花期 4 ~ 5 月，果期 9 ~ 11 月。

生境分布 生于海拔 400 ~ 1100m 的山地密林或疏林向阳坡地。分布于重庆巫山、石柱、武隆、南川、北碚、彭水等地。

资源情况 野生资源稀少。药材主要来源于野生。

采收加工 9 ~ 11 月采挖，洗净，切片，晒干。

药材性状 本品较粗大。表面栓皮淡灰黄色，有时现细裂纹，栓皮脱落处现类白色。断面灰白色。气特异，味苦。

功能主治 苦、辛，凉。疏风清热，行气活血，解毒除湿，截疟。用于风热感冒，咳嗽，喉痛，脘腹胀痛，风湿关节痛，跌仆伤痛，湿热痢疾，肾囊出汗，疟疾，无名肿毒。

用法用量 内服煎汤，9 ~ 15g；或研末；或浸酒。外用适量，研末调敷。

芸香科 Rutaceae 黄檗属 *Phellodendron*

黄檗 *Phellodendron amurense* Rupr.

黄檗

| 药 材 名 |

关黄柏（药用部位：树皮）。

| 形态特征 |

树高 10 ~ 20m，大树高达 30m，胸径 1m。枝扩展，成年树的树皮有厚木栓层，浅灰色或灰褐色，深沟状或不规则网状开裂，内皮薄，鲜黄色，味苦，黏质，小枝暗紫红色，无毛。叶轴及叶柄均纤细，有小叶 5 ~ 13，小叶薄纸质或纸质，卵状披针形或卵形，长 6 ~ 12cm，宽 2.5 ~ 4.5cm，顶部长渐尖，基部阔楔形，一侧斜尖，或为圆形，叶缘有细钝齿和缘毛，叶面无毛或中脉被疏短毛，叶背仅基部中脉两侧密被长柔毛，秋季落叶前叶色由绿色转黄色而明亮，毛被大多脱落。花序顶生；萼片细小，阔卵形，长约 1mm；花瓣紫绿色，长 3 ~ 4mm；雄花的雄蕊比花瓣长，退化雌蕊短小。果实圆球形，直径约 1cm，蓝黑色，通常有 5 ~ 8（~ 10）浅纵沟，干后较明显；种子通常 5。花期 5 ~ 6 月，果期 9 ~ 10 月。

| 生境分布 | 生于山地杂木林中或山区河谷沿岸。分布于重庆彭水、丰都、忠县、江津、奉节、黔江、璧山、北碚、梁平等地。

| 资源情况 | 野生资源稀少，栽培资源一般。药材主要来源于栽培。

| 采收加工 | 剥取树皮，除去粗皮，晒干。

| 药材性状 | 本品呈板片状或浅槽状，长宽不一，厚 2 ~ 4mm。外表面黄绿色或淡棕黄色，较平坦，有不规则纵裂纹，皮孔痕小而少见，偶有灰白色的粗皮残留；内表面黄色或黄棕色。体轻，质较硬，断面纤维性，有的呈裂片状分层，鲜黄色或黄绿色。气微，味极苦，嚼之有黏性。

| 功能主治 | 苦，寒。归肾、膀胱经。清热燥湿，泻火除蒸，解毒疗疮。用于湿热泻痢，黄疸尿赤，带下阴痒，热淋涩痛，脚气痿躄，骨蒸劳热，盗汗，遗精，疮疡肿毒，湿疹湿疮。

| 用法用量 | 内服煎汤，3 ~ 12g。外用适量。

| 附　　注 | 本种适应性强，喜阳光，耐严寒，宜于平原或低丘陵坡地、路旁、住宅旁及溪河附近水土较好的地方种植。

芸香科 Rutaceae 黄檗属 *Phellodendron*

川黄檗 *Phellodendron chinense* Schneid.

| 药 材 名 | 黄柏（药用部位：树皮。别名：川黄柏、檗皮、黄檗）。

| 形态特征 | 树高达 15m。成年树有厚、纵裂的木栓层，内皮黄色，小枝粗壮，暗紫红色，无毛。叶轴及叶柄粗壮，通常密被褐锈色或棕色柔毛，有小叶 7 ~ 15，小叶纸质，长圆状披针形或卵状椭圆形，长 8 ~ 15cm，宽 3.5 ~ 6cm，顶部短尖至渐尖，基部阔楔形至圆形，两侧通常略不对称，全缘或浅波浪状，叶背密被长柔毛或至少在叶脉上被毛，叶面中脉被短毛或嫩叶被疏短毛；小叶柄长 1 ~ 3mm，被毛。花序顶生，花通常密集，花序轴粗壮，密被短柔毛。果实多数密集成团，顶部略狭窄，椭圆形或近圆球形，直径约 1cm，大的达 1.5cm，蓝黑色，有分核 5 ~ 8(~ 10)；种子 5 ~ 8，很少 10，长 6 ~ 7mm，厚 5 ~ 4mm，一端微尖，有细网纹。花期 5 ~ 6 月，果期 9 ~ 11 月。

川黄檗

| 生境分布 | 生于海拔 600 ~ 1700m 以上的杂木林中。分布于重庆彭水、酉阳、武隆、南川、綦江、北碚等地。

| 资源情况 | 野生资源稀少，栽培资源一般。药材主要来源于栽培。

| 采收加工 | 剥取树皮后，除去粗皮，晒干。

| 药材性状 | 本品呈板片状或浅槽状，长宽不一，厚 1 ~ 6mm。外表面黄褐色或黄棕色，平坦或具纵沟纹，有的可见皮孔痕及残存的灰褐色粗皮；内表面暗黄色或淡棕色，具细密的纵棱纹。体轻，质硬，断面纤维性，呈裂片状分层，深黄色。气微，味极苦，嚼之有黏性。

| 功能主治 | 苦，寒。归肾、膀胱经。清热燥湿，泻火除蒸，解毒疗疮。用于湿热泻痢，黄疸尿赤，带下阴痒，热淋涩痛，脚气痿躄，骨蒸劳热，盗汗，遗精，疮疡肿毒，湿疹湿疮。

| 用法用量 | 内服煎汤，3 ~ 12g。外用适量。

| 附　　注 | 本种喜凉爽气候，抗风力强，怕干旱、怕涝。以土层深厚、疏松肥沃的微酸性或中性土栽培为宜。

芸香科 Rutaceae 黄檗属 *Phellodendron*

秃叶黄檗 *Phellodendron chinense* Schneid. var. *glabriusculum* Schneid.

秃叶黄檗

| 药 材 名 |

黄柏（药用部位：树皮）。

| 形态特征 |

本种与原变种川黄檗的区别在于叶轴、叶柄及小叶柄无毛或被疏毛，小叶叶面仅中脉有短毛，有时嫩叶叶面有疏短毛，叶背沿中脉两侧被疏少柔毛，有时几为无毛但有棕色甚细小的鳞片状体；果序上的果通常较疏散。

| 生境分布 |

生于海拔 800 ~ 1500m 的山地疏林或密林中，也可生于海拔 2000 ~ 2750m 的高山地区。分布于重庆彭水、南川、武隆、黔江、潼南、云阳、忠县、开州等地。

| 资源情况 |

野生资源一般。药材主要来源于野生。

| 采收加工 |

剥取树皮，除去粗皮，晒干。

| 功能主治 |

清热燥湿，泻火解毒。用于湿热痢疾，泄泻，

黄疸，梦遗，淋浊，带下，骨蒸劳热，痿躄，以及口舌生疮，目赤肿痛，痈疽疮毒，皮肤湿疹。

| 用法用量 | 内服煎汤，适量。外用适量。

芸香科 Rutaceae 枳属 *Poncirus*

枳 *Poncirus trifoliata* (L.) Raf.

| 药 材 名 | 枸橘梨（药用部位：未成熟的果实。别名：枳实、臭橘、枸棘子）、枸橘叶（药用部位：叶。别名：臭橘叶）、枳根皮（药用部位：根皮）。

| 形态特征 | 小乔木，高 1 ~ 5m，树冠伞形或圆头形。枝绿色，嫩枝扁，有纵棱，刺长达 4cm，刺尖干枯状，红褐色，基部扁平。叶柄有狭长的翼叶，通常指状三出叶，很少 4 ~ 5 小叶，或杂交种的则除 3 小叶外尚有 2 小叶或单小叶同时存在，小叶等长或中间的 1 较大，长 2 ~ 5cm，宽 1 ~ 3cm，对称或两侧不对称，叶缘有细钝裂齿或全缘，嫩叶中脉上被细毛。花单朵或成对腋生，先叶开放，也有先叶后花的，有完全花及不完全花，后者雄蕊发育，雌蕊萎缩，花有大、小二型，花直径 3.5 ~ 8cm；萼片长 5 ~ 7mm；花瓣白色，匙形，长 1.5 ~ 3cm；雄蕊通常 20，花丝不等长。果实近圆球形或梨形，大小差异较大，通常纵径 3 ~ 4.5cm，横径 3.5 ~ 6cm，果顶微凹，有

枳

环圈，果皮暗黄色，粗糙，也有无环圈，果皮平滑的，油胞小而密，果心充实，瓢囊 6 ~ 8，汁胞有短柄，果肉含黏液，微有香橼气味，甚酸且苦，带涩味，有种子 20 ~ 50；种子阔卵形，乳白或乳黄色，有黏液，平滑或间有不明显的细脉纹，长 9 ~ 12mm。花期 5 ~ 6 月，果期 10 ~ 11 月。

| 生境分布 | 栽培于屋旁、田边或山地。分布于重庆彭水、永川、酉阳、忠县、长寿、九龙坡、荣昌等地。

| 资源情况 | 野生资源稀少，栽培资源一般。药材主要来源于栽培。

| 采收加工 | 枸橘梨：10 ~ 11 月采收皮绿而未黄的果实，纵剖或横切成 2 ~ 4 片，晒干。

枸橘叶：春、夏季叶茂盛时采摘，晒干。

枳根皮：全年均可采挖根，洗净，剥取根皮，切片，晒干。

| 药材性状 | 枸橘梨：本品呈半球形或橘瓣状，直径 2 ~ 3.5cm。果皮表面黄色或黄绿色，散有多数小油点及网状隆起皱纹，密被短柔毛，先端有明显柱基，基部有果柄痕。切面皮厚 2 ~ 3mm，黄白色，沿外缘有黄色油点，中央为果瓤，每瓤有种子数枚，种皮黄棕色，子叶黄白色。有强烈香气，味酸、苦。

枸橘叶：本品为三出复叶或散乱小叶，常卷曲或破碎，灰绿色或黄绿色。顶生小叶片椭圆形或倒卵形，长 2.5 ~ 5cm，宽 1.5 ~ 3cm，先端圆或微凹，基部楔形。侧生小叶较小，基部偏斜，叶缘具波形锯齿。总叶柄长 1 ~ 3cm，具翼。质坚脆，不易破碎。气微香，味微苦。

枳根皮：本品呈细卷筒状或不规则片状，长短、宽窄不一，厚 0.3 ~ 1.2mm。外表面灰褐色或棕褐色，较粗糙，具稀疏斜向纵皱纹；内表面淡黄棕色，具细小纵沟纹。质硬脆，易折断，断面淡棕黄色，内层易成片状剥离。气微香，味微苦。

| 功能主治 | 枸橘梨：辛、苦，温。理气，消积。用于胃脘胀满，消化不良，乳房结块，疝气。

枸橘叶：辛，温。行气，散结，止呕。用于噎膈反胃，呕吐，口疮。

枳根皮：敛血，止痛。用于痔疮，便血，齿痛。

| 用法用量 | 枸橘梨：内服煎汤，4.5 ~ 9g。

枸橘叶：内服煎汤，6 ~ 9g。

枳根皮：内服煎汤，4.5 ~ 9g；或研末。外用适量，浸酒含漱。

| 附　　注 | 在 FOC 中，本种的拉丁学名被修订为 *Citrus trifoliata* L.，属名被修订为柑橘属 *Citrus*。

芸香科 Rutaceae 裸芸香属 *Psilopeganum*

裸芸香 *Psilopeganum sinense* Hemsl.

| 药 材 名 | 山麻黄（药用部位：全草。别名：臭草、虱子草、蛇咬药）。

| 形态特征 | 多年生短命草本。植株高 30 ~ 80cm。根纤细。叶有柑橘叶香气，叶柄长 8 ~ 15mm；小叶椭圆形或倒卵状椭圆形，中间 1 最大，长很少达 3cm，宽不到 1cm，两侧 2 甚小，长 4 ~ 10mm，宽 2 ~ 6mm，先端钝或圆，微凹缺，下部狭至楔尖，边缘有不规则亦不明显的钝裂齿，无毛，背面灰绿色。花梗在花蕾及结果时下垂，开花时挺直，花蕾时长约 5mm，结果时长至 15mm；萼片卵形，长约 1mm，绿色；花瓣盛花时平展，卵状椭圆形，长 4 ~ 6mm，宽约 2mm；雄蕊略短于花瓣，花丝黄色，花药甚小；雄蕊心形而略长，顶部中央凹陷，

裸芸香

花柱淡黄绿色，自雌蕊群的中央凹陷处长出，长不超过 2mm。蓇葖果，顶部呈口状凹陷并开裂，2 室；种子长约 1.5mm，厚约 1mm。花果期 5 ~ 8 月。

| **生境分布** | 生于海拔 250 ~ 1000m 的较温暖、湿润的山坡。分布于重庆巫山、巫溪、万州、南川、江津、丰都、忠县、云阳、酉阳、涪陵、綦江、武隆、垫江、荣昌等地。

| **资源情况** | 野生资源一般。药材主要来源于野生。

| **采收加工** | 4 ~ 6 月采收，扎把，晒干。

| **功能主治** | 微辛，温。解表，平喘，利水，止呕。用于感冒，咳喘，水肿，呕吐，蛇咬伤。

| **用法用量** | 内服煎汤，6 ~ 15g。

| **附　　注** | 本种是我国特有单种属植物，隶属于芸香科裸芸香属，为多年生短命草本植物，因资源稀少，已被列入我国第二批珍稀濒危保护植物。

芸香科 Rutaceae 芸香属 *Ruta*

芸香 *Ruta graveolens* L.

|药 材 名| 臭草（药用部位：全草。别名：臭艾、小香草、荆芥七）。

|形态特征| 落地栽种之植株高达 1m，各部有浓烈特殊气味。叶二至三回羽状复叶，长 6 ~ 12cm，末回小羽裂片短匙形或狭长圆形，长 5 ~ 30mm，宽 2 ~ 5mm，灰绿色或带蓝绿色。花金黄色，直径约 2cm；萼片 4；花瓣 4；雄蕊 8，花初开放时与花瓣对生的 4 枚贴附于花瓣上，与萼片对生的另 4 枚斜展且外露，较长，花盛开时全部并列一起，挺直且等长；花柱短，子房通常 4 室，每室有胚珠多颗。果实长 6 ~ 10mm，由先端开裂至中部，果皮有凸起的油点；种子甚多，肾形，长约 1.5mm，褐黑色。花期 3 ~ 6 月及冬季末期，果期 7 ~ 9 月。

芸香

| 生境分布 | 栽培于庭院或平地。分布于重庆垫江、秀山、南川、南岸、荣昌、忠县、长寿、北碚等地。

| 资源情况 | 野生资源稀少，栽培资源一般。药材主要来源于栽培。

| 采收加工 | 7 ~ 8 月生长盛期收割，阴干或鲜用。

| 药材性状 | 本品茎多分枝。叶为二至三回羽状复叶或深裂，长 6 ~ 12cm，末回小叶或裂片倒卵状矩圆形或匙形，长 0.6 ~ 2cm，先端急尖或圆钝，基部楔形，全缘或微有钝齿。茎叶表面粉白色或灰绿色，可见细腺点。揉之有强烈的刺激性气味，味微苦。

| 功能主治 | 辛、微苦，寒。祛风清热，活血散瘀，消肿解毒。用于感冒发热，小儿高热惊风，痛经，闭经，跌打损伤，热毒疮疡，小儿湿疹，蛇虫咬伤。

| 用法用量 | 内服煎汤，3 ~ 9g，鲜品 15 ~ 30g；或捣汁。外用适量，捣敷；或塞鼻。孕妇慎服。

| 附　　注 | 本种喜温暖湿润气候，耐寒、耐旱。最适生长温度 22 ~ 27℃，极端气温下降到 −9 ~ −11℃时，地上部分冻死，地下部分能安全越冬。年平均气温在 15℃以上、年降水量 900 ~ 1800mm 的地区适宜生长。以土层深厚、疏松肥沃、富含腐殖质、排水良好的砂壤土或壤土栽培为宜。忌连作。

芸香科 Rutaceae 茵芋属 *Skimmia*

乔木茵芋 *Skimmia arborescens* Anders. ap. Gamble

| 药 材 名 | 茵芋（药用部位：茎叶。别名：卑山共、莞草、卑共）。

| 形态特征 | 小乔木，高达 8m，胸径达 20cm。小枝髓部小但明显，二年生枝的皮层颇薄，干后不皱缩。叶较薄，干后薄纸质，椭圆形或长圆形，或为倒卵状椭圆形，长 5 ~ 18cm，宽 2 ~ 6cm，两面无毛，中脉在叶面微凸起或中脉两侧的叶肉部分干后凹陷；侧脉每边 7 ~ 10，稀较少；叶柄长 1 ~ 2cm。花序长 2 ~ 5cm，花序轴被微柔毛或无毛；苞片阔卵形，长 1 ~ 1.5mm；萼片比苞片稍大，边缘均被毛；花瓣 5，倒卵形或卵状长圆形，长 4 ~ 5mm，水平展开或斜向上张开；雄花的雄蕊比花瓣长，花丝线状，退化雌蕊长 3 ~ 4mm，棒状，顶部 3 ~ 4 深裂；雌花的不育雄蕊比花瓣短，子房近圆球形，花柱长约 1mm，柱头头状。果实圆球形，直径 6 ~ 8mm，很少更大，蓝黑色，通常

乔木茵芋

有种子 1 ~ 3。花期 4 ~ 6 月，果期 7 ~ 9 月。

| 生境分布 | 生于海拔 1000 ~ 1800m 的阴湿林中。分布于重庆巫溪、酉阳、秀山、黔江、彭水、涪陵、南川、武隆等地。

| 资源情况 | 野生资源稀少。药材主要来源于野生。

| 采收加工 | 全年均可采收，切段，晒干。

| 功能主治 | 辛、苦，温；有毒。归肝、肾经。祛风胜湿。用于风湿痹痛，四肢挛急，两足软弱。

| 用法用量 | 内服浸酒或入丸剂，0.9 ~ 1.8g。阴虚而无风湿实邪者禁服。本品有毒，内服宜慎，用量不宜过大，否则易引起中毒。

芸香科 Rutaceae 茵芋属 *Skimmia*

茵芋 *Skimmia reevesiana* Fort.

| 药 材 名 | 茵芋（药用部位：茎叶。别名：卑山共、莞草、卑共）。

| 形态特征 | 灌木，高 1 ~ 2m。小枝常中空，皮淡灰绿色，光滑，干后常有浅纵皱纹。叶有柑橘叶的香气，革质，集生枝上部，叶片椭圆形、披针形、卵形或倒披针形，顶部短尖或钝，基部阔楔形，长 5 ~ 12cm，宽 1.5 ~ 4cm，叶面中脉稍凸起，干后较显著，有细毛；叶柄长 5 ~ 10mm。花序轴及花梗均被短细毛，花芳香，淡黄白色，顶生圆锥花序，花密集，花梗甚短；萼片及花瓣均 5，很少 3 或 4；萼片半圆形，长 1 ~ 1.5mm，边缘被短毛；花瓣黄白色，长 3 ~ 5mm，花蕾时各瓣大小稍不相等；雄蕊与花瓣同数而等长或较长，花柱初时甚短，花盛开时伸长，柱头增大；雄花的退化雄蕊棒状，子房近球形，花柱圆柱形，柱头头状；雄花的退化雌蕊扁球形，顶部短尖，不裂或 2 ~ 4

茵芋

浅裂。果实圆形或椭圆形或倒卵形，长 8 ~ 15mm，红色，有种子 2 ~ 4；种子扁卵形，长 5 ~ 9mm，宽 4 ~ 6mm，厚 2 ~ 3mm，顶部尖，基部圆，有极细小的窝点。花期 3 ~ 5 月，果期 9 ~ 11 月。

| 生境分布 | 生于海拔 1200 ~ 2600m 高山森林下湿度大、云雾多的地方，枝干上常附生苔藓植物。分布于重庆城口、石柱、云阳、南川、奉节等地。

| 资源情况 | 野生资源稀少。药材主要来源于野生。

| 采收加工 | 参见“乔木茵芋”条。

| 功能主治 | 参见“乔木茵芋”条。

| 用法用量 | 参见“乔木茵芋”条。

芸香科 Rutaceae 飞龙掌血属 *Toddalia*

飞龙掌血 *Toddalia asiatica* (L.) Lam.

| 药 材 名 | 飞龙掌血（药用部位：根。别名：黄椒、三百棒、飞龙斩血）、飞龙掌血根皮（药用部位：根皮。别名：见血飞）、飞龙掌血茎（药用部位：茎）、飞龙掌血叶（药用部位：叶）。

| 形态特征 | 老茎干有较厚的木栓层及黄灰色、纵向细裂且凸起的皮孔，三年生、四年生枝上的皮孔圆形而细小，茎枝及叶轴有甚多向下弯钩的锐刺，当年生嫩枝的顶部有褐色或红锈色甚短的细毛，或密被灰白色短毛。小叶无柄，对光透视可见密生的透明油点，揉之有类似柑橘叶的香气，卵形、倒卵形、椭圆形或倒卵状椭圆形，长 5 ～ 9cm，宽 2 ～ 4cm，顶部尾状长尖或急尖而钝头，有时微凹缺，叶缘有细裂齿，侧脉甚多而纤细。花梗甚短，基部有极小的鳞片状苞片，花淡黄白色；萼片长不及 1mm，边缘被短毛；花瓣长 2 ～ 3.5mm；雄花序为伞房状

飞龙掌血

圆锥花序；雌花序呈聚伞圆锥花序。果实橙红色或朱红色，直径 8 ~ 10mm 或稍大，有 4 ~ 8 纵向浅沟纹，干后甚明显；种子长 5 ~ 6mm，厚约 4mm，种皮褐黑色，有极细小的窝点。花期几乎全年，在五岭以南各地，多于春季开花，沿长江两岸各地，多于夏季开花；果期多在秋、冬季。

| 生境分布 | 生于海拔 500 ~ 1700m 以下的山地、灌木、小乔木的次生林中，攀缘于其他树上，石灰岩山地也常见。分布于重庆綦江、黔江、石柱、彭水、忠县、丰都、城口、云阳、涪陵、南川、江津、武隆等地。

| 资源情况 | 野生资源较丰富。药材主要来源于野生。

| 采收加工 | 飞龙掌血：全年均可采挖，切成长约 30cm 的段，洗净，晾干。

飞龙掌血根皮：全年均可采挖根，洗净，剥取根皮，晒干。

飞龙掌血茎：全年均可采收，干燥。

飞龙掌血叶：全年均可采摘，鲜用、阴干或及时晒干。

| 药材性状 | 飞龙掌血：本品呈圆柱形，略弯曲，直径 2 ~ 4cm，有的根头部直径可达 8cm。表面深黄棕色至灰棕色，粗糙，具明显细纵纹及多数呈类圆形或长椭圆形稍凸的白色皮孔，有的可见横向裂纹，栓皮脱落处露出棕褐色或浅红棕色皮部。质坚硬，不易折断，断面黄棕色。气微，味辛、苦，有辛凉感。

飞龙掌血根皮：本品呈不规则长块状、槽状，厚 0.2 ~ 1cm。外表面灰棕色至灰黄色，粗糙，有细纵纹及多数类白色皮孔成疣状突起，中间有线状凹陷，皮孔多纵向延长形成断续的棱脊和断续的横裂纹。栓皮易脱落露出棕色或红色皮部。内表面灰褐色，有细纵纹理。质硬，不易折断，横断面及纵断面均呈颗粒状，黄棕色。气微，味微苦。

飞龙掌血茎：本品呈圆柱形，略弯曲，老茎直径 3 ~ 8cm。表面灰绿色至灰褐色，圆形皮孔众多，可见凸起的茎刺或刺痕，嫩枝上有倒生尖刺。质坚硬，断面皮部红棕色，木部淡黄色，中央可见白色的髓。气香，味淡、微苦。

飞龙掌血叶：本品大多破碎，完整者展平后为三出复叶，叶柄长 2 ~ 4cm。小叶无柄，常向上反卷，上表面深绿色，下表面色稍浅；叶片展平后呈椭圆形、长椭圆形或卵状长圆形，长 2 ~ 9cm，宽 0.7 ~ 3cm，先端骤尖、渐尖或钝头，基部楔形或歪斜（两侧小叶），边缘前半部有细浅圆锯齿，叶片有透明油点，表面较光滑，无毛或主脉处有少许柔毛，主脉于上下表面凸起，侧脉羽状，小脉网状；叶近革质。气清香，味辣、微麻。

| 功能主治 | 飞龙掌血：辛、苦，微温。归脾、胃经。祛风止痛，散瘀止血。用于风湿痹痛，胃痛，吐血，衄血，跌打损伤，刀伤出血，痛经，闭经等。

飞龙掌血根皮：辛、微苦，温；有小毒。归脾、胃经。祛风止痛，散瘀止血，消肿解毒。用于风湿痹痛，胃痛，跌打损伤，吐血，刀伤出血，痛经，闭经，牙龈出血，口舌生疮。

飞龙掌血茎：辛、微苦、涩，温。归肺、肝、胃经。活血止痛，祛风散寒。用于胃脘疼痛，腰痛，寒湿痹痛，跌打损伤，皮肤瘙痒。

飞龙掌血叶：辛、微苦，温。归脾、胃经。散瘀止血，祛风除湿，消肿解毒。用于口舌生疮，牙龈肿痛、出血，外伤出血，痈疖肿毒，毒蛇咬伤。

| 用法用量 | 飞龙掌血：内服煎汤，9 ~ 30g。外用适量。

飞龙掌血根皮：内服煎汤，6 ~ 15g。外用适量，研末调敷或煎汤含漱。孕妇禁用。

飞龙掌血茎：内服煎汤，10 ~ 15g。外用适量。

飞龙掌血叶：内服煎汤，30 ~ 50g；鲜品加倍。外用适量，煎汤含漱，研末撒或鲜叶捣敷。

| 附　　注 | 近几十年来，国内外相关学者对本种进行了深入研究，逐步发现本种含有的化学成分主要是香豆素类和生物碱类，其药理作用表现在抗炎镇痛、止血凝血、抗肿瘤、治疗心血管疾病等方面。本种的药材临床应用广泛，对风湿痹痛、伤口出血、跌打损伤等具有显著的疗效。

芸香科 Rutaceae 花椒属 *Zanthoxylum*

椿叶花椒 *Zanthoxylum ailanthoides* Sieb. et Zucc.

椿叶花椒

|药材名|

浙桐皮（药用部位：树皮。别名：海桐皮、木满天星、鼓钉柴）、樗叶花椒叶（药用部位：叶）、樗叶花椒根（药用部位：根。别名：食茱萸根）、樗叶花椒果（药用部位：果实。别名：食茱萸）。

|形态特征|

落叶乔木，高稀达 15m，胸径 30cm。茎干有鼓钉状、基部宽达 3cm、长 2 ~ 5mm 的锐刺，当年生枝的髓部甚大，常空心，花序轴及小枝顶部常散生短直刺，各部无毛。叶有小叶 11 ~ 27 或稍多；小叶整齐对生，狭长披针形或位于叶轴基部的近卵形，长 7 ~ 18cm，宽 2 ~ 6cm，顶部渐狭长尖，基部圆，对称或一侧稍偏斜，叶缘有明显裂齿，油点多，肉眼可见，叶背灰绿色或有灰白色粉霜，中脉在叶面凹陷，侧脉每边 11 ~ 16。花序顶生，多花，几无花梗；萼片及花瓣均 5；花瓣淡黄白色，长约 2.5mm；雄花的雄蕊 5，退化雌蕊极短，2 ~ 3 浅裂；雌花有心皮 3，稀 4。果梗长 1 ~ 3mm，分果瓣淡红褐色，干后淡灰色或棕灰色，先端无芒尖，直径约 4.5mm，油点多，干后凹陷；种子直径约 4mm。花期 8 ~ 9 月，果期 10 ~ 12 月。

| 生境分布 | 生于海拔 500 ~ 1500m 的山地杂木林中。分布于重庆巫山、秀山、南川、石柱、武隆等地。

| 资源情况 | 野生资源稀少。药材主要来源于野生。

| 采收加工 | 浙桐皮：夏、秋季剥取树皮，晒干。

楤叶花椒叶：夏、秋季采叶，晒干。

楤叶花椒根：全年均可采挖，洗净，切片，晒干。

楤叶花椒果：10 ~ 11 月果实成熟时采摘，晒干，除去果柄，留取果实。

| 药材性状 | 浙桐皮：本品呈片状或板片状，两边略弯曲，厚 0.1cm。外表面灰褐色，具纵裂纹，并有分布较密的钉刺；钉刺类圆形，高 1 ~ 1.5cm，先端尖，基部略圆，直径 0.8 ~ 2cm，先端的锐刺在加工时多已折断。内表面黄白色或黄棕色，光滑，在钉刺相对的皮内有卵状凹痕。质硬而韧，不易折断，断面不整齐。气微，味微涩。

| 功能主治 | 浙桐皮：辛、微苦，温。祛风除湿，通络止痛。用于腰膝疼痛。外用于湿疹。

楤叶花椒叶：苦、辛，平。解毒，止血。用于毒蛇咬伤，外伤出血。

楤叶花椒根：苦、辛，平；有小毒。祛风除湿，活血散瘀，利水消肿。用于风湿痹痛，腹痛腹泻，小便不利，外伤出血，跌打损伤，毒蛇咬伤。

楤叶花椒果：辛、苦，温。温中，燥湿，健脾，杀虫。用于脘腹冷痛，食少，泄泻，久痢，虫积。

| 用法用量 | 浙桐皮：内服煎汤，6 ~ 9g。外用适量。孕妇忌服。

楤叶花椒叶：外用 250g，煎汤洗；或研粉撒。

楤叶花椒根：内服煎汤，3 ~ 15g；或浸酒。外用适量，捣敷；或研末撒；或煎汤洗；或浸酒搽。孕妇忌服。

楤叶花椒果：内服煎汤，2 ~ 5g；或入丸、散。阴虚火旺者及孕妇慎服。

| 附　　注 | 在中药材市场中，桐皮类药材比较混乱，浙桐皮经常被当作海桐皮来用。

芸香科 Rutaceae 花椒属 *Zanthoxylum*

樗叶花椒 *Zanthoxylum ailanthoides* Sieb. et Zucc.

樗叶花椒

药材名

浙桐皮（药用部位：树皮。别名：海桐皮、木满天星、鼓钉柴）、樗叶花椒叶（药用部位：叶）、樗叶花椒根（药用部位：根）、樗叶花椒果（药用部位：果实）。

形态特征

落叶乔木，高稀达 15m，胸径 30cm。茎干有鼓钉状、基部宽达 3cm、长 2 ~ 5mm 的锐刺，当年生枝的髓部甚大，常空心，花序轴及小枝顶部常散生短直刺，各部无毛。叶有小叶 11 ~ 27 或稍多，小叶整齐对生，狭长披针形或位于叶轴基部的近卵形，长 7 ~ 18cm，宽 2 ~ 6cm，顶部渐狭长尖，基部圆，对称或一侧稍偏斜，叶缘有明显裂齿，油点多，肉眼可见，叶背灰绿色或有灰白色粉霜，中脉在叶面凹陷，侧脉每边 11 ~ 16。花序顶生，多花，几无花梗；萼片及花瓣均 5；花瓣淡黄白色，长约 2.5mm；雄花的雄蕊 5，退化雌蕊极短，2 ~ 3 浅裂；雌花有心皮 3，稀 4。果梗长 1 ~ 3mm，分果瓣淡红褐色，干后淡灰色或棕灰色，先端无芒尖，直径约 4.5mm，油点多，干后凹陷；种子直径约 4mm。花期 8 ~ 9 月，果期 10 ~ 12 月。

| 生境分布 | 生于海拔 360 ~ 1500m 的路边或山坡。分布于重庆秀山、南川等地。

| 资源情况 | 野生资源稀少。药材主要来源于野生。

| 采收加工 | 浙桐皮：夏、秋季剥取树皮，晒干。

樗叶花椒叶：夏、秋季采叶，晒干。

樗叶花椒根：全年均可采挖，洗净，切片，晒干。

樗叶花椒果：10 ~ 11 月果实成熟时采摘，晒干，除去果柄，留取果实。

| 药材性状 | 浙桐皮：本品呈片状或板片状，两边略弯曲，厚 0.5 ~ 3mm。外表面灰色或淡棕色，具纵裂纹及少数皮孔，并有分布较密的钉刺；钉刺大多呈乳突状，少数纵扁或横扁，高 1 ~ 1.5cm，先端锐尖，基部略圆，直径 0.8 ~ 2cm，先端的锐刺在加工时多已折断。内表面黄白色或黄棕色，光滑，在钉刺相对的皮内有卵状凹痕。质硬而韧，不易折断，断面不整齐。气微，味微涩。

| 功能主治 | 浙桐皮：辛、微苦，温。归肝、脾经。祛风除湿，通络止痛，利小便。用于风寒湿痹，腰膝疼痛，跌打损伤，腹痛腹泻，小便不利，齿痛，湿疹，疥癣。

樗叶花椒叶：苦、辛，平。解毒，止血。用于毒蛇咬伤，外伤出血。

樗叶花椒根：苦、辛，平；有小毒。祛风除湿，活血散瘀，利水消肿。用于风湿痹痛，腹痛腹泻，小便不利，外伤出血，跌打损伤，毒蛇咬伤。

樗叶花椒果：辛、苦，温。温中，燥湿，健脾，杀虫。用于脘腹冷痛，食少，泄泻，久痢，虫积。

| 用法用量 | 浙桐皮：内服煎汤，6 ~ 9g。外用适量。

樗叶花椒叶：外用 250g，煎汤洗；或研粉撒。

樗叶花椒根：内服煎汤，3 ~ 15g；或浸酒。外用适量，捣敷；或研末撒；或煎汤洗；或浸酒搽。

樗叶花椒果：内服煎汤，2 ~ 5g；或入丸、散。阴虚火旺者及孕妇慎服。

| 附　　注 | 在 FOC 中，本种的中文名被修订为椿叶花椒。

芸香科 Rutaceae 花椒属 *Zanthoxylum*

竹叶花椒 *Zanthoxylum armatum* DC.

| 药 材 名 | 竹叶椒（药用部位：茎）、竹叶椒根（药用部位：根。别名：散血飞、见血飞、野花椒根）、竹叶椒子（药用部位：种子。别名：鱼椒子）。

| 形态特征 | 落叶小乔木，高 3 ~ 5m。茎枝多锐刺，刺基部宽而扁，红褐色，小枝上的刺劲直，水平抽出，小叶背面中脉上常有小刺，仅叶背基部中脉两侧被丛状柔毛，或嫩枝梢及花序轴均被褐锈色短柔毛。叶有小叶 3 ~ 9，稀 11，翼叶明显，稀仅有痕迹；小叶对生，通常披针形，长 3 ~ 12cm，宽 1 ~ 3cm，两端尖，有时基部宽楔形，干后叶缘略向背卷，叶面稍粗皱；或为椭圆形，长 4 ~ 9cm，宽 2 ~ 4.5cm，先端中央一片最大，基部一对最小；有时为卵形，叶缘有甚小且疏离的裂齿，或近于全缘，仅在齿缝处或沿小叶边缘有油点；小叶柄甚短或无柄。花序近腋生或同时生于侧枝之顶，长 2 ~ 5cm，有花

竹叶花椒

30以内；花被片6～8，形状与大小几相同，长约1.5mm；雄花的雄蕊5～6，药隔先端有1干后变褐黑色油点，不育雌蕊垫状突起，先端2～3浅裂；雌花有心皮2～3，背部近顶侧各有1油点，花柱斜向背弯，不育雄蕊短线状。果实紫红色，有微凸起少数油点，单个分果瓣直径4～5mm；种子直径3～4mm，褐黑色。花期4～5月，果期8～10月。

| 生境分布 | 生于低丘陵坡地至海拔2200m山地的多类生境，石灰岩山地亦常见。分布于重庆黔江、垫江、丰都、南岸、大足、綦江、城口、潼南、奉节、酉阳、彭水、石柱、长寿、铜梁、涪陵、南川、忠县、九龙坡、云阳、江津、武隆、北碚、开州、巫溪、璧山、合川、梁平、巴南、沙坪坝、荣昌等地。

| 资源情况 | 野生资源丰富。药材主要来源于栽培。

| 采收加工 | 竹叶椒：全年均可采收，除去叶，晒干或切片晒干。

竹叶椒根：全年均可采挖，除去泥沙，洗净，干燥。

竹叶椒子：6～8月果实成熟时采收，晒干，除去果皮，留取种子。

| 药材性状 | 竹叶椒：本品茎呈圆柱形，长100～200cm，直径0.5～3cm；表面灰绿色至棕褐色，有的显红棕色，外皮多较光滑，有明显的黄白色斑点及细纵皱纹；有较多对称的钉刺，或除去钉刺后的圆形疤痕；钉刺长圆锥形，长5～8mm，先端锐尖，基部直径5～12mm；质坚硬，不易折断，断面不平坦，折断处栓皮易脱落，断面纤维性，黄色或黄白色，有明显的白色或黄色髓部。气微，味微苦。

竹叶椒根：本品呈圆柱形，略弯曲，长20～30cm，直径1.5～4.5cm。表面棕褐色，粗糙，有纵沟纹；除去粗皮者呈淡黄色。气微，味苦、辛。

| 功能主治 | 竹叶椒：辛、微苦，温；有小毒。祛风散寒，活血止痛，温中理气。用于感冒头痛，咳嗽，胃脘冷痛，泄泻，痢疾，风湿关节痛，跌打损伤，牙痛，胃脘痛，腹痛，痛经，毒蛇咬伤。

竹叶椒根：辛、苦，温。活血，止痛，解毒。用于胃痛，跌打损伤，齿龈炎，感冒，气管炎。

竹叶椒子：苦、辛，微温。平喘利水，散瘀止痛。用于痰饮喘息，水肿胀满，小便不利，脘腹冷痛，关节痛，跌打肿痛。

| 用法用量 | 竹叶椒：内服煎汤，6～9g；或入丸散。外用适量，研末调敷或浸酒外搽。

竹叶椒根：内服煎汤，15～30g。孕妇禁服。

竹叶椒子：内服煎汤，3～5g；研末，1g。外用适量，煎汤洗。

芸香科 Rutaceae 花椒属 *Zanthoxylum*

毛竹叶花椒 *Zanthoxylum armatum* DC. var. *ferrugineum* (Rehd. et Wils.) Huang

| 药 材 名 | 毛竹叶花椒（药用部位：枝、叶、果实）。

| 形态特征 | 本种与原变种竹叶花椒的区别在于嫩枝梢及花序轴、有时叶轴均被褐锈色短柔毛。花果期与竹叶花椒相同。

| 生境分布 | 生于低丘陵坡地至海拔 2200m 山地的多类生境，石灰岩山地亦常见。分布于重庆城口、巫溪、巫山、奉节、忠县、南川、巴南、北碚等地。

| 资源情况 | 野生资源稀少。药材主要来源于野生。

| 采收加工 | 全年采收枝，除去叶，晒干，或切片晒干。全年均可采收叶，鲜用或晒干。6 ~ 8 月，果实成熟时采收果实，晒干，除去果皮，留取种子备用。

毛竹叶花椒

| 功能主治 | 散寒，止痛，消肿，杀虫。

| 用法用量 | 枝，内服煎汤，适量，或入丸散。外用适量，研末调敷或浸酒外搽。叶，内服煎汤，适量。外用适量，煎汤洗，或研粉敷，或鲜品捣敷。果实，内服煎汤，适量，研末，适量。外用适量，煎汤洗。

芸香科 Rutaceae 花椒属 *Zanthoxylum*

砚壳花椒 *Zanthoxylum dissitum* Hemsl.

| 药 材 名 | 大叶花椒（药用部位：果实。别名：大花椒、山枇杷、岩花椒）、单面针（药用部位：根、茎）、大叶花椒茎叶（药用部位：茎枝、叶）。

| 形态特征 | 攀缘藤本。老茎的皮灰白色，枝干上的刺多劲直，小枝无密集的针状直刺；叶轴及小叶中脉上的刺向下弯钩，刺褐红色。叶有小叶5 ~ 9，稀3；小叶互生或近对生，宽或狭长的椭圆形，或披针形，有时近圆形，长不超过宽的6倍，全缘，两侧对称，稀一侧稍偏斜，顶部渐尖至长尾状，厚纸质或近革质，无毛，中脉在叶面凹陷，油点甚小，在放大镜下不易察见；小叶柄长3 ~ 10mm。花序腋生，通常长不超过10cm，花序轴有短细毛；萼片及花瓣均4，油点不显；萼片紫绿色，宽卵形，长不及1mm；花瓣淡黄绿色，宽卵形，长4 ~ 5mm；雄花的花梗长1 ~ 3mm，雄蕊4，花丝长5 ~ 6mm，

砚壳花椒

退化雌蕊先端 4 浅裂；雌花无退化雄蕊。果实密集于果序上，果梗短；果实棕色，外果皮比内果皮宽大，外果皮平滑，边缘较薄，干后显出弧形环圈，长 10 ~ 15mm，残存花柱位于一侧，长不超过 1/3mm；种子直径 8 ~ 10mm。花期 4 ~ 5 月，果期 9 ~ 10 月。

| 生境分布 | 生于海拔 300 ~ 1500m 的坡地杂木林或灌丛中，石灰岩山地及土山均有生长。分布于重庆城口、巫溪、巫山、奉节、忠县、石柱、武隆、黔江、彭水、酉阳、秀山、南川等地。

| 资源情况 | 野生资源稀少。药材主要来源于野生。

| 采收加工 | 大叶花椒：8 ~ 9 月果实成熟时采摘，晒干。

单面针：全年均可采收，洗净，切段，干燥。

大叶花椒茎叶：夏、秋季采收，鲜用或晒干。

| 药材性状 | 大叶花椒：本品外形似蚬，直径 8 ~ 9mm。果皮表面红色或黄褐色，极皱缩，愈向四周愈扁薄，边缘有 1 弧形凸环，先端尖，呈弯喙状。果皮质韧，内含种子，种子形如黑豆，直径 5 ~ 6mm。气浓厚，味麻而苦。

单面针：本品根呈圆柱形，弯曲，长 7 ~ 15cm，直径 0.5 ~ 5.5cm；表面棕色或棕褐色，散有许多黄色小疣点；切面皮部灰黄色或灰棕色，颗粒状，厚 1 ~ 5mm，木部淡黄色，可见同心性环纹及密集的射线。茎表面灰褐色或暗灰色，有纵向凸起的棱纹或皮孔、乳头状突起的皮刺或椭圆形的皮刺疤痕；质坚硬，难折断，切面皮部极窄，木部黄白色或淡棕红色，可见同心性环纹及密集的射线，髓部白色，迎光可见闪烁的小亮点。味稍苦而有刺喉感。

大叶花椒茎叶：本品茎圆柱形；表面灰褐色或暗灰色，有纵向凸起的棱纹、乳头状突起的皮刺或椭圆形的皮刺疤痕；质坚硬，难折断，断面木质性，中心有圆形髓部。羽状复叶，互生，小叶 3 ~ 9，叶片长圆形、长圆状披针形或卵状长圆形，长 8 ~ 15cm，宽 2.5 ~ 5cm，先端渐尖，基部广楔形，全缘，两面光滑；叶柄短。小枝、叶柄、叶轴、有时叶下面中脉处有小锐刺。叶革质。气特异，味稍苦而有刺喉感。

| 功能主治 | 大叶花椒：辛，温；有小毒。散寒止痛，调经。用于疝气痛，月经过多。

单面针：辛、苦，温；有小毒。归肝、胃经。活血散瘀，祛风除湿，理气止痛。用于跌打损伤，风湿痹痛，脘腹胀痛，牙痛。

大叶花椒茎叶：苦、辛，温。祛风散寒，活血止痛。用于风寒湿痹，胃痛，疝气痛，腰痛，跌打损伤。

| 用法用量 | 大叶花椒：内服煎汤，3 ~ 9g。

单面针：内服煎汤，9 ~ 15g。外用适量。

大叶花椒茎叶：内服煎汤，9 ~ 15g。

芸香科 Rutaceae 花椒属 *Zanthoxylum*

刺壳花椒 *Zanthoxylum echinocarpum* Hemsl.

| 药 材 名 | 单面针（药用部位：根、茎。别名：刺壳椒、土花椒、三百棒）。

| 形态特征 | 攀缘藤本。嫩枝的髓部大，枝、叶有刺，叶轴上的刺较多，花序轴上的刺长短不均但劲直，嫩枝、叶轴、小叶柄及小叶叶面中脉均密被短柔毛。叶有小叶 5 ~ 11，稀 3；小叶厚纸质，互生，或有部分为对生，卵形、卵状椭圆形或长椭圆形，长 7 ~ 13cm，宽 2.5 ~ 5cm，基部圆，有时略呈心形，全缘或近全缘，在叶缘附近有干后变褐黑色的细油点，在放大镜下可见，有时在叶背沿中脉被短柔毛；小叶柄长 2 ~ 5mm。花序腋生，有时兼有顶生；萼片及花瓣均 4，萼片淡紫绿色；花瓣长 2 ~ 3mm；雄花的雄蕊 4；雌花有心皮 4，稀 3 或 5，花后不久长出短小的芒刺；果梗长 1 ~ 3mm，通常几无果梗；分果瓣密生长短不等且有分枝的刺，刺长可达 1cm；种子直径 6 ~ 8mm。

刺壳花椒

花期 4 ~ 5 月，果期 10 ~ 12 月。

| 生境分布 | 生于海拔 350 ~ 1200m 的山坡灌丛中。分布于重庆城口、巫溪、巫山、奉节、酉阳、秀山、黔江、彭水、涪陵、南川、綦江、江津、渝北、北碚等地。

| 资源情况 | 野生资源一般。药材主要来源于野生。

| 采收加工 | 参见“砚壳花椒”条。

| 药材性状 | 本品根呈圆柱形，长短不一，直径 0.3 ~ 3cm；表面黄棕色，具较密粗纵纹或浅纵沟；易折断，断面栓皮厚，外侧黄棕色，内侧红棕色，皮部灰色，木部淡棕色。茎呈圆柱形，长 7 ~ 15cm，直径 0.5 ~ 3.5cm；表面灰褐色或暗灰色，有纵向突起的棱纹或皮孔、乳头状突起的皮刺或椭圆形的皮刺疤痕；质坚硬，难折断，切面皮部极窄，木部呈淡棕黄色，可见同心性环纹及密集的射线，髓部淡棕色或淡黄色，迎光可见闪烁的小亮点。味苦。

| 功能主治 | 参见“砚壳花椒”条。

| 用法用量 | 参见“砚壳花椒”条。

芸香科 Rutaceae 花椒属 *Zanthoxylum*

贵州花椒 *Zanthoxylum esquirolii* Lévl.

| 药 材 名 | 贵州花椒（药用部位：果实、叶。别名：龙背茨、岩椒、文山岩椒）。

| 形态特征 | 小乔木或灌木。小枝披垂，干后淡红紫色而略被白色粉霜，枝及叶轴有小钩刺，各部无毛。叶有小叶 5 ~ 13；小叶互生，卵形或披针形，稀阔卵形，长 3 ~ 10cm，宽 1.5 ~ 4.5cm，顶部常弯斜呈尾状长尖，凹头，基部近圆形或宽楔形，油点不显或仅在放大镜下可见少数，叶缘有小裂齿或下半段为全缘，中脉在叶面凹陷，无毛；小叶柄长 3 ~ 6mm。伞房状聚伞花序顶生，有花 30 以内，稀更多；花梗在花后明显伸长，结果时果梗长达 4.5cm，直径 0.5 ~ 1mm；萼片及花瓣均 4；花瓣长约 3mm；雌花有心皮（3 ~）4。分果瓣紫红色，直径约 5mm，先端的芒尖长 1 ~ 2mm，油点常凹陷；种子直径约 4mm。花期 5 ~ 6 月，果期 9 ~ 11 月。

贵州花椒

| 生境分布 | 生于海拔 900 ~ 2000m 的山地疏林或灌丛中。分布于重庆石柱、黔江、彭水、酉阳、秀山、南川、巫溪等地。

| 资源情况 | 野生资源稀少。药材主要来源于野生。

| 采收加工 | 夏、秋季采收叶，晒干。果实成熟时采收果实，晒干。

| 药材性状 | 本品叶为奇数羽状复叶，叶轴具窄翼，叶背具疏生而下弯的小刺，刺长约 1mm；小叶片 7 ~ 11，椭圆形或卵形，长 5 ~ 10cm，宽 1.5 ~ 3.5cm；气特异，味微苦。蓇葖果 2 ~ 4 分果聚生，分果卵球形，长 5 ~ 8mm，先端尖，喙弯嘴状，长约 1mm，基部稍延长，约 1mm，表面紫红色或棕褐色，具细小密集下凹的腺点；果柄光滑无毛，略呈四棱状，长 20 ~ 25mm。种子卵珠形，直径 3 ~ 5mm，黑色，光亮，表面略皱缩。果皮质薄。气清香，味辛、稍麻。

| 功能主治 | 辛，温。温中散寒，活血止痛。用于心腹冷痛，跌打损伤，瘀血肿痛，脚气痛。

| 用法用量 | 内服煎汤，5 ~ 10g。外用适量，煎汤洗。

芸香科 Rutaceae 花椒属 *Zanthoxylum*

小花花椒 *Zanthoxylum micranthum* Hemsl.

| 药 材 名 | 小花花椒（药用部位：根皮、树皮、果实。别名：刺三百棒、野花椒、见血飞）。

| 形态特征 | 落叶乔木，高稀达 15m。茎枝有稀疏短锐刺，花序轴及上部小枝均无刺或少刺，当年生枝的髓部甚小，各部无毛，叶轴腹面常有狭窄的叶质边缘。叶有小叶 9 ~ 17；小叶对生，或位于叶轴下部的不为整齐对生，披针形，长 5 ~ 8cm，宽 1 ~ 3cm，顶部渐狭长尖，基部圆或宽楔形，两侧对称，或一侧的基部圆，另一侧基部略楔尖，干后叶背色较淡，两面无毛，油点多，对光透视清晰可见，叶缘有钝或圆裂齿，中脉凹陷，侧脉每边 8 ~ 12；小叶柄长 1.5 ~ 5mm。花序顶生，花多；萼片及花瓣均 5；萼片宽卵形，宽约 0.3mm；花瓣淡黄白色，长 1.5 ~ 2mm；雄花的雄蕊 5，花盛开时长约 3mm，

小花花椒

退化雌蕊极短，3浅裂或不裂；雌花的心皮3，稀4。分果瓣淡紫红色，干后淡灰黄色或灰褐色，直径约5mm，先端无或几无芒尖，油点小；种子长不超过4mm。花期7～8月，果期10～11月。

| 生境分布 | 生于海拔300～900m的坡地疏林中。分布于重庆涪陵、城口、巫溪、巫山、奉节、石柱、南川、彭水、开州、万州等地。

| 资源情况 | 野生资源稀少。药材主要来源于野生。

| 采收加工 | 夏、秋季采挖根，剥取根皮，洗净，切片，晒干。夏、秋季采取树皮，晒干。9～10月采收果实，晒干。

| 功能主治 | 辛、苦，温。温中行气，止痛。用于心腹冷痛胀满，蛔虫病腹痛。

| 用法用量 | 内服煎汤，2～3g。

芸香科 Rutaceae 花椒属 *Zanthoxylum*

异叶花椒 *Zanthoxylum ovalifolium* Wight

| 药 材 名 | 羊山刺（药用部位：枝叶。别名：散血飞）。

| 形态特征 | 落叶乔木，高达 10m。枝灰黑色，嫩枝及芽常被红锈色短柔毛，枝很少有刺。小叶 2 ~ 5，或具指状 3 小叶，或为单小叶；小叶卵形、椭圆形，有时倒卵形，通常长 4 ~ 9cm，宽 2 ~ 3.5cm，大的长达 20cm，宽 7cm，小的长约 2cm，宽 1cm，顶部钝、圆或短尖至渐尖，常有浅凹缺，两侧对称，叶缘有明显的钝裂齿，无针状锐刺，油点多，在放大镜下可见，叶背的最清晰；网状叶脉明显，干后微凸起，叶面中脉平坦或微凸起，被微柔毛。花序顶生；花被片 6 ~ 8，稀 5，大小不相等，形状略不相同，上宽下窄，先端圆，大的长 2 ~ 3mm；雄花的雄蕊常 6，退化雌蕊垫状；雌花的退化雄蕊 4 或 5，长约为子房高的一半，常有甚萎缩的花药但无花粉；心皮 2 ~ 3，花柱斜向背弯。

异叶花椒

分果瓣紫红色，幼嫩时常被疏短毛，直径 6 ~ 8mm，基部有甚短的狭柄，油点稀少，顶侧有短芒尖；种子直径 5 ~ 7mm。花期 4 ~ 6 月，果期 9 ~ 11 月。

| 生境分布 | 生于海拔 500 ~ 1400m 的山地林中，石灰岩山地也常见。分布于重庆城口、开州、巫山、巫溪、奉节、黔江、石柱、酉阳、南川、武隆、合川、江北、秀山、丰都、万州、涪陵、梁平等地。

| 资源情况 | 野生资源一般。药材主要来源于野生。

| 采收加工 | 夏、秋季采收，晒干。

| 药材性状 | 本品小枝圆柱形；外表面粗糙，红褐色，有纵棱线，小刺极少。单叶互生，叶片披针形，长 4 ~ 7cm，宽 2 ~ 3.5cm，先端渐尖，基部楔形，边缘有波状浅齿。小枝质硬脆，叶革质。气微，味微辛。

| 功能主治 | 辛，温；有小毒。散寒燥湿。用于寒湿脚气疼痛。

| 用法用量 | 外用适量，煎汤洗。

| 附　　注 | 在 FOC 中，本种的拉丁学名被修订为 *Zanthoxylum dimorphophyllum* Hemsl.。

芸香科 Rutaceae 花椒属 *Zanthoxylum*

刺异叶花椒 *Zanthoxylum ovalifolium* Wight var. *spinifolium* (Rehd. et Wils.) Huang

刺异叶花椒

| 药 材 名 |

见血飞（药用部位：根、根皮。别名：散血飞、黄椒、红三百棒）、见血飞树皮（药用部位：树皮）、见血飞叶（药用部位：叶）、见血飞果（药用部位：果实）。

| 形态特征 |

本种与原变种异叶花椒的区别在于小叶的叶缘有针状锐刺。花果期与异叶花椒同。

| 生境分布 |

生于海拔 600 ~ 2100m 的山坡疏林或灌丛中。分布于重庆城口、巫溪、巫山、奉节、合川等地。

| 资源情况 |

野生资源较少。药材来源于野生，自产自销。

| 采收加工 |

见血飞：夏、秋季采挖根，鲜用或切片晒干。
见血飞树皮：夏、秋季采剥树皮，晒干。
见血飞叶：夏、秋季采收，晒干。
见血飞果：7 ~ 8 月果实成熟时采摘，晒干。

药材性状 见血飞：本品根圆柱形，略弯曲，长短不一，直径 0.8 ~ 3cm。表面灰黄色至黄棕色，具浅纵沟，色较深。质坚硬，折断时栓皮易碎，外侧黄棕色，内侧橙黄色，横断面皮部深棕色，木部淡黄色。气特异，味微苦、麻舌。

功能主治 见血飞：辛、微苦，温。祛风散寒，散瘀定痛，止血生肌。用于风寒湿痹，风寒咳嗽，跌打损伤，瘀血肿痛，外伤出血。

见血飞树皮：辛，温。理气止痛。用于脘腹胀痛。

见血飞叶：辛、微苦，温。活血消肿止痛。用于跌打损伤，骨折，瘀血肿痛。

见血飞果：辛、微苦，温。行气消积，活血止痛。用于食积腹胀，跌打损伤，骨折。

用法用量 见血飞：内服煎汤，9 ~ 30g；或研末；或浸酒。外用适量，捣敷；或研粉撒。

见血飞树皮：内服研末，1.5g，开水冲服。

见血飞叶：内服煎汤，6 ~ 15g；或研末冲服。外用适量，研末撒敷。

见血飞果：内服研末，1.5g；或泡酒。外用适量，研末调敷。

附　　注 在 FOC 中，本种的拉丁学名被修订为 *Zanthoxylum dimorphophyllum* Hemsl. var. *spinifolium* Rehder et E. H. Wilson。

芸香科 Rutaceae 花椒属 *Zanthoxylum*

菱叶花椒 *Zanthoxylum rhombifoliolatum* Huang

药 材 名 菱叶花椒（药用部位：根）。

形态特征 直立灌木，高 1 ～ 2m。枝及叶轴有少数向下弯钩的刺或无刺，嫩枝红紫色，各部无毛，叶轴腹面有凹沟。叶有小叶 7 ～ 15，稀较少；小叶不整齐对生，或有部分互生，纸质，菱形、扁圆形或斜的宽卵形，长 1.5 ～ 5cm，宽 1 ～ 2.5cm，顶部短凸尖至长尖，基部急尖至宽楔形，两侧略不对称或对称，有多数肉眼可见的透明油点，在叶两面的油点干后常微凸起，叶缘至少在上半段有明显的浅裂齿；中脉微凹陷，侧脉每边 4 ～ 7，纤细；小叶柄长 1 ～ 5mm。花序顶生及腋生，长 4 ～ 10cm。雄花序为团伞状圆锥花序，几无花梗；萼片及花瓣均 4；萼片紫绿色，卵形或宽三角形，长约 1/3mm；花瓣长 2 ～ 3mm；雄花的雄蕊 4；退化雌蕊短棒状，2 浅裂或不开裂。果梗

菱叶花椒

纤细，长 1 ~ 3mm；成熟分果瓣红色，单个分果瓣直径约 5mm，几无芒尖，油点多，稍凸起；种子直径约 4mm。花期 5 月，果期 9 月。

| 生境分布 | 生于海拔 500 ~ 1400m 的山地疏林中。分布于重庆忠县、丰都、垫江、秀山、南川等地。

| 资源情况 | 野生资源稀少。药材主要来源于野生。

| 采收加工 | 夏、秋季采收，挖根，鲜用或切片晒干备用。

| 功能主治 | 有小毒。活血散瘀。用于跌打损伤，瘀血肿痛。

| 用法用量 | 外用适量，捣敷，或煎汤洗。

芸香科 Rutaceae 花椒属 *Zanthoxylum*

青花椒 *Zanthoxylum schinifolium* Sieb. et Zucc.

| **药材名** | 参见“花椒”条。

| **形态特征** | 灌木，通常高 1 ~ 2m。茎枝有短刺，刺基部两侧压扁状，嫩枝暗紫红色。叶有小叶 7 ~ 19；小叶纸质，对生，几无柄，位于叶轴基部的常互生，小叶柄长 1 ~ 3mm，宽卵形至披针形，或阔卵状菱形，长 5 ~ 10mm，宽 4 ~ 6mm，稀长达 70mm，宽 25mm，顶部短至渐尖，基部圆或宽楔形，两侧对称，有时一侧偏斜，油点多或不明显，叶面有在放大镜下可见的细短毛或毛状凸体，叶缘有细裂齿或近于全缘，中脉至少中段以下凹陷。花序顶生，花或多或少；萼片及花瓣均 5；花瓣淡黄白色，长约 2mm；雄花的退化雌蕊甚短，2 ~ 3 浅裂；雌花有心皮 3，很少 4 或 5。分果瓣红褐色，干后变暗苍绿色或褐黑色，直径 4 ~ 5mm，先端几无芒尖，油点小；种子直径 3 ~ 4mm。

青花椒

花期 7 ～ 9 月，果期 9 ～ 12 月。

| 生境分布 | 生于 800m 以下的山地疏林或灌木丛中或岩石旁。分布于重庆江津等地。

| 资源情况 | 野生资源稀少，栽培资源丰富。药材主要来源于栽培。

| 采收加工 | 参见“花椒”条。

| 药材性状 | 本品多有 2 ～ 3 个上部离生的小蓇葖果，集生于小果梗上。蓇葖果球形，沿腹缝线开裂，直径 3 ～ 4mm，外表面灰绿色或暗绿色，散有多数油点及细密的网状隆起皱纹，内表面类白色，光滑。内果皮常由基部与外果皮分离。残存种子呈卵形，长 3 ～ 4mm，直径 2 ～ 3mm，表面黑色，有光泽。气香，味微甘而辛。

| 功能主治 | 参见“花椒”条。

| 用法用量 | 参见“花椒”条。

| 附　　注 | 本种喜温暖湿润气候，喜阳光，不耐严寒，在 −18℃的气温下幼苗枝条即受冻，成年树在 −25℃的气温下亦会冻死。耐旱，较耐阴，不耐水湿，不抗风。对土壤适应性较强，在土层深厚、疏松肥沃的砂壤土或壤土中生长良好，在石灰岩发育的碱性土壤中生长最好。

芸香科 Rutaceae 花椒属 *Zanthoxylum*

野花椒 *Zanthoxylum simulans* Hance

| 药材名 | 野花椒叶（药用部位：叶。别名：花椒叶、麻醉根叶）、野花椒（药用部位：果实）、野花椒皮（药用部位：根皮、茎皮）。

| 形态特征 | 灌木或小乔木。枝干散生基部宽而扁的锐刺，嫩枝及小叶背面沿中脉或仅中脉基部两侧或有时及侧脉均被短柔毛，或各部均无毛。叶有小叶 5 ~ 15；叶轴有狭窄的叶质边缘，腹面呈沟状凹陷；小叶对生，无柄或位于叶轴基部的有甚短的小叶柄，卵形、卵状椭圆形或披针形，长 2.5 ~ 7cm，宽 1.5 ~ 4cm，两侧略不对称，顶部急尖或短尖，常有凹口，油点多，干后半透明且常微凸起，间有窝状凹陷，叶面常有刚毛状细刺，中脉凹陷，叶缘有疏离而浅的钝裂齿。花序顶生，长 1 ~ 5cm；花被片 5 ~ 8，狭披针形、宽卵形或近于三角形，大小及形状有时不相同，长约 2mm，淡黄绿色；雄花的雄蕊 5 ~ 8

野花椒

（~ 10），花丝及半圆形凸起的退化雌蕊均淡绿色，药隔先端有 1 干后暗褐黑色的油点；雌花的花被片为狭长披针形，心皮 2 ~ 3，花柱斜向背弯。果实红褐色，分果瓣基部变狭窄且略延长 1 ~ 2mm，呈柄状，油点多，微凸起，单个分果瓣直径约 5mm；种子长 4 ~ 4.5mm。花期 3 ~ 5 月，果期 7 ~ 9 月。

| 生境分布 | 生于平地、低丘陵或略高的山地疏林或密林下。分布于重庆万州、秀山、石柱、南川、武隆、江津、北碚、巫溪、沙坪坝等地。

| 资源情况 | 野生资源一般。药材主要来源于野生和栽培。

| 采收加工 | 野花椒叶：7 ~ 9 月采收带叶的小枝，晒干或鲜用。

野花椒：7 ~ 8 月采收成熟果实，除去杂质，阴干。

野花椒皮：春、夏、秋季采剥，鲜用或晒干。

| 药材性状 | 野花椒：本品呈圆球形或扁球形，直径 3 ~ 5mm。外表面红褐色至暗紫色，有凸起的油点，先端沿腹缝线开裂至基部成 2 瓣，基部残存长 2 ~ 5mm 的小果梗；内表面类白色至黄白色，光滑。种子卵圆形，黑色，有光泽；一端微凹，可见白色的点状种脐，直径约 3mm。气香，味辛、麻。

| 功能主治 | 野花椒叶：辛，温。祛风除湿，活血通经。用于风寒湿痹，闭经，跌打损伤，阴疽，皮肤瘙痒。

野花椒：辛、微苦，温；有小毒。归脾、胃经。温中燥湿，散寒止痛，驱虫止痒。用于脘腹冷痛，寒湿吐泻，蛔虫腹痛，龋齿，牙痛，湿疹。

野花椒皮：辛，温。祛风除湿，散寒止痛，解毒。用于风寒湿痹，筋骨麻木，脘腹冷痛，吐泻，牙痛，皮肤疮疡，毒蛇咬伤。

| 用法用量 | 野花椒叶：内服煎汤，9 ~ 15g；或泡酒。外用适量，鲜叶捣敷。

野花椒：内服煎汤，6 ~ 9g；研末，1 ~ 3g。外用适量，煎汤洗或含漱，或浸酒外搽。孕妇慎服。

野花椒皮：内服煎汤，6 ~ 9g；或研末，2 ~ 3g。外用适量，煎汤洗或含漱；或研末调敷，或鲜品捣敷。

芸香科 Rutaceae 花椒属 *Zanthoxylum*

狭叶花椒 *Zanthoxylum stenophyllum* Hemsl.

| 药 材 名 | 狭叶花椒（药用部位：果实）。

| 形态特征 | 小乔木或灌木。茎枝灰白色，当年生枝淡紫红色，小枝纤细，多刺，刺劲直且长，或弯钩则短小，小叶背面中脉上常有锐刺。叶有小叶9 ~ 23，稀较少；小叶互生，披针形，长2 ~ 11cm，宽1 ~ 4cm，或狭长披针形，长2 ~ 3.5cm，宽0.4 ~ 0.7cm，或卵形，长8 ~ 16mm，宽6 ~ 8mm，顶部长渐尖或短尖，基部楔尖至近于圆，油点不显，叶缘有锯齿状裂齿，齿缝处有油点；中脉在叶面微凸起或平坦，至少下半段被微柔毛，至结果期变为无毛，叶轴腹面微凹陷呈纵沟状，被毛，网状叶脉在叶片两面均微凸起；小叶柄长1 ~ 3mm，腹面被挺直的短柔毛。伞房状聚伞花序顶生，有花稀超过30；雄花的花梗长2 ~ 5mm；雌花梗长6 ~ 15mm，结果时伸长达30mm，果梗较

狭叶花椒

短的较粗壮，长的则纤细，直径 0.25 ~ 0.5mm，紫红色，无毛；萼片及花瓣均 4；萼片长约 0.5mm；花瓣长 2.5 ~ 3mm；雄蕊 4，药隔先端无油点；退化雌蕊浅盆状，花柱短，不分裂；雌花无退化雄蕊，花柱甚短。果梗长 1 ~ 3cm，与分果瓣同色；分果瓣淡紫红色或鲜红色，直径 4.5 ~ 5mm，稀较大，先端的芒尖长达 2.5mm，油点干后常凹陷；种子直径约 4mm。花期 5 ~ 6 月，果期 8 ~ 9 月。

| 生境分布 | 生于海拔 700 ~ 2000m 的山地灌丛中。分布于重庆城口、开州、巫溪、巫山、奉节、石柱、酉阳、南川、武隆等地。

| 资源情况 | 野生资源稀少。药材主要来源于野生。

| 采收加工 | 9 ~ 10 月采收果实，晒干。

| 功能主治 | 温胃，杀虫。用于脘腹冷痛，蛔虫病。

| 用法用量 | 内服煎汤，适量。

苦木科 Simaroubaceae 臭椿属 *Ailanthus*

臭椿 *Ailanthus altissima* (Mill.) Swingle

臭椿

| 药 材 名 |

椿皮（药用部位：根皮、干皮。别名：樗白皮、樗皮、臭椿皮）、凤眼草（药用部位：果实。别名：椿荚、樗荚、凤眼子）、樗叶（药用部位：叶。别名：臭椿叶）。

| 形态特征 |

落叶乔木，高可达20m。树皮平滑而有直纹；嫩枝有髓，幼时被黄色或黄褐色柔毛，后脱落。叶为奇数羽状复叶，长40 ~ 60cm，叶柄长7 ~ 13cm，有小叶13 ~ 27；小叶对生或近对生，纸质，卵状披针形，长7 ~ 13cm，宽2.5 ~ 4cm，先端长渐尖，基部偏斜，截形或稍圆，两侧各具1或2粗锯齿，齿背有腺体1，叶面深绿色，背面灰绿色，揉碎后具臭味。圆锥花序长10 ~ 30cm；花淡绿色，花梗长1 ~ 2.5mm；萼片5，覆瓦状排列，裂片长0.5 ~ 1mm；花瓣5，长2 ~ 2.5mm，基部两侧被硬粗毛；雄蕊10，花丝基部密被硬粗毛，雄花中的花丝长于花瓣，雌花中的花丝短于花瓣；花药长圆形，长约1mm；心皮5，花柱粘合，柱头5裂。翅果长椭圆形，长3 ~ 4.5cm，宽1 ~ 1.2cm；种子位于翅的中间，扁圆形。花期4 ~ 5月，果期8 ~ 10月。

| 生境分布 | 生于海拔 600 ~ 2400m 的沟边、屋旁、农田边或杂木林中。分布于重庆城口、石柱、彭水、秀山、南川、垫江、武隆、开州、铜梁、巫溪、大足、涪陵、酉阳、北碚等地。

| 资源情况 | 野生和栽培资源均较丰富。药材来源于栽培和野生。

| 采收加工 | 椿皮：全年均可剥取，晒干或刮去粗皮晒干。
凤眼草：秋季果实成熟时采收，除去果柄和杂质，晒干。
樗叶：春、夏季采收，鲜用或晒干。

| 药材性状 | 椿皮：本品根皮呈不整齐片状或卷片状，大小不一，厚 0.3 ~ 1cm；外表面灰黄色或黄褐色，粗糙，有多数纵向皮孔样突起和不规则纵、横裂纹，除去粗皮者显黄白色；内表面淡黄色，较平坦，密布梭形小孔或小点；质硬而脆，断面外层颗粒性，内层纤维性；气微，味苦。干皮呈不规则板片状，大小不一，厚 0.5 ~ 2cm；外表面灰黑色，极粗糙，有深裂。
凤眼草：本品呈菱状长椭圆形，扁平，两端稍卷曲，长 3 ~ 4.5cm，宽 1 ~ 1.5cm。表面黄棕色、淡黄褐色，有细密的纵脉纹，膜质，微具光泽；中部具 1 条横向的凸纹，中央隆起成扁球形，内含种子 1，少数翅果有残存果柄。种子扁圆形，长约 5mm，宽约 4mm；种皮黄褐色，子叶 2，黄绿色，有油质。气微，味苦。
樗叶：本品多皱缩破碎，完整者展平后为奇数羽状复叶；叶轴长，多折断，灰黄色，具小叶 10 余对；每小叶片卵状披针形，长 7 ~ 12cm，宽 2 ~ 4cm，先端渐尖，基部一侧圆，一侧斜，近基部边缘常有 1 ~ 2 对粗锯齿，上表面暗绿色，下表面灰绿色。叶柄长 4 ~ 6mm。有时可见短顶枝，黄褐色。质脆，易破断。气微，味淡。

| 功能主治 | 椿皮：苦、涩，寒。归大肠、胃、肝经。清热燥湿，收涩止带，止泻，止血。用于赤白带下，湿热泻痢，久泻久痢，便血，崩漏。
凤眼草：苦、涩，寒。归脾、大肠、小肠经。清利湿热，止痢止血，疏风止痒。用于痢疾，便血，尿血，崩漏，带下，滴虫性阴道炎，湿疹。
樗叶：苦，凉。清热燥湿，杀虫。用于湿热带下，泄泻，痢疾，湿疹，疮疥，疖肿。

| 用法用量 | 椿皮：内服煎汤，6 ~ 9g。
凤眼草：内服煎汤，3 ~ 10g。外用适量，煎汤冲洗。脾胃虚寒便溏者慎服。
樗叶：内服煎汤，6 ~ 15g，鲜品 30 ~ 60g；或绞汁。外用适量，煎汤洗。

| 附　　注 | 本种喜温暖湿润气候，耐高温、耐严寒、耐旱、耐盐碱，不耐荫蔽、潮湿。以阳光充足、土层深厚、疏松肥沃、排水良好的砂壤土或壤土栽培为宜。

苦木科 Simaroubaceae 臭椿属 *Ailanthus*

刺臭椿 *Ailanthus vilmoriniana* Dode

刺臭椿

|药 材 名|

刺臭椿（药材来源：树脂）。

|形态特征|

乔木，通常高超过 10m。幼嫩枝条被软刺。叶为奇数羽状复叶，长 50 ~ 90cm，有小叶 8 ~ 17 对；小叶对生或近对生，披针状长椭圆形，长 9 ~ 15（~ 20）cm，宽 3 ~ 5cm，先端渐尖，基部阔楔形或稍带圆形，每侧基部有 2 ~ 4 粗锯齿，锯齿背面有一腺体，叶面除叶脉被较密柔毛外其余无毛或被微柔毛，背面苍绿色，被短柔毛；叶柄通常紫红色，有时有刺。圆锥花序长约 30cm。翅果长约 5cm。

|生境分布|

生于山坡或山谷阳处疏林中。分布于重庆綦江、南川、江津、巫山、丰都等地。

|资源情况|

野生资源稀少。药材主要来源于野生。

|采收加工|

采取树干上的树脂备用。

| **功能主治** | 用于头痛，手足皲裂。

| **用法用量** | 外用适量，调涂。

苦木科 Simaroubaceae 橄榄属 *Canarium*

橄榄 *Canarium album* (Lour.) Rauesch.

橄榄

| 药 材 名 |

青果（药用部位：果实。别名：橄榄子、甘榄、青榄）、橄榄核（药用部位：果核）、橄榄仁（药用部位：种仁）、橄榄根（药用部位：根）。

| 形态特征 |

乔木，高 10 ~ 25（~ 35）m，胸径可达 150cm。小枝直径 5 ~ 6mm，幼部被黄棕色绒毛，很快变无毛；髓部周围有柱状维管束，稀在中央亦有若干维管束。有托叶，仅芽时存在，着生于近叶柄基部的枝干上；小叶 3 ~ 6 对，纸质至革质，披针形或椭圆形至卵形，长 6 ~ 14cm，宽 2 ~ 5.5cm，无毛或在背面叶脉上散生刚毛，背面有极细小疣状突起；先端渐尖至骤狭渐尖，尖头长约 2cm，钝；基部楔形至圆形，偏斜，全缘；侧脉 12 ~ 16 对，中脉发达。花序腋生，微被绒毛至无毛；雄花序为聚伞圆锥花序，长 15 ~ 30cm，多花；雌花序为总状，长 3 ~ 6cm，具花 12 以下。花疏被绒毛至无毛，雄花长 5.5 ~ 8mm，雌花长约 7mm；花萼长 2.5 ~ 3mm，在雄花上具 3 浅齿，在雌花上近截平；雄蕊 6，无毛，花丝合生 1/2 以上（在雌花中几全长合生）；花盘在雄花中

球形至圆柱形，高 1 ~ 1.5mm，微 6 裂，中央有穴或无，上部被少许刚毛，在雌花中环状，略具 3 波状齿，高 1mm，厚肉质，内面被疏柔毛；雌蕊密被短柔毛，在雄花中细小或缺。果序长 1.5 ~ 15cm，具 1 ~ 6 果实；果萼扁平，直径 0.5cm，萼齿外弯；果实卵圆形至纺锤形，横切面近圆形，长 2.5 ~ 3.5cm，无毛，成熟时黄绿色；外果皮厚，干时有皱纹；果核渐尖，横切面圆形至六角形，在钝的肋角和核盖之间有浅沟槽，核盖有稍凸起的中肋，外面浅波状，核盖厚 1.5 ~ 2（~ 3）mm；种子 1 ~ 2，不育室稍退化。花期 4 ~ 5 月，果期 10 ~ 12 月。

| 生境分布 | 生于海拔 1300m 以下的沟谷或山坡杂木林中，或栽培于庭园、村旁。分布于重庆彭水、黔江、南川、江津等地。

| 资源情况 | 野生资源稀少。药材主要来源于栽培。

| 采收加工 | 青果：秋季果实成熟时采收，干燥。

橄榄核：秋季采摘成熟果实，除去果肉，晒干。

橄榄仁：收集果核，击碎核壳，取出种仁，晒干。

橄榄根：全年均可采挖，洗净，切片，鲜用或晒干。

| 药材性状 | 青果：本品呈纺锤形，两端钝尖，长 2.5 ~ 3.5cm，直径 1 ~ 1.5cm。表面棕黄色或黑褐色，有不规则皱纹。果肉灰棕色或棕褐色，质硬。果核梭形，暗红棕色，具纵棱；内分 3 室，各有种子 1。气微，果肉味涩，久嚼微甘。

橄榄核：本品呈梭形，暗红棕色，表面有 3 纵棱，棱间有 2 弧形弯曲的沟。质坚硬，破开后内分 3 室，各有种子 1，内果皮分 2 层，外层较厚，红褐色，内层较薄，黄色。种皮红棕色，膜质，子叶 2，折叠，白色或黄白色，油性。气清香。

| 功能主治 | 青果：甘、酸，平。归肺、胃经。清热解毒，利咽，生津。用于咽喉肿痛，咳嗽痰黏，烦热口渴，鱼蟹中毒。

橄榄核：甘、涩，温。归肝、胃、大肠经。解毒，敛疮，止血，利气。用于咽喉肿痛，口舌生疮，冻疮，疳疮，天疱疮，肠风下血，睾丸肿痛。

橄榄仁：甘，平。润燥，醒酒，解毒。用于口唇燥痛，醉酒，鱼蟹中毒。

橄榄根：微苦，平。祛风活络，利咽。用于风湿痹痛，手足麻木，脚气，咽喉肿痛。

| 用法用量 | 青果：内服煎汤，5 ~ 10g。

橄榄核：内服煎汤，3 ~ 6g。外用适量。

橄榄仁：内服煎汤，3 ~ 6g。外用适量，研敷。

橄榄根：内服煎汤，15 ~ 30g。外用适量，煎汤含漱。

苦木科 Simaroubaceae 苦树属 *Picrasma*

苦树 *Picrasma quassioides* (D. Don) Benn.

| 药 材 名 | 苦木（药用部位：枝、叶。别名：黄瓣树、苦弹子）、苦树皮（药用部位：树皮、茎木）、苦木根（药用部位：根、根皮）。

| 形态特征 | 落叶乔木，高达 10m。树皮紫褐色，平滑，有灰色斑纹，全株有苦味。叶互生，奇数羽状复叶，长 15 ~ 30cm；小叶 9 ~ 15，卵状披针形或广卵形，边缘具不整齐的粗锯齿，先端渐尖，基部楔形，除顶生叶外，其余小叶基部均不对称，叶面无毛，背面仅幼时沿中脉和侧脉被柔毛，后变无毛；落叶后留有明显的半圆形或圆形叶痕；托叶披针形，早落。花雌雄异株，组成腋生复聚伞花序，花序轴密被黄褐色微柔毛；萼片小，通常 5，偶 4，卵形或长卵形，外面被黄褐色微柔毛，覆瓦状排列；花瓣与萼片同数，卵形或阔卵形，两面中脉附近被微柔毛；雄花中雄蕊长为花瓣的 2 倍，与萼片对生，雌花中雄蕊短于花瓣；

苦树

花盘 4 ~ 5 裂；心皮 2 ~ 5，分离，每心皮有 1 胚珠。核果成熟后蓝绿色，长 6 ~ 8mm，宽 5 ~ 7mm，种皮薄，萼宿存。花期 4 ~ 5 月，果期 6 ~ 9 月。

| 生境分布 | 生于海拔 250 ~ 2000m 的山地杂木林中。分布于重庆城口、巫山、巫溪、奉节、万州、开州、云阳、石柱、黔江、酉阳、武隆、南川、綦江、江津、北碚、合川、璧山等地。

| 资源情况 | 野生资源稀少，亦有少量栽培。药材主要来源于栽培。

| 采收加工 | 苦木：夏、秋季采收，干燥。

苦树皮：全年均可采收，折断茎木或剥取树皮，晒干。

苦木根：全年均可采挖，洗净，切片，晒干；或剥取根皮，切段，晒干。

| 药材性状 | 苦木：本品枝呈圆柱形，长短不一，直径 0.5 ~ 2cm；表面灰绿色或棕绿色，有细密纵纹和多数点状皮孔；质脆，易折断，断面不平整，淡黄色，嫩枝色较浅且髓部较大。叶为单数羽状复叶，易脱落；小叶卵状长椭圆形或卵状披针形，近无柄，长 4 ~ 16cm，宽 1.5 ~ 6cm，先端锐尖，基部偏斜或稍圆，边缘具钝齿；两面通常绿色，有的下表面淡紫红色，沿中脉有柔毛。气微，味极苦。

苦树皮：本品茎木呈圆柱形，长短不一，直径 0.5 ~ 2cm；表面灰绿色或棕绿色，有细密纵纹及多数点状皮孔；质脆，易折断，断面不平整，淡黄色，小枝色较浅且髓部较大。树皮呈单卷筒状、槽状或长片状，大多数已除去栓皮。未去栓皮的幼皮表面棕绿色，皮孔细小，淡棕色，稍凸起；未去栓皮的老皮表面棕褐色，圆形皮孔纵向排列，中央下凹，四周凸起，常附有白色地衣斑纹。内表面黄白色，平滑。质脆，易折断，折断面略粗糙，可见微细的纤维。气微，味苦。

| 功能主治 | 苦木：苦，寒；有小毒。归肺、大肠经。清热解毒，祛湿。用于风热感冒，咽喉肿痛，湿热泻痢，湿疹，疮疖，蛇虫咬伤。

苦树皮：苦，寒；有小毒。归肺、大肠经。清热燥湿，解毒杀虫。用于痢疾，泄泻，蛔虫病，疮毒，疥癣，湿疹，烫火伤。

苦木根：苦，寒；有小毒。清热解毒，燥湿杀虫。用于感冒发热，急性胃肠炎，痢疾，胆道感染，蛔虫病，疮疖，疥癣，湿疹，烫火伤，毒蛇咬伤。

| 用法用量 | 苦木：内服煎汤，枝 3 ~ 4.5g；叶 1 ~ 3g。外用适量。

苦树皮：内服煎汤，3 ~ 9g。外用适量，煎汤洗或研末敷。内服不宜过量，孕妇慎用。

苦木根：内服煎汤，6 ~ 15g，大剂量 30g；或研末。外用适量，煎汤洗；或研末涂敷；或浸酒搽。

楝科 Meliaceae 米仔兰属 *Aglaia*

米仔兰 *Aglaia odorata* Lour.

| 药材名 | 米仔兰（药用部位：枝、叶。别名：米兰、珠兰、树兰）、米仔兰花（药用部位：花）。

| 形态特征 | 灌木或小乔木。茎多小枝，幼枝顶部被星状锈色的鳞片。叶长 5 ~ 12（~ 16）cm，叶轴和叶柄具狭翅，有小叶 3 ~ 5；小叶对生，厚纸质，长 2 ~ 7（~ 11）cm，宽 1 ~ 3.5（~ 5）cm，先端 1 片最大，下部的远较先端的为小，先端钝，基部楔形，两面均无毛；侧脉每边约 8，极纤细，和网脉均于两面微凸起。圆锥花序腋生，长 5 ~ 10cm，稍疏散无毛；花芳香，直径约 2mm；雄花的花梗纤细，长 1.5 ~ 3mm，两性花的花梗稍短而粗；花萼 5 裂，裂片圆形；花瓣 5，黄色，长圆形或近圆形，长 1.5 ~ 2mm，先端圆而截平；雄蕊管略短于花瓣，倒卵形或近钟形，外面无毛，先端全缘或有圆齿，花药 5，卵形，内

米仔兰

藏；子房卵形，密被黄色粗毛。果实为浆果，卵形或近球形，长 10 ~ 12mm，初时被散生的星状鳞片，后脱落；种子有肉质假种皮。花期 5 ~ 12 月，果期 7 月至翌年 3 月。

| 生境分布 | 生于低海拔山地的疏林或灌木林中。重庆各地均有分布。

| 资源情况 | 野生和栽培资源均稀少。药材主要来源于栽培。

| 采收加工 | 米仔兰：全年均可采收，洗净，鲜用或晒干。

米仔兰花：夏季采收，将含苞待放的花用竹竿轻轻打下，除去杂质，阴干。

| 药材性状 | 米仔兰：本品细枝灰白色至绿色，直径 2 ~ 5mm；外表有浅沟纹，并有凸起的枝痕、叶痕及多数细小的疣状突起。小叶片长椭圆形，长 2 ~ 6cm，先端钝，基部楔形而下延，无柄；上面有浅显的网脉，下面羽脉明显，叶缘稍反卷。薄革质，稍柔韧。

米仔兰花：本品呈细小均匀的颗粒状，棕红色。下端有 1 细花柄，基部有小花萼 5；花冠由 5 片花瓣紧包而成，内面有不太明显的花蕊，淡黄色。体轻，质硬稍脆。气清香。

| 功能主治 | 米仔兰：辛，微温。祛风湿，散瘀肿。用于风湿关节痛，跌打损伤，痈疽肿毒。

米仔兰花：辛、甘，平。行气宽中，宣肺止咳。用于胸膈满闷，噎膈初起，感冒咳嗽。

| 用法用量 | 米仔兰：内服煎汤，6 ~ 12g。外用适量，捣敷；或熬膏涂。

米仔兰花：内服煎汤，3 ~ 9g；或泡茶。孕妇忌服。

| 附　　注 | 本种喜温暖湿润气候，能耐半阴，不耐寒，在 25 ~ 28℃的气温下生长最适宜，在低于 5℃的气温下易受冻害。喜阳光充足，以疏松肥沃、富含腐殖质、排水良好的酸性砂壤土栽培为宜。

楝科 Meliaceae 浆果楝属 *Cipadessa*

灰毛浆果楝 *Cipadessa cinerascens* (Pell.) Hand.-Mazz.

| 药 材 名 | 野茶辣（药用部位：根、树皮、叶。别名：野胡椒、抱鸡婆、软柏木）。

| 形态特征 | 灌木或小乔木，通常高 1 ~ 4m，很少 8 ~ 10m。树皮粗糙；嫩枝灰褐色，有棱，被黄色柔毛，并散生有灰白色皮孔。叶连叶柄长 20 ~ 30cm，叶轴和叶柄圆柱形，被黄色柔毛；小叶通常 4 ~ 6 对，对生，纸质，卵形至卵状长圆形，长 5 ~ 10cm，宽 3 ~ 5cm，下部的远较先端的为小，先端渐尖或急尖，基部圆形或宽楔形，偏斜，两面均被紧贴的灰黄色柔毛，背面尤密，侧脉每边 8 ~ 10，斜举。圆锥花序腋生，长 10 ~ 15cm，分枝伞房花序式，与总轴均被黄色柔毛；花直径 3 ~ 4mm，具短梗，长 1.5 ~ 2mm；花萼短，外被稀疏的黄色柔毛，裂齿阔三角形；花瓣白色至黄色，线状长椭圆形，

灰毛浆果楝

外被紧贴的疏柔毛，长 2 ~ 3mm；雄蕊管和花丝外面无毛，里面被疏毛，花药 10，卵形，无毛，着生于花丝先端的 2 齿裂间。核果小，球形，直径约 5mm，熟后紫黑色。花期 4 ~ 10 月，果期 8 ~ 12 月。

| 生境分布 | 生于山地疏林或灌木林中。分布于重庆綦江、涪陵、南川、北碚、江津等地。

| 资源情况 | 野生资源稀少。药材主要来源于野生。

| 采收加工 | 全年均可采收根、树皮、叶，洗净，鲜用或晒干。

| 功能主治 | 辛、苦，微温。祛风化湿，行气止痛。用于感冒发热，疟疾，痢疾，脘腹绞痛，风湿痹痛，跌打损伤，烫火伤，皮炎，外伤出血。

| 用法用量 | 内服煎汤，9 ~ 15g，鲜品 30g。外用适量，煎汤洗；或捣敷。孕妇慎服。

| 附　　注 | 在 FOC 中，本种被修订为浆果楝 *Cipadessa baccifera* (Roth.) Miq.。

楝科 Meliaceae 地黄连属 *Munronia*

地黄连 *Munronia sinica* Diels

| 药 材 名 | 花叶矮沱沱（药用部位：全株。别名：花叶细辛、花叶寻胆、土黄连）。

| 形态特征 | 矮小亚灌木，高 10 ~ 15cm。茎通常不分枝。叶为奇数羽状复叶，被短柔毛，小叶通常 3，有时 5，顶生小叶较大，卵形至椭圆状卵形，长 3 ~ 6cm，宽 2.5 ~ 3.5cm，先端锐尖而钝，边缘有稀疏的粗锯齿，基部宽楔形或圆形，侧生小叶近圆形或卵圆形，长 2 ~ 2.5cm，宽 1 ~ 2cm，有粗锯齿或有时有不规则的浅裂。聚伞花序腋生，通常有花 3，长约 3cm；萼片 5，披针形，外被短柔毛；花瓣白色，裂片 5；雄蕊管先端 10 裂，花药 10。蒴果扁球形，被细柔毛。花期 6 月，果期 8 月。

| 生境分布 | 生于海拔 500 ~ 1500m 的石缝阴处、林边或路边。分布于重庆涪陵、

地黄连

武隆、南川、黔江、奉节、酉阳、开州等地。

资源情况 野生资源一般。药材主要来源于野生。

采收加工 全年均可采收，除去泥土，鲜用或晒干。

功能主治 淡，平。活血止痛。用于跌打损伤，风湿疼痛，无名肿毒。

用法用量 内服煎汤，5 ~ 15g；或浸酒。外用适量，捣敷。

附　　注 在 FOC 中，本种被修订为羽状地黄连 *Munronia pinnata* (Wallich) W. Theobald。

楝科 Meliaceae 地黄连属 *Munronia*

单叶地黄连 *Munronia unifoliolata* Oliv.

| **药材名** | 矮脚南（药用部位：全株。别名：矮陀陀、矮叶南、矮子南）。

| **形态特征** | 矮小亚灌木，高 15 ~ 30cm。茎不分枝，全株被微柔毛。单叶，互生，坚纸质，长椭圆形，长 3 ~ 5.5（~ 7）cm，宽 1.3 ~ 1.5cm，先端钝圆或短渐尖，基部宽楔形或圆形，全缘或有钝齿状裂片 1 ~ 3，两面均被微柔毛；侧脉每边 4 ~ 6，纤细，斜举；叶柄长 1.2 ~ 3cm，被微柔毛。聚伞花序腋生，有花 1 ~ 3；花萼 5 裂，裂片披针形，长 2 ~ 2.5mm；花冠白色，长 1.7 ~ 2cm，花冠管纤细，与裂片等长或更长，被稀疏的微柔毛，裂片倒披针状椭圆形；雄蕊管略凸出，裂片 10，线形至披针形，花药微凸头，与裂齿等长，互生；花盘筒状；子房卵形，被毛，5 室，每室有叠生的胚珠 2。蒴果球形，被柔毛；种子背部半球形，腹面凹入。花期 7 ~ 9 月。

单叶地黄连

| **生境分布** | 生于海拔 450m 左右的荫蔽岩边或石缝中。分布于重庆南川、巫山、奉节、彭水、丰都、涪陵、九龙坡、酉阳等地。

| **资源情况** | 野生资源一般。药材主要来源于野生。

| **采收加工** | 全年均可采收，洗净，鲜用或晒干。

| **功能主治** | 微苦、涩，凉。清热解毒，活血止痛。用于黄疸性肝炎，疮痈，跌打损伤，胃痛。

| **用法用量** | 内服煎汤，9 ~ 15g。外用适量，鲜品捣敷。

楝科 Meliaceae 香椿属 *Toona*

红椿 *Toona ciliata* Roem.

红椿

药材名

红椿（药用部位：根皮。别名：红楝子、赤昨工）。

形态特征

高大乔木，高可达 20m。小枝初时被柔毛，渐变无毛，有稀疏的苍白色皮孔。叶为偶数或奇数羽状复叶，长 25 ~ 40cm，通常有小叶 7 ~ 8 对；叶柄长约为叶长的 1/4，圆柱形；小叶对生或近对生，纸质，长圆状卵形或披针形，长 8 ~ 15cm，宽 2.5 ~ 6cm，先端尾状渐尖，基部一侧圆形，另一侧楔形，不等边，全缘，两面均无毛或仅于背面脉腋内被毛；侧脉每边 12 ~ 18，背面凸起；小叶柄长 5 ~ 13mm。圆锥花序顶生，约与叶等长或稍短，被短硬毛或近无毛；花长约 5mm，具短花梗，长 1 ~ 2mm；花萼短，5 裂，裂片钝，被微柔毛及睫毛；花瓣 5，白色，长圆形，长 4 ~ 5mm，先端钝或具短尖，无毛或被微柔毛，边缘具睫毛；雄蕊 5，约与花瓣等长，花丝被疏柔毛，花药椭圆形；花盘与子房等长，被粗毛；子房密被长硬毛，每室有胚珠 8 ~ 10，花柱无毛，柱头盘状，有 5 细纹。蒴果长椭圆形，木质，干后紫褐色，有苍白色皮孔，长 2 ~ 3.5cm；

种子两端具翅，翅扁平，膜质。花期 4 ~ 6 月，果期 10 ~ 12 月。

| 生境分布 | 生于海拔 500 ~ 600m 的沟谷林中或山坡疏林中。分布于重庆黔江、长寿、酉阳、巫山、丰都、垫江、云阳、涪陵、璧山、彭水、武隆、开州、梁平等地。

| 资源情况 | 栽培资源较丰富。药材主要来源于栽培。

| 采收加工 | 春季采挖根，刮去外面栓皮，以木槌轻捶之，使皮部与木部分离，再行剥取，并宜仰面晒干，否则易发霉发黑。

| 功能主治 | 苦、涩，微寒。清热燥湿，收涩，杀虫。用于久泻，久痢，肠风便血，崩漏，带下，遗精，白浊，疳积，蛔虫病，疮癣。

| 用法用量 | 内服煎汤，6 ~ 15g；或入丸、散。外用适量，煎汤洗；或研末调敷。脾胃虚寒、泻痢初起及肾阴亏虚之崩漏带下者慎服。

| 附　　注 | 本种为国家二级重点保护野生植物。

楝科 Meliaceae 香椿属 *Toona*

香椿 *Toona sinensis* (A. Juss.) Roem.

| 药材名 | 香椿皮（药用部位：干皮、枝皮）、椿叶（药用部位：叶。别名：椿木叶、春尖叶）、香椿子（药用部位：果实。别名：椿树子、香椿铃、香铃子）。

| 形态特征 | 乔木。树皮粗糙，深褐色，片状脱落。叶具长柄，偶数羽状复叶，长 30 ~ 50cm 或更长；小叶 16 ~ 20，对生或互生，纸质，卵状披针形或卵状长椭圆形，长 9 ~ 15cm，宽 2.5 ~ 4cm，先端尾尖，基部一侧圆形，另一侧楔形，不对称，全缘或有疏离的小锯齿，两面均无毛，无斑点，背面常呈粉绿色；侧脉每边 18 ~ 24，平展，与中脉几成直角开出，背面略凸起；小叶柄长 5 ~ 10mm。圆锥花序与叶等长或更长，被稀疏的锈色短柔毛或有时近无毛，小聚伞花序生于短的小枝上，多花；花长 4 ~ 5mm，具短花梗；花萼 5 齿裂或

香椿

浅波状，外面被柔毛，且有睫毛；花瓣 5，白色，长圆形，先端钝，长 4 ~ 5mm，宽 2 ~ 3mm，无毛；雄蕊 10，其中 5 能育，5 退化；花盘无毛，近念珠状；子房圆锥形，有 5 细沟纹，无毛，每室有胚珠 8，花柱比子房长，柱头盘状。蒴果狭椭圆形，长 2 ~ 3.5cm，深褐色，有小而苍白色的皮孔，果瓣薄；种子基部通常钝，上端有膜质的长翅，下端无翅。花期 6 ~ 8 月，果期 10 ~ 12 月。

| 生境分布 | 生于海拔 300 ~ 1800m 的林边、路边或房前屋后。重庆各地均有分布。

| 资源情况 | 野生资源稀少，栽培资源丰富。药材主要来源于栽培。

| 采收加工 | 香椿皮：夏季剥取，干燥。
椿叶：春季采收，多鲜用。
香椿子：秋季采收成熟果实，晒干。

| 药材性状 | 香椿皮：本品呈半卷筒状或片状，厚 0.2 ~ 0.6cm。外表面红色、棕色或棕褐色，有纵纹及裂隙，有的可见圆形细小皮孔；内表面棕色，有细纵纹。质坚硬，断面纤维性，呈层状。有香气，味淡。
香椿子：本品长 2.3 ~ 3.5cm。果皮为 5 瓣，如毛瓣状，约裂至全长的 2/3；裂瓣披针形，先端尖。外表面黑褐色，有细纹理，内表面黄棕色，光滑，厚约 2.5mm，质脆。果轴呈圆锥形，先端钝尖，黄棕色，有 5 条棕褐色棱线；断面内心松泡如通草状，黄白色。种子着生于果轴及果瓣之间，5 列，有极薄的种翅，黄白色，半透明，基部斜口状。种仁细小不明显。气微，味苦。

| 功能主治 | 香椿皮：苦、涩，微寒。归大肠、胃经。清热燥湿，涩肠，止血，止带，杀虫。用于泄泻，痢疾，肠风便血，崩漏，带下，蛔虫病，丝虫病，疮癣。
椿叶：辛、苦，平。归脾、胃经。祛暑化湿，解毒，杀虫。用于暑湿伤中，恶心呕吐，食欲不振，泄泻，痢疾，痈疽肿毒，疥疮，白秃疮。
香椿子：辛、苦，温。归肺、肝经。祛风，散寒，止痛。用于外感风寒，风湿痹痛，心胃气痛，疝气。

| 用法用量 | 香椿皮：内服煎汤，6 ~ 15g。外用煎汤或熬膏涂患处。泻痢初起及脾胃虚寒者慎服。
椿叶：内服煎汤，鲜叶 30 ~ 60g。外用适量，煎汤洗；或捣敷。气虚汗多者慎服。
香椿子：内服煎汤，3 ~ 9g。

远志科 Polygalaceae 远志属 *Polygala*

尾叶远志 *Polygala caudata* Rehd. et Wils.

| 药 材 名 | 水黄杨木（药用部位：根。别名：乌棒子、倒莲花、三岔子）。

| 形态特征 | 灌木，高 1 ~ 3m。幼枝上部被黄色短柔毛，后变无毛，具纵棱槽。单叶，几乎绝大部分螺旋状紧密地排列于小枝顶部；叶片近革质，长圆形或倒披针形，稀倒卵状披针形，长 3 ~ 12cm，多数为 6 ~ 10cm，宽 1 ~ 3cm，先端具尾状渐尖或细尖，基部渐狭至楔形，全缘，略反卷，且波状，叶面深绿色，背面淡绿色，两面无毛；主脉上面凹陷，背面隆起，侧脉 7 ~ 12 对，在上面不明显，背面凸起，于边缘处网结，网脉不明显；叶柄长 5 ~ 10mm，上面具槽。总状花序顶生或生于顶部数个叶腋内，数个密集成伞房状花序或圆锥状花序，长 2.5 ~ 5（~ 7）cm，被紧贴短柔毛；花梗长 1 ~ 1.5mm，无毛，基部具三角状卵形小苞片 3，早落；花长 5（~ 8）mm；萼片 5，果时早落，

尾叶远志

外面3枚小，卵形，长约2mm，宽约1.5mm，先端圆形，具缘毛，外面被短柔毛，里面2枚大，花瓣状，倒卵形至斜倒卵形，长4.5（～6）mm，宽约3mm，先端钝圆，基部渐名片狭，具3脉；花瓣3，白色、黄色或紫色，侧生花瓣与龙骨瓣于3/4以下合生，较龙骨瓣短，龙骨瓣长5mm，先端背部具1盾状鸡冠状附属物；雄蕊8，花丝长约4mm，3/4以下联合成鞘，花药卵形；子房倒卵形，直径约0.8mm，基部具杯状花盘，花柱由下向上逐渐增粗，弯曲，先端2浅裂，柱头生于下裂片内。蒴果长圆状倒卵形，长8mm，直径约4mm，先端微凹，基部渐狭，具杯状环，边缘具狭翅；种子广椭圆形，棕黑色，长约1.5mm，直径约1mm，密被红褐色长毛，近种脐端具1棕黑色的突起。花期11月至翌年5月，果期5～12月。

| 生境分布 | 生于海拔850～2000m的山坡阴处、石灰岩林下。分布于重庆巫溪、开州、云阳、秀山、彭水、石柱、武隆、南川等地。

| 资源情况 | 野生资源稀少。药材主要来源于野生。

| 采收加工 | 秋、冬季采收，洗净，切片，晒干。

| 药材性状 | 本品圆柱形，略弯曲。表面黄褐色，有纵皱纹。质硬，断面黄白色。气微，味甘。

| 功能主治 | 甘、微苦，凉。清热利湿，化痰止咳。用于咽喉肿痛，湿热黄疸，支气管炎。

| 用法用量 | 内服煎汤，15～30g。

远志科 Polygalaceae 远志属 *Polygala*

香港远志 *Polygala hongkongensis* Hemsl.

香港远志

|药材名|

香港远志（药用部位：全草）。

|形态特征|

直立草本至亚灌木，高 15 ~ 50cm。茎枝细，疏被至密被卷曲短柔毛。单叶互生，叶片纸质或膜质，茎下部叶小，卵形，长 1 ~ 2cm，宽 5 ~ 15mm，先端具短尖头，上部叶披针形，长 4 ~ 6cm，宽 2 ~ 2.2cm，先端渐尖，基部圆形，全缘，多少反卷，叶面绿色，背面淡绿色至苍白色，两面均无毛；主脉上面稍凹，背面隆起，侧脉 3 对，不明显；叶柄长约 2mm，被短柔毛。总状花序顶生，长 3 ~ 6cm，花序轴及花梗被短柔毛，具疏松排列的花 7 ~ 18；花长 7 ~ 9mm，花梗长 1 ~ 2mm，基部具苞片 3，苞片钻形，花后脱落；萼片 5，宿存，具缘毛，外面 3 枚舟形或椭圆形，内凹，长约 4mm，中间 1 枚沿中脉具狭翅，内萼片花瓣状，斜卵形，长 5 ~ 8mm，宽 3 ~ 5mm，先端圆形，基部狭；花瓣 3，白色或紫色，侧瓣长 3 ~ 5mm，深波状，2/5 以下与龙骨瓣合生，先端圆形，基部内侧被短柔毛，龙骨瓣盔状，长约 5mm，先端具广泛流苏状鸡冠状附属物；雄蕊 8，花丝长约 5mm，2/3 以下合生成鞘，

鞘 1/2 以下与花瓣贴生，并具缘毛，花药棒状，顶孔开裂；子房倒卵形，长约 1.5mm，具柄，无毛，花柱扁平，弧曲，柱头 2，间隔排列。蒴果近圆形，直径约 4mm，具阔翅，先端具缺刻，基部具宿存萼片；种子 2，卵形，直径约 1.5mm，长约 2mm，黑色，被白色细柔毛，种阜 3 裂，长达种子长度的 1/2。花期 5 ~ 6 月，果期 6 ~ 7 月。

| 生境分布 | 生于海拔 500 ~ 1400m 的沟谷林下或灌丛中。分布于重庆万州、奉节、城口、武隆、开州、秀山、南川等地。

| 资源情况 | 野生资源一般。药材主要来源于野生。

| 采收加工 | 春、夏季采收，晒干。

| 功能主治 | 苦、微辛，温。活血，化痰，解毒。用于跌打损伤，咳嗽，附骨疽，失眠，毒蛇咬伤。

| 用法用量 | 内服煎汤，适量。外用适量，捣敷。

远志科 Polygalaceae 远志属 *Polygala*

瓜子金 *Polygala japonica* Houtt.

|药材名| 瓜子金（药用部位：全草。别名：小叶远志、瓜子草、辰砂草）。

|形态特征| 多年生草本，高 15 ~ 20cm。茎、枝直立或外倾，绿褐色或绿色，具纵棱，被卷曲短柔毛。单叶互生，叶片厚纸质或亚革质，卵形或卵状披针形，稀狭披针形，长 1 ~ 2.3（~ 3）cm，宽（3 ~）5 ~ 9mm，先端钝，具短尖头，基部阔楔形至圆形，全缘，叶面绿色，背面淡绿色，两面无毛或被短柔毛；主脉上面凹陷，背面隆起，侧脉 3 ~ 5 对，两面凸起，并被短柔毛；叶柄长约 1mm，被短柔毛。总状花序与叶对生，或腋外生，最上 1 花序低于茎顶；花梗细，长约 7mm，被短柔毛，基部具 1 披针形、早落的苞片；萼片 5，宿存，外面 3 披针形，长 4mm，外面被短柔毛，里面 2 花瓣状，卵形至长圆形，长约 6.5mm，宽约 3mm，先端圆形，具短尖头，基部具爪；花瓣 3，白色至紫色，

瓜子金

基部合生，侧瓣长圆形，长约 6mm，基部内侧被短柔毛，龙骨瓣舟状，具流苏状鸡冠状附属物；雄蕊 8，花丝长 6mm，全部合生成鞘，鞘 1/2 以下与花瓣贴生，且具缘毛，花药无柄，顶孔开裂；子房倒卵形，直径约 2mm，具翅，花柱长约 5mm，弯曲，柱头 2，间隔排列。蒴果圆形，直径约 6mm，短于内萼片，先端凹陷，具喙状凸尖，边缘具有横脉的阔翅，无缘毛；种子 2，卵形，长约 3mm，直径约 1.5mm，黑色，密被白色短柔毛，种阜 2 裂下延，疏被短柔毛。花期 4 ~ 5 月，果期 5 ~ 8 月。

|生境分布| 生于海拔 350 ~ 2100m 的山坡草地或田埂上。分布于重庆黔江、大足、巫山、石柱、潼南、彭水、秀山、城口、酉阳、长寿、铜梁、垫江、巫溪、南川、涪陵、武隆、丰都、云阳、北碚、开州、梁平、九龙坡、荣昌、合川、沙坪坝等地。

|资源情况| 野生资源丰富。药材主要来源于野生。

|采收加工| 春末花开时采挖，晒干。

|药材性状| 本品根呈圆柱形，稍弯曲，直径可达 4mm；表面黄褐色，有纵皱纹；质硬，断面黄白色。茎少分枝，长 10 ~ 30cm，灰绿色或灰棕色，被细柔毛。叶皱缩，展平后呈卵形或卵状披针形，长 1 ~ 3cm，宽 0.5 ~ 0.9cm，侧脉明显，先端短尖，基部圆形或楔形，全缘，灰绿色；叶柄短，有柔毛。总状花序腋生，最上的花序低于茎的先端；花多皱缩。蒴果圆而扁，长约 7mm，具较宽的翅，边缘无缘毛，萼片宿存。种子扁卵形，褐色，密被柔毛，基部有 2 长裂的种阜。气微，味微辛、苦。

|功能主治| 苦、辛，平。归肺经。祛痰止咳，活血消肿，解毒止痛。用于咳嗽痰多，咽喉肿痛。外用于跌打损伤，疔疮疖肿，蛇虫咬伤。

|用法用量| 内服煎汤，15 ~ 30g。

|附　　注| 本种的药材近年来被用于治疗肺结核、食管癌等疾病，取得了良好的疗效，是一味疗效显著而值得开发利用的药物。

远志科 Polygalaceae 远志属 *Polygala*

西伯利亚远志 *Polygala sibirica* L.

| 药 材 名 | 远志（药用部位：根。别名：棘菀、细草、小鸡腿）、小草（药用部位：全草）。

| 形态特征 | 多年生草本，高 10 ~ 30cm。茎多分枝，被短柔毛。单叶互生，具短柄；叶纸质至近革质，下部叶小，卵形，长约 6mm，宽约 4mm，先端钝，具短尖头；上部叶大，披针形或椭圆状披针形，长 1 ~ 2cm，宽 3 ~ 6mm，绿色，被短柔毛，先端钝，具骨质短尖头，基部楔形，全缘，反卷；主脉在上表面下陷，背面隆起。总状花序腋外生或假顶生，通常高出茎顶，具少数花，被短柔毛；具小苞片 3，钻状披针形，被短柔毛；萼片 5，宿存，外面 3 枚小，披针形，里面 2 枚大，花瓣状；花瓣 3，蓝紫色，侧生花瓣到卵形，2/5 以下与龙骨瓣合生，龙骨瓣较侧生花瓣长，背面被柔毛，先端背部具流苏状、鸡冠状附

西伯利亚远志

属物；雄蕊 8，2/3 以下合生成鞘，鞘具缘毛，花药卵形；子房倒卵形，先端具缘毛，花柱肥厚，先端弯曲，长约 5mm，柱头 2。蒴果近倒心形，直径 5mm，先端微缺，具狭翅，疏被短柔毛；种子黑色，除种阜外，被白色柔毛。花期 4 ~ 7 月，果期 5 ~ 8 月。

| 生境分布 | 生于海拔 1100 ~ 2200m 的山坡草地。分布于重庆丰都、酉阳、武隆、江津、南川等地。

| 资源情况 | 野生资源稀少，亦有零星栽培。药材主要来源于野生。

| 采收加工 | 远志：栽种后第 3、4 年秋季返苗后或春季出苗前挖取根部，除去泥土和杂质，用木棒敲打，使其松软，抽出木心，晒干即可。去除木心的远志称“远志肉”、“远志筒”。如采收后不去木心，直接晒干者，称“远志棍”。

小草：春、夏季采收全草，鲜用或晒干。

| 药材性状 | 远志：本品长 4 ~ 18cm，直径 2 ~ 8mm，根头部茎基 2 ~ 5。表面粗糙，灰棕色至灰黑色，少为灰黄色，纵沟纹较多，横沟纹较少，支根多，长 2 ~ 5cm。质较硬，不易折断，断面皮部薄，木心较大。味微苦。以根粗壮、皮厚者为佳。

| 功能主治 | 远志：辛、苦，微温。归心、肺、肾经。宁心安神，祛痰开窍，解毒消肿。用于心神不安，惊悸失眠，健忘，惊痫，咳嗽痰多，痈疽发背，乳房肿痛。

小草：辛、苦，平。归肺、心经。祛痰，安神，消痈。用于咳嗽痰多，虚烦，惊恐，梦遗失精，胸痹心痛，痈肿疮疡。

| 用法用量 | 远志：内服煎汤，3 ~ 10g；浸酒或入丸、散。外用适量，研末，酒调敷。

小草：内服煎汤，3 ~ 10g；或入丸、散。外用适量，捣敷。

| 附　　注 | 本种喜冷凉气候。忌高温，耐干旱。宜选向阳、排水良好的砂壤土栽培。

远志科 Polygalaceae 远志属 *Polygala*

长毛籽远志 *Polygala wattersii* Hance

| 药材名 | 木本远志(药用部位:根、叶。别名:山桂花、华石兰、木本瓜子金)。

| 形态特征 | 灌木或小乔木,高1～4m。小枝圆柱形,具纵棱槽,幼时被腺毛状短柔毛。叶密集地排于小枝顶部,叶片近革质,椭圆形、椭圆状披针形或倒披针形,长4～10cm,宽1.5～3cm,先端渐尖至尾状渐尖,基部渐狭至楔形,全缘,波状,叶面绿色,背面淡绿色,两面无毛;主脉上面凹陷,背面隆起,侧脉8～9对,上面明显,背面略凸起,于边缘附近网结,网脉不见;叶柄长6～10mm,上面具槽。总状花序2～5成簇生于小枝近先端的数个叶腋内,长3～7cm,被白色腺毛状短细毛;花长12～20mm,疏松地排列于花序上,花梗长约6mm,基部具小苞片3,中央苞片三角状渐尖,侧生者卵形,先端钝,早落;萼片5,早落,外面3卵形,长2～3mm,宽1.5～2mm,

长毛籽远志

先端钝，具缘毛，内萼片花瓣状，斜倒卵形，长约 13mm，先端圆形，内凹，基部渐狭，具缘毛或无；花瓣 3，黄色，稀白色或紫红色，侧生花瓣略短于龙骨瓣，3/4 以下与龙骨瓣合生，先端截形，龙骨瓣长 15mm，具 2 兜状、先端圆形或 2 浅裂的鸡冠状附属物；雄蕊 8，花丝长约 15mm，3/4 以下联合成鞘，并与花瓣贴生，花药长卵形，顶孔开裂；子房倒卵形，长 1.5 ~ 2mm，直径约 1.5mm，基部具 1 一侧开放的高脚花盘，花柱长约 12mm，顶部增厚并弯曲，先端 2 浅裂，柱头生于下裂片内。蒴果倒卵形或楔形，长 10 ~ 14mm，直径约 6mm，先端微缺，具短尖头，基部渐狭，边缘具由下而上逐渐加宽的狭翅，翅具横脉；种子卵形，棕黑色，长约 2mm，直径约 1.5mm，被长达 7mm 的棕色或白色长毛，无种阜。花期 4 ~ 6 月，果期 5 ~ 7 月。

| 生境分布 | 生于海拔 800 ~ 1900m 的石山阔叶林中或灌丛中。分布于重庆城口、巫溪、奉节、彭水、武隆、开州、万州等地。

| 资源情况 | 野生资源一般。药材主要来源于野生。

| 采收加工 | 春、夏季采收叶，鲜用或晒干。秋后采根，鲜用或切片晒干。

| 药材性状 | 本品根呈圆柱形，长 5 ~ 10cm，直径 0.5 ~ 1.5cm；表面灰褐色或灰黑色，粗糙不平，有多数须根；质坚硬，不易折断，断面不平整，木心极粗，皮薄。气微，味微甘、涩。

| 功能主治 | 辛、甘，温。解毒，散瘀。用于乳痈，无名肿毒，跌打损伤。

| 用法用量 | 内服煎汤，6 ~ 12g。外用适量，捣敷。

马桑科 Coriariaceae 马桑属 *Coriaria*

马桑 *Coriaria nepalensis* Wall.

马桑

| 药 材 名 |

野马桑（药用部位：茎、叶）、马桑根（药用部位：根）。

| 形态特征 |

灌木，高 1.5 ~ 2.5m。分枝水平开展，小枝四棱形或成四狭翅，幼枝疏被微柔毛，后变无毛，常带紫色，老枝紫褐色，具显著圆形凸起的皮孔；芽鳞膜质，卵形或卵状三角形，长 1 ~ 2mm，紫红色，无毛。叶对生，纸质至薄革质，椭圆形或阔椭圆形，长 2.5 ~ 8cm，宽 1.5 ~ 4cm，先端急尖，基部圆形，全缘，两面无毛或沿脉上疏被毛，基出 3 脉，弧形伸至先端，在叶面微凹，叶背凸起；叶具短柄，长 2 ~ 3mm，疏被毛，紫色，基部具垫状突起物。总状花序生于二年生的枝条上，雄花序先叶开放，长 1.5 ~ 2.5cm，多花密集，序轴被腺状微柔毛；苞片和小苞片卵圆形，长约 2.5mm，宽约 2mm，膜质，半透明，内凹，上部边缘具流苏状细齿；花梗长约 1mm，无毛；萼片卵形，长 1.5 ~ 2mm，宽 1 ~ 1.5mm，边缘半透明，上部具流苏状细齿；花瓣极小，卵形，长约 0.3mm，里面龙骨状；雄蕊 10，花丝线形，长约 1mm，开花时伸长，长 3 ~ 3.5mm，花药长圆形，

长约 2mm，具细小疣状体，药隔伸出，花药基部短尾状；不育雌蕊存在；雌花序与叶同出，长 4 ~ 6cm，序轴被腺状微柔毛；苞片稍大，长约 4mm，带紫色；花梗长 1.5 ~ 2.5mm；萼片与雄花同；花瓣肉质，较小，龙骨状；雄蕊较短，花丝长约 0.5mm，花药长约 0.8mm，心皮 5，耳形，长约 0.7mm，宽约 0.5mm，侧向压扁，花柱长约 1mm，具小疣体，柱头上部外弯，紫红色，具多数小疣体。果实球形，果期花瓣肉质增大包于果外，成熟时由红色变紫黑色，直径 4 ~ 6mm；种子卵状长圆形。花期 2 ~ 5 月，果期 5 ~ 8 月。

| 生境分布 | 生于海拔 400 ~ 2100m 的灌丛中。重庆各地均有分布。

| 资源情况 | 野生资源丰富。药材主要来源于野生。

| 采收加工 | 野马桑：夏、秋季采集，干燥。

马桑根：冬季采挖，刮去外皮，干燥。

| 药材性状 | 野马桑：本品茎呈圆柱形，多分枝，直径 0.5 ~ 2.5cm；表面暗棕绿色至紫褐色，具纵皱纹，皮孔点状突起，小枝略具 4 狭翅；质硬，断面黄绿色，中央髓部黄白色至棕色；气微，味微涩。叶多脱落皱缩、破碎，完整者展开呈椭圆形至阔卵圆形，长 2 ~ 7cm，宽 1 ~ 4cm，先端急尖，基部楔形，全缘，绿色，基部 3 出脉明显向背面凸起；叶柄短；近革质而脆。气微香。

马桑根：本品呈圆柱形，长短不一，直径 1 ~ 5cm。表面灰棕色，粗糙，多结节、皱纹。质坚硬，不易折断，断面皮部淡棕黄色，木部淡黄白色。气微香，味淡而涩。

| 功能主治 | 野马桑：涩、苦，凉。归心、肝经。杀虫止痒，镇静，止痛。用于癫狂，风湿痹痛。外用于疥癞疮癣，皮肤瘙痒。

马桑根：苦，凉；有毒。祛风除湿，镇痛，杀虫。用于风湿麻木，风火牙痛，痰饮，痞块，瘰疬，跌打损伤，急性结膜炎，烫火伤，狂犬咬伤。

| 用法用量 | 野马桑：内服煎汤，1 ~ 3g。外用适量。孕妇、儿童禁服。

马桑根：内服煎汤，1.5 ~ 5g。外用适量。本品有毒，孕妇、小儿及体虚者禁服。

漆树科 Anacardiaceae 南酸枣属 *Choerospondias*

南酸枣 *Choerospondias axillaris* (Roxb.) Burtt et Hill

| 药 材 名 | 南酸枣（药用部位：果实。别名：五眼果、山枣子、人面子）、五眼果树皮（药用部位：树皮）。

| 形态特征 | 落叶乔木，高 8 ~ 20m。树皮灰褐色，片状剥落，小枝粗壮，暗紫褐色，无毛，具皮孔。奇数羽状复叶长 25 ~ 40cm，有小叶 3 ~ 6 对，叶轴无毛，叶柄纤细，基部略膨大；小叶膜质至纸质，卵形或卵状披针形或卵状长圆形，长 4 ~ 12cm，宽 2 ~ 4.5cm，先端长渐尖，基部多少偏斜，阔楔形或近圆形，全缘或幼株叶边缘具粗锯齿，两面无毛或稀叶背脉腋被毛；侧脉 8 ~ 10 对，两面凸起，网脉细，不显；小叶柄纤细，长 2 ~ 5mm。雄花序长 4 ~ 10cm，被微柔毛或近无毛；苞片小；花萼外面疏被白色微柔毛或近无毛，裂片三角状卵形或阔三角形，先端钝圆，长约 1mm，边缘具紫红色腺状睫毛，

南酸枣

里面被白色微柔毛；花瓣长圆形，长 2.5 ~ 3mm，无毛，具褐色脉纹，开花时外卷；雄蕊 10，与花瓣近等长，花丝线形，长约 1.5mm，无毛，花药长圆形，长约 1mm，花盘无毛；雄花无不育雌蕊；雌花单生上部叶腋，较大；子房卵圆形，长约 1.5mm，无毛，5 室，花柱长约 0.5mm。核果椭圆形或倒卵状椭圆形，成熟时黄色，长 2.5 ~ 3cm，直径约 2cm；果核长 2 ~ 2.5cm，直径 1.2 ~ 1.5cm，先端具 5 小孔。

| 生境分布 | 生于海拔 300 ~ 2000m 的山坡、丘陵或沟谷林中。分布于重庆潼南、秀山、涪陵、綦江、黔江、酉阳、彭水、武隆、忠县、垫江、巴南等地。

| 资源情况 | 野生资源较丰富，栽培资源一般。药材主要来源于栽培。

| 采收加工 | 南酸枣：9 ~ 10 月果实成熟时采收，鲜用。
五眼果树皮：全年均可采剥，晒干或熬膏。

| 药材性状 | 南酸枣：本品呈类圆形、椭圆形。表面黑褐色或棕褐色，略有光泽，有不规则皱褶；基部稍有环状果梗痕。果肉薄，棕褐色，果核坚硬，近卵形，红棕色或黄棕色，先端有 5 明显的小孔（偶有 4 或 6）。横断面有 5 室，每室具有种子 1，长圆形。无臭，味酸。

| 功能主治 | 南酸枣：甘、酸，平。行气活血，养心安神，消积，解毒。用于气滞血瘀，胸痛，心悸气短，神经衰弱，失眠，支气管炎，食滞腹满，腹泻，疝气，烫火伤。
五眼果树皮：酸、涩，凉。清热解毒，祛湿，杀虫。用于疮疡，烫火伤，阴囊湿疹，痢疾，带下，疥癣。

| 用法用量 | 南酸枣：内服煎汤，30 ~ 60g；鲜果 2 ~ 3 个，嚼食；果核煎汤，15 ~ 24g。外用适量，果核烧炭研末，调敷。
五眼果树皮：内服煎汤，15 ~ 30g。外用适量，煎汤洗；或熬膏涂。

| 附　　注 | 本种喜温暖湿润的气候，适应性强，生长迅速。但不耐寒，要求阳光充足。对土壤要求不严，除过酸、过碱土壤外，一般土壤均能种植。

漆树科 Anacardiaceae 南酸枣属 *Choerospondias*

毛脉南酸枣 *Choerospondias axillaris* (Roxb.) Burtt et Hill var. *pubinervis* (Rehd. et Wils.) Burtt et Hill

毛脉南酸枣

| 药 材 名 |

参见“南酸枣”条。

| 形态特征 |

本种与原变种南酸枣的区别在于小叶背面脉上以及小叶柄、叶轴及幼枝被灰白色微柔毛。

| 生境分布 |

生于海拔 200 ~ 1200m 的疏林中。分布于重庆巫山、巫溪、奉节、秀山、云阳、涪陵、南川、北碚、九龙坡、潼南、合川等地。

| 资源情况 |

野生资源稀少，栽培资源一般，多为山林木材。药材主要来源于栽培。

| 采收加工 |

参见“南酸枣”条。

| 药材性状 |

参见“南酸枣”条。

| 功能主治 |

参见“南酸枣”条。

| 用法用量 | 参见“南酸枣”条。

| 附　　注 | 参见“南酸枣”条。

漆树科 Anacardiaceae 黄栌属 *Cotinus*

红叶黄栌 *Cotinus coggygria* Scop. var. *cinerea* Engl.

| 药 材 名 | 黄栌（药用部位：叶、嫩枝）、黄栌根（药用部位：根）。

| 形态特征 | 灌木，高 3 ~ 5m。叶倒卵形或卵圆形，长 3 ~ 8cm，宽 2.5 ~ 6cm，先端圆形或微凹，基部圆形或阔楔形，全缘，两面或尤其叶背显著被灰色柔毛；侧脉 6 ~ 11 对，先端常叉开；叶柄短。圆锥花序被柔毛；花杂性，直径约 3mm；花梗长 7 ~ 10mm；花萼无毛，裂片卵状三角形，长约 1.2mm，宽约 0.8mm；花瓣卵形或卵状披针形，长 2 ~ 2.5mm，宽约 1mm，无毛；雄蕊 5，长约 1.5mm，花药卵形，与花丝等长，花盘 5 裂，紫褐色；子房近球形，直径约 0.5mm，花柱 3，分离，不等长。果实肾形，长约 4.5mm，宽约 2.5mm，无毛。

| 生境分布 | 生于海拔 300 ~ 1620m 的向阳山坡林中。分布于重庆巫山、云阳、

红叶黄栌

巫溪、南川等地。

| 资源情况 | 野生资源稀少。药材主要来源于野生。

| 采收加工 | 黄栌：夏季枝叶茂盛时采收，截段，干燥。

黄栌根：全年均可采挖，洗净，切段，晒干。

| 药材性状 | 黄栌：本品嫩枝呈圆柱形，直径 1.5 ~ 4mm；表面深红色或灰绿色，具灰色短柔毛及淡褐色小皮孔；质硬而脆，易折断，断面边缘黄绿色，中间紫红色。叶互生，多皱缩破碎，完整者展平后呈近圆形，长 3 ~ 8cm，宽 2.5 ~ 6cm，灰绿色，两面均被灰白色短柔毛，下面和沿叶脉处较密；叶柄长 1.5 ~ 7.5cm。气微香，味涩、微苦。以叶多、枝嫩、色灰绿者为佳。

| 功能主治 | 黄栌：苦，微寒。清利湿热。用于急性病毒性肝炎。

黄栌根：苦、辛，寒。清热利湿，散瘀，解毒。用于黄疸，肝炎，跌打瘀痛，皮肤瘙痒，赤眼，丹毒，烫火伤，漆疮。

| 用法用量 | 黄栌：内服煎汤，30g，小儿减半。

黄栌根：内服煎汤，10 ~ 30g。外用适量，煎汤洗。

| 附　　注 | （1）在 FOC 中，本种的中文名被修订为红叶。

（2）本种喜光，也耐半阴；耐寒，耐干旱瘠薄和碱性土壤，不耐水湿，宜植于土层深厚、肥沃而排水良好的砂壤土中。

漆树科 Anacardiaceae 黄栌属 *Cotinus*

毛黄栌 *Cotinus coggygria* Scop. var. *pubescens* Engl.

| 药 材 名 | 黄栌根（药用部位：根）、黄栌枝叶（药用部位：枝叶）。

| 形态特征 | 灌木，高 3 ~ 5m。叶多为阔椭圆形，稀圆形，长 3 ~ 8cm，宽 2.5 ~ 6cm，先端圆形或微凹，基部圆形或阔楔形，全缘，叶背、尤其沿脉上和叶柄密被柔毛；侧脉 6 ~ 11 对，先端常叉开；叶柄短。圆锥花序无毛或近无毛；花杂性，直径约 3mm；花梗长 7 ~ 10mm；花萼无毛，裂片卵状三角形，长约 1.2mm，宽约 0.8mm；花瓣卵形或卵状披针形，长 2 ~ 2.5mm，宽约 1mm，无毛；雄蕊 5，长约 1.5mm，花药卵形，与花丝等长，花盘 5 裂，紫褐色；子房近球形，直径约 0.5mm，花柱 3，分离，不等长。果实肾形，长约 4.5mm，宽约 2.5mm，无毛。花期 2 ~ 8 月，果期 5 ~ 11 月。

毛黄栌

| **生境分布** | 生于海拔 200 ~ 1500m 的山坡林中。分布于重庆巫溪、奉节、丰都、武隆、南川、万州、城口、云阳、开州等地。

| **资源情况** | 野生资源一般。药材主要来源于野生。

| **采收加工** | 黄栌根：全年均可采挖，洗净，切段，晒干。

黄栌枝叶：夏、秋季采收，扎成把，晒干。

| **药材性状** | 黄栌枝叶：本品纸质，多缩皱破碎，完整者展平后呈卵圆形至倒卵形，长 3 ~ 8cm，宽 2.5 ~ 6cm，灰绿色，两面均被白色短柔毛，下表面沿叶脉处较密。叶柄长 1 ~ 4（~ 7.5）cm。

| **功能主治** | 黄栌根：苦、辛，寒。清热利湿，散瘀，解毒。用于黄疸，肝炎，跌打瘀痛，丹毒，烫火伤，漆疮，结膜炎。

黄栌枝叶：苦、辛，寒。清热解毒，活血止痛。用于黄疸性肝炎，丹毒，漆疮，烫火伤，结膜炎，跌打瘀痛。

| **用法用量** | 黄栌根：内服煎汤，10 ~ 30g。外用适量，煎汤洗。

黄栌枝叶：内服煎汤，9 ~ 15g。外用适量，煎汤洗或捣敷。

| **附　　注** | 本种喜阳光，耐半阴，耐旱，耐寒，耐盐碱，耐瘠薄，但不耐水湿。生长迅速，萌蘖力强。

漆树科 Anacardiaceae 杧果属 *Mangifera*

杧果 *Mangifera indica* L.

| **药 材 名** | 杧果叶（药用部位：叶）、杧果（药用部位：果实。别名：香盖、蜜望、沙果梨）、杧果核（药用部位：果核）。

| **形态特征** | 常绿大乔木，高 10 ~ 20m。树皮灰褐色，小枝褐色，无毛。叶薄革质，常集生枝顶，叶形和大小变化较大，通常为长圆形或长圆状披针形，长 12 ~ 30cm，宽 3.5 ~ 6.5cm，先端渐尖、长渐尖或急尖，基部楔形或近圆形，边缘皱波状，无毛，叶面略具光泽；侧脉 20 ~ 25 对，斜升，两面凸起，网脉不显；叶柄长 2 ~ 6cm，上面具槽，基部膨大。圆锥花序长 20 ~ 35cm，多花密集，被灰黄色微柔毛，分枝开展，最基部分枝长 6 ~ 15cm；苞片披针形，长约 1.5mm，被微柔毛；花小，杂性，黄色或淡黄色；花梗长 1.5 ~ 3mm，具节；萼片卵状披针形，长 2.5 ~ 3mm，宽约 1.5mm，渐尖，外面被微柔毛，边缘具细睫毛；

杧果

花瓣长圆形或长圆状披针形，长 3.5 ~ 4mm，宽约 1.5mm，无毛，里面具 3 ~ 5 棕褐色凸起的脉纹，开花时外卷；花盘膨大，肉质，5 浅裂；雄蕊仅 1 发育，长约 2.5mm，花药卵圆形，不育雄蕊 3 ~ 4，具极短的花丝和疣状花药原基或缺；子房斜卵形，直径约 1.5mm，无毛，花柱近顶生，长约 2.5mm。核果大，肾形（栽培品种其形状和大小变化极大），压扁，长 5 ~ 10cm，宽 3 ~ 4.5cm，成熟时黄色，中果皮肉质，肥厚，鲜黄色，味甜，果核坚硬。花期 3 ~ 4 月，果期 5 ~ 7 月。

| 生境分布 | 栽培于山坡。分布于重庆南川等地。

| 资源情况 | 栽培资源稀少，无野生资源。药材主要来源于栽培。

| 采收加工 | 杧果叶：全年均可采摘，晒干。

杧果：夏季采摘，鲜用或晒干。

杧果核：夏季果实成熟时采摘果实，食用杧果后，收集果核，晒干。

| 药材性状 | 杧果叶：本品呈长椭圆形至长圆状披针形，长 12 ~ 30cm，宽 3.5 ~ 6.5cm，先端尖或渐尖，基部楔形或偏斜，全缘，常呈波浪形；上表面灰绿色或黄棕色，略有光泽，下表面灰绿色，主脉于上下表面显著凸起，侧脉羽状。叶柄长 4 ~ 6cm，基部膨大。质脆，易碎。气微，味甘、涩。

杧果核：本品呈扁长卵形，长 5 ~ 8cm，宽 3 ~ 4.5cm，厚 1 ~ 2cm。表面黄白色或灰棕色，具数条斜向筋脉纹（内果皮维管束）及绒毛状纤维，韧性。中央隆起，边缘一侧扁薄，另一侧较圆钝。质坚硬，手摇之内藏种子作响；破开后内表面黄白色，光滑，有种子 1。种皮薄，膜质，半透明，易脱离；种仁黄白色，肥厚，肾形。气微，味微酸、涩。以个均匀、饱满、色黄白者为佳。

| 功能主治 | 杧果叶：酸、甘，凉。归胃、脾经。宣肺止咳，祛痰消滞，止痒。用于咳嗽痰多，气滞腹胀。外用于湿疹瘙痒。

杧果：甘、酸，微寒。益胃，生津，止呕，止咳。用于口渴，呕吐，食少，咳嗽。

杧果核：酸、涩，平。健胃消食，化痰行气。用于饮食积滞，食欲不振，咳嗽，疝气，睾丸炎。

| 用法用量 | 杧果叶：内服煎汤，15 ~ 30g。外用煎汤洗患处。

杧果：内服适量，做食品。饱餐后禁食。

杧果核：内服煎汤，6 ~ 12g；或研末。

漆树科 Anacardiaceae 黄连木属 *Pistacia*

黄连木 *Pistacia chinensis* Bunge

黄连木

药材名

黄楝树（药用部位：叶芽、叶、根、树皮）。

形态特征

落叶乔木，高达 20m。树干扭曲，树皮暗褐色，呈鳞片状剥落，幼枝灰棕色，具细小皮孔，疏被微柔毛或近无毛。奇数羽状复叶互生，有小叶 5 ~ 6 对，叶轴具条纹，被微柔毛，叶柄上面平，被微柔毛；小叶对生或近对生，纸质，披针形或卵状披针形或线状披针形，长 5 ~ 10cm，宽 1.5 ~ 2.5cm，先端渐尖或长渐尖，基部偏斜，全缘，两面沿中脉和侧脉被卷曲微柔毛或近无毛，侧脉和细脉两面凸起；小叶柄长 1 ~ 2mm。花单性异株，先花后叶，圆锥花序腋生，雄花序排列紧密，长 6 ~ 7cm，雌花序排列疏松，长 15 ~ 20cm，均被微柔毛；花小，花梗长约 1mm，被微柔毛；苞片披针形或狭披针形，内凹，长 1.5 ~ 2mm，外面被微柔毛，边缘具睫毛。雄花花被片 2 ~ 4，披针形或线状披针形，大小不等，长 1 ~ 1.5mm，边缘具睫毛；雄蕊 3 ~ 5，花丝极短，长不到 0.5mm，花药长圆形，大，长约 2mm；雌蕊缺。雌花花被片 7 ~ 9，大小不等，长 0.7 ~ 1.5mm，宽 0.5 ~ 0.7mm，外面 2 ~ 4 远较狭，披针形或线状披针形，外面被柔毛，边缘具睫毛，里面 5 卵形或长圆形，外面无毛，边缘具睫毛；不育雄蕊缺；子房球形，无毛，直径约 0.5mm，花柱极短，柱头 3，厚，肉质，红色。核果倒卵状球形，略压扁，直径约 5mm，成熟时紫红色，干后具纵向细条纹，先端细尖。花期 3 ~ 5 月，果期 8 ~ 11 月。

| 生境分布 | 生于海拔 200 ~ 2500m 的石山林中。重庆各地均有分布。

| 资源情况 | 野生和栽培资源均较丰富。药材主要来源于栽培。

| 采收加工 | 春季采集叶芽，鲜用。夏、秋季采叶，鲜用或晒干。全年均可采收根及树皮，洗净，切片，晒干。

| 功能主治 | 苦、涩，寒。清暑，生津，解毒，利湿。用于暑热口渴，咽喉肿痛，口舌糜烂，吐泻，痢疾，淋证，无名肿毒，疮疹。

| 用法用量 | 内服煎汤，15 ~ 30g；腌食，叶芽适量。外用适量，捣汁涂或煎汤洗。

| 附　　注 | 本种为阳性树，稍耐半阴，畏寒忌湿。对土壤要求不严。深根性，萌发力强，生长慢，寿命长，耐二氧化碳和烟尘。

漆树科 Anacardiaceae 盐肤木属 *Rhus*

盐肤木 *Rhus chinensis* Mill.

| 药 材 名 | 五倍子（药材来源：虫瘿。别名：百虫仓、文蛤、漆倍子）、盐肤木（药用部位：茎、枝。别名：盐霜柏、盐酸木、敷烟树）、盐肤子（药用部位：果实。别名：盐麸子、木附子、油盐果）、盐肤叶（药用部位：叶）、五倍子苗（药用部位：幼嫩枝苗）、盐肤木花（药用部位：花）、盐肤木根（药用部位：根。别名：盐麸子根、文蛤根、五倍根）、盐肤木根皮（药用部位：去掉栓皮的根皮。别名：盐麸树白皮）、盐肤木皮（药用部位：去掉栓皮的树皮。别名：盐麸树白皮）。

| 形态特征 | 落叶小乔木或灌木，高 2 ~ 10m。小枝棕褐色，被锈色柔毛，具圆形小皮孔。奇数羽状复叶互生，叶轴及叶柄常有翅；小叶 2 ~ 6 对，小叶无柄；小叶纸质，多形，常为卵形或椭圆状卵形或长圆形，长

盐肤木

6 ~ 12cm，宽 3 ~ 7cm，先端急尖，基部圆形，边缘具粗锯齿或圆锯齿，叶面暗绿色，叶背粉绿色，被白粉，叶面沿中脉疏被柔毛或近无毛，叶背被锈色柔毛。圆锥花序宽大，顶生，多分枝，雄花序长 30 ~ 40cm，雌花序较短，密被锈色柔毛；花小，杂性，黄白色；雄花花萼裂片长卵形，长约 1mm，花瓣倒卵状长圆形，长约 2mm，开花时外卷，雄蕊伸出，花丝线形，花药卵形；雌花花萼裂片较短，长约 0.6mm，花瓣椭圆状卵形，长约 1.6mm；花盘无毛；子房卵形，长约 1mm，密被白色微柔毛；花柱 3，柱头头状。核果球形，略压扁，直径约 4 ~ 5mm，被具节柔毛和腺毛，成熟时红色，果核直径 3 ~ 4mm。花期 8 ~ 9 月，果期 10 月。

| 生境分布 | 生于海拔 170 ~ 2700m 的向阳山坡、沟谷、溪边的疏林或灌丛中。重庆各地均有分布。

| 资源情况 | 野生资源丰富。药材主要来源于栽培。

| 采收加工 | 五倍子：秋季采摘，置沸水中略煮或蒸至表面呈灰色，杀死蚜虫取出，干燥。按外形不同，分为“肚倍”和“角倍”。

盐肤木：全年均可采收，锯段，切块或片，鲜用或干燥。

盐肤子：10 月采收成熟果实，鲜用或晒干。

盐肤叶：夏、秋季采收，随采随用。

五倍子苗：春季采收，晒干或鲜用。

盐肤木花：8 ~ 9 月采收，鲜用或晒干。

盐肤木根：全年均可采挖，鲜用或切片晒干。

盐肤木根皮：全年均可采挖根，洗净，剥取根皮，鲜用或晒干。

盐肤木皮：夏、秋季剥取树皮，除去栓皮，留取韧皮部，鲜用或晒干。

| 药材性状 | 五倍子：本品肚倍呈长圆形或纺锤形囊状，长 2.5 ~ 9cm，直径 1.5 ~ 4cm；表面灰褐色或灰棕色，微有柔毛；质硬而脆，易破碎，断面角质样，有光泽，壁厚 0.2 ~ 0.3cm，内壁平滑，有黑褐色死蚜虫及灰色粉状排泄物；气特异，味涩。角倍呈菱形，具不规则的钝角状分枝，柔毛较明显，壁较薄。

盐肤木：本品茎呈长圆柱形；表面黑褐色，外皮有不规则鳞片状皱裂，皮孔明显，赤褐色。不规则切片圆形或长圆形，大小不等。断面皮部薄，棕色，木部黄白色，稍有光泽，纹理细，可见同心层纹，中心有棕色小髓。体轻，质硬。无臭，味涩、微咸。以色淡黄白者为佳。

| 功能主治 | 五倍子：酸、涩，寒。归肺、大肠、肾经。敛肺降火，涩肠止泻，敛汗，止血，收湿敛疮。用于肺虚久咳，肺热痰嗽，久泻久痢，自汗盗汗，消渴，便血痔血，外伤出血，痈肿疮毒，皮肤湿烂。

盐肤木：苦、酸，微温。归脾、肾经。祛风，化湿、消肿。用于感冒发热，咳嗽，腹泻，水肿，风湿痹痛。

盐肤子：酸、咸，凉。生津润肺，降火化痰，敛汗，止痢。用于痰嗽，喉痹，黄疸，盗汗，痢疾，顽癣，痈毒，头风白屑。

盐肤叶：酸、微苦，凉。止咳，止血，收敛，解毒。用于痰嗽，便血，血痢，盗汗，痈疽，疮疡，湿疹，蛇虫咬伤。

五倍子苗：酸，微温。解毒利咽。用于咽痛喉痹。

盐肤木花：酸、咸，微寒。清热解毒，敛疮。用于疮疡久不收口，小儿鼻下两旁生疮，色红瘙痒，渗液浸淫糜烂。

盐肤木根：酸、咸，平。祛风除湿，利水消肿，活血散毒。用于风湿痹痛，水肿，咳嗽，跌打肿痛，乳痈，癣疮。

盐肤木根皮：酸、咸，凉。清热利湿，解毒散瘀。用于黄疸，水肿，风湿痹痛，小儿疳积，疮疡肿毒，跌打损伤，毒蛇咬伤。

盐肤木皮：酸，微寒。清热解毒，活血止痢。用于血痢，痈肿，疮疥，蛇犬咬伤。

| 用法用量 | 五倍子：内服煎汤，3 ~ 6g。外用适量。

盐肤木：内服煎汤，30 ~ 60g；或研末开水送服。

盐肤子：内服煎汤，9 ~ 10g；或研末。外用适量，煎汤洗；捣敷或研末调敷。

盐肤叶：内服煎汤，9 ~ 15g，鲜品 30 ~ 60g。外用适量，煎汤洗；或鲜品捣敷；或捣汁涂。

五倍子苗：内服煎汤，9 ~ 15g，鲜品 30 ~ 60g；或入丸、散。

盐肤木花：外用适量，研末撒或调搽。

盐肤木根：内服煎汤，9 ~ 15g，鲜品 30 ~ 60g。外用适量，研末调敷；或煎汤洗；或鲜品捣敷。

盐肤木根皮：内服煎汤，15 ~ 60g。外用适量，捣敷。

盐肤木皮：内服煎汤，15 ~ 60g。外用适量，煎汤洗；或捣敷。

| 附　　注 | （1）本种的药材五倍子的其他来源为青麸杨 *Rhus potaninii* Maxim. 或红麸杨 *Rhus punjabensis* Stewart var. *sinica* (Diels) Rehd. et Wils. 叶上的虫瘿，同样是由五倍子蚜 *Melaphis chinensis* (Bell) Baker 寄生而形成。

（2）本种喜温暖湿润气候，也能耐一定寒冷和干旱。对土壤要求不严，酸性、中性或石灰岩的碱性土壤中都能生长，耐瘠薄，不耐水湿。根系发达，有很强的萌蘖性。

漆树科 Anacardiaceae 盐肤木属 *Rhus*

青麸杨 *Rhus potaninii* Maxim.

青麸杨

| 药 材 名 |

五倍子（药材来源：虫瘿。别名：百虫仓、文蛤、漆倍子）、青麸杨根（药用部位：根）。

| 形态特征 |

落叶乔木，高 5 ~ 8m。树皮灰褐色，小枝无毛。奇数羽状复叶有小叶 3 ~ 5 对，叶轴无翅，被微柔毛；小叶卵状长圆形或长圆状披针形，长 5 ~ 10cm，宽 2 ~ 4cm，先端渐尖，基部多少偏斜，近圆形，全缘，两面沿中脉被微柔毛或近无毛，小叶具短柄。圆锥花序长 10 ~ 20cm，被微柔毛；苞片钻形，长约 1mm，被微柔毛；花白色，直径 2.5 ~ 3mm；花梗长约 1mm，被微柔毛；花萼外面被微柔毛，裂片卵形，长约 1mm，边缘具细睫毛；花瓣卵形或卵状长圆形，长 1.5 ~ 2mm，宽约 1mm，两面被微柔毛，边缘具细睫毛，开花时先端外卷；花丝线形，长约 2mm，在雌花中较短，花药卵形；花盘厚，无毛；子房球形，直径约 0.7mm，密被白色绒毛。核果近球形，略压扁，直径 3 ~ 4mm，密被具节柔毛和腺毛，成熟时红色。花期 5 ~ 7 月，果期 7 ~ 10 月。

| 生境分布 | 生于海拔 500 ~ 2500m 的山坡疏林或灌木中。分布于重庆綦江、黔江、潼南、巫山、大足、奉节、酉阳、万州、涪陵、永川、城口、忠县、云阳等地。

| 资源情况 | 野生资源较丰富。药材主要来源于野生。

| 采收加工 | 五倍子：参见“盐肤木”条。

青麸杨根：夏、秋季采挖，洗净，除去表皮，留取韧皮，晒干。

| 药材性状 | 五倍子：参见“盐肤木”条。

| 功能主治 | 五倍子：参见“盐肤木”条。

青麸杨根：辛，热。祛风解毒。用于小儿缩阴症，瘰疬。

| 用法用量 | 五倍子：参见“盐肤木”条。

青麸杨根：内服煎汤，30 ~ 60g。

漆树科 Anacardiaceae 盐肤木属 *Rhus*

红麸杨 *Rhus punjabensis* Stewart var. *sinica* (Diels) Rehd. et Wils.

| 药 材 名 | 五倍子（药材来源：虫瘿。别名：百虫仓、文蛤、漆倍子）、红麸杨根（药用部位：根）。

| 形态特征 | 落叶乔木或小乔木，高 4 ~ 15m。树皮灰褐色，小枝被微柔毛。奇数羽状复叶有小叶 3 ~ 6 对，叶轴上部具狭翅，极稀不明显；叶卵状长圆形或长圆形，长 5 ~ 12cm，宽 2 ~ 4.5cm，先端渐尖或长渐尖，基部圆形或近心形，全缘，叶背疏被微柔毛或仅脉上被毛；侧脉较密，约 20 对，不达边缘，在叶背明显凸起；叶无柄或近无柄。圆锥花序长 15 ~ 20cm，密被微绒毛；苞片钻形，长 1 ~ 2cm，被微绒毛；花小，直径约 3mm，白色；花梗短，长约 1mm；花萼外面疏被微柔毛，裂片狭三角形，长约 1mm，宽约 0.5mm，边缘具细睫毛；花瓣长圆形，长约 2mm，宽约 1mm，两面被微柔毛，边缘具细睫毛，

红麸杨

开花时先端外卷；花丝线形，长约 2mm，中下部被微柔毛，在雌花中较短，长约 1mm，花药卵形；花盘厚，紫红色，无毛；子房球形，密被白色柔毛，直径约 1mm，雄花中有不育子房。核果近球形，略压扁，直径约 4mm，成熟时暗紫红色，被具节柔毛和腺毛；种子小。花期 6 ~ 7 月，果期 7 ~ 9 月。

| 生境分布 | 生于海拔 600 ~ 1600m 的石灰山灌丛或密林中。重庆各地均有分布。

| 资源情况 | 野生资源丰富。药材主要来源于野生。

| 采收加工 | 五倍子：参见“盐肤木”条。

红麸杨根：秋季采挖，洗净，切片，晒干。

| 药材性状 | 五倍子：参见“盐肤木”条。

| 功能主治 | 五倍子：参见“盐肤木”条。

红麸杨根：酸、涩，平。涩肠止泻。用于痢疾，泄泻。

| 用法用量 | 五倍子：参见“盐肤木”条。

红麸杨根：内服煎汤，9 ~ 15g。

漆树科 Anacardiaceae 漆属 *Toxicodendron*

野漆 *Toxicodendron succedaneum* (L.) O. Kuntze

药材名 野漆树（药用部位：叶。别名：染山红、臭毛漆树、山漆）、野漆树根（药用部位：根、根皮。别名：林背子）。

形态特征 落叶乔木或小乔木，高达10m。小枝粗壮，无毛，顶芽大，紫褐色，外面近无毛。奇数羽状复叶互生，常集生小枝先端，无毛，长25～35cm，有小叶4～7对，叶轴和叶柄圆柱形；叶柄长6～9cm；小叶对生或近对生，坚纸质至薄革质，长圆状椭圆形、阔披针形或卵状披针形，长5～16cm，宽2～5.5cm，先端渐尖或长渐尖，基部多少偏斜，圆形或阔楔形，全缘，两面无毛，叶背常具白粉；侧脉15～22对，弧形上升，两面略凸；小叶柄长2～5mm。圆锥花序长7～15cm，为叶长之半，多分枝，无毛；花黄绿色，直径约2mm；花梗长约2mm；花萼无毛，裂片阔卵形，先端钝，长约

野漆

1mm；花瓣长圆形，先端钝，长约 2mm，中部具不明显的羽状脉或近无脉，开花时外卷；雄蕊伸出，花丝线形，长约 2mm，花药卵形，长约 1mm；花盘 5 裂；子房球形，直径约 0.8mm，无毛，花柱 1，短，柱头 3 裂，褐色。核果大，偏斜，直径 7 ~ 10mm，压扁，先端偏离中心，外果皮薄，淡黄色，无毛，中果皮厚，蜡质，白色，果核坚硬，压扁。

| 生境分布 | 生于海拔 250 ~ 1600m 的山坡疏林或灌木丛中。分布于重庆北碚、綦江、彭水、铜梁、垫江、九龙坡、忠县、云阳、武隆、巫溪、梁平、巴南、沙坪坝等地。

| 资源情况 | 野生资源一般。药材主要来源于野生。

| 采收加工 | 野漆树：春季采收，鲜用或晒干。

野漆树根：全年均可采挖根，洗净；或剥取根皮，鲜用或切片晒干。

| 功能主治 | 野漆树：苦、涩，平；有毒。散瘀止血，解毒。用于咯血，吐血，外伤出血，毒蛇咬伤。

野漆树根：苦，寒；有小毒。散瘀止血，解毒。用于咯血，吐血，尿血，血崩，外伤出血，跌打损伤，疮毒疥癣，毒蛇咬伤。

| 用法用量 | 野漆树：内服煎汤，6 ~ 9g。外用适量，捣敷。对漆过敏者慎用。

野漆树根：内服煎汤，15 ~ 30g。外用适量，鲜品捣敷或干品研末调敷。对漆过敏者慎用。

漆树科 Anacardiaceae 漆属 *Toxicodendron*

漆 *Toxicodendron vernicifluum* (Stokes) F. A. Barkl.

漆

|药材名|

干漆（药材来源：树脂经加工的干燥品。别名：漆渣、续命筒、漆底）、生漆（药材来源：树脂。别名：大漆）、漆子（药用部位：种子）、漆叶（药用部位：叶）、漆树根（药用部位：根）、漆树皮（药用部位：树皮、根皮）。

|形态特征|

落叶乔木，高可达 20m。树皮灰白色，粗糙，呈不规则纵裂，小枝粗壮，被棕色柔毛；冬芽生于枝顶，大而显著，被棕黄色绒毛。奇数羽状复叶螺旋状，互生，长 22 ~ 75cm；叶柄长 7 ~ 14cm，被微柔毛，近基部膨大，半圆形，上面平；小叶 4 ~ 6 对，小叶柄长 4 ~ 7mm，卵形、卵状椭圆形或长圆形，长 6 ~ 13cm，宽 3 ~ 6cm，先端渐尖或急尖，基部偏斜，圆形或阔楔形，全缘，上面无毛或中脉被微毛，下面初被细毛，老时沿脉密被淡褐色柔毛；侧脉 10 ~ 15 对，两面略凸，膜质至薄纸质。圆锥花序长 15 ~ 30cm，被灰黄色微柔毛；花杂性或雌雄异株，花黄绿色；雄花花萼 5，卵形，长约 0.8mm；花瓣 5，长圆形，开花外卷；雄蕊 5，长约 2.5mm，着生于花盘边缘，花丝线形，花药长圆形；雌花较雄蕊小，子房球形，1 室，直径约

1.5mm，花柱 3。果序稍下垂，核果肾形或椭圆形，不偏斜，略压扁，长 5 ~ 6mm，宽 7 ~ 8mm，外果皮黄色，无毛，具光泽，成熟后不裂，中果皮蜡质，具树脂条纹；果核棕色，与果实同形，长约 3mm，宽约 5mm，坚硬。花期 5 ~ 6 月，果期 7 ~ 10 月。

| 生境分布 | 生于海拔 700 ~ 2700m 的向阳山坡林内。分布于重庆城口、巫山、巫溪、奉节、酉阳、秀山、黔江、彭水、石柱、云阳、开州、梁平、垫江、万州、丰都、武隆、涪陵、南川、綦江、江津、璧山、大足、铜梁、合川等地。

| 资源情况 | 野生和栽培资源均较丰富。药材主要来源于栽培。

| 采收加工 | 干漆：一般收集盛漆器具底留下的漆渣，干燥。

生漆：4 ~ 5 月采收，划破树皮，收取溢出的脂液，贮存。

漆子：9 ~ 10 月果实成熟时采摘，除去果梗，晒干。

漆叶：夏、秋季采收，随采随用，鲜用。

漆树根：全年均可采挖，洗净，切片，鲜用或晒干。

漆树皮：全年均可采收，剥取树皮；或挖根，洗净，剥取根皮，鲜用。

| 药材性状 | 干漆：本品呈不规则块状。黑褐色或棕褐色，表面粗糙，有蜂窝状细小孔洞或呈颗粒状。质坚硬，不易折断，断面不平坦。具特殊臭气。

| 功能主治 | 干漆：辛，温；有毒。归肝、脾经。破瘀通经，消积杀虫。用于瘀血经闭，癥瘕积聚，虫积腹痛。

生漆：辛，温；有大毒。杀虫。用于虫积，水蛊。

漆子：辛，温；有毒。活血止血，温经止痛。用于出血夹瘀的便血，尿血，崩漏及瘀滞腹痛，闭经。

漆叶：辛，温；有小毒。活血解毒，杀虫敛疮。用于紫云疯，面部紫肿，外伤瘀肿出血，疮疡溃烂，疥癣，漆中毒。

漆树根：辛，温；有毒。活血散瘀，通经止痛。用于跌打瘀肿疼痛，经闭腹痛。

漆树皮：辛，温；有小毒。接骨。用于跌打骨折。

| 用法用量 | 干漆：内服煎汤，2 ~ 5g。

生漆：内服生用和丸，或熬干研末入丸、散。外用适量，涂抹。体虚无瘀滞及漆过敏者禁服；禁外用。

漆子：内服煎汤，6 ~ 9g；或入丸、散。

漆叶：外用适量，捣敷；或捣汁搽；或煎汤洗。

漆树根：内服煎汤，6 ~ 15g。外用鲜品适量，捣敷。

漆树皮：外用适量，捣烂用酒炒敷。

槭树科 Aceraceae 槭属 *Acer*

三角槭 *Acer buergerianum* Miq.

| 药 材 名 | 三角槭（药用部位：根皮、茎皮）。

| 形态特征 | 落叶乔木，高 5 ~ 10m，稀达 20m。树皮褐色或深褐色，粗糙。小枝细瘦；当年生枝紫色或紫绿色，近于无毛；多年生枝淡灰色或灰褐色，稀被蜡粉。叶纸质，基部近于圆形或楔形，椭圆形或倒卵形，长 6 ~ 10cm，通常浅 3 裂，裂片向前延伸，稀全缘，中央裂片三角状卵形，急尖、锐尖或短渐尖；侧裂片短钝尖或甚小，裂片通常全缘，裂片间的凹缺钝尖，被白粉，略被毛，在叶脉上较密；初生脉 3，稀 5；叶柄长 2.5 ~ 5cm，淡紫绿色，无毛。花多数常成顶生被短柔毛的伞房花序，直径约 3cm，总花梗长 1.5 ~ 2cm；萼片 5，黄绿色，卵形，无毛；花瓣 5，淡黄色，狭窄披针形或匙状披针形，先端钝圆；雄蕊 8，与萼片等长或微短，花盘无毛，微分裂，位于雄蕊外

三角槭

侧；子房密被淡黄色长柔毛，花柱无毛；花梗长 5 ~ 10mm，细瘦。翅果黄褐色，小坚果特别凸起，直径 6mm，翅与小坚果共长 2 ~ 2.5cm，宽 9 ~ 10mm，中部最宽，基部狭窄，张开成锐角或近于直立。花期 4 月，果期 8 月。

| 生境分布 | 生于海拔 300 ~ 1000m 的阔叶林中。分布于重庆万州、北碚等地。

| 资源情况 | 野生资源稀少。药材主要来源于野生。

| 采收加工 | 夏、秋季采挖，洗净，切片或剥皮，鲜用或晒干备用。

| 功能主治 | 清热解毒，消暑。用于丹毒，无名肿毒。

| 用法用量 | 内服煎汤，适量。外用适量，捣敷。

槭树科 Aceraceae 槭属 *Acer*

紫果槭 *Acer cordatum* Pax

| **药 材 名** | 紫果槭（药用部位：根皮）。

| **形态特征** | 常绿乔木，常高 7m，稀达 10m。树皮灰色或淡黑灰色，光滑。小枝细瘦，无毛；当年生嫩枝紫色或淡紫绿色；多年生老枝绿色或淡绿灰色。叶纸质或近革质，卵状长圆形，稀卵形，长 6 ~ 9cm，宽 3 ~ 4.5cm，先端渐尖，基部近于心形，近先端疏生细齿，余全缘，上面有光泽，两面脉纹显著，基部 1 对侧脉长为叶片 1/3；叶柄紫色或淡紫色，长约 1cm，细瘦，无毛。花 3 ~ 5，呈长 4 ~ 5cm 的伞房花序，总花梗细瘦，淡紫色，无毛。翅果嫩时紫色，成熟时黄褐色，小坚果凸起，无毛，长 4mm，宽 3mm，翅宽 1cm，连同小坚果长 2cm，张开成钝角或近于水平；果梗长 1 ~ 2cm，细瘦，无毛。花期 4 月下旬，果期 9 月。

紫果槭

| 生境分布 | 生于海拔 500 ~ 1200m 的山谷疏林中。分布于重庆城口、奉节、梁平等地。

| 资源情况 | 野生资源一般。药材主要来源于野生，外销内用。

| 采收加工 | 夏、秋季采挖，洗净，切片或剥皮，鲜用或晒干备用。

| 功能主治 | 祛风除湿。用于扭伤，风湿痹痛。

| 用法用量 | 内服煎汤，适量。外用适量，捣敷，或煎汤洗。

| 附　　注 | 本种种子小，幼苗前期生长较弱，大田播种出苗率不高，采用基质化育苗与容器化培育相结合的育苗技术可显著提高小苗的出圃率。也可采用嫁接的方法进行快速繁殖，秀丽槭和三峡槭均可作为其砧木；从嫁接的时间上看，春秋两季均可进行，但春季树液复苏，穗条的芽开始膨大时更有利于提高嫁接成活率。

槭树科 Aceraceae 槭属 *Acer*

青榨槭 *Acer davidii* Franch.

|药 材 名| 青榨槭（药用部位：根、树皮。别名：光陈子、飞故子、鸡脚手）。

|形态特征| 落叶乔木，高 10 ~ 15m，稀达 20m。树皮黑褐色或灰褐色，常纵裂成蛇皮状。小枝细瘦，圆柱形，无毛；当年生的嫩枝紫绿色或绿褐色，具很稀疏的皮孔，多年生的老枝黄褐色或灰褐色。冬芽腋生，长卵圆形，绿褐色，长 4 ~ 8mm；鳞片的外侧无毛。叶纸质，长圆状卵形或近于长圆形，长 6 ~ 14cm，宽 4 ~ 9cm，先端锐尖或渐尖，常有尖尾，基部近于心形或圆形，边缘具不整齐的钝圆齿，上面深绿色，无毛，下面淡绿色，嫩时沿叶脉被紫褐色的短柔毛，渐老成无毛状；主脉在上面显著，在下面凸起，侧脉 11 ~ 12 对，成羽状，在上面微现，在下面显著；叶柄细瘦，长 2 ~ 8cm，嫩时被红褐色短柔毛，渐老则脱落。花黄绿色，杂性，雄花与两性花同株，

青榨槭

成下垂的总状花序，顶生于着叶的嫩枝，开花与嫩叶的生长大约同时，雄花的花梗长 3 ~ 5mm，通常 9 ~ 12，常呈长 4 ~ 7cm 的总状花序；两性花的花梗长 1 ~ 1.5cm，通常 15 ~ 30，常呈长 7 ~ 12cm 的总状花序；萼片 5，椭圆形，先端微钝，长约 4mm；花瓣 5，倒卵形，先端圆形，与萼片等长；雄蕊 8，无毛，在雄花中略长于花瓣，在两性花中不发育，花药黄色，球形，花盘无毛，现裂纹，位于雄蕊内侧，子房被红褐色的短柔毛，在雄花中不发育；花柱无毛，细瘦，柱头反卷。翅果嫩时淡绿色，成熟后黄褐色，翅宽 1 ~ 1.5cm，连同小坚果共长 2.5 ~ 3cm，展开成钝角或几成水平。花期 4 月，果期 9 月。

| 生境分布 | 生于海拔 500 ~ 1500m 的疏林中。分布于重庆黔江、綦江、城口、奉节、江津、石柱、涪陵、酉阳、秀山、武隆、南川等地。

| 资源情况 | 野生资源丰富，亦有零星栽培。药材主要来源于野生。

| 采收加工 | 夏、秋季采收根和树皮，洗净，切片，晒干。

| 功能主治 | 甘、苦，平。祛风除湿，散瘀止痛，消食健脾。用于风湿痹痛，肢体麻木，关节不利，跌打瘀痛，泄泻，痢疾，小儿消化不良。

| 用法用量 | 内服煎汤，6 ~ 15g；或研末，3 ~ 6g；或浸酒。外用适量，研末调敷。

| 附　　注 | 本种繁殖用种子、根蘖或 1 ~ 2 年生根段埋根育苗。抗 −30 ~ −35℃的低温。耐瘠薄，适宜中性土栽培。

槭树科 Aceraceae 槭属 *Acer*

毛花槭 *Acer erianthum* Schwer.

毛花槭

药材名

毛花槭（药用部位：根）。

形态特征

落叶乔木，高 8 ~ 10m，少数至 15m。树皮淡灰色或灰褐色；小枝紫绿色，无毛，疏生小皮孔。叶纸质，常 5 裂，少数 7 裂，长 9 ~ 10cm，宽 8 ~ 12cm，裂片卵形或三角状卵形，先端渐尖，基部圆形至截形，少数近心形，边缘除近基部外，有尖锐、紧贴的锯齿，叶上面绿色，无毛，下面淡绿色，微被细毛，脉腋间被白色须状毛；叶柄长 5 ~ 9cm，无毛。花白色，组成顶生总状花序，长 6 ~ 9cm，总花梗长 2 ~ 3cm。翅果嫩时紫绿色，密被长柔毛，成熟后变黄褐色，长 2.5 ~ 3cm；小坚果凸出，脉纹显著，两翅张开近水平或微向外反卷。花期 5 月，果期 9 月。

生境分布

生于海拔 1800 ~ 2300m 的混交林中。分布于重庆城口、巫溪、巫山、奉节、南川等地。

| 资源情况 | 野生资源一般。药材主要来源于野生，外销内用。

| 采收加工 | 夏、秋季采挖，切片，晒干。

| 功能主治 | 辛、苦，凉。清热解毒，祛风除湿。用于痈疽，丹毒，无名肿毒，湿疹，小儿头疮，风湿痹痛，跌打损伤。

| 用法用量 | 内服煎汤，6 ~ 15g。外用适量，捣敷；或煎汤洗。

槭树科 Aceraceae 槭属 *Acer*

罗浮槭 *Acer fabri* Hance

| 药 材 名 | 蝴蝶果（药用部位：果实。别名：红蝴蝶、红翅槭、费伯）。

| 形态特征 | 常绿乔木，常高 10m。树皮灰褐色或灰黑色，小枝圆柱形，无毛，当年生枝紫绿色或绿色，多年生枝绿色或绿褐色。叶革质，披针形，长圆状披针形或长圆状倒披针形，长 7 ~ 11cm，宽 2 ~ 3cm，全缘，基部楔形或钝形，先端锐尖或短锐尖，上面深绿色，无毛，下面淡绿色，无毛或脉腋稀被丛毛；主脉在上面显著，在下面凸起，侧脉 4 ~ 5 对，在上面微现，在下面显著；叶柄长 1 ~ 1.5cm，细瘦，无毛。花杂性，雄花与两性花同株，常成无毛或嫩时被绒毛的紫色伞房花序；萼片 5，紫色，微被短柔毛，长圆形，长 3mm；花瓣 5，白色，倒卵形，略短于萼片；雄蕊 8，无毛，长 5mm；子房无毛，花柱短，柱头平展。翅果嫩时紫色，成熟时黄褐色或淡褐色；小坚果凸起，直径约

罗浮槭

5mm，翅与小坚果长 3 ~ 3.4cm，宽 8 ~ 10mm，张开成钝角；果梗长 1 ~ 1.5cm，细瘦，无毛。花期 3 ~ 4 月，果期 9 月。

| 生境分布 | 生于海拔 500 ~ 1800m 的疏林中。分布于重庆城口、巫山、奉节、秀山、南川、綦江、北碚、江津等地。

| 资源情况 | 野生资源稀少，亦有零星栽培。药材主要来源于野生，外销内用。

| 采收加工 | 夏季采收，晒干。

| 药材性状 | 本品为单粒种子的果实，果皮一端向外延伸成翅状，平展，类匙形，长 25 ~ 30mm，宽 6 ~ 10mm，黄褐色或淡棕色，偶见 2 个带翅果实并排于 1 纤细果柄上，张开成钝角，形似蝴蝶的翅膀。小坚果凸起，卵形，直径约 4mm。破碎后气微，味微苦、涩。

| 功能主治 | 甘、微苦，凉。清热解毒。用于咽喉肿痛，声音嘶哑，肝炎，肺结核。

| 用法用量 | 内服煎汤，15 ~ 30g。

| 附　　注 | 本种在幼苗及幼树期耐阴性较强，喜温暖湿润及半阴环境。在林内与其他树种混生，构成第二层林。适应性较强，喜深厚、疏松、肥沃土壤，在酸性或微碱性土壤中皆可生长，在较干燥和土壤较瘠薄的条件下造林也能生长。

槭树科 Aceraceae 槭属 *Acer*

红果罗浮槭 *Acer fabri* Hance var. *rubrocarpum* Metc.

红果罗浮槭

| 药 材 名 |

红果罗浮槭（药用部位：果实）。

| 形态特征 |

本种与原种罗浮槭的区别在于叶较小，近于披针形，长 4.5 ~ 6cm，宽 1.5 ~ 2cm，比较平滑而有光泽；翅果较小，长 2.5 ~ 3cm，张开成钝角，翅宽 8 ~ 10mm，红色或红褐色。花期 4 月，果期 9 月。

| 生境分布 |

生于海拔 600 ~ 2000m 的阔叶林中。分布于重庆城口、巫溪、奉节、秀山、南川、江津、北碚等地。

| 资源情况 |

野生资源稀少。药材主要来源于野生。

| 采收加工 |

夏季采收果实，晒干。

| 功能主治 |

利咽喉。用于声音嘶哑，咽喉肿痛。

| **用法用量** | 内服煎汤，适量。

| **附　　注** | 在 FOC 中，本种被修订为罗浮槭 *Acer fabri* Hance。

槭树科 Aceraceae 槭属 *Acer*

扇叶槭 *Acer flabellatum* Rehd.

| 药 材 名 | 扇叶槭（药用部位：果实、根皮）。

| 形态特征 | 落叶乔木，高约 10m。树皮平滑，褐色或深褐色；小枝细瘦，无毛，当年生枝绿色或淡绿色，多年生枝橄榄褐色或红褐色。冬芽卵圆形，外部的鳞片褐色，边缘具纤毛，内部的鳞片外侧密被长柔毛。叶薄纸质或膜质，基部深心形，叶片近圆形，直径 8 ~ 12cm，常 7 裂，有时基部裂片再分为小裂片 2；裂片卵状长圆形，稀卵形或三角状卵形，先端锐尖，稀尾状锐尖，边缘具不整齐的紧贴的钝尖锯齿，裂片间的凹缺呈很狭窄的锐尖，上面绿色，无毛，下面淡绿色，除叶脉上被长柔毛及脉腋被丛毛外，其余部分近于无毛，主脉及侧脉在两面均凸起；叶柄细瘦，长达 7cm，嫩时被长柔毛，渐老时无毛。花杂性，雄花与两性花同株，常生成无毛的圆锥花序，长 3 ~ 5cm，

扇叶槭

总花梗无毛，长约 3cm；萼片 5，淡绿色，边缘具纤毛，卵状披针形，先端钝尖，长约 3mm；花瓣 5，淡黄色，倒卵形，与萼片等长；雄蕊 8，无毛，长约 5mm；花盘无毛，微裂，位于雄蕊外侧；子房无毛，花梗长约 1cm，细瘦，无毛。翅果淡黄褐色，常生成下垂的圆锥果序；小坚果凸起，近于卵圆形，长 6mm，宽 5mm，翅宽 1 ~ 1.2cm，连小坚果长 3 ~ 3.5cm，张开近于水平。花期 6 月，果期 10 月。

| 生境分布 | 生于海拔 1500 ~ 2300m 的疏林中。分布于重庆城口、巫溪、巫山、奉节、石柱、南川等地。

| 资源情况 | 野生资源稀少。药材主要来源于野生。

| 采收加工 | 夏季采收果实，晒干。夏、秋季采挖根，洗净，剥皮，鲜用或晒干备用。

| 功能主治 | 果实，清热消炎。用于咳嗽、咽喉肿痛。根皮，祛风除湿。用于扭伤，风湿痹痛。

| 用法用量 | 内服煎汤，适量。外用适量，捣敷，或煎汤洗。

槭树科 Aceraceae 槭属 *Acer*

房县槭 *Acer Franchetii* Pax

| 药材名 | 房县槭（药用部位：根、树皮、果实）。

| 形态特征 | 落叶乔木，高 10 ~ 15m。树皮深褐色；小枝粗壮，圆柱形，当年生枝紫褐色或紫绿色，嫩时被短柔毛，旋即脱落，多年生枝深褐色，无毛。叶纸质，近圆形，长 10 ~ 20cm，宽 11 ~ 23cm，通常 3 裂，少数基部另具 2 小裂片，裂片三角状卵形，先端急尖，基部心形或近心形，少数为圆形，边缘具不整齐的疏锯齿，上面深绿色，下面淡绿色，幼时两面均被短柔毛，后无毛，仅下面脉腋间被须状毛；叶柄长 8 ~ 13cm，初被短柔毛，后近无毛。花黄绿色，单性，雌雄异株，成下垂被毛的总状或圆锥状总状花序，雌雄花序均自小枝旁边无叶处生出。翅果幼时黄绿色，成熟后深黄色，长 4 ~ 5cm；小坚果特别凸起，幼时被淡黄色柔毛，脊纹显著，两翅张开成锐角或

房县槭

近直立。花期 5 月，果期 9 月。

| 生境分布 | 生于海拔 1500 ～ 2500m 的混交林中。分布于重庆城口、巫溪、巫山、奉节、石柱、南川等地。

| 资源情况 | 野生资源稀少。药材主要来源于野生，外销内用。

| 采收加工 | 夏、秋季采收根和树皮，洗净，切片，晒干。夏季采收果实，晒干。

| 功能主治 | 祛风湿，活血，清热利咽。用于声音嘶哑，咽喉肿痛。

| 用法用量 | 内服煎汤，适量。

| 附　　注 | 在 FOC 中，本种被修订为房县枫 *Acer sterculiaceum* Pax subsp. *franchetii* (Pax) A. E. Murray。

槭树科 Aceraceae 槭属 *Acer*

建始槭 *Acer henryi* Pax

| 药 材 名 | 三叶槭根（药用部位：根。别名：三叶鸦枫、三叶槭、亨利槭）。

| 形态特征 | 落叶乔木，高约10m。树皮灰褐色；小枝圆柱形，当年生枝紫绿色，被短柔毛，老枝浅褐色，无毛；冬芽细小，鳞片2，卵形。由3小叶组成的复叶，对生，总叶柄长4～8cm；小叶薄纸质，椭圆形或长圆状椭圆形，顶生小叶柄长约1cm，侧生小叶柄长2～3mm，均被短柔毛；小叶长6～12cm，宽3～5cm，先端渐尖，基部楔形，或近于圆形，全缘或近先端有3～5稀疏钝齿，中脉与侧脉在下面显著，两面老时无毛。穗状花序，下垂，长7～9cm，被短柔毛，常生于2～3年生的老枝上；花杂性，雌雄异株；萼片5，卵形，长约1mm；花瓣5，短小，或不发育；雄花雄蕊4～6，长约2mm；花盘微发育；雌花子房无毛，花柱短，柱头反卷。翅果嫩时

建始槭

淡绿色，成熟时黄褐色；小坚果长圆形，长约 1cm，凸起，脊纹显著，翅宽约 5mm，连同小坚果长 2 ~ 2.5cm，张开成锐角或近于直立；果梗长约 2mm。花期 4 ~ 5 月，果期 9 ~ 10 月。

| 生境分布 | 生于海拔 500 ~ 1500m 的疏林中。分布于重庆长寿、城口、巫溪、南川、奉节等地。

| 资源情况 | 野生资源较少。药材主要来源于野生。

| 采收加工 | 夏、秋季间采挖，洗净，切片，晒干。

| 功能主治 | 辛、微苦，平。活络止痛。用于关节酸痛，跌打骨折。

| 用法用量 | 内服煎汤，10 ~ 30g。

| 附　　注 | 本种具有耐寒、抗高温、耐碱性土壤及喜光等特性。本种种子为浅休眠种子，干藏和沙藏均能发芽，但沙藏 120 天的种子发芽快且整齐，发芽率高（89.6%）。

槭树科 Aceraceae 槭属 *Acer*

光叶槭 *Acer laevigatum* Wall.

光叶槭

| 药材名 |

光叶槭（药用部位：根、茎皮）。

| 形态特征 |

常绿乔木，常高 10m，稀达 15m。小枝细瘦，无毛；当年生枝绿色或淡紫绿色；多年生枝淡褐绿色或深绿色。叶革质，全缘或近先端有稀疏的细锯齿，披针形或长圆状披针形，长 10 ~ 15cm，宽 4 ~ 5cm，先端渐尖，基部楔形或宽楔形，全缘或近先端疏生细齿，下面幼时脉腋被簇生毛，后脱落无毛，侧脉 7 ~ 8 对；叶柄长 1 ~ 1.5cm，无毛。伞房花序顶生，花杂性，雄花与两性花同株。萼片长圆状卵形，淡紫绿色；花瓣倒卵形，先端凹缺，白色；雄蕊 6 ~ 8；花盘紫色，无毛；子房紫色，微被柔毛。小坚果特别凸起，椭圆形或长椭圆形，连翅长 3 ~ 3.7cm，翅宽 1cm，直伸或内弯，张开成锐角至钝角。花期 4 月，果期 8 ~ 9 月。

| 生境分布 |

生于海拔 700 ~ 2000m 的比较潮湿的溪边或山谷林中。分布于重庆城口、巫溪、巫山、奉节、丰都、南川、巴南等地。

| **资源情况** | 野生资源稀少。药材主要来源于野生。

| **采收加工** | 夏、秋季采挖根，洗净，切片，晒干。夏季剥取茎皮，切段，晒干。

| **功能主治** | 舒筋活络，消炎止血。用于劳伤痛。

| **用法用量** | 内服煎汤，适量。

槭树科 Aceraceae 槭属 *Acer*

南川长柄槭 *Acer longipes* Franch. ex Rehd. var. *nanchuanense* Fang

| 药 材 名 | 南川长柄槭（药用部位：茎皮、叶）。

| 形态特征 | 落叶乔木，常高 4 ~ 5m，稀逾 10m。树皮灰色或紫灰色，微现裂纹；小枝圆柱形，当年生的嫩枝紫绿色，无毛，多年生的老枝淡紫色或紫灰色，具圆形或卵形的皮孔。冬芽小，具 4 鳞片，边缘被纤毛。叶纸质，基部近于心形，长 8 ~ 12cm，宽 7 ~ 13cm，通常 3 裂，稀 5 裂或不裂；裂片三角形，先端锐尖并具小尖头，长 3 ~ 5cm，宽 2 ~ 4cm，上面深绿色，无毛，下面淡绿色，被灰色短柔毛，在叶脉上更密；叶柄细瘦，长 5 ~ 9cm，无毛或于上段被短柔毛。伞房花序，顶生，长 8cm，直径 7 ~ 12cm，无毛，总花梗长 1 ~ 1.5cm；花淡绿色，杂性，雄花与两性花同株，开花在叶长大以后；萼片 5，长圆状椭圆形，先端微钝，黄绿色，长 4mm；花瓣 5，黄绿色，长

南川长柄槭

圆状倒卵形，与萼片等长；雄蕊 8，无毛，生于雄花中者长于花瓣，在两性花中较短，花药黄色，球形；花盘位于雄蕊外侧，微现裂纹；子房有腺体，无毛，柱头反卷。小坚果压扁状，长 1 ~ 1.3cm，宽 7mm，嫩时紫绿色，成熟时黄色或黄褐色，翅宽 1cm，连同小坚果共长 3 ~ 3.5cm，张开成锐角。花期 4 月，果期 9 月。

本变种与原种的区别在于本变种的叶较大，直径 10 ~ 15cm，基部近于圆形，常 3 裂，裂片长圆卵形，先端锐尖，不分裂的叶较少，常近于长圆卵形，长 7 ~ 11cm，宽 3.5 ~ 5cm，基部圆形，先端长锐尖，下面有淡黄色短柔毛，果序连同长 1.5cm 的总果梗在内共长 7cm，直径 8cm，小坚果长圆卵形，长 1 ~ 1.5cm，宽 5mm，翅倒卵形，近先端最宽，常宽 1 ~ 1.2cm，基部狭窄，宽 3 ~ 5mm，连同小坚果长 3 ~ 3.6cm，张开成锐角。花期不明，果期 9 月。

| 生境分布 | 生于海拔 1100m 左右的疏林中。分布于重庆南川等地。

| 资源情况 | 野生资源稀少。药材主要来源于野生。

| 采收加工 | 夏、秋季采挖，切片，晒干。

| 功能主治 | 消炎止血。用于疮伤。

| 用法用量 | 内服煎汤，适量。外用适量，研末撒。

| 附　　注 | 在 FOC 中，本种被修订为长柄槭 *Acer longipes* Franch. ex Rehd.。

槭树科 Aceraceae 槭属 *Acer*

五尖槭 *Acer maximowiczii* Pax

| 药 材 名 | 五尖槭（药用部位：根、茎皮）。

| 形态特征 | 落叶乔木，高 5m，稀达 12m。树皮黑褐色，平滑。小枝细瘦，无毛；当年生枝紫色或红紫色；多年生枝深褐色或灰褐色。冬芽无毛，长圆状椭圆形；鳞片的边缘被白色的纤毛。叶纸质，卵形或三角状卵形，长 8 ~ 11cm，宽 6 ~ 9cm，边缘微裂并有紧贴的双重锯齿，锯齿粗壮，齿端有小尖头，基部近于心形，稀截形，叶片 5 裂；中央裂片三角形、卵形，先端尾状锐尖；侧裂片卵形，先端锐尖；基部 2 小裂片卵形，先端钝尖，裂片之间的凹缺锐尖，上面深绿色，无毛，下面淡绿色或黄绿色，在侧脉的脉腋和主脉的基部被红褐色的短柔毛；叶柄长 5 ~ 7cm，稀达 10cm，紫绿色，细瘦，无毛。花黄绿色，单性，雌雄异株，常呈长 4 ~ 5cm 无毛而下垂的总状花序，总花梗

五尖槭

长 1 ~ 1.5cm，顶生于着叶的小枝，先发叶，后开花。雄花有萼片 5，长圆状卵形，先端钝形，长 3mm，宽 1mm；花瓣 5，倒卵形，与萼片等长；雄蕊 8，微短于花瓣；花盘位于雄蕊的内侧，微裂；子房不发育；花梗长 3 ~ 4mm，细瘦，无毛。雌花萼片 5，椭圆形或长椭圆形，先端钝圆，长 3mm；花瓣 5，卵状长圆形，先端钝圆，长于萼片；雄蕊 8，不发育或极短；花盘无毛，位于雄蕊的内侧；子房紫色，无毛，花柱很短，柱头反卷；花梗长 5mm，细瘦。翅果紫色，成熟后黄褐色；小坚果稍扁平，直径约 6mm，翅连同小坚果长 2.3 ~ 2.5cm，张开成钝角；果梗长 6mm，细瘦，无毛。花期 5 月，果期 9 月。

| 生境分布 | 生于海拔 1600 ~ 2500m 的疏林中。分布于重庆城口、巫溪、巫山、南川等地。

| 资源情况 | 野生资源稀少。药材主要来源于野生。

| 采收加工 | 夏、秋季采挖根，洗净，切片，晒干。夏季剥取茎皮，切段，晒干。

| 功能主治 | 祛风除湿，消炎止血。

| 用法用量 | 内服煎汤，适量。外用适量，研末撒。

槭树科 Aceraceae 槭属 *Acer*

飞蛾槭 *Acer oblongum* Wall. ex DC.

飞蛾槭

|药 材 名|

飞蛾槭（药用部位：根皮）。

|形态特征|

常绿乔木，常高 10m，稀达 20m。树皮灰色或深灰色，粗糙，裂成薄片脱落；小枝细瘦，紫色，老枝褐色或深褐色，近无毛。叶革质，长圆状卵形，长 5 ~ 7cm，宽 3 ~ 4cm，先端渐尖或钝尖，全缘，基部圆，上面绿色，有光泽，下面灰绿色，被白粉；侧脉 6 ~ 7 对，基部 1 对侧脉长为叶片的 1/3 ~ 1/2；叶柄长 2 ~ 3cm，无毛。伞房花序顶生，被柔毛；萼片 5，长圆形，长 2mm；花瓣 5，倒卵形，长 3mm；雄蕊 8，生于花盘内侧，花盘微裂；两性花子房被柔毛，花柱短，2 裂。小坚果凸起成四棱形，长 7mm，宽 5mm，翅与小坚果长 1.8 ~ 2.5cm，宽 8mm，张开近于直角；果梗长 1 ~ 2cm，细瘦，无毛。花期 4 月，果期 9 月。

|生境分布|

生于海拔 225 ~ 2300m 的阔叶林中。分布于重庆城口、巫溪、巫山、奉节、丰都、南川、武隆、巴南等地。

| **资源情况** | 野生资源一般。药材主要来源于野生。

| **采收加工** | 夏、秋季采挖根，剥取根皮，洗净，晒干。

| **功能主治** | 祛风除湿，消炎止血。用于扭伤，风湿痹痛。

| **用法用量** | 内服煎汤，适量。外用适量，煎汤洗。

| **附　　注** | 在贮存本种的种子时，建议选择沙藏贮存的方法。沙床覆膜育苗法操作相对简单，出苗整齐，成本不高，是最佳的飞蛾槭育苗方法。

槭树科 Aceraceae 槭属 *Acer*

中华槭 *Acer sinense* Pax

| 药 材 名 | 五角枫根（药用部位：根、根皮。别名：丫角槭、华槭树、华槭）。

| 形态特征 | 落叶乔木，高 3 ~ 5m，稀达 10m。树皮平滑，淡黄褐色或深黄褐色；小枝细瘦，无毛，当年生枝淡绿色或淡紫绿色，多年生枝绿褐色或深褐色，平滑。叶近于革质，基部心形或近于心形，稀截形，长 10 ~ 14cm，宽 12 ~ 15cm，常 5 裂；裂片长圆状卵形或三角状卵形，先端锐尖，具紧贴细圆齿，近基部全缘，裂片间的凹缺锐尖，深达叶片长度的 1/2，上面深绿色，无毛，下面淡绿色，有白粉，除脉腋被黄色丛毛外其余部分无毛；主脉在上面显著，在下面凸起，侧脉在上面微显著，在下面显著；叶柄粗壮，无毛，长 3 ~ 5cm。圆锥花序顶生，下垂，长 5 ~ 9cm，总花梗长 3 ~ 5cm。翅果淡黄色，无毛，常呈下垂的圆锥果序；小坚果椭圆形，特别凸起，长 5 ~ 7mm，

中华槭

宽 3 ~ 4mm，翅宽 1cm，连同小坚果长 3 ~ 3.5cm，张开成水平，稀近于锐角或钝角。花期 5 月，果期 9 月。

| 生境分布 | 生于海拔 1200 ~ 2600m 的混交林中。分布于重庆石柱、南川、巫溪、城口、巫山、酉阳等地。

| 资源情况 | 野生资源一般。药材主要来源于野生。

| 采收加工 | 夏、秋季采挖根，洗净，切片或剥皮，晒干或鲜用。

| 功能主治 | 辛、苦，平。祛风除湿。用于扭伤，骨折，风湿痹痛。

| 用法用量 | 内服煎汤，10 ~ 15g，鲜品可用至 60g。外用适量，鲜品捣敷。

| 附　　注 | 本种的药材另一来源为天目槭 *Acer sinopurpurascens* Cheng 的根或根皮。

槭树科 Aceraceae 槭属 *Acer*

绿叶中华槭 *Acer sinense* Pax var. *concolor* Pax

| 药 材 名 | 五角枫根（药用部位：根、根皮）。

| 形态特征 | 本变种与原变种中华槭的区别在于叶的两面均系绿色，5裂，裂片的边缘近于全缘或浅波状；翅果长3cm，张开近于水平。

| 生境分布 | 生于海拔1500～2000m的混交林中。分布于重庆丰都、黔江、江津、巫山等地。

| 资源情况 | 野生资源稀少。药材主要来源于野生。

| 采收加工 | 夏、秋季采挖根，洗净，切片或剥皮，晒干或鲜用。

绿叶中华槭

| **功能主治** | 辛、苦，平。祛风除湿。用于扭伤，骨折，风湿痹痛。

| **用法用量** | 内服煎汤，10 ~ 15g，鲜品可用至 60g。外用适量，鲜品捣敷。

| **附　　注** | 在 FOC 中，本种被修订为中华槭 *Acer sinense* Pax。

槭树科 Aceraceae 槭属 *Acer*

深裂中华槭 *Acer sinense* Pax var. *longilobum* Fang

药 材 名 五角枫根（药用部位：根、根皮）。

形态特征 本变种与原变种中华槭的区别在于叶常 5 ~ 7 深裂，中央裂片与侧裂片均系狭窄的披针形，先端尾状锐尖，长 6 ~ 8cm，宽 3cm，基部的裂片常向下垂，裂片的边缘具紧贴的粗锯齿；小坚果近于球形，翅张开近于水平。花期不明，果期 9 月。

生境分布 生于海拔 1500 ~ 2000m 的混交林中。分布于重庆石柱、南川、城口等地。

资源情况 野生资源稀少。药材主要来源于野生。

深裂中华槭

| 采收加工 | 夏、秋季采挖根，洗净，切片或剥皮，晒干或鲜用。

| 功能主治 | 辛、苦，平。祛风除湿。用于扭伤，骨折，风湿痹痛。

| 用法用量 | 内服煎汤，10 ~ 15g，鲜品可用至 60g。外用适量，鲜品捣敷。

| 附　　注 | 在 FOC 中，本种被修订为中华槭 *Acer sinense* Pax。

械树科 Aceraceae 金钱槭属 *Dipteronia*

金钱槭 *Dipteronia sinensis* Oliv.

| 药材名 | 金钱槭（药用部位：根。别名：双轮果）。

| 形态特征 | 落叶小乔木，高 5 ~ 10m，稀达 15m。小枝纤细，圆柱形，幼嫩部分紫绿色，较老的部分褐色或暗褐色，皮孔卵形。冬芽细小，微被短柔毛。叶为对生的奇数羽状复叶，长 20 ~ 40cm；小叶纸质，通常 7 ~ 13，长圆状卵形或长圆状披针形，长 7 ~ 10cm，宽 2 ~ 4cm，先端锐尖或长锐尖，基部圆形，边缘具稀疏的钝形锯齿，上面绿色，无毛，下面淡绿色，除沿叶脉及脉腋被短的白色丛毛外，其余部分无毛；中肋在上面显著，在下面凸起，侧脉 10 ~ 12 对，在上面微现，在下面显著；叶柄长 5 ~ 7cm，圆柱形，无毛；顶生小叶片的小叶柄长 1 ~ 2cm，近于叶轴上段侧生的小叶片无小叶柄或很短，基部者则稍长，通常长 5 ~ 8mm。花序为顶生或腋生圆锥花序，直

金钱槭

立，无毛，长 15 ~ 30cm，花梗长 3 ~ 5mm；花白色，杂性，雄花与两性花同株；萼片 5，卵形或椭圆形；花瓣 5，阔卵形，长 1mm，宽 1.5mm，与萼片互生；雄蕊 8，长于花瓣，花丝无毛，在两性花中则较短；子房扁形，被长硬毛，2 室，在雄花中则不发育，花柱很短，柱头 2，向外反卷。果实为翅果，常有 2 扁形的果实生于 1 果梗上，果实的周围围着圆形或卵形的翅，长 2 ~ 2.8cm，宽 1.7 ~ 2.3cm，嫩时紫红色，被长硬毛，成熟时淡黄色，无毛；种子圆盘形，直径 5 ~ 7mm；果梗长 5mm；总果梗长 1 ~ 2cm。花期 4 月，果期 9 月。

| 生境分布 | 生于海拔 1000 ~ 2400m 的山地、疏林或林缘。分布于重庆城口、巫溪、巫山等地。

| 资源情况 | 野生资源稀少。药材主要来源于野生。

| 采收加工 | 夏、秋季采挖，洗净，晒干。

| 功能主治 | 舒筋活络，祛风除湿。用于扭伤，骨折，风湿痹痛。

| 用法用量 | 内服煎汤，适量。外用适量，煎汤洗。

伯乐树科 Bretschneideraceae 伯乐树属 *Bretschneidera*

伯乐树 *Bretschneidera sinensis* Hemsl.

|药 材 名| 山桃树皮（药用部位：树皮）。

|形态特征| 乔木，高 10 ~ 20m。树皮灰褐色；小枝有较明显的皮孔。羽状复叶通常长 25 ~ 45cm，总轴被疏短柔毛或无毛，叶柄长 10 ~ 18cm；小叶 7 ~ 15，纸质或革质，狭椭圆形、菱状长圆形、长圆状披针形或卵状披针形，多少偏斜，长 6 ~ 26cm，宽 3 ~ 9cm，全缘，先端渐尖或急短渐尖，基部钝圆或短尖、楔形，叶面绿色，无毛，叶背粉绿色或灰白色，被短柔毛，常在中脉和侧脉两侧较密；叶脉在叶背明显，侧脉 8 ~ 15 对；小叶柄长 2 ~ 10mm，无毛。花序长 20 ~ 36cm；总花梗、花梗、花萼外面被棕色短绒毛；花淡红色，直径约 4cm，花梗长 2 ~ 3cm；花萼直径约 2cm，长 1.2 ~ 1.7cm，先端具短的 5 齿，内面被疏柔毛或无毛；花瓣阔匙形或倒卵楔形，

伯乐树

先端浑圆，长 1.8 ~ 2cm，宽 1 ~ 1.5cm，无毛，内面有红色纵条纹；花丝长 2.5 ~ 3cm，基部被小柔毛；子房被光亮、白色的柔毛，花柱被柔毛。果实椭圆球形、近球形或阔卵形，长 3 ~ 5.5cm，直径 2 ~ 3.5cm，被极短的棕褐色毛，常混生疏白色小柔毛，有或无明显的黄褐色小瘤体，果瓣厚 1.2 ~ 5mm，果柄长 2.5 ~ 3.5cm，有或无毛；种子椭圆球形，平滑，成熟时长约 1.8cm，直径约 1.3cm。花期 3 ~ 9 月，果期 5 月至翌年 4 月。

| 生境分布 | 生于海拔 700 ~ 800m 的山地林中。分布于重庆南川、北碚等地。

| 资源情况 | 野生资源稀少。药材主要来源于野生。

| 采收加工 | 春、夏季植株生长旺盛时采收，将树伐倒，按 40 ~ 60cm 长环割干枝，剥取干皮和枝皮，晒干。

| 功能主治 | 甘、辛，平。活血祛风。用于筋骨疼痛。

| 用法用量 | 内服煎汤，6 ~ 9g。外用适量，鲜品捣敷。

| 附　　注 | （1）本种喜凉爽、雨量丰富的湿润环境。对土壤要求不严，但以排水良好、深厚而富含腐殖质的壤土种植为好。

（2）本种是中国特有树种、国家一级保护植物。

无患子科 Sapindaceae 龙眼属 *Dimocarpus*

龙眼 *Dimocarpus longan* Lour.

|药材名| 龙眼肉（药用部位：假种皮。别名：益智、比目、荔枝奴）、龙眼核（药用部位：种子。别名：圆眼核、桂圆核仁）、龙眼花（药用部位：花）、龙眼叶（药用部位：叶、嫩芽）、龙眼树皮（药用部位：树皮）、龙眼根（药用部位：根、根皮）。

|形态特征| 常绿乔木，高常超过 10m，间有高达 40m、胸径 1m、具板根的大乔木。小枝粗壮，被微柔毛，散生苍白色皮孔。小叶 4 ~ 5 对，很少 3 或 6 对，薄革质，长圆状椭圆形或长圆状披针形，两侧常不对称，长 6 ~ 15cm，宽 2.5 ~ 5cm，先端短尖，基部极不对称，下面粉绿色，两面无毛，侧脉 12 ~ 15 对；小叶柄长不及 5mm。花序密被星状毛；花梗短；萼片近革质，三角状卵形，两面被褐黄色绒毛和成束的星状毛；花瓣乳白色，披针形，与萼片近等长，外面被微柔毛。

龙眼

果实近球形，直径 1.2 ~ 2.5cm，常黄褐色或灰黄色，稍粗糙，稀有微凸小瘤体；种子全为肉质假种皮包被。花期春、夏季之间，果期夏季。

| 生境分布 | 生于疏林中。分布于重庆丰都、涪陵、忠县、荣昌、江津等地。

| 资源情况 | 野生资源稀少，栽培资源一般。药材主要来源于栽培，外销内用。

| 采收加工 | 龙眼肉：果实充分成熟后采收。晴天倒于晒席上，晒至半干后再用焙灶焙干，到七八成干时剥取假种皮，继续晒干或烘干，干燥适度为宜。或将果实放入开水中煮 10min，捞出摊放，使水分散失，再火烤 1 昼夜，剥取假种皮，晒干。

龙眼核：果实成熟后，剥除果皮、假种皮，留取种仁，鲜用或晒干。

龙眼花：春季花开时采摘，晾干。

龙眼叶：全年均可采收老叶，早春采收嫩芽，鲜用或晒干。

龙眼树皮：全年均可采收，剥取树皮，晒干。

龙眼根：全年均可采挖根，洗净，鲜用或切片晒干。

| 药材性状 | 龙眼肉：本品为纵向破裂的不规则薄片，常数片黏结，长约 1.5cm，宽 2 ~ 4cm，厚约 0.1cm，棕褐色，半透明。外表面皱缩不平，内表面光亮而有细纵皱纹。薄者质柔润，囊状者质稍硬。气微香，味甘。

| 功能主治 | 龙眼肉：甘，温。归心、脾经。补益心脾，养血安神。用于气血不足，心悸怔忡，健忘失眠，血虚萎黄。

龙眼核：苦、涩，平。行气散结，止血，燥湿。用于疝气，瘰疬，创伤出血，腋臭，疥癣，湿疮。

龙眼花：微苦、甘，平。通淋化浊。用于淋证，白浊，带下，消渴。

龙眼叶：甘、淡，平。解表清热，解毒，燥湿。用于感冒发热，疟疾，疔疮，湿疹。

龙眼树皮：苦，平。杀虫消积，解毒敛疮。用于疳积，疳疮，肿毒。

龙眼根：苦、涩，平。清利湿热，化浊蠲痹。用于乳糜尿，带下，流火，湿热痹痛。

| 用法用量 | 龙眼肉：内服煎汤，9 ~ 15g，大剂量 30 ~ 60g；或熬膏；或浸酒；或入丸、散。

龙眼核：外用适量，煅存性研末调敷；或调敷。内服煎汤，3 ~ 9g；或研末。

龙眼花：内服煎汤，9 ~ 15g。

龙眼叶：内服煎汤，9 ~ 15g。外用适量，研末调敷。

龙眼树皮：内服煎汤，6 ~ 15g。外用煎汤洗；或煅存性研末撒。

龙眼根：内服煎汤，30 ~ 60g；或熬膏。

无患子科 Sapindaceae 栾树属 *Koelreuteria*

复羽叶栾树 *Koelreuteria bipinnata* Franch.

| 药 材 名 | 摇钱树根（药用部位：根、根皮）、摇钱树（药用部位：花、果实。别名：山膀胱、灯笼花、一串钱）。

| 形态特征 | 乔木，高可达 20m。皮孔圆形至椭圆形；枝具小疣点。叶平展，二回羽状复叶，小叶 9 ~ 17，互生，稀对生，斜卵形，长 3.5 ~ 7cm，先端短尖或短渐尖，基部宽楔形或圆，有内弯小锯齿；小叶柄长约 3mm 或近无柄。圆锥花序长 35 ~ 70cm，分枝广展，与花梗均被柔毛；花萼 5 裂达中部，裂片宽卵状三角形或长圆形，有短而硬的缘毛及流苏状腺体，边缘啮蚀状；花瓣 4，长圆状披针形，瓣片长 6 ~ 9mm，瓣爪长 1.5 ~ 3mm，被长柔毛，鳞片 2 深裂。蒴果椭圆形或近球形，具 3 棱，淡紫红色，熟时褐色，长 4 ~ 7cm，宽 3.5 ~ 5cm，先端钝或圆，有小凸尖，果瓣椭圆形或近圆形，具网状脉纹，内面

复羽叶栾树

有光泽。花期 7 ~ 9 月，果期 8 ~ 10 月。

| 生境分布 | 生于海拔 200 ~ 1900m 的山地疏林中。分布于重庆涪陵、江津、潼南、綦江、忠县、九龙坡、丰都、北碚、垫江、南岸、开州、合川、沙坪坝、荣昌等地。

| 资源情况 | 野生和栽培资源均丰富。药材来源于栽培。

| 采收加工 | 摇钱树根：全年均可采挖，剥皮或切片，洗净，晒干。

摇钱树：7 ~ 9 月采摘花，晾干。9 ~ 10 月采摘果实，晒干。

| 功能主治 | 摇钱树根：微苦，平。祛风清热，止咳，散瘀，杀虫。用于风热咳嗽，风湿热痹，跌打肿痛，蛔虫病。

摇钱树：苦，寒。清肝明目，行气止痛。用于目痛泪出，疝气痛，腰痛。

| 用法用量 | 摇钱树根：内服煎汤，6 ~ 15g。

摇钱树：内服煎汤，9 ~ 15g。

| 附　　注 | 本种喜生于石灰质的土壤中，在微酸性及微碱性土壤中都能生长，也能耐盐渍及短期水涝，但以深厚、肥沃、湿润的土壤中生长良好。深根性，主根发达，抗风力强，萌蘖能力强，不耐干旱、瘠薄、修剪；生长速度中等。对二氧化硫和烟尘有较强的抗性。

无患子科 Sapindaceae 栾树属 *Koelreuteria*

全缘叶栾树 *Koelreuteria bipinnata* Franch. var. *integrifolia* (Merr.) T. Chen

| 药 材 名 | 参见“复羽叶栾树”条。

| 形态特征 | 本变种与原种栾树的区别在于小叶通常全缘，有时一侧近顶部边缘有锯齿。

| 生境分布 | 生于海拔 200 ~ 900m 的丘陵地、村旁或山地疏林中。分布于重庆酉阳、南川等地。

| 资源情况 | 野生资源稀少。药材主要来源于野生。

| 采收加工 | 参见“复羽叶栾树”条。

全缘叶栾树

| 功能主治 | 参见“复羽叶栾树”条。

| 用法用量 | 参见“复羽叶栾树”条。

| 附　　注 | 在 FOC 中，本种被修订为复羽叶栾树 *Koelreuteria bipinnata* Franch.。

无患子科 Sapindaceae 栾树属 *Koelreuteria*

栾树 *Koelreuteria paniculata* Laxm.

栾树

|药材名|

栾华（药用部位：花。别名：木栾、石栾树、黑叶树）。

|形态特征|

落叶乔木或灌木。树皮厚，灰褐色至灰黑色，老时纵裂。一回或不完全二回或偶为二回羽状复叶，小叶 7 ~ 18，无柄或叶柄极短，对生或互生，卵形、宽卵形或卵状披针形，长 3 ~ 10cm，先端短尖或短渐尖，基部钝或近平截，有不规则钝锯齿，齿端具小尖头，有时近基部有缺刻，或羽状深裂达中肋成二回羽状复叶，上面中脉散生皱曲柔毛，下面脉腋被髯毛，有时小叶下面被茸毛。聚伞圆锥花序长达 40cm，密被微柔毛，分枝长而广展；苞片窄披针形，被粗毛；花淡黄色，稍芳香；花梗长 2.5 ~ 5mm；花萼裂片卵形，具腺状缘毛，呈啮蚀状；花瓣 4，花时反折，线状长圆形，长 5 ~ 9mm，瓣爪长 1 ~ 2.5mm，被长柔毛，瓣片基部的鳞片初黄色，花时橙红色，被疣状皱曲毛；雄蕊 8，雄花的长 7 ~ 9mm，雌花的长 4 ~ 5mm，花丝下部密被白色长柔毛；花盘偏斜，有圆钝小裂片。蒴果圆锥形，具 3 棱，长 4 ~ 6cm，先端渐尖，果瓣卵形，有网纹；种子近球形，直径 6 ~ 8mm。花期 6 ~ 8 月，果期 9 ~ 10 月。

| **生境分布** | 生于海拔 400 ~ 1500m 的石灰岩山坡、山谷及路旁的阔叶林中、山坡杂林或灌木林中。分布于重庆万州、綦江、潼南、江津、巫溪、南川、九龙坡、彭水、开州、巫山、梁平、巴南等地。

| **资源情况** | 野生和栽培资源均丰富。药材来源于野生和栽培，外销内用。

| **采收加工** | 6 ~ 7 月采收，阴干或晒干。

| **功能主治** | 苦，寒。清肝明目。用于目赤肿痛，多泪。

| **用法用量** | 内服煎汤，3 ~ 6g。

| **附　　注** | 本种耐寒，耐旱，稍能耐阴，耐瘠薄的土壤，在湿润、肥沃的土壤中生长良好。深根性，萌蘖力强。

无患子科 Sapindaceae 荔枝属 *Litchi*

荔枝 *Litchi chinensis* Sonn.

| 药 材 名 | 荔枝（药用部位：假种皮、果实。别名：离支、丹荔、火山荔）、荔枝核（药用部位：种子。别名：荔核、荔仁、枝核）、荔枝壳（药用部位：果皮）、荔枝叶（药用部位：叶）、荔枝根（药用部位：根）。

| 形态特征 | 常绿乔木，高通常不超过 10m，有时可达 15m 或更高。树皮灰黑色；小枝圆柱形，褐红色，密生白色皮孔。叶连柄长 10 ~ 25cm 或过之；小叶 2 或 3 对，较少 4 对，薄革质或革质，披针形或卵状披针形，有时长椭圆状披针形，长 6 ~ 15cm，宽 2 ~ 4cm，先端骤尖或尾状短渐尖，全缘，腹面深绿色，有光泽，背面粉绿色，两面无毛；侧脉常纤细，在腹面不很明显，在背面明显或稍凸起；小叶柄长 7 ~ 8mm。花序顶生，阔大，多分枝；花梗纤细，长 2 ~ 4mm，有时粗而短；花萼被金黄色短绒毛；雄蕊 6 ~ 7，有时 8，花丝长约

荔枝

4mm；子房密覆小瘤体和硬毛。果实卵圆形至近球形，长 2 ~ 3.5cm，成熟时通常暗红色至鲜红色；种子全部被肉质假种皮包裹。花期春季，果期夏季。

|生境分布| 栽培于果园或山地。分布于重庆江津、忠县等地。

|资源情况| 野生和栽培资源均稀少。药材主要来源于栽培，外销内用。

|采收加工| 荔枝：夏季果实成熟时采摘，鲜用或晒干。

荔枝核：夏季采摘成熟果实，除去果皮及肉质假种皮，洗净，晒干。

荔枝壳：夏季采收成熟果实，在加工时剥取外果皮，晒干。

荔枝叶：全年均可采收，鲜用或晒干。

荔枝根：全年均可采挖，洗净，鲜用或晒干。

|药材性状| 荔枝：本品果实球形，红色，有多数尖锐的疣状突起。气微，味甘。

荔枝核：本品呈长圆形或卵圆形，略扁，长 1.5 ~ 2.2cm，直径 1 ~ 1.5cm。表面棕红色或紫棕色，平滑，有光泽，略有凹陷及细波纹。一端有类圆形黄棕色种脐，直径约 7mm。质硬，子叶 2，棕黄色。气微，味微甘、苦、涩。

荔枝壳：本品呈不规则开裂。表面赤褐色，有多数小瘤状突起，内面光滑，深棕色。薄革质而脆。

|功能主治| 荔枝：甘、酸，温。归肝、脾经。养血健脾，行气消肿。用于病后体虚，津伤口渴，脾虚泄泻，呃逆，食少，瘰疬，疔肿，外伤出血。阴虚火旺者慎服。

荔枝核：甘、微苦，温。归肝、肾经。行气散结，祛寒止痛。用于寒疝腹痛，睾丸肿痛。

荔枝壳：苦，凉。除湿止痢，止血。用于痢疾，血崩，湿疹。

荔枝叶：辛、微苦，凉。除湿解毒。用于烂疮，湿疹。

荔枝根：微苦、涩，温。理气止痛，解毒消肿。用于胃痛，疝气，咽喉肿痛。

|用法用量| 荔枝：内服煎汤，5 ~ 10 枚；烧存性研末；或浸酒。外用适量，捣敷；或烧存性，研末撒。

荔枝核：内服煎汤，6 ~ 10g；或研末，1.5 ~ 3g；或入丸、散。外用适量，研末调敷。

荔枝壳：内服煎汤，4.5 ~ 9g；或入散剂。外用适量，煎汤洗。

荔枝叶：外用适量，煎汤洗；或烧存性，研末调敷。

荔枝根：内服煎汤，10 ~ 30g，鲜品 60g。

无患子科 Sapindaceae 无患子属 *Sapindus*

无患子 *Sapindus mukorossi* Gaertn.

无患子

| 药材名 |

无患子（药用部位：种子。别名：木患子、肥珠子、油珠子）、无患子中仁（药用部位：种仁。别名：木槵子仁）、无患子皮（药用部位：果皮。别名：槵子皮、槵子肉皮、无患子荚）、无患子叶（药用部位：嫩枝叶）、无患子树皮（药用部位：树皮）、无患子根（药用部位：根。别名：无患子树蔃）。

| 形态特征 |

落叶大乔木，高可达 20m。树皮灰褐色或黑褐色；嫩枝绿色，无毛。叶连柄长 25 ~ 45cm 或更长，叶轴稍扁，上面两侧有直槽，无毛或被微柔毛；小叶 5 ~ 8 对，通常近对生，叶片薄纸质，长椭圆状披针形或稍呈镰形，长 7 ~ 15cm 或更长，宽 2 ~ 5cm，先端短尖或短渐尖，基部楔形，稍不对称，腹面有光泽，两面无毛或背面被微柔毛；侧脉纤细而密，15 ~ 17 对，近平行；小叶柄长约 5mm。花序顶生，圆锥形；花小，辐射对称，花梗常很短；萼片卵形或长圆状卵形，大的长约 2mm，外面基部被疏柔毛；花瓣 5，披针形，有长爪，长约 2.5mm，外面基部被长柔毛或近无毛，鳞片 2，小耳状；花盘碟状，无毛；雄蕊 8，伸出，花丝长约 3.5mm，

中部以下密被长柔毛；子房无毛。果实的发育分果爿近球形，直径 2 ~ 2.5cm，橙黄色，干时变黑。花期春季，果期夏、秋季。

生境分布 栽培于庭院或村旁。分布于重庆巫山、万州、涪陵、南川、江津、巴南、北碚、长寿、永川、武隆、荣昌等地。

资源情况 野生资源稀少，栽培资源一般。药材主要来源于栽培，自产自销。

采收加工 无患子：秋季采摘成熟果实，除去果肉和果皮，取种子晒干。

无患子中仁：秋季果实成熟时，剥除外果皮，除去种皮，留取种仁，晒干备用。

无患子皮：秋季果实成熟时，剥取果肉，晒干。

无患子叶：夏、秋季采摘，鲜用或晒干。

无患子树皮：全年均可采收，剥取树皮，晒干。

无患子根：全年均可采挖，除去杂质，切段或块，晒干。

药材性状 无患子：本品球形或椭圆形，直径约 1.5cm。表面黑色，光滑，种脐线形，周围有白色绒毛。种皮骨质，坚硬。无胚乳；子叶肥厚，黄色；胚粗壮，稍弯曲。气微，味苦。

无患子皮：本品呈不规则团块状，展开后有不发育果爿脱落的疤痕。疤痕近圆形，淡棕色，中央有 1 纵棱，边缘稍凸起，纵棱与边缘连接的一端有 1 极短的果柄残基。

外果皮黄棕色或淡褐色，具蜡样光泽，皱缩；中果皮肉质，柔韧，黏似胶质；内果皮膜质，半透明，内面种子着生处有白色绒毛。质软韧。气微，味苦。

无患子根：本品呈圆柱形，略扭曲，长短不一，直径 1 ~ 5cm；或切成不规则的段、块。表面黄棕色至黄褐色，较粗糙，易剥离。质坚硬，不易折断，断面皮部薄，与木部交界处常分离，木部宽而致密，黄白色。气微，味苦。

｜功能主治｜ 无患子：苦、平；有小毒。清热，祛痰，消积，杀虫。用于喉痹肿痛，咳喘，食滞，疳积，蛔虫病，疮癣，肿毒。

无患子中仁：辛，平。消积，辟秽，杀虫。用于疳积，腹胀，口臭，蛔虫病。

无患子皮：苦，平；有小毒。清热化痰，止痛，消积。用于喉痹肿痛，心胃气痛，疝气疼痛，风湿痛，虫积，食滞，肿毒。

无患子叶：苦，平；有小毒。解毒，镇咳。用于毒蛇咬伤，百日咳。

无患子树皮：苦、辛，平。解毒，利咽，祛风杀虫。用于白喉，疥癞，疳疮。

无患子根：苦、辛，微寒。归肺、脾经。清肺止咳，清热解毒，清热利湿。用于外感发热，咽喉肿痛，肺热咳喘，吐血，带下，白浊，蛇虫咬伤。

｜用法用量｜ 无患子：内服煎汤，3 ~ 6g；或研末。外用适量，烧灰或研末吹喉、擦牙；或煎汤洗；或熬膏涂。

无患子中仁：内服煎汤，6 ~ 9g，或煨熟食，3 ~ 6 枚。

无患子皮：内服煎汤，6 ~ 9g；捣汁或研末。外用捣涂或煎汤洗。

无患子叶：内服煎汤，6 ~ 15g。外用适量，捣敷。

无患子树皮：外用适量，煎汤洗；或熬膏贴；或研末撒；或煎汤含漱。

无患子根：内服煎汤，15 ~ 30g。孕妇忌用。

| 附　　注 | （1）在 FOC 中，本种的拉丁学名被修订为 *Sapindus saponaria* Linnaeus。

（2）本种喜温暖湿润的气候。若阳光充足，雨量充足，则生长迅速。适应性强，稍耐旱，对土壤要求不严，以排水良好、土层深厚的肥沃土壤栽培为宜。

七叶树科 Hippocastanaceae 七叶树属 *Aesculus*

天师栗 *Aesculus wilsonii* Rehd.

| 药 材 名 | 娑罗子（药用部位：果实、种子。别名：梭罗子、猴板栗）。

| 形态特征 | 落叶乔木，常高 15 ~ 20m，稀达 25m。树皮平滑，灰褐色，常呈薄片脱落；嫩枝密被长柔毛。冬芽有树脂。复叶柄长 10 ~ 15cm，嫩时微被柔毛；小叶 5 ~ 7，稀 9，长圆状倒卵形、长圆形或长圆状倒披针形，长 10 ~ 25cm，上面仅主脉基部微被长柔毛，下面淡绿色，被灰色毛，具骨质硬头锯齿；侧脉 20 ~ 25 对；小叶柄长 1.5 ~ 2.5cm，稀达 3cm，微被短柔毛。花序顶生，直立，圆筒形，长 20 ~ 30cm，基部的直径 10 ~ 12cm，稀达 14cm，基部小花序长 3 ~ 4（~ 6）cm，花浓香；花萼筒状，长 6 ~ 7mm，外面微被柔毛；花瓣 4，倒卵形，前面的 2 花瓣有黄色斑块；雄蕊 7，最长达 3cm；花盘微裂，无毛，两性花子房卵圆形，被黄色绒毛。蒴果黄褐色，

天师栗

卵圆形或近梨形，直径 3 ~ 4cm，先端有短尖头，无刺，有斑点，干时壳厚 1.5 ~ 2mm，3 裂；种子常 1，近球形，种脐占种子的 1/3 以下。花期 4 ~ 5 月，果期 9 ~ 10 月。

| 生境分布 | 生于海拔 1000 ~ 2100m 的林缘或疏林中，亦有栽培。分布于重庆城口、巫山、巫溪、南川、秀山、江津等地。

| 资源情况 | 野生和栽培资源均较少。药材来源于野生和栽培。

| 采收加工 | 秋季果实成熟时采收，除去果皮，晒干或低温干燥。

| 药材性状 | 本品呈扁球形或类球形，似板栗，直径 1.5 ~ 4cm。表面棕色或棕褐色，多皱缩，凹凸不平，略具光泽；种脐色较浅，近圆形，约占种子面积的 1/4 ~ 1/2；其一侧有 1 条凸起的种脊，有的不甚明显。种皮硬而脆，子叶 2，肥厚，坚硬，形似栗仁，黄白色或淡棕色，粉性。无臭，味先苦后甘。

| 功能主治 | 甘，温。归肝、胃经。理气宽中，和胃止痛。用于胸腹胀闷，胃脘疼痛。

| 用法用量 | 内服煎汤，3 ~ 9g；或烧灰冲酒。气阴虚者慎服。

| 附　　注 | （1）在 FOC 中，本种的拉丁学名被修订为 *Aesculus chinensis* Bunge var. *wilsonii* (Rehder) Turland & N. H. Xia。

（2）本种为半阴性树种，耐寒，喜湿润、肥沃土壤。

清风藤科 Sabiaceae 泡花树属 *Meliosma*

泡花树 *Meliosma cuneifolia* Franch.

｜药 材 名｜ 灵寿茨（药用部位：根皮。别名：降龙木、黑果木、龙须木）。

｜形态特征｜ 落叶灌木或乔木，高可达 9m。树皮黑褐色；小枝暗黑色，无毛。叶为单叶，纸质，倒卵状楔形或狭倒卵状楔形，长 8 ~ 12cm，宽 2.5 ~ 4cm，先端短渐尖，中部以下渐狭，约 3/4 以上具侧脉伸出的锐尖齿，叶面初被短粗毛，叶背被白色平伏毛；侧脉每边 16 ~ 20，劲直达齿尖，脉腋具明显髯毛；叶柄长 1 ~ 2cm。圆锥花序顶生，直立，长和宽均 15 ~ 20cm，被短柔毛，具 3（~ 4）次分枝；花梗长 1 ~ 2mm；萼片 5，宽卵形，长约 1mm，外面 2 较狭小，具缘毛；外面 3 花瓣近圆形，宽 2.2 ~ 2.5mm，有缘毛，内面 2 花瓣长 1 ~ 1.2mm，2 裂达中部，裂片狭卵形，锐尖，外边缘具缘毛；雄蕊长 1.5 ~ 1.8mm；花盘具 5 细尖齿；雌蕊长约 1.2mm，子房高约 0.8mm。核果扁球形，

泡花树

直径 6 ～ 7mm；核三角状卵形，顶基扁，腹部近三角形，具不规则的纵条，凸起或近平滑，中肋在腹孔一边显著隆起延至另一边，腹孔稍下陷。花期 6 ～ 7 月，果期 9 ～ 11 月。

| 生境分布 | 生于海拔 650 ～ 2000m 的山坡疏林或密林中。分布于重庆城口、巫溪、奉节、南川、彭水、石柱等地。

| 资源情况 | 野生资源一般。药材主要来源于野生，外销内用。

| 采收加工 | 秋、冬季采挖根，洗净泥土，剥取根皮，鲜用或晒干。

| 功能主治 | 甘、微辛，平。利水解毒。用于水肿，臌胀，无名肿毒，毒蛇咬伤。

| 用法用量 | 内服煎汤，6 ～ 15g。外用适量，鲜品捣敷。

清风藤科 Sabiaceae 泡花树属 *Meliosma*

垂枝泡花树 *Meliosma flexuosa* Pamp.

| 药 材 名 | 参见“泡花树”条。

| 形态特征 | 小乔木，高可达 5m。芽、嫩枝、嫩叶中脉、花序轴均被淡褐色长柔毛，腋芽通常 2 枚并生。单叶，膜质，倒卵形或倒卵状椭圆形，长 6 ~ 12（~ 20）cm，宽 3 ~ 3.5（~ 10）cm，先端渐尖或骤狭渐尖，中部以下渐狭而下延，边缘具疏离、侧脉伸出成凸尖的粗锯齿，叶两面疏被短柔毛，中脉伸出成凸尖；侧脉每边 12 ~ 18，脉腋髯毛不明显；叶柄长 0.5 ~ 2cm，上面具宽沟，基部稍膨大包裹腋芽。圆锥花序顶生，向下弯垂，连柄长 12 ~ 18cm，宽 7 ~ 22（~ 25）cm，主轴及侧枝在果序时呈“之”字形曲折；花梗长 1 ~ 3mm；花白色，直径 3 ~ 4mm；萼片 5，卵形或广卵形，长 1 ~ 1.5mm，外面 1 特别小，具缘毛；外面 3 花瓣近圆形，宽 2.5 ~ 3cm，内面 2 花瓣长 0.5mm，

垂枝泡花树

2 裂，裂片广叉开，裂片先端有缘毛，有时 3 裂则中裂齿微小；发育雄蕊长 1.5 ~ 2mm；雌蕊长约 1mm，子房无毛。果实近卵形，长约 5mm；核极扁斜，具明显凸起细网纹，中肋锐凸起，从腹孔一边至另一边。花期 5 ~ 6 月，果期 7 ~ 9 月。

| 生境分布 | 生于海拔 300 ~ 1700m 的山地杂木林中或路旁。分布于重庆城口、巫山、奉节等地。

| 资源情况 | 野生资源稀少。药材主要来源于野生。

| 采收加工 | 参见“泡花树”条。

| 功能主治 | 参见“泡花树”条。

| 用法用量 | 参见“泡花树”条。

清风藤科 Sabiaceae 清风藤属 *Sabia*

鄂西清风藤 *Sabia campanulata* Wall. ex Roxb. subsp. *ritchieae* (Rehd. et Wils.) Y. F. Wu

鄂西清风藤

| 药 材 名 |

鄂西清风藤（药用部位：茎藤、叶）。

| 形态特征 |

落叶攀缘木质藤本。小枝淡绿色，有褐色斑点、斑纹及纵条纹，无毛。芽鳞卵形或阔卵形，先端尖，有缘毛。叶膜质，嫩时披针形或狭卵状披针形，成长叶长圆形或长圆状卵形，长 3.5 ~ 8cm，宽 3 ~ 4cm，先端尾状渐尖或渐尖，基部楔形或圆形，叶面深绿色，被微柔毛，老叶脱落近无毛，叶背灰绿色，无毛或脉上被细毛；侧脉每边 4 ~ 5，在离叶缘 4 ~ 5mm 处开叉网结，网脉稀疏，侧脉和网脉在叶面不明显；叶柄长 4 ~ 10mm，被长柔毛。花深紫色，直径 1 ~ 1.5cm，花梗长 1 ~ 1.5cm，单生叶腋，很少 2 朵并生；萼片 5，半圆形，长约 0.5mm，宽约 2mm；花瓣 5，宽倒卵形或近圆形，长 5 ~ 6mm，果时不增大、不宿存而早落；雄蕊 5，长 4 ~ 5mm，花丝扁平，花药外向开裂；花盘肿胀，高长于宽，基部最宽，边缘环状；子房无毛。分果爿阔倒卵形，长约 7mm，宽约 8mm，幼嫩时为宿存花瓣所包围；果核有中肋，中肋两边有蜂窝状凹穴，两侧面具块状或长块状凹穴，腹部稍凸出。花期 5 月，果期 7 月。

| 生境分布 | 生于海拔 500 ～ 1200m 的山坡或湿润山谷林中。分布于重庆城口、石柱、南川等地。

| 资源情况 | 野生资源稀少。药材主要来源于野生。

| 采收加工 | 夏季割取茎藤，切段，晒干或鲜用。

| 功能主治 | 活血解毒，祛风利湿。用于风湿痹痛，鹤膝风，水肿，脚气，跌打肿痛，骨折，骨髓炎。

| 附　　注 | 本种喜阴凉湿润气候。在雨量充沛、云雾多、土壤和空气湿度大的条件下，植株生长较壮。以含腐殖质多而肥沃的砂壤土栽培为宜。

清风藤科 Sabiaceae 清风藤属 *Sabia*

四川清风藤 *Sabia schumanniana* Diels

| 药 材 名 | 铁牛钻石（药用部位：根。别名：钻石风、石钻子、青木香）。

| 形态特征 | 落叶攀缘木质藤本，长 2 ~ 3m。当年生枝黄绿色，有纵条纹，二年生枝褐色，无毛。芽鳞卵形，无毛，边缘有缘毛。叶纸质，长圆状卵形，长 3 ~ 13cm，宽 1.5 ~ 3.5cm，先端急尖或渐尖，基部圆或阔楔形，两面均无毛，叶面深绿色，叶背淡绿色；侧脉每边 3 ~ 5，向上弯拱在近叶缘处分叉网结，网脉稀疏，在叶面不明显；叶柄长 2 ~ 10mm。聚伞花序有花 1 ~ 3，长 4 ~ 5cm；总花梗长 2 ~ 3cm，小花梗长 8 ~ 15mm；花淡绿色；萼片 5，三角状卵形，长约 0.5mm；花瓣 5，长圆形或阔倒卵形，长 4 ~ 5mm，有 7 ~ 9 脉纹；雄蕊 5，长 3 ~ 5mm，花丝扁平，花药卵形，内向开裂；花盘肿胀，圆柱状，边缘波状；子房无毛，花柱长约 4mm。分果爿倒卵形或近圆形，长

四川清风藤

约 6mm，宽约 7mm，无毛；核的中肋呈狭翅状，中肋两边各有 2 行蜂窝状凹穴，两侧面有块状凹穴，腹部平。花期 3 ~ 4 月，果期 6 ~ 8 月。

| 生境分布 | 生于海拔 600 ~ 1800m 的溪谷山地或阔叶林中。分布于重庆城口、巫溪、开州、奉节、云阳、武隆、南川、江津、黔江、彭水、忠县等地。

| 资源情况 | 野生资源一般。药材主要来源于野生，外销内用。

| 采收加工 | 秋、冬季采挖，洗净，切片，晒干。

| 功能主治 | 辛，温。祛风活血，化痰止咳。用于风湿痹痛，跌打损伤，腰痛，慢性咳喘。

| 用法用量 | 内服煎汤，15 ~ 30g；或研末；或浸酒。

清风藤科 Sabiaceae 清风藤属 *Sabia*

多花清风藤 *Sabia schumanniana* Diels subsp. *pluriflora* (Rehd. et Wils.) Y. F. Wu

多花清风藤

| 药 材 名 |

多花清风藤（药用部位：根）。

| 形态特征 |

落叶攀缘木质藤本，长 2 ~ 3m。当年生枝黄绿色，有纵条纹，二年生枝褐色，无毛。芽鳞卵形，无毛，边缘有缘毛。叶纸质，狭椭圆形或线状披针形，长 3 ~ 8cm，宽 0.8 ~ 1.5（~ 2）cm，先端急尖或渐尖，基部圆或阔楔形，两面均无毛，叶面深绿色，叶背淡绿色；侧脉每边 3 ~ 5，向上弯拱在近叶缘处分叉网结，网脉稀疏，在叶面不明显；叶柄长 2 ~ 10cm。聚伞花序有花 6 ~ 20，长 4 ~ 5cm；总花梗长 2 ~ 3cm，小花梗长 8 ~ 15cm；花淡绿色；萼片 5，三角状卵形，长约 0.5cm；花瓣 5，长圆形或阔倒卵形，长 4 ~ 5cm，有 7 ~ 9 脉纹；雄蕊 5，长 3 ~ 5cm，花丝扁平，花药卵形，内向开裂；花盘肿胀，圆柱状，边缘波状；子房无毛，花柱长约 4cm；萼片、花瓣、花丝及花盘中部均有红色腺点。分果爿倒卵形或近圆形，长约 6cm，宽约 7cm，无毛；核的中肋呈狭翅状，中肋两边各有 2 行蜂窝状凹穴，两侧面有块状凹穴，腹部平。花期 3 ~ 4 月，果期 6 ~ 8 月。

｜**生境分布**｜ 生于海拔 600 ~ 1300m 的林中。分布于重庆城口、巫山、奉节等地。

｜**资源情况**｜ 野生资源稀少。药材主要来源于野生。

｜**采收加工**｜ 秋、冬季采挖，洗净，切片，晒干。

｜**功能主治**｜ 辛，温。祛风活血，化痰止咳。用于风湿痹痛，跌打损伤，腰痛，慢性咳喘。

｜**用法用量**｜ 内服煎汤，15 ~ 30g；或研末；或浸酒。

清风藤科 Sabiaceae 清风藤属 *Sabia*

尖叶清风藤 *Sabia swinhoei* Hemsl. ex Forb. et Hemsl.

| 药 材 名 | 尖叶清风藤（药用部位：茎藤、叶）。

| 形态特征 | 常绿攀缘木质藤本。小枝纤细，被长而垂直的柔毛。叶纸质，椭圆形、卵状椭圆形、卵形或宽卵形，长 5 ~ 12cm，宽 2 ~ 5cm，先端渐尖或尾状尖，基部楔形或圆，叶面除嫩时中脉被毛外余无毛，叶背被短柔毛或仅在脉上被柔毛；侧脉每边 4 ~ 6，网脉稀疏；叶柄长 3 ~ 5mm，被柔毛。聚伞花序有花 2 ~ 7，被疏长柔毛，长 1.5 ~ 2.5cm；总花梗长 0.7 ~ 1.5cm，花梗长 2 ~ 4mm；萼片 5，卵形，长 1 ~ 1.5mm，外面有不明显的红色腺点，有缘毛；花瓣 5，浅绿色，卵状披针形或披针形，长 3.5 ~ 4.5mm；雄蕊 5，花丝稍扁，花药内向开裂；花盘浅杯状；子房无毛。分果爿深蓝色，近圆形或倒卵形，基部偏斜，长 8 ~ 9mm，宽 6 ~ 7mm；核的中肋不明显，两侧面有

尖叶清风藤

不规则的条块状凹穴，腹部凸出。花期 3 ~ 4 月，果期 7 ~ 9 月。

| 生境分布 | 生于海拔 400 ~ 2300m 的山谷林间。分布于重庆大足、丰都、合川、江津、长寿、永川、涪陵、酉阳、璧山、九龙坡、铜梁、北碚、垫江等地。

| 资源情况 | 野生资源丰富。药材主要来源于野生，外销内用。

| 采收加工 | 夏、秋季采收，切段，晒干

| 功能主治 | 活血解毒，祛风利湿。用于风湿痹痛，鹤膝风，水肿，脚气，跌打肿痛，骨折，骨髓炎。

| 用法用量 | 内服煎汤，适量。外用适量，鲜品捣敷；或煎汤熏洗。

清风藤科 Sabiaceae 清风藤属 *Sabia*

阔叶清风藤 *Sabia yunnanensis* Franch. subsp. *latifolia* (Rehd. et Wils.) Y. F. Wu

| 药 材 名 | 阔叶清风藤（药用部位：根、茎叶）。

| 形态特征 | 落叶攀缘木质藤本，长 3 ~ 4m。嫩枝淡绿色，被短柔毛或微柔毛，老枝褐色或黑褐色，无毛，有条纹。芽鳞卵形或阔卵形，中肋隆起，嫩时被微柔毛，边缘有缘毛。叶膜质或近纸质，椭圆状长圆形、椭圆状倒卵形或倒卵状圆形，长 5 ~ 14cm，宽 2 ~ 7cm，先端急尖、渐尖至短尾状渐尖，基部圆钝至阔楔形，两面均被短柔毛，或叶背仅脉上被毛；侧脉每边 3 ~ 6，纤细，向上弯拱网结；叶柄长 3 ~ 10mm，被柔毛。聚伞花序有花 2 ~ 4，总花梗长 1.5 ~ 3cm，花梗长 3 ~ 5mm；花绿色或黄绿色；萼片 5，阔卵形或近圆形，长 0.8 ~ 1.2mm，有紫红色斑点，无毛；花瓣 5，阔倒卵形或倒卵状长圆形，长 4 ~ 6mm，宽 3 ~ 4mm，有 7 ~ 9 脉纹，花瓣通常有缘

阔叶清风藤

毛，基部无紫红色斑点；雄蕊 5，花丝线形，长 3 ~ 4mm，花药卵形，外向或内向；花盘中部无凸起的褐色腺点；子房被柔毛或微柔毛。分果爿近肾形，横径 6 ~ 8mm；核有中肋，中肋两边各有 1 ~ 2 行蜂窝状凹穴，两侧面有浅块状凹穴，腹部平。花期 4 ~ 5 月，果期 5 月。

| 生境分布 | 生于海拔 1200 ~ 2500m 的山地杂木林中或灌丛中。分布于重庆巫溪、巫山、南川、黔江等地。

| 资源情况 | 野生资源较少。药材主要来源于野生，外销内用。

| 采收加工 | 夏、秋季采收茎叶，秋、冬季采挖根，洗净，切片，鲜用或晒干。

| 功能主治 | 祛风镇痛，除湿解毒。用于风湿腰痛，肢体瘫痪，胃痛，皮肤疮毒，毒蛇咬伤。

| 用法用量 | 内服煎汤，9 ~ 15g。外用适量，煎汤洗。